国家出版基金项目
NATIONAL PUBLICATION FOUNDATION

李达全集

汪信砚 主编

第九卷

人民出版社

国家社会科学基金重大招标项目
"李达全集整理与研究"（批准号：10ZD&062）最终成果

国家出版基金项目
"《李达全集》（1−20卷）的整理、编纂与出版"最终成果

目　　录

理论与实践的社会科学根本问题（1930.10）

政治经济学教程（1932.6—1933.2）

第二篇　剩余价值的生产

第三篇　工　资

第五篇　利润及生产价格论

第六篇　商业资本及商业利润

第七篇　放款资本与信用　信用货币与纸币

第八篇　地　租

理论与实践的社会科学根本问题[*]

（1930. 10）

　　[*]《理论与实践的社会科学根本问题》系苏联卢波尔所著,原书名为《列宁与哲学——哲学与革命的关系问题》,李达以其德译本为底本并对照日译本译成中文,于 1930 年 10 月 20 日由上海心弦书社出版,至 1938 年 4 月共印行 3 版,各版内容相同。——编者注

译者例言

在社会矛盾日益暴露,因而各阶级间意特沃罗基斗争趋于尖锐化的今日,普罗列达里亚底理论与实践底方法论——唯物论的辩证法,已成为一切领域中必胜的武器了。著者底序文中说:"唯物论的辩证法,在著者说来,是以行动为基础的知识底方法论,同时又是以知识为基础的行动底方法论。"这个规定,是本书底全骨干。本书就是把这个规定拿来和伊里奇底一切遗著底研究与分析关联起来,由哲学底根本问题出发,经由社会的方法论问题、国家问题,而到达于文化问题,因此替读者描写出马克思主义者伊里奇底正统性,叙述出伊里奇对于哲学的关系和他对于哲学上根本问题的解决。这书实是马克思主义底研究者与实践者底一本必读之书。

译本是以 I.Luppol: *Lenin und die Philosophie——Zur Frage des Verhältnisses der Philosophie Zur Revolution* 为底本,对照广岛定吉底日译本翻译而成的。原名为"伊里奇与哲学",附名为"哲学与革命底关系底问题"。我以为本书底骨子是理论与实践底统一,而内容所处理的都是社会科学上底根本问题,所以使用了"理论与实践的社会科学根本问题"的名称。不知读者以为妥当否?

书中( )内底文字,是原文所固有的;〔 〕内底文字,是译者加进去的;~~~~①是依照原文附上去的。后面所附的注解②,是对照原书后面的两个附录,把人名及哲学成语底注解并参考他书译录出来,而依照先后的顺序加

---

① 即下画波浪线,现均已转换为着重号。——编者注
② 即原书的尾注,现均已转换为脚注。——编者注

3

以编列,借作读者底参考。

　　译文中当然免不了有错误的或不妥当的处所,希望读者加以指正。

1930 年 8 月 1 日于上海

原　　序

西欧底人们，都看惯伊里奇底名字与革命的劳动者运动底很多的要素结合着。例如就理论的方面一看，是与帝国主义底理论、与普罗列达里亚狄克推多底理论结合着，但不曾更与别种东西相结合。所以如果把伊里奇底名字与哲学联结起来，这不但是没有看惯的事情，恐怕在布尔乔亚中间，在普罗列达里亚中间，也都要同样地发生惊异。这是有种种原因的。有些人们把哲学与那观念论的倾向视为同一，并且高傲地排斥唯物论自称为真实哲学的权利。至于别的人们，也不少机械地为流行的同样的传统所影响，而一般地不承认革命的劳动者运动与哲学底关联。无论在哪一个方面，都只是对于哲学的普遍的偏见。

曾经马克思非常重视的、注意的、一八六〇年代底俄国社会主义者捷尔尼择夫斯基［N.Tschernyschewski］①，对于这样的偏见，有时写下了下述富于机智的文章："哲学上底事情，我一点也不知道。但这位著者，我却能够理解，所以他所写的东西，不是哲学。"若从这样偏颇的见地说，伊里奇当然不是哲学家；因为他所写的东西是容易了解的；他虽不曾把理论的问题单纯化，俗恶化，却是连劳动者也都能够理解。

然而必须考虑的事情，第一，哲学与观念论不是同一的东西，而有辩证法的唯物论一种哲学存在着；第二，哲学与生活及为其最高现象形态的革命，有着最紧密的关系。正因为这种理由，伊里奇可以被称为我们底时代、帝国主义

---

① 捷尔尼择夫斯基（1829—1889）——马克思说他是"俄国的伟大的学者兼评论家"。他毕生努力要从剥削和压迫之中把俄国的"贫苦民众"解放出来，要使"高尚的真理观念与艺术及科学"普及起来。至于他所倡导的社会主义，还未曾脱离空想的社会主义的境界，也未曾懂得马克思的学说。他所著的书，有许多处所，展开了与近代辩证法的唯物论很相接近的意见。

与普罗列达里亚革命底时代底真正哲学家。正因为这个缘故,伊里奇底哲学,我们不仅要在他所特别写出的哲学的著述中去探求,还要从他毕生所写好留下来的一切著作中去探求。

把我们底时代加上特征的东西是:一方面,辩证法的唯物论,表面上越发被"承认";他方面它越发常常被隐蔽,故意地或无意识地被曲解,被"修正",被"补充"。——在西欧,对于辩证法的唯物论所加上的公然的攻击,这里是不待言的。所以著者底意见,以为替读者描写哲学家伊里奇底姿态,即叙述关于他对于哲学的关系与他对于哲学上根本问题的解决,这件事,从一切方面看,都是适当而且有用的。不过,论及伊里奇之时,这种任务,就归着于提供关于哲学与革命底关系问题的材料的别种更加困难的任务。

著者对于辩证法的唯物论底朋友及信仰者,特别是对于要研究它的人们,曾努力表示思想家伊里奇、理论家伊里奇底思想底丰富与深刻。因为伊里奇与今日把马克思主义底哲学弄得单纯化俗恶化并且废弃它的人们,是没有什么共通点的。著者对于辩证法的唯物论底敌人及反对者想要表示的地方是:伊里奇在哲学方面决不是"可以忽视的大小"[Quantité négligeable],他提出了决不是用尊大的轻蔑所能抛弃的一列的问题,并且加以解决了。

许多的人们,在一本要求应当成为哲学的著作的著作之中,看到论述国家与文化底问题一层,会觉得奇怪吧。但本书所以采入这些问题,是由于著者说明马克思主义底哲学的方法而来的。著者底意见,以为那种说明,完全是在马克思主义底创始者及伊里奇底精神上实行着。唯物论的辩证法,在著者说来,是以行动为基础的知识底方法论,同时又是以知识为基础的行动底方法论。由马克思、恩格斯研究所发表了的恩格斯底《自然辩证法》,及由伊里奇研究所发表了的伊里奇底觉书《关于辩证法问题》①,都证实了关于马克思主义底这种方法论的方面叙述底正当。

著者所主张的关于辩证法底意义及其任务的如上的规定,据著者底意见说来,是构成伊里奇底一切著作及其全部行动底基础,并且是在他一方面被发展了的东西。所以著者决定要把关于辩证法底上述的规定,拿来和伊里奇底

① 即列宁的《谈谈辩证法问题》,下同。——编者注

6

遗著底研究与分析联系起来。不单把唯物论的辩证法当作知识底方法论处理,并且把它当作行动底方法论处理,这件事,不可避免地要面着国家底问题。在资本主义的诸条件之下的普罗列达里亚底行动,首先是面着国家底问题的。文化革命底问题,也同是知识与行动底问题。文化革命,在我们底时代,构成历史的、文化哲学的任务底最后的东西。文化革命,必须以物质的基础为根据而引导到同时是共产主义底实现的那种哲学底实现。

1928 年 8 月 12 日于莫斯科

第一章　序　论

　　进到马克思主义理论底道路，我们就不断地渐渐走近于客观的真理（虽然无论何时没有完全究明它）。但若进到别的任何道路，我们就除了混乱与虚伪以外，不能达到什么东西。①

一、理论与实践之统一

哲学与普罗列达里亚底关系

　　少年时代的马克思说："正如哲学在普罗列达里亚之中发见那物质的武器一样，普罗列达里亚也在哲学之中发见那精神的武器"［见马克思著《黑智儿法律哲学批判》］。这句话，不但有着论理的意义，也还有着历史的意义。要理解这句话，就有回想到前世纪40年代的德意志的精神之必要。当时，还是青年黑智儿学徒②的马克思和恩格斯底哲学，已经越发显现那革命的康民尼斯谟的倾向了。但在今日，因为哲学上的诸倾向和诸潮流是极其复杂的，若果不更严密地规定哲学底概念，或注意那时特定的哲学倾向，这个论纲，确实太过于是一般的。即是说，为精神的活动形式的哲学和为普罗列达里亚运动的康民尼斯谟，好像相互间没有什么关系似的。一切"哲学者"决不是社会主义者，康民尼斯特，同样，一切社会主义者康民尼斯特，不一定就是哲学者，或

---

　　①　伊里奇:《唯物论与经验批判论》，德国版，第132页。
　　②　青年黑智儿学派——是黑智儿死后(1831年)不久，他的学派解体了的时代的德国哲学的一种倾向。老年黑智儿学派，代表了黑智儿哲学中反动的要素;青年黑智儿学派，发展了黑智儿学说中革命的要素。不过黑智儿学派，也不是统一的集团。因为属于这个学派的人，有主观的"批判的批判"的鲍尔［Bauer］兄弟、无政府主义与哲学的虚无主义者之斯梯纳［Max Stirner］（《唯一者与其财产》），唯物论者费尔巴哈以及最后的马克思与恩格斯。详见恩格斯:《费尔巴哈论》。

者简直是不能受哲学底教育。

　　然而我们一旦在形式上装入一定具体的内容，拿马克思主义哲学，辩证法的唯物论，去代替哲学"一般"、哲学之抽象的一般的概念时，问题的建立方法就变换了。在实践上是社会主义者是康民尼斯特的人，若果他是始终一贯而要站在科学的社会主义、科学的康民尼斯谟的立场时，那就在理论上只能成为辩证法的唯物论者即马克思主义者。

　　这种事实，在一个人有着理论的欲求，处在能够满足那种欲求的地位，而又是具有哲学的素养的社会主义者康民尼斯特时，更为明白，宁可说是从心坎里感到应该那样做的义务的。像那样的康民尼斯特，他如果在他底世界观上要采取鲜明的立场，那就只能成为辩证法的唯物论者；反之，辩证法的唯物论者，如果要彻底地发展他底世界观，那就不能不向着科学的社会主义走。实际上虽然往往也有表现这个论纲底例外的事情，但这也只是证明另一个命题，即人们在他底世界观上并未曾始终一贯。科学的康民尼斯谟和辩证法的唯物论有不可分离的关系，而这种关系，就可以用马克思主义一语来表现它。因此本书首先要力说的事情，就是伊里奇底见解底严峻的始终一贯性、正统性和组织性。辩证法的唯物论和科学的康民尼斯谟，在伊里奇底理论和实践上，它变成了和它底本质一样的东西。即是说，两者不是站在两个独立的没有关系的领域，而是显现为不能分离的具体的统一。

科学的康民尼斯谟与辩证法的唯物论之辩证法的统一

　　伊里奇并没有写过哲学上的多数论文、学术论文和专门著述。因为他不是永久地专门埋头于书籍当中而在那当中发现自己的小天地的书斋学者。但他不仅是实行家，并且是理论家，所以他在这一点解决了理论和实践底统一底问题，却又未曾因此而变成只为理论而理论的理论家。在伊里奇一方面，也和马克思的情形一样，实践在理论上被把握，而理论却为实践而造出。所以理论并未曾离开革命者底日常使用底范围，也未曾被当作无用的长物而抛弃，却是被适用于日常的革命的活动，也往往成为革命的活动底圭臬。

实行家兼理论家之伊里奇

　　单只自然发生的实践，单只自然生长性——纵令它怎样是革命的——，就是在那种被心坎里发出的热情和真的感激所驱迫的情形，对于完成普罗列达里亚底历史的使命一层，还是不充分的。自然发生的革命之焰，纵然在好像现实是革命的昂扬之丰饶的培养地的时候，也是急速地消失的东西。

理论与革命的热情之关系

为要使这种革命的昂扬之火不致消失,而从一个个瞬间底火花,真实地发生一个火焰来,当然就必要在火床之外,给那火以某种程度的持久性的力。它自身从这个火床发出来的这种力,必得把一切火花和炎炎的革命之流汇合起来。

对于自然发生的昂扬给以方向与持久性的这种力,就是理论。的确,这种理论,不能是抽象的或思辨的。不然,它就会变为它底反对物,变为空虚无用而在事后追求的哲学议论。于是只有在特定具体的状态之下的理论,才得成为问题。例如一方面有前世纪 90 年代的俄罗斯,他方面有自称社会主义者的智识阶级层,在那种情形,后者如果要配得上自己所加的名称,他们就必得抛弃那种和美的灵魂的告白在同一程度上是主观的他们底幻觉。他们"不要在俄罗斯有望的发达之中去求支持点,而要在那现实的发达之中去求它;不要在有可能的社会经济的诸关系中去求支持点,而要在那现实的诸关系中去求它"。

> 在这种情形,他们理论的活动,必须从事于俄罗斯经济底矛盾底一切形态之具体的研究,从事于这些形态的相互联络及其发展底经过底研究。它必须在这种矛盾被政治史,被法律秩序的特殊性,被固定的理论的偏见所隐蔽的一切处所,去暴露这种矛盾。它必须把关于我国的现实的完全形象当作生产诸关系底特定体系举示出来,证明在这种体系下面的勤劳者底剥削底必然性,并指出被经济底发展所打开的由这个制度的出路。①

理论的活动底那种具体的立场,只有经由于马克思主义。伊里奇没有加上特别详细的规定而说起理论时,常是指着这样的理论说的。对于一个个革命的昂扬而给以持久性、方向和关联的东西,就是这种理论。

由以上已经说过的处所看来,马克思主义理论,并不是嵌上玻璃而装饰在

① 《"人民之友"是什么? 及他们怎样和社会民主主义者作战?》,《伊里奇全集》第一卷,俄国版,第 27 页。

智识分子
的社会主
义者之理
论的活动

理论的活
动之具体
的立场

书架上面的宝物,这是明明白白的事情。当伊里奇曾经力说到理论的研究底"必要和重要性及其良好的影响范围"之时,他决不是因此要说"这理论的研究应当先于实践的活动"的,当然更不会说"实践的活动应当延长到理论的研究终了之时"一类的话了。他这样写着:"理论的研究,只对于实践的活动所提起的问题给以解答。"马克思主义者,在资本主义诸国,往往是被逼迫得只限于做理论的研究的,但是机会一经到来,他必得即时转到实践的活动。理论的研究与实践的活动并行

因此,必要的事情,不单是自然发生的"实践",又是"在意识上"并且在理论上被锻炼成功的实践。不单是理论,又是移转到实践的理论。不是把实践放在前面,——在这种情形,理论放在后面,是在一种后庭的处所为那种被选拔了的人所研究的——,也不是把理论放在前面——,在这种情形,实践几乎被看作是可有可无的附属物——,经常不间断地必要的事情,是理论与实践底统一。

对于这理论与实践底统一,在后面讨论伊里奇底社会的方法论之时,还要说到。这里只就伊里奇从1894年的最初著作起到1922年的最后著作之一为止,几乎是年年实行下去的关于马克思主义者底理论的活动底宣传,再极力地力说一番。

"没有革命的理论,不能有什么革命的运动",这是伊里奇在1902年写下来的话。依伊里奇底意见,在当时俄国底马克思主义者说来,当作特殊事情底结果看的理论的活动,还是必要的。第一,社会民主党,还是刚刚成立。"它还没有清理超出革命运动的正路的革命的意特沃罗基底其他倾向。"第二,当时俄国底马克思主义者们,为要知道社会民主主义运动之国际的性质,必须学得其他资本主义诸国底经验。因为在那时的德国,修正主义的潮流已经明显,俄国底马克思主义者们,"对于这些经验,不能不采取批判的态度,不能不独立地检讨它"。第三,绝对主义的俄皇主义在广漠的农民国家中的切迫的活动范围,已是必然地产生了对于固结了的坚强的革命理论之特别的要求。①没有革命的理论不能有革命的行动

---

① 《应该做什么?我们底运动底诸紧要问题》,《伊里奇全集》第五卷,俄国版,第136页。

对于理论的关系的问题,在 1902 年当时,就是像上面所说那样的。这个问题,在 1907 年当时反动波涛底开始,以及在那以后继续着的意特沃罗基的混乱的数年间,就是当着理论的防波堤感到迫切必要的时候,也同样是紧急的问题;就是在革命的昂扬底数年间,在获得政权的一瞬间,以及在获得了政权以后,也是一样的。

在这些时期中底每个时期中,那不外就是马克思主义理论底革命的理论之必要,究竟怎样,关于这点,那些为革命的实践而主张的东西,当然因情形而有不同,这是依存于当时的"政治的情势"及其特性,而原则的论纲却常是同一的。即,"前卫底任务,只有受最进步的理论所指导的党,才能完成"。

我们可以说:只有扩大伊里奇这种思想而巧于应用革命的理论的人,才能在党底当中完成前卫底任务。伊里奇是党底前卫,是巧于应用理论底武器的战士。

马克思主义的方法,唯物论的辩证法,在伊里奇是当作"导线"[Ariadnefaden]使用了。他精通于辩证法。他完全驱使着辩证的方法。他理解着辩证的方法底必要,每逢现实给他以困难问题时,他就应用它。

人如果相信辩证法是能够"学习"的,相信辩证法的论理对于学习了它的人,就变为"胡麻啊,开!"[Sesam,öffne dich! ——是一种咒文,见《天方夜谭》],变为魔术杖,或者变为对于生活上一切偶然事故,只要开出适当的条项就可以找出适合的方法来应用的那样的目录,照这样,当然是错了。反之,辩证法在着手解答问题以前,却是要求对于一切被给予了的关系作全面的研究的。单只"学习"辩证的方法,还不充分。人们学习它,必须要达到可以自由使用它的地步。而伊里奇是晓得自由使用它,巧妙地在实践上应用它。

我们一再反覆地说,伊里奇决没有逃避纯理论,他常是临机应变地规定那理论的论纲。即是依照眼前发生的,对于党几乎常是必要的事情,总是使它和某种问题关联起来而加以规定。而这些问题,如不凭借理论底资助是不能解决的;那种解答,如不依据理论的基础,是不能明了地说明的。

举个例来说。伊里奇在什么时候、什么机会引用了下述辩证法的二三原理之简单正确的规定呢?

辩证法的论理,要求我们更向前进。要真实地认识对象,就必须把捉并探究它底一切方面,一切联络和媒介。虽然我们决不会完全做成功这件事,但全面性的要求,却防止我们陷入谬误和硬化。这是第一点。第二,辩证法的论理,要求我们在其发展上,在其"自己运动"(像黑智儿常常说的一样)上,在其变动上,去把捉对象。……第三,人类底实践全部,当作真理底标准,以及为着在实践上规定对象和人类作为必要的东西之间的联络起见,也必须采入于对象底完全的"界说"当中。第四,辩证法的论理,教训人们,抽象的真理是不存在的,如已故普列哈诺夫①和黑智儿所常说的那样,真理常是具体的。

这段引用文,并不是从《黑智儿底哲学底记述》或一种哲学的著作那样书籍中摘录下来的,乃是从伊里奇在 1921 年讨论关于劳动组合底任务时写下的极论战的小册子《再论劳动组合》中摘录下来的。那时候,伊里奇从当时具体的诸条件出发,把那些条件对照着上面辩证法底诸原理之光观察以后,他达到了下述的结论。

劳动组合,并不是"一方面是学校,——他方面是别的某种东西。"——在这个论争上,就托洛兹基所提出的问题底情形说来,劳动组合在一切关系上是一个学校,这是组织底学校,是共存底学校,是认识自己的利害的一个学校,是经营底学校,是管理底学校。

像那样的当面的问题底解决,是辩证法底原理之一(虽然伊里奇在这里没有举出它),即所谓"可能性到必然性的转化"底原理底光辉的例示。

抽象地考察起来,劳动组合,当作"学校",当作"装置",当作"勤劳者底组织",当作"产业别的组织",等等,都是可能的。但在特定的状况之下,除掉唯一的东西,一切的可能性都要消失。因此,剩下来的一个可能性就变为必然性。

可能性到必然性的转化

这个"可能性到必然性的转化",在辩证法上也不劣于所谓"量到质的变

① 本书中亦译为"蒲列哈诺夫"。——编者注

化",而是本质的东西,伊里奇和其他俄国底社会民主主义者们,当时就在俄国的资本主义底发展中,认出了这个原理。纳洛特尼基［Narodniki］①底抽象的形而上学的问题底提起,至多只给了如下的回答。即,俄国资本主义底出现虽是可能的,但它底不出现也是可能的。伊里奇和马克思主义者们之具体的辩证法的问题之提起,却已经把这个问题解决了。即,只要那种征候存在,一切可能性都要消失,而俄国必然地会踏上资本主义底道路。问题底这样的解答,就立即使得伊里奇和马克思主义者们面着了新的任务。……

二、获得辩证法的唯物论底斗争

　　伊里奇把马克思主义哲学看作是普罗列达里亚底真正的精神的武器,所以他把这种武器看得非常尊重。伊里奇理解了:如果想放弃这种武器,那就等于被夺去了战斗力。在另一方面,他恐怕比任何人都注意不使这种武器沾上一点锈斑的。当布尔乔亚阵营中发出批判底呼声时,他简直是不在意的。因为这当然是应有的事情。正如他没有把"俄罗斯国民同盟"底论敌当作对手而和他们去讨论政治问题一样,他也不把神学或极端观念论底阵营底论敌当作对手而和他们去讨论哲学上底论争问题。像那样的论争,当然从最初起对于两方面同是完全无益的、无用的。但是他看到辩证法的唯物论、马克思主义

陷入危险时,他觉得这种危险似乎出于自己底社会民主主义的马克思主义者底阵营时,他就不能安闲地旁观了。像那样的马克思主义底批判,无论在那时的马克思主义的基础是被放弃着,或者它是有意识地或无意识地被曲解着,都是很危险的东西。在那种时候,天性本来是斗争家的伊里奇,就出现为辩证法的唯物论,为马克思主义而斗争的战士,登上舞台了。这种情形,在俄罗斯社会民主党内部因讨论战术问题而意见相左时,常常是如此的;又如在国际的规模上,他看出了机会主义者们怎样放弃并曲解马克思主义的情形以后,而于1917 年着手恢复并发展马克思主义国家理论时,也是如此的。所以伊里奇在这时的十年以前,就反对马克思主义中哲学的偏向,为拥护辩证法的唯物论底

---

　　①　纳洛特尼基——俄国底人民派。

纯粹性而登场。

伊里奇对于辩证法的唯物论之发展,是诚心赞成而欢迎的,但对于一切背叛它的事情,他就好像是病态似地敏锐地加以反对了。伊里奇自己,在论战底进行中,指摘那还未经充分解明的马克思主义底方面,更加使它发展起来。但是向着观念论与信仰主义[Fideismus]①的退却或让步,就必接受他那种激烈的挖苦的具有一种特殊论据的抨击。伊里奇对于那种哲学的修正主义者,是无暇选择委婉的语句的,所以因此引起了观念论倾向的"上品的"哲学杂志底批判家底极端的不满意,这是当然的事情。

他底哲学的主要著作《唯物论与经验批判论》底历史,表示着他首先是辩证法的唯物论底战士,并且是用马克思主义充分地巩固了自身而又强毅有力的战士,又是为了在根本上准备这个斗争而不辞数月研究之劳的战士。

伊里奇关于理论斗争的准备

不过仅仅几个月工夫就要能够准备对于俄国马哈主义者[Machisten]的批判,只有在他早已积蓄了哲学的素养时,才有可能。伊里奇是怎样地开始他底哲学的研究的呢?关于这一层,我们无奈没有充分的报告书,也没有记载他所读的书籍底记录。但是我们依据克鲁卜斯卡亚[N.K.Krupskaja]夫人和连格尼克[Lengnik]同志的回忆录看来,就知道伊里奇在被放逐于西伯利亚的时期中已经读到黑智儿②、康德③和法兰西唯物论者的书籍。的确,他在当时已经知道了蒲列哈诺夫④底哲学上底著作,这正是像我们在后面所知道的事情。

―――――

① 信仰主义——哲学派或学者用某种方法多少采取宗教观的人们的见解。19 世纪及 20 世纪的有神论,可称为信仰主义。

② 黑智儿[Hegel,1770—1831]——德国最优异的观念论哲学家。他底最大功绩是展开了辩证法。但他底辩证法是观念论的辩证法。

③ 康德[Kant,1724—1804]——德国观念论底最初的古典哲学家。他底哲学是先验的观念论。他假定直观(空间与时间)及理性(统一、存在、因果律及其他)的纯粹形式为先于一切经验的先验的东西,这种先验的形式,首先使经验有可能。对于经验只给以现象,而物本体是不能认识的。

④ 蒲列哈诺夫[Plechanow,1856—1918]——俄国的马克思主义的建设者。他在 1893 年,创立了俄国社会民主党底最初的组织"劳动解放团"。他曾做过伊里奇所创刊的社会民主党新闻《火花》的编辑。自从俄国社会民主劳动党第二次大会分裂以后,他暂时蹰局过,后来加入了门什维克。他在大战期中,采取了社会爱国主义的立场,在十月革命之时,对于伊里奇及布尔什维克,极力反对。他是第二国际最模范的最有势力的指导者之一。他底哲学上的论文,严守着正统马克思主义,伊里奇很称道它。

他在1908年2月25日写给高尔基[N.Gorki]①的书信上这样说着,自己"关于哲学上的问题底党内的论争,常常深刻注意地研究"过——"从80年代之末到1905年底时期中实行着的蒲列哈诺夫对于米海洛夫斯基[Michailowski]②及其一派的论争为始",至1898年蒲列哈诺夫对于康德学派的论争为止。③伊里奇正确地根据蒲列哈诺夫底论战的著述,锻炼了他底哲学上底确信。他所以把蒲列哈诺夫这些著述放在马克思和恩格斯以后的时代底哲学全文献上面,也并不是没有理由的。"不研究蒲列哈诺夫关于哲学所写的一切东西——不完全研究,就不能成为具有明确信念的真的康民尼斯特。因为它们是马克思主义全国际文献中最良好的东西。"④

在上面从伊里奇写给高尔基的书信中摘录下来的引用文之中,他自己是非常谦逊的。他一面举出90年代蒲列哈诺夫对于纳洛特尼基的论战,一面却把自己的论文《人民之友是什么》的话保留着。这部著作,主要是站在本来意义的史的唯物论底立场上写出来的,但如我们在后面所知道的一样,它含有原则上的方法论的意义的无数论纲,这就是表示着1894年当时的伊里奇已经是超过了平均水准的马克思主义哲学者了。

《伊里奇全集》第四卷上所发表的伊里奇写给波特列佐夫[Potressow]⑤的书信,证实着同志克鲁卜斯卡亚和连格尼克在那回忆录上所述的事实。直到今日,伊里奇在被放逐于西伯利亚时期中热心研究哲学的事实,已经明白了。

---

① 高尔基(生于1868年)——是俄国最著名的小说家、近代俄国文学最优秀的代表者之一人。他曾积极参加过政治生活,与劳动运动及社会主义不断地接触着。他是布尔什维克底一分子,从种种方面支持该党,与伊里奇很相亲近。伊里奇很尊重他底对于劳动阶级之文学的活动的意义。1908—1910年,他接近于布尔什维克之中的极左派。大战中,他还是国际主义者。但后来他却曾动摇于布尔什维克与门什维克之间,对于十月革命颇表不满,但没有明白反对革命与普罗列达里亚。他对于苏维埃权力还是热心拥护的,现在被苏俄尊崇为革命的大文学家。

② 米海洛夫斯基(1842—1904年)——人民派底著名的理论家,在80—90年代,对于俄国知识阶级很有影响的。社会革命党员把他看作是该党底创立者之一人。他从90年代起到死时为止,对于马克思主义,实行了剧烈的论战。

③ 参见"Lenmskij Sbonk"《伊里奇全集》第一卷,1924年俄国版,第90页。伊里奇《写给高尔基的书信》,在德文中,是由文学政治出版所,维也纳—柏林发行的。

④ 《再论劳动组合》,《伊里奇全集》第十八卷第一册,俄国版,第60页。

⑤ 波特列佐夫(1896)——他先为社会民主主义者,曾与伊里奇同做《火花》的编辑。后来他加入了门什维克。现在亡命于国外。

他于 1898 年 9 月 21 日写给波特列佐夫的书信中，对于发表在 *Russkoje Bogatstwo*（《俄罗斯的财富》）①上面的西特洛夫斯基［N.G.Shitlowsky］的论文《唯物论与辩证法的论理学》，促波特列佐夫注意。

这个论文很有趣，——伊里奇说——但是在消极的意义上。我不得不表白这个著者在提出了的问题上是没有讨论的资格的。因为《唯物论史》底著者［蒲列哈诺夫］不在俄罗斯底杂志上发表自己的意见，对于新康德主义②也不断然采取反对的态度，他自己［蒲列哈诺夫］不出面，却要斯特鲁勃［Strave］③和布尔加可夫［Bulgakow］④两人出来，以为这两人已经成为俄罗斯底学徒［马克思主义者］底世界观底要素，使他们对于这新康德学派底哲学的部分的问题论战，这在我是觉得很奇怪的。⑤

伊里奇对于新康德主义的愤慨

在同一处所，伊里奇还说，在《新时代》杂志上登载了的蒲列哈诺夫对于柏伦斯泰因［Bernstein］⑥和西密得［Conrad Schmidt］的论战，很引起他底兴趣。他还向波特列佐夫打听蒲列哈诺夫所作的《黑智儿六十周年纪念》的论

---

　　①　《俄罗斯底财富》——渥波林斯基所创刊的月刊，后来移到人民派手里，更变为反马克思主义的杂志。

　　②　新康德主义——19 世纪后半期发生于德国的哲学上底一种倾向。它主张研究哲学必须复归于康德底理性批判的见地，并抛弃康德哲学中的"物本体"的概念，把一切认识限制于经验底范围。

　　③　斯特鲁勃（1896—1890 年），当时的社会民主主义者，曾参加过俄国社会民主劳动党第一次宣言的起草。到了 20 世纪初头，他离开了马克思主义，加入自由主义底阵营。立宪民主党创立之时，他是该党中央委员之一。以后更趋反动，现时在亡命中。

　　④　布尔加可夫（1871 年生）——俄国底经济学者兼哲学者。最初是有条件的马克思主义者，后来变为"合法的马克思主义者"，最后又变成了神秘主义者。

　　⑤　《伊里奇全集》第四卷，1925 年俄国版，第 9 页。

　　⑥　柏伦斯泰因（1850 年生）——德国社会民主主义著述家。前世纪末叶，倡导对马克思主义底基础理论加以修正，以此知名。他底修正主义，从小布尔乔亚的折衷主义的立场，攻击马克思学说之辩证法的本质，排斥那革命的要素（崩坏说、贫困说、暴力革命、国家观，等等），与布尔乔亚底社会政策相结托，而对马克思主义加以"补足和修正"，显示了劳动贵族底意特沃罗基底特征。这修正主义，在大战以前，是德国社会民主党及第二国际中机会主义底代表理论；在大战以后，变成了全世界社会民主党及其指导者底福音。他以哲学的意见，反对辩证法的唯物论，并与孔拉特斯密特一同要求"回到康德去"。

文登载在德国社会民主党底理论机关报第几①期。

在 1899 年 4 月 27 日的书信中,伊里奇复说到马克思主义内部底当时新康德学派斯特鲁勃和布尔加可夫。他们两人对于马克思主义内部底"新的批判的潮流"的感激,伊里奇是很觉得怀疑的。伊里奇对于他们底著述底意见是这样的。"关于'独断'的'批判'等等的大言壮语——并且没有批判之积极的效果。"

事实上,从西欧输入少年的俄罗斯马克思主义之中的"批判的潮流",于当时的意特沃罗基上面是有危险的。这种危险,非常使伊里奇痛心。在 1899 年 6 月 27 日写给波特列佐夫的书信中,他又写着,他看了"俄罗斯学徒底威压的表示和他们底新康德主义",就越发愤慨起来。他从新再读蒲列哈诺夫底《唯物论史》,又读蒲列哈诺夫反对柏伦斯泰因和西密特的论文,又读那"为新康德学派所称赞的"西达姆拉[Stammler]所做的《法律与经济》。这最后的一种书[即《法律与经济》],完全使得他愤慨起来。他说,他在唯物论和新康德主义间底论争上,是站在蒲列哈诺夫一方面的。至对于西达姆拉,"却看不出一点有新意义和有内容的痕迹,——除了认识论的烦琐哲学以外,什么也没有"。

伊里奇读完了这些著述,一一加以研究之后,就得了一个结论,即是说,必要的工作,就是"率直地和新康德主义交战"。但他自己知道在当时还"没有哲学的素养",所以他在"没有充分研究它的时期之中",对于这个问题打算不写什么东西。

伊里奇研究哲学的路线

我现在正在着手这个。我想要从霍尔巴克[Holbach]②和赫尔勃秋斯[Helvetius]③开始,其次移到康德。我已经搜集了最优秀的古典哲学家底主要著作,但没有新康德学派的书籍(只定购了朗格[Lange]④底书籍)。你或你底同志有这一类书籍么,谁能把这些书籍借给我么,请你答复我。⑤

---

① 原文如此。——编者注
② 霍尔巴克(1723—1789)——18 世纪法国底唯物论者。
③ 赫尔勃秋斯(1715—1771)——18 世纪法国唯物论者,是把 18 世纪唯物论的世纪观归纳到一个完全系统的人。
④ 朗格(1828—1875)——德国哲学家。他写了很多哲学上、经济学上有价值的著作。尤其他所著的《唯物论史》,正确明快地叙述唯物论底发达,并且对于科学发达与哲学思想变迁底关系、经济的关系与思想的影响等,尤多所阐明。
⑤ 《伊里奇全集》第四卷,1925 年俄国版,第 9 页。

这样看来，伊里奇在研究哲学之时，已经走上了辩证法的唯物论底历史的大路。他从第18世纪底法兰西唯物者开始，从他们出发，转到具有消极方面（观念论）和积极方面（辩证法）的德意志古典的观念论。伊里奇在建立他研究哲学的这个计划时，已是在依从着蒲列哈诺夫底历史的哲学的主著底计划，即是追随着《关于一元史观底发展底问题》和《唯物论史》底后面，这是容易窥知的。（页边注①：伊里奇研究哲学的计划）

在这个时期（1897—1900年）之终，伊里奇已是具有素养的正统派的唯物论者了。他已经由哲学领域中的初学者而变为完全精通于哲学问题的一个思想家了。他已不是单纯的社会民主主义者，或史的唯物论者，而是一般的哲学问题上的唯物论者了。他已经很懂得科学的社会主义是不可以和辩证法的唯物论以外的任何哲学相结合的。斯特鲁勃和布尔加可夫在19世纪终期代表了少年的俄罗斯马克思主义的"批判的潮流"，已经被伊里奇所拒斥了。

论述了"自然史观"（1899年）的波格达诺夫［A.Bogdanow］②底著作，在伊里奇被放逐的期间，也同样引起了他底注意。这个著作，表示着著者受着能力主义者［Energetiker］渥斯特华尔得［W.Ostwald］③底影响。如伊里奇所正确地写着的一样，"波格达诺夫底这种立场，只是马克思主义以外的哲学观"，即是到经验批判论者马哈［Mach］④和亚勃纳流士［Avenarius］⑤底哲学观底"转向"。

如亚克瑟洛特［L.I.Axelrod］⑥所说，伊里奇在20世纪初期，早已把波格

---

① 此处应为页边注，但由于排版原因，调整至此位置。全书凡有此类情况不再一一说明。——编者注
② 波格达诺夫（1873—1928）——俄国底哲学者、社会学者、经济学者兼医师。在1904—1907年之间，是俄国社会民主党底布尔什维克底指导者之一。到1909年又与伊里奇分裂起来，后来又回到了布尔什维克。十月革命，他却未曾参加过。
③ 渥斯特华尔得（1853年生）——化学家，能力主义的哲学家。
④ 马哈（1833—1916）——德国底哲学家，他与亚勃纳流士创立了经验批判论。
⑤ 亚勃纳流士（1843—1896）——德国底哲学家，他与马哈创立了经验批判论。
⑥ 亚克瑟洛特（1868年生）——属于门什维克的俄国有名的社会民主主义女流著作家。20世纪初期以来，她主张正统马克思主义，反对哲学的修正主义，又批评新康德主义及经验批判论。大战之时，她曾做蒲列哈诺夫派祖国拥护论者，一时离开了马克思主义底立场。1917年之时，她还是门什维克的中央委员之一，但自1918年来，却离开门什维克，现在是马克思主义理论方面的著作家。

达诺夫底立场，叫作"布尔乔亚的'批判的'倾向底新变种"。他在当时早已知道了波格达诺夫底经验的一元论诸著作，他批评这个著者是抛弃着哲学的唯物论底立场，但同时又希望做个史的唯物论者，这种批评实是正当的意见。伊里奇自己完全忙碌于党底工作，他对蒲列哈诺夫和亚克瑟洛特提议，要他们起来反对马克思主义的"批判"。亚克瑟洛特后来在 1904 年把这事实行了。①

但是伊里奇并没有弃掉自己也要研究新"批判"的念头，这是明白的事情。不过当时的他，并未经容许他做这种工作。1904 年底开头，已成了第一次革命底前夜。伊里奇和波格达诺夫在当时都是布尔什维克，他们两人为完全实行革命上的布尔什维主义的战术起见，形成了"一个在暗默中把哲学当作中立地带而作为例外的同盟"。

1906 年夏天，伊里奇读到了波格达诺夫《经验一元论》底第三篇。他说："我读完了这书，不禁异常愤怒。我已经更加明白了，波格达诺夫已是走上了在根本上错误了的非马克思主义的道路。"②他以后就写成了他所说的"一通的恋爱表白，共有三个抄本的哲学书信"，送给波格达诺夫。这是伊里奇最初的哲学底登场，但这个初次上台，——如我们所不能不认定的一样，——实是论战的东西。只可惜这三个抄本，到现在还未经发表。

政治上的考虑，——即令是哲学上底问题，也不想显出布尔什维克之间的意见的差别的那种努力——，使得伊里奇暂时保留了公然反对俄国马哈主义的工作。但到 1908 年，伊里奇却感到不能不再开始他底企图了。成为那直接的最后的动机的东西，就是在某种方法上，和社会民主主义有了关系的，从哲学的修正主义者阵营中出来的书籍，简直像非常的洪水一样。③ 伊里奇对于这些书籍，不能不有所答复。

---

① 亚克瑟洛特（正统派）：《修正主义之新变种》，《哲学的评论》，彼得堡，1906 年俄国版，第 171 页。

② 《伊里奇全集》，俄国版，第 91 页。

③ 巴札洛夫［Basaow］、波格达诺夫、伯尔曼［Bermann］、友西克维兹［Juschkewitch］等人底《马克思主义哲学的文献》，圣彼得堡，1908 年。友西克维兹底《唯物论与批判的现实主义》，圣彼得堡，1908 年。伯尔曼底《由现代认识论的见地所见的辩证法》，莫斯科，1908 年，伐伦梯诺夫［Valentinow］底《马克思主义的哲学构成》，莫斯科，1908 年。

伊里奇在他准备着他底《唯物论》当时的个人的生活,是很有特色的。从那种工作看来,就知道他在那时是非常悬念着辩证法的唯物论底运命,很悲愤着那少数布尔什维主义者弃掉了这个原理的。但是,即令苏格腊底[Sokrates]是友人,而真理却比苏格腊底还重要。

伊里奇准备唯物论当时的私生活

在前面已引用过的写给高尔基的书信中,伊里奇说了下面一段话——

> 现在《马克思主义哲学底文献》已经出版了。除了苏渥洛夫[Souworow]底东西(现时正在读着它)以外,全部的论文通通读完了,但我每读一行,就不胜愤怒,不,这断不是马克思主义!我们底经验批判论者,经验一元论者,经验象征论者,都已坠入在泥沼当中了。有的说"相信"外界的现实性就是"神秘",来蛊惑读者(巴札洛夫);有的把不可知论底变种"经验批判论"或"观念论"(经验一元论)拿来说教,把"宗教的无神论"或"人类底最高能力的崇拜"教给劳动者(卢那却尔斯基);有的说恩格斯底辩证法论是神秘(伯尔曼);有的从某个法兰西底"实证论者"——不可知论者或形而上学者,这样东西只愿免了罢,——的发出恶臭的源泉中汲出"象征的认识论"来(友西克维兹)。呀!真正太多了。

对于马哈主义派的批判

这种真挚的感情之发露,在某种程度上,包含着在计划中的书籍全部底大纲。伊里奇对于"文献"的各个执笔者所加上的特征,被保存在《唯物论》底当中。

可注意的事情是,伊里奇不愿意把他对于俄国马哈主义者哲学的批判论文发表在当时所发行的 *Proletarij* 杂志上。反之,他透露了反对创设有哲学栏的党底杂志,他说假若那样做他和《文献》的执笔者之间必会引起哲学上的"斗争"。而伊里奇对于这个"斗争"是已经准备了的。

他在 1908 年写给高尔基的书信中说:

> 即令我为这哲学上的事情和 AL.AL.(Bogdanow)争论了,也还是一样的。我因为哲学上的热情,连新闻都懒看了。今天我读到一个经验批判论者底东西,简直是痛骂起来了。明天我读到另一个人的东西时,一定更

要痛骂的吧。①

在那种情形下,他把他在哲学底问题登台的事情看得非常重要,因此把党底新闻也"等闲看待"了。

另一方面,因为要这样地登台,那深刻的哲学的研究又是必要的。关于这个,首先要确定《文献》底执笔者们之哲学的谱系,并且为着这个目的,就有溯及纯粹感觉论②底古典家——巴克列[Berkeley]③和休谟[Hume]④——的必要。我们读到当时接近伊里奇的人们底回忆录,就知道伊里奇为了探寻他底论敌底见解底根源,为了把捉他们和哲学的观念论相通的处所,是曾经在图书馆耗费了几个月的光阴的。

伊里奇那样的研究情形,在写给高尔基的一封书信中,也是显现着。他为了要说明当着许多人要把马克思主义和经验批判论底哲学打成一片时他为什么必须要"乱敲警钟"的原因,曾经写了下面一段话。

　　做党人的人,当着确信某种学说很有错误而且有害时,是有应该反对它的义务的,这件事你应当理解,而且也会理解的。如果我不是确信他们底著作全部,从始到终,从枝叶到根干,到马哈和亚勃纳流士,都是无意义的、有害的、俗恶的、僧侣臭味的东西(我越是知道巴札洛夫和波格达诺夫一派人底知识底根源,越是一天天地加深我那种确信),我决不会乱敲起警钟来的。蒲列哈诺夫之反对他们,从大体上看来,完全是正当的。只是他不能做到不弄艰深的哲学议论去吓住公众而具体地、容易理解地、简单地述说出来,或者是不愿那样做,——或者以为那样做是无用的,但我无论有怎样的事情,总要依着自己底方法去论述它。⑤

---

① 《伊里奇全集》第一卷,俄国版,第97页。在四月中的一封信上,伊里奇这样自白着:"我从没有这样懒看自己底新闻的事情。我整天恨恨地读着马哈主义者底书籍,连新闻上底论文都不相信地急于来写了。"

② 感觉论——在感觉中探求认识底源泉的认识论上底一种学说。

③ 巴克列(1865—1753)——英国底主观的观念论哲学者。

④ 休谟(1771—1776)——英国观念论哲学家。

⑤ 《伊里奇全集》第一卷,俄国版,第98页。

伊里奇在以后不久出版的著作《唯物论与经验批判论》之中,把自己底意见说明了。所谓"自己底方法",即是在他底论战中所含有的热情和尖锐。伊里奇准备了他底书籍的热情,他把他底书籍加上色彩的热情,在俄国多数的社会民主主义者,是没有理解的。就是高尔基也不在这个例外。这书出版后不久,波格达诺夫就说过他读到它就诧异起来,因此,伊里奇在事后不能不说明他自己底论战的意义和使他那样做了的客观的原因。

伊里奇底论敌,未能理解,"哲学论争"和俄国革命运动底"马克思主义的潮流之间的生动的现实的联系",在伊里奇看来是 A、B、C 的真理[初步的真理]的事情,首先不能不向他们说明出来。于是伊里奇——如他嘲笑似地所说的那样——"极殷勤地"把许多的事实和理由指示给他们。如果"马克思主义的、历史的政治运动"——革命的劳动运动,用合法的言辞,就那样被称呼着——,不用生动的纽带和辩证法的唯物论结合着,它无论在马克思主义的意义上,或在历史的政治的意义上,都不是运动。哲学论争与俄国革命运动之现实的联系

还有,伊里奇还看出了马克思主义内部哲学的论争之更深刻的例如社会学的基础。

> 从丰富的多方面的马克思主义底思想内容看,在俄国也和其他各国一样,种种历史的时期,有时把马克思底一方面显现出来,有时把另一方面显现出来,这是决不足怪的事情。马克思主义底各方面及其出现的时期

例如德国,马克思主义之哲学的开发,是在 1848 年革命底前夜实行的。1848 年的自身,现出了马克思主义之政治的方面;其后 50 年代之历史的阶段,现出了马克思主义之经济的方面。至于俄国,却被看出了和这相反的过程。在 1905 年革命以前,适用马克思底经济学说于俄国社会的现实一件事,是成为重要的;在革命之中,当然是马克思主义的政治理论站在前面;在最后或革命以后,就轮到那哲学的方面站在前面了。

伊里奇对于这一层还附记着说——

> 这并不是说在某种时候可以忽视马克思主义底某种方面的意思。这只是说重视某种方面一件事,并不为主观的方面所左右,而是系于历史的

诸条件之总体的意思。①

政治上及社会上底反动期，其必然的结果，引起一部分革命者底脱走和他们"中途休息"，但这种时期，在客观上实是"革命理论被消化，而根本的理论上底问题和哲学上底问题对于一切重要方面都出现在第一线"的时期。

俄国革命运动底发展，因为它底历史的诸条件的结果，缺乏着像法国人和德国人所有的那样哲学的传统，——即如法国人底 18 世纪的唯物论，德国人底从康德经过黑智儿到费尔巴哈的古典哲学，至少在历史上是有着哲学底传统的。在俄国，正如伊里奇所说，哲学底"淘汰"，是迟迟地到来的。即是，它在 1905 年革命以后，才成为更不可避免的必然的东西。在这个革命当时，已经证明了俄国劳动者阶级对于独立的历史的任务正在充分地成熟着。

但是俄国底"哲学淘汰"，决不是只有被局限了的民族的意义。在那以后的时期，这哲学淘汰底出现演了积极的国际的任务。最近数十年间，例如在物理底领域，提出了具有哲学底意义的许多问题。一部分自然科学者陷入观念论了。辩证法的唯物论不能不"清理"这个问题。于是恰好得到了时机的俄国底"哲学淘汰"，就采取了这个问题。

伊里奇说——

> 欧罗巴为哲学的思维底更新供给了材料。而后进的俄罗斯，在1908—1910 年的被迫得不能不休息的期间，特别热心地贪着这种材料。

以上是伊里奇对于他底哲学的登场所给予的社会学的基础。他不但巧妙地使用马克思主义的方法去精密地分析了马克思主义中哲学的修正主义（论理的要素），并且把修正主义当作在因果上被决定了的必然的社会现象去说明，因此对于这个分析给了社会的基础（历史的要素）。

伊里奇把自己底论战称为"有友谊的斗争"②，他说："只要是有友谊的斗

---

① 《伊里奇全集》第十一卷，第二部，俄国版，第 207 页。
② 右边的旁注"有友谊的斗争"系 1938 年 4 月版所添加。——编者注

争的地盘存在,我们就论争。"倘若这个地盘消失了,即著者自己告白公然成有友谊的
为观念论者了,学术的哲学论战,就变得没有意义,并且那种形式也会从根本斗争
上改变了。但是在这种情形,哲学的修正主义者们,却声明了他们也还是在马
克思主义旗下斗争的,为修正并完成全部的建筑起见,要用新的材料补足这建
筑物已经陈旧的部分。他们底主要论文集《关于马克思主义哲学的文献》的
标题那东西,就已经含有从马克思主义的阵营出来而攻击马克思主义的意思,
已经含有进攻马克思主义底哲学的基础的意思。像修正派这样的办法,伊里
奇已经在他底序文中揭发出来了。

事实上,他们和辩证法的唯物论,因而和马克思主义完全断绝着关
系。在言语上,他们不断地设出遁辞,回避问题底本质,粉饰自己底变节,
用某一个人底唯物论代替唯物论一般。他们断然地放弃着马克思和恩格
斯无数唯物论的意见之直接分析,这是真实的"卑屈的反抗"①。

伊里奇正是反对了这种"卑屈的反抗"。只要是某个著者关于他底世伊里奇在
界观底出发点至少代表着同样哲学的前提,伊里奇批判那著者时,就对于那论战时所
个应战设置一定的界限,这是确实的。伊里奇在他底著述上,不以积极的形设置的界
态发展辩证法的唯物论底诸原理;反而是在对于马克思主义底哲学修正主限
义者所做的消极的批判的形式上,去说明那些原理。论战底目的,规定了伊
里奇底著作底方法和构造,他每逢说到修正主义者底根本的论纲时,就在西
欧观念论底哲学文献中去探求它底根源,所以他若发现了他们底观念论的
反马克思主义的性质时,他就简洁地用唯物论底论纲去对抗他们底论纲。并
且,他不但从马克思、恩格斯底诸著作,还从狄德罗[Diderot]②、费尔巴哈③、

---

① 《唯物论与经验批判论》,《伊里奇全集》第十三卷,德国版,"序文"第30页。

② 狄德罗(1713—1784)——18世纪法国启蒙唯物论者中最特出的人物。

③ 费尔巴哈(1804—1872)——德国哲学家。他从左翼黑智儿学派移到唯物论。他底有名
的唯物论的论纲是"思维从存在而生,存在不从思维而生"。但是他底唯物论只是自然科学的唯
物论,而在社会科学方面却还停顿在唯心论底立场。并且他还忽视了黑智儿底辩证法,这是他
底唯物论底大缺点。

狄慈根[Josef Dietzgen]①、蒲列哈诺夫等唯物论者底诸著作,采取那些论纲来。在从来唯物论底文献中,缺乏着关于马克思主义底修正主义者所提出的问题底指引时,伊里奇就自己给那种问题以解答,而且是从辩证法的唯物论诸原理底立场给以解答。在这些情形,马克思主义的哲学必然被发展起来。在某种时候,把费了相当努力的这种工作写完几百页之后,伊里奇可以完全正当地把"为着马克思主义哲学的文献"改为"反对马克思主义哲学的文献"。

我想在以下的说明中,根据这部《唯物论与经验批判论》和他底别的著作,积极地说明伊里奇底哲学观,还要特别地摘出他发展了辩证法的唯物论底诸原理的诸要素。

---

① 狄慈根(1828—1888)——德国无产阶级哲学家,他是鞣皮工人。他是自己学习的人。他底哲学虽然受了费尔巴哈底影响,但他却能用自己底特殊方法发展了辩证法。他底处女作,是《人类底头脑底活动底本质》。马克思与恩格斯都称赞过他底哲学见解。

第二章　存在与思维底问题

一、哲学上底党派性

反动哲学！像这样的合成名词，对于许多人们，恐怕相当多数的人们，会觉得没有意义的罢。为什么哲学能够是反动的，或是进步的，或是革命的呢？哲学不单是世界观，而首先是科学的方法论、科学的认识论，在这种范围内，它不能是反动的，也不能是革命的。当作人类理智底最高表现体看，哲学是科学的，因而又是公平的，是不偏不党的。哲学不是政治论。所以说哲学有什么政治的倾向的话，那是不当的！

像那样的见解，马克思主义是要反对的。马克思主义底建设者和伊里奇，都反对过那样的见解。在阶级社会中，所谓站在诸阶级外部的社会科学那东西是不能有的。我们不但不能说社会哲学不是党派的——不偏不党的——，这种事情——若果使用旧的名称——，连自然哲学①也不能是那样的。在自然哲学方面，广义上的党派性，虽然是比较难于观察，但是当我们提起关于存在之终极的要素，例如说及宇宙上底问题时，社会的倾向于是就显现出来。"哲学是神学底奴婢"那种中世纪底论纲，在这种意义上，已经是党派的。哲学对于神学的关系，无论哲学者怎样粉饰他关于这一点的意见，若把它简单地说起来，就是把哲学组入反动或革命之列的试金石。

伊里奇说——

　　马克思和恩格斯，自始至终，在哲学上都采取了党派底立场。他们理

---

① 自然哲学（Naturphilosophie）——普通把谢林（Schelling，1775—1854）底后继者，称为自然哲学底德国学派。关于恩格斯与自然哲学底关系，详见《反杜林论》。

解了在一切"最新的倾向"中去暴露那对于唯物论的背叛以及对于观念论和信仰主义的让步的。

伊里奇也是踏着这样的路程。

精神的斗争是一个阶级斗争。所以在第 17 世纪底英国,批判了教会信条的所谓"自由思想家"们,实是特定阶级哲学底意特沃罗格[Ideology,是思想家或空想家的意思]。第 18 世纪法兰西的唯物论者们,在他们底哲学的及无神论的著作之中,同样反映着革命阶级底立场。又如第 19 世纪德意志青年黑智儿学派——马克思和恩格斯也包含在内——,关于哲学,也不"是无党派的"。他们底哲学,随着时间底进行,越发变成了普罗列达里亚底革命的哲学。最后伊里奇以及 20 世纪正统马克思主义者们,在他们底哲学上,在他们为哲学而实行的斗争上,都实现着同一的阶级斗争底原则。

党派性和采取党派的立场,在哲学上是必然的,是不可避免的。认识论,经伊里奇正当地当作辩证法的一方面去处理,因而获得了所谓科学的认识方法论的更大的意义,但就是这认识论,在伊里奇看来,也和经济学一样,是党派的科学。

哲学的论争底阶级性,常常特别明了地显现出来。当赫克尔[Ernst Haeckel]①发表了他底"宇宙之谜"时,在欧罗巴曾经卷起了暴风雨。赫克尔在个人方面,没有否定宗教,并且防卫了唯物论,但他底著作底全内容和精神,却明白地证明了:唯物论未经绝灭,它是不能和神学及观念论相一致的。然而不仅是神学者,并且"公平的"、"不偏不党的"哲学底公认大学教授,都起来反对赫克尔。伊里奇在这个实例中,看出了他底论纲底明白的确证。

赫克尔的"宇宙之谜"在一切文明诸国所引起的暴风雨,一方面是特别显著地表示了今日社会中哲学底党派性;另一方面表示了唯物论对于观念论及不可知论②的斗争之真实的社会的意义。

①　赫克尔(1834—1919)——德国的动物学家兼自然主义哲学家。他是达尔文进化论底完成者。他底自然哲学是唯物论的。

②　不可知论(Agnostizismus)——主张绝对和事物本体不可知的学说。

哲学上底
阶级的阵
营

在这种情形,人们或许对于赫克尔底见解底各点,未能同意。人们或许认识了由于某种不彻底而起的他底缺陷,并且一定是认识了的,然而我们在这个暴风雨当中,却不能不站在赫克尔一方面,不能不加入于他底唯物论底立场。在这个论争上,对于当作唯物论显现于表面的东西,一方面有革命的阶级;对于当作观念论显现于表面的东西,他方面有反动的布尔乔亚和僧侣阶级。在各个底阵营中,还有过特别的诸潮流,不过这些差异没有出现于表面,和原则的立场底基本的对立,比较起来,它只是有从属的意义的东西。所以像我国底观念论者洛巴丁[Lopatin]①和经验批判论者马哈之间那样的差异,在马克思主义者看来,是和新教神学论者及旧教神学论者之间的差异相同。

关于这点,伊里奇这样写着——

　　对于赫克尔的攻击"战",证明了我们那样的主见是和客观的现实,即是和近代社会之阶级的性质及其观念上之阶级倾向相一致。

哲学学派
底判断方
法

马克思主义,不能不在各种哲学的倾向中,发现那样在阶级上被规定了的意特沃罗基底诸倾向。在这种情形,人们不能相信和它相似的倾向底代表者,并且什么哲学学派自己所加上的名称,也决不是重要的事情。

　　要判断一个人,不要依据他就自己所说的和所想的事情去判断他,而是要用他底行为去判断他。对于哲学者们,也是一样,不可以依着他们自身所挂的招牌("实证论"、"纯粹经验"底哲学、"一元论",或"经验一元论"、"自然科学底哲学",等等)去判断他们,反而应该依着他们在事实上怎样解决基本的理论上的问题、他们和什么人提携、教些什么以及他们底弟子和后继者从他们学到了什么,等等事情去判断他们。②

应当怎样判断某种哲学学派的问题,据伊里奇底意见,他和恩格斯一样,

---

① 洛巴丁(1855 年生)——俄国底唯心论的倾向的哲学家。
② 《唯物论与经验批判论》,《伊里奇全集》第十三卷,俄国版,第 213 页。

都是要依着那种哲学对于看作是基本的东西的问题采取怎样态度一件事去答复。这个基本的问题,就是说"物质"是什么,"精神"是什么,两者相互间的关系如何的问题。如果对于这个问题明白地做着观念论的解答,那种哲学底性质,在伊里奇看来就很明白的。学派底名称及其外形,除掉它底内容和它底实质,就连什么也没有了。外形与实质底一致,是伊里奇所常常坚持的辩证法底原理。主要地信奉了哲学者马哈的、俄国马克思主义底哲学的修正主义者们底主要缺点,据伊里奇看来,这就是他们被这主观的观念论的哲学底"外形"所迷惑,而在那时自然接受了那种哲学的"实质"和那纯观念论的核心。虽然他们在实质上变成了观念论者以后,而在表面上,他们却仍然要显现为马克思主义者。

不可把马
克思主义
当作圣经
看

　　建立为体系的马克思主义,当然不是某种已经完成的东西,如同不许加上一字除去一点的《圣经》那样,一经确定就永久不能变的东西,也不是某种只被保持而不能发展的东西。我们在后面还会看到,伊里奇甚至对于恩格斯底自然哲学观也要求"修正"的。伊里奇是不想把马克思主义木乃伊化的。他认定着,反映自然和社会的诸现象底实证的自然科学及社会科学,固然又扬弃那随时发生了的辩证法的唯物论底特殊命题的某种东西,而这些科学却是不断地证实辩证法的唯物论底本质的原理。因此,他重视自然科学领域中的这些成果,同时对于自然科学者底哲学的普遍化,却又非常注意地警戒着。

　　在专门的领域——化学、历史,或物理学——中,那些处在供给极贵重的研究的地位的教授们,一旦说到关于哲学上的话的时候,我们对于他们之中的仅仅一个人底仅仅一句话,也都不能相信。①

为什么呢? 这件事,是和经济学底一般理论成为问题时不能相信任何布尔乔亚经济学者那件事,有同样的理由。虽然普罗列达里亚在关于事实底特殊研究的限度内,能够利用这些经济学者底研究,并且不能不利用。

---

① 《唯物论与经验批判论》,德国版,第350页。

哲学是一种阶级的科学,经济学底教授是"资本家底有学识的掌柜",哲学底教授是"神学者底有学识的掌柜",——伊里奇底这种见解,使得他如次地规定了马克思主义对于布尔乔亚哲学及布尔乔亚科学一般的任务。

哲学是一种阶级的科学

于是马克思主义者底任务是:一面理解在这里或那里(在经济学或在哲学——卢波尔注),把"这些掌柜"底研究结果摄取出来,消化起来(例如要研究新的经济现象时,如果不利用这些掌柜底著述就不能前进一步),——同时又理解排除这些东西底反动倾向,贯彻自己底战线,攻击那敌对我们的诸势力和诸阶级底全战线。①

二、哲学上底两个基本倾向——唯物论与观念论

如我们已经知道的一样,伊里奇是要求着当作唯一正当的哲学看的辩证法的唯物论之完全的纯粹性。关于实证的诸科学,他底主张是:因为这些科学依其固有的本质能够证实自然及历史领域中辩证法的唯物论底真理,所以这些成果能够充分地被利用起来。

哲学上只有两个基本倾向

伊里奇对于他底哲学上底论敌,也同样要求明了地被限定了的立场。他严守马克思主义的用语,和恩格斯一样,在哲学上只承认两个基本倾向,即唯物论与观念论。他不但把哲学底根本问题即主体与客体底关系底问题之解决,还原于这两个倾向,并且把因果律、自由、"经验"等问题之解决,也还原于这两个倾向。

事实上如哲学史所指示的一样,同一的问题,可以用种种的用语法去论究。在第17世纪用语法,说作广袤与思维;在第18世纪底用语法,说作物质与精神;在第19世纪底用语法,说做自然与精神、客观与主观、"物"与"我";最后又流用存在与意识、物质的东西与观念的东西等马克思主义底概念——,但这是就一切,并没有第三种东西,若果说是有第三种东西那就是折中主

问题底提起

①　《唯物论与经验批判论》,德国版,第351页。

义①。伊里奇也要求照这样提起问题。他曾力说,古典哲学者们怎样解决这问题,全当别论,他们也是照那样提起了这问题。他指示了,不但是恩格斯,就是主观的观念论者巴克列[Berkeley],也照那样提起了问题。伊里奇还会能够想起了另一个主观的观念论者老斐希特[Fichte]也同样照那样提起了问题的吧。

> 的确,"我"的独立性和"物"的独立性底表象,能够同时成立,但两者底独立性那东西都不存在。只有一方面,能够是第一的、最初的、独立的东西。第二的东西,由于它是第二的东西,而必然依存于第一的东西,必须与之相结合。②

这个命题,在它底思想底明了和精确一点,并不逊于恩格斯的。

唯物论与
观念论是
哲学上底
两个党派

即,唯物论和观念论,这是哲学上底两个基本倾向,是两个"党派"。它底内容,已为一般人所知道。这里只把伊里奇底公式举出来。

> 唯物论是认定"客体自身"或在精神外部的客体的。观念及感觉,是这客体底复写或肖像。反对的学说(观念论),却主张客体不存在于"精神底外部",它是"感觉底结合"。

所以,如读者所见的一样,伊里奇说感觉是我们底知识底源泉时,他在那一点,就加入于认识论底古典的诸倾向之一的感觉论。他并没有站在那种把我们底理性作为知识底基础的唯一确实的源泉的唯理论③底立场。这种事情可以在历史上被说明出来。伊里奇底论敌虽然反对了唯物论哲学,却保持了为认识论的感觉论,说一切知识都从感觉发生。但是离开了它底唯物论的基

---

① 折中主义——折中哲学、无批判地采取种种哲学体系底各部分的哲学。

② 斐希特[Johann Gottlieb Fichte]:《知识学的最初的序论》,《全集》第一卷,柏林 1845 年,第 432 页。

③ 唯理论——17 世纪时发生的认识论底一个倾向;以理性为认识底根源,把实在底现象及过程,作形式论理学的解释。

础——我们底感觉是外部客体作用于我们的结果——的感觉论，像那种感觉论，必然地变为观念论。只给我们以感觉，感觉以外什么也没有，因而感觉是客观的实在，——这种见解，如果理论一贯地发展起来，就是变为主观的观念论即唯我论的见解。即是说，只给我以我底感觉，我所见所闻所触的一切东西，只是我底感觉，只是它"被客观化"的事情。

纯粹感觉
论之错误

"纯粹"感觉论，终始于感觉，感觉对于它虽不是恣意的东西，却是自立化而满足于它自身。感觉，只有感觉，对于它形成了"外界"，所以这个外界，和感觉底总和被视为同一。因而在那样的感觉论者说来，他底感觉，是把它从客观世界隔离的不可逾越的深渊。但在唯物论的感觉论者说来，感觉只是渡到它自身也构成它的一部分的外界即自然底桥梁，被认识的客体，作用于认识主体底感觉器官。感觉那东西，就是客体对于我们底外部感官的那种作用。因而我们底表象，就是在我们外部的，并离开我们而独立存在的外物底映像，例如是复写。

辩证法的
唯物论与
常识的见
解之差别

伊里奇完全明了地理解着辩证法的唯物论和素朴实在论即非哲学的所谓常识的见解之间的差别。素朴实在论，素朴地以为对象是我们所见所嗅的那样的东西。但色、味、臭一类东西，虽是由客观的事实，例如由具有一定波长和振动数的以太底波所引起的，而它却是主观上存在于我们之中的感觉的性质，不是客观上存在于外物之中的东西。然而物的自身，除了这些主观的第二次的性质以外，还有客观的第一次的性质，例如大小、形状、被给予了的位置等。纯粹观念论者，所犯的谬误，就是把物底这些第一次的性质也移入于主体底意识之中，而这样地使主体和它底感觉不生关系。这个，用伊里奇富于机智的话来说，就变成"无世界的世界观"。还有，巴克列在迫得要探求他底非恣意的感觉底原因时，就在神底当中发现了这个原因。这样的神底幽灵。无论主观的观念论者穿着怎样的哲学底衣裳，都是在他底头上浮动着。像这样的自然、实在底二重化，于唯物论者是无缘的。

无世界的
世界观

在未经教授的哲学所迷惑的一切自然科学者以及一切唯物论者看来，感觉在事实上是直接结合意识和外界的东西，是外部刺激底能力转化为意识事实的东西。

33

我们说过,神底幽灵,时常在观念论者底头上浮动着。更正确地说来,观念论就是僧侣主义。这在某种意义上是正当的。但更详细地加以说明,更深入地加以考察,这种主张,只是威势上底好的煽动语。不发现观念论变成僧侣主义的途径和条件,而突然把哲学的观念论和僧侣主义视为同一,这是问题底单纯化,是俗恶化。换句话说,就是回避问题底核心,而复回到已被克服的第18 世纪底启蒙哲学者底立场。这些启蒙哲学者们——在他们之中,还有过第18 世纪底法兰西底无神论者——,曾经迅速地简单地解决过这个问题。他们说:宗教是僧侣底欺骗,僧侣发明了神。观念论和僧侣主义是同样的东西,只有启蒙和理性能够从僧侣主义救出人类,已被启蒙的人,不信奉宗教,不能成为观念论者。

再反复地说,所谓观念论是僧侣主义,"已被启蒙"的人不能成为观念论者这种话,在某种意义上是正当的。但是多数"已被启蒙"的人,仍然还是观念论者。从观念论的认识论到僧侣主义为止,也和从唯物论的感觉论到无神论的经过一样,必须通过某种程度的路程,这是明白的事情。

即令这条道路是充分广阔而通达于目的地,而这条道路却走着两个方向。第一是历史的、社会的、基本的主要道路,第二是论理的道路。所谓第一条道路底意思,就是说宗教、僧侣主义和观念论,具有在阶级上被规定了的基础,在阶级社会底诸条件和支配阶级底特殊利害中具有它的根源。其次,所谓第二条道路底意思,就是说宗教和僧侣主义具有特定的认识论的根源,从这个根源像虚花一样地开出来。

在严格的意义上,第18 世纪并没有过历史科学。第十八世纪底无神论者、法兰西唯物论者们底见解底特征,正是反历史主义的。并且他们也不是辩证法论者,这是一般人所知道的。这里所讨论的问题中他底直线性,也可以由这种事实说明出来。辩证法的唯物论者,在最后的判断上或许和他们是一致的,但他并不把过程自身单纯化,他提供问题底丰富的分析。

伊里奇在写了《唯物论与经验批判论》以后不久再行"专心研究"黑智儿底学说时,他这样写着说——

哲学的观念论,单从粗杂的、浅薄的、形而上学的唯物论底立场看来,它是无意义的东西。反之，从辩证法的唯物论底立场看来，哲学的观念论，却是认识底诸特征之一，诸方面之一，诸界限之一，一面地、夸大地、过度地(狄慈根)被发展(扩大、膨胀)到与物质及自然分离而神化了的绝对的东西。观念论就是僧侣主义的意思。当然！不过哲学的观念论，("更正确地说来"并且"此外")还是经过人类底无限错综的(辩证法的)认识底诸阶段之一而进到僧侣主义的一条道路。①

观念论结局虽是僧侣主义，但它却首先是进到僧侣主义的道路。观念论者遇到广袤与思维、物质与精神、客观与主观、存在与意识底关系底问题时，他们就只是注意于这些底相互关系底第二个连环上面。他们只铺张实在底这一方面，把精神与自然、主观与客观、思维与广袤分离起来。他们把事物底一方面，化为全体，化为绝对，并且因而把它神化起来。这是观念论者底认识论上底道路，是他们底认识论上底谬误。

的确，轻率地从实在抛出思维、主观或意识，如同胆汁是肝脏的分泌物一样，要把思想看做脑髓底分泌物的那种"呐喊的唯物论者"〔Hurra materialist〕，也犯着同样的方法论的谬误。他们也是看不到现实底一面，以代替说明现实。

只有辩证法的唯物论者底见解，才正当地和现实一致。他底见解，是基于客体与主体底统一(不是同一性或视为同一的事情)。现实是客体，是自然，它有广袤，只要那物质的存在已经被给予着，认识底物质的见地，也是被给予着。但在这第一的东西、最初的东西、独立的东西之中，必然地也含着依存于第一的东西而与之相结合的第二的东西，即是主观、意识或思维，即是我们编入前述的相互关系底第二个连环之中的东西。辩证法的唯物论底问题底建立方法，是那样的，它底解决，也是那样的。

伊里奇更深入地分析观念论底道路以及它发展到僧侣主义去的道路，他这样写着——

观念论之认识论的谬误

观念论之认识论的谬误

呐喊的唯物论者之谬误

客体与主体之统一

观念论发展到僧侣主义的道路

---

① 《关于辩证法问题》，《伊里奇全集》第十三卷，德国版，第379页。

人类底认识,不是一根直线(也不是描画一根直线),而是无限地接近于环底体系,于一个螺旋的一根曲线。这根曲线底各碎片、各破片、各断片,能够转化(能够在一方面转化)为一个独立的、全体的直(线)。像这样的线,如果是只见树木而不见森林,那就坠入泥沼之中,坠入僧侣主义(这些东西,在那里是和支配阶级底阶级的利益相结合的)。直线性与一面性,无生气的事物与化石的事物,主观主义与主观的盲目,在那里就有观念论底认识论的根源。但是僧侣主义(=哲学的观念论)当然有认识论的根源,并不是没有地盘的。它无疑地是一朵虚花,但是在有生命的、多实的、真实的、充满了力的、全能的、客观的、绝对的、人类认识底有生命的树木之上开出来的一朵虚花。①

这一节中所包含的辩证法的认识底途径底概说,是极其贵重的东西。我们会在别的处所再回到这个问题的吧。僧侣主义底认识论的根源底指示,同样也是贵重的东西。第 18 世纪底启蒙哲学者们,明明是离开了这样的问题底建立方法。就是看看这个也会明白的,僧侣主义实不是单纯的欺骗。它虽是一朵虚花,却是从认识底一面性和主观的盲目出发而在论理上开出的一朵虚花。

这种主观的盲目,因阶级的利害而加强。在这种时候,它才变为郁苍和繁茂的真实的僧侣主义,变为要在哲学底领域中烧毁无信仰的唯物论者的斗争的观念论。像这样的过程,我们可于主观的观念论巴克列僧正看出来。像那样的穷境——即令它不立时出现——必然地要逼迫着从唯物论底途径脱走到观念论方面的人们。就是在最初只企图对于已经完成的马克思主义底建筑施以观念论的增筑的情形,也是一样的。就认识论说来,只有唯物辩证法能够防止陷于那样的穷境而指示正当的途径。对于哲学的观念论和某种宗派即僧侣主义底联系,伊里奇所下的未经俗化的真正科学的解释,当然一点也没有减弱他对于宗教观的斗争要求。反之,这个斗争,是和那对于观念论的斗争相结合的。只要是观念论移转到僧侣主义,对于哲学的观念论的斗争,也是必要的,——我们不能不抓住害恶的根源。因为哲学的观念论是构成着宗教底

----

① 《关于辩证法问题》,《伊里奇全集》第十三卷,德国版,第 379 页。

"认识论的根源"的。所以,由伊里奇底见解说来,战斗的唯物论底第一件实践的任务,就是:"对于现代一切'有学位的僧侣主义底从仆'作无假借的暴露和追求——无论他们当作公认科学底代表者登场,或当作自由意志的斗士出现,或自称为'左翼民主主义者',自称为'思想的社会主义的评论家',那都不成问题。"和我们一起赞成唯物论呢,或是和观念论一起来攻击我们?——这种严峻的宣告,已经是我们所知道的。观念论即是信仰主义,结局又是一切种类和色彩的僧侣主义;唯物论是科学,是和无神论同一意义的。 战斗的唯物论第一件实践的任务

　　由这件事实出发,就发生出和第一种任务密切地连系着的第二种实践的任务。即,战斗的唯物论,必须是战斗的无神论。无神论的宣传,在它底内容上,根本的科学的宣传是不能忽视的。这种宣传,要用一切的方法实行,要在广泛的、未经启蒙的大众之中设立根据。无神论是实践哲学底一种,是辩证法的唯物论底实践的方面或实践的方面之一。 第二件实践的任务

　　无神论的宣传,已经于 18 世纪底法兰西唯物论者们特别在广大的范围中实行过。他们在布尔乔亚还是革命的阶级的时代,是这个阶级底意特沃罗格,是哲学者。伊里奇对于我们未曾利用从来这些无神论者底文献以及几乎没有把法兰西底唯物论者翻译为俄罗斯文的两件事,是引以"耻辱"的。说这种文献"是陈腐的、非科学的、素朴的"那种主张,伊里奇却以为"是玄学,是完全不懂得马克思主义"。 无神论的宣传之必要

　　　　战斗的、活泼的、富有才气的、机智纵横的、公然攻击了支配的僧侣主义的第 18 世纪旧无神论者们底文献,淋漓尽致地证明着对于唤醒人类宗教底迷梦一层,是完全妥适的。和它比较起来,在我们底杂志上,那些冗长的、干燥的、拙劣地组成事实而弄得容易了解的东西,专实行着似是而非的马克思主义底絮说,——并且我们公然表白出来——常常是毁损马克思主义的。①

———————————

① 伊里奇:《关于斗争的唯物论底意义》,载伊里奇:《关于宗教·序文》,文学政治出版所,维也纳—柏林,第51页。

当然，单是无神论底文书的宣传，是不够灭绝宗教的。宗教是一个社会的现象。离开了称为阶级社会的人类历史上一定的很长远的时期，就不能考察它。但是，如同普罗列达里亚促进阶级社会的没落一样，他们还必须促进宗教底没落。

无神论底实践的宣传，也是以宗教史底理论的分析和宗教的世界观底"认识论的根源"底理论的分析为前提。（页边注：观念论的认识之复杂的变种）因此，马克思主义理论家，在追求前述实践的目的时，必须注意于观念论的认识论底复杂的变种底分析和批判。伊里奇因此耗费不少的纸面和时间，不仅论究了原理，并且论究了最重要的各个特征。

伊里奇在他底基本著作《唯物论与经验批判论》之中，同样由感觉论出发——这是值得特别注目的——述说了唯物论者和观念论者底原则的差异，其次，指示了巴克列底主观的观念论底古典的定式在经验批判论者亚勃纳流士和马哈底方面受过的微细的变更。但是，亚勃纳流士和马哈，是"经验一元论者"波格达诺夫、"经验象征论者"友西克维兹及其他俄国修正主义者底精神之父。他们企图过要用哲学底基础，结局是用主观的观念论底基础，建筑马克思和恩格斯底史的唯物论。伊里奇对于马哈和亚勃纳流士使唯物论"衰弱"的企图，曾细心地加以研究，并把它暴露出来，指示他们底哲学的折中主义在俄国底马哈主义者手里变得混乱不堪。伊里奇摘发了马哈主义者想粉饰观念论的一切用语上的假面。伊里奇并未曾受马哈底"物的"要素和"心的"要素所迷惑。这两个要素，只是共同存在的东西，实则就是感觉——据马哈说来，一切存在物都是由感觉成立的——的别名。物体被看为"感觉底复合"。和"物的要素"一样，伊里奇还摘发了马哈底经验底概念。经验的概念底种种界说，常常表现着哲学上的两个基本倾向。在观念论的感觉论者一方面，甚至"经验"底概念也能转化于观念论的概念。所以对于非常现实地听到的波格达诺夫底名称、"活生生的经验"底哲学，也是不能置信的。

马哈派修正马克思主义底企图

马哈底经验底概念

"经验"一名辞之下所隐藏的倾向

伊里奇说——

因此在"经验"的名词之下，无疑地隐藏着唯物论及观念论底哲学倾向,还隐藏着康德及休谟底倾向。但在这一点,把经验作为研究对象的规定,把经验作为认识手段的规定,都不是决定的东西。

基本的决定的问题,依然是存在与意识底关系底问题。

"经验"底观念论的本质,例如就波格达诺夫底情形说,就成为他对于自然所下的界说显现出来。这界说就是说,自然是"社会上被组织了的生物底经验"底产物。唯物论底论纲,明明是和它正相反对的。伊里奇用富于机智的话说着,在某种时期,自然确实是会存在的,但"社会性、组织、经验、生物,都未曾有过"。波格达诺夫关于自然的界说,无论怎样去看,都是把自然和神视为同一的。因为,神无疑的是一定发展阶段上的"社会上被组织了"的生物底"经验"底产物。

我们在本书上,当然不能追求伊里奇拥护辩证法的唯物论而几乎是步步转到攻击的那种论争的一切阶段。伊里奇所常常做着的唯物论和马哈主义底明白的比较,在某种程度上是总括这种论争底各个阶段的东西。哲学底根本问题,用伊里奇底简单正确的话来说,是依着这两个倾向,如次地被解决着。

　　唯物论是与自然科学完全一致,把物质看作最初被给予了的东西,把意识、思维或感觉看作第二次的东西。因为,感觉只在物质(有机物质)底最高形态上显现出来,而在物质底构造底基础之中,只能推测有类似于感觉的能力存在。……马哈主义站在和这相反对的观念论的见地,立即陷入于不合理的迷阵中。因为,第一,感觉虽是用一定方法被组织了的物质上的特别过程,而这种感觉却是被看作第一次的东西的;第二,所谓物体时感觉底复合的根本前提,由于假定在特定的大我以外有其他生物及一般别种"复合"存在,便被破坏了。

三、事物本体与现象

唯物论的根本见解是什么,我们由上述伊里奇底说明,已经知道了。它不是独断的。因为辩证法的唯物论，并不是以为表象完全与事物相适应的。当我们想起一个对象时，那个对象并不是和那在我们底表象中显现的东西完全相同。但是当作本体而存在的事物，依康德底用语说，即"事物本体"[das Ding an sich]，是我们所不能完全认识的，所以它不是一般所不能认识的东西么？我们不是因为我们底天性底缘故而不能认识"事物本体"么？因此，我们必须满足于和"事物本体"完全不同的"为我们的事物"[Dingen für uns]么？照这样，我们不是连"事物本体"底一种性质也不能认识么？简单点说，现象不是在原则上就和事物本体完全不同的么？这是康德底立场，是英国哲学者休谟底学徒底不可知论底立场。我们只能认识现象，事物本体是什么东西，连一个大概也不能说出来，——这种说法，就是他们底立场。

像那样在原则上区分事物和现象，并不是唯物论底论纲，也不是辩证法的唯物论底论纲。不过为着历史的公平，对于康德底"事物本体"底不可知性底辉煌的批判，基于理论上建立根据的辩证法的论理的批判，实是黑智儿底工作，这是要在这里说起的。黑智儿反对了康德所谓范畴①不能规定事物本体的那种主张。

黑智儿底辩证法的证明，当然是马克思主义特有的证明底一部分，但一经在唯物论上加以完成，就变成了辩证法的唯物论。

伊里奇读到黑智儿底《论理学》第一编之时，对于这样的黑智儿底批判加以必要的注意，实是当然的事情。伊里奇在《关于黑智儿底〈论理学〉的草稿》之中，对于这个论题，从黑智儿引用了若干语句，并加上了自己底注解。

康德底先验的观念论或"批判哲学"，是要解释"我"、"思维"、"外物"三个要素的尝试。如读者所见，这是哲学底根本问题，即是思维与存在底关系底问题。康德对于这个关系，作如下的说明。"我"在中间，即是立在"外物"与"思维"底中间，但这个中间，并不结合两极端的要素，却是分离它。对于这点，黑智儿是这样回答的：看来好像在我们底思想底彼岸的那个"外物"，它自身是思想上底外物，所谓"事物本体"，只是空虚的思想上底抽象。

① 范畴——关于事物底最包括的概念，下判断时所必须依据的根本概念。范畴的概念，早经亚里士多德采入于哲学之中。范畴底概念，在哲学史上常常变更。就马克思主义者说来，范畴是从现实的历史的现象及过程抽取出来的抽象。

伊里奇在这个说明上附记着说——

这个论据底要点，据我所见是这样的。（一）在康德说来，认识相互地分离自然和人类。但事实上认识是结合它们的。（二）在康德说来，代替着一步步继续深入的、关于事物的我们底知识底活生生的进行和行动的，有着关于"事物本体"的空虚的抽象。①

伊里奇所
附加的两
个评注

伊里奇底第一个评注，把本质与现象、内部与外部、事物与其性质底辩证法［的统一］，认为论理的源泉。事物底"本质"，是不能和我们在认识过程中所获得的事物底诸性质相区别的。事物底"本质"，并不是和某种特别的事物、我们次第认识的事物底性质完全不同的东西。因而如果"我们"已经被放在"事物"与"思维"底中间，必要的事情，就不是分离这两个要素，而是结合它们，即是说在认识过程中使"事物"与我们底"思维"接近，使思维底对象与关于这对象的思维接近。所谓现象中有界限，本质是隐藏在那个界限之后的论纲，实是谬误，不是现象中有界限，而是现象和本质底差异中有界限，在这个界限之后，早已没有什么现象与本质之间的差异。

第一评注
底说明

伊里奇底第二个评注，要加以说明，伊里奇所引用的"事物本体——是很单纯的抽象"这句黑智儿底话，究竟是什么意思？但我们总是这样地说，这样地想：事物本体是存在的，对象是当作它的本体而存在的东西，是映入于我们底感觉器官的东西。

第二评注
底说明

康德在他的"先验的感性论"之中，主张着这样的意见。事物本体存在于我们底外部，它刺激我们，即作用于我们。但如世人所周知的一样，康德是把外界分为种种部分的。由康德的见地说来，空间与时间，是不能在它们和事物本体底关系上去说明的。还有一、多、因果律、相互作用底概念，甚至存在底概念，都不能适用于事物本体，——这是"先验的分析论"所主张的。这些概念，只是先验的悟性范畴，不是客观的实在即事物本体的范畴。但在事物本体中缺乏着这一切的规定。因为这一切规定已被康德移到感性与悟性，所以事物

---

① 伊里奇：《关于黑格尔〈论理学〉的草稿》，《马克思主义旗下》第一册，俄国版。

本体中只剩下了阴影,剩下了幽灵。事物本体,在事实上是从一切规定抽出的完全的抽象。即,从客观上说来就是"无",从主观上说来就是康德所说的"基本概念"。

伊里奇总括黑智儿底思想路线,作了如下的说明。

> 所谓我们不知道"事物本体"是什么这种说法,觉得是贤明的,"事物本体"是从一切规定抽出的(从对于别的东西的一切关系抽出的)抽象,换句话说,即是虚无。因而事物本体,也不是"无真理的、空虚的抽象以外的别种东西"。①

事物本体是什么? 如果提起这个问题,是不能解答的。这个问题本身,已经是不通。人们是不能探问那客观上未经什么东西规定的某种东西的。

伊里奇对于事物本体底问题,作唯物论的论究,他在同一处所这样写着——

> 事物本体及其转化为我们的事物(见恩格斯底著作),这是意思很深刻的话。事物本体,一般地是空虚而没有生命的抽象。在生命上,在运动上,一切东西,是在"它的自身"上的东西,又是"为着别个"的东西,一种状态和别种状态有着关系,又推移到别种状态。②

问题底核心,不是说事物本体那东西一般地没有其他的一切规定而存在,乃是说当作特定的事物本体,即是当作具有多数性质的、在我们底外部的、完全被规定了的具体的对象而存在。那种对象所有的这些性质,在认识过程中被我们认识,由未知的东西变为已知的东西,所以在原则上变为能够认识的东西。

旧唯物论者虽曾把外界看作能够认识的东西,他们却未曾把问题的自身弄过明白。康德虽曾提出了问题,他却对这问题作了错误的答案。黑智儿虽

---

① 伊里奇:《草稿》。
② 伊里奇:《草稿》。

曾用辩证的方法解决了问题,但是他,第一,专在论理学底领域中去解决它,第二,只在观念论底精神上去解决它。换句话说,他给了相反的倒立的解答。即是说,事物本体、物底本质,虽能认识,但物的自身,只是自己认识自己的绝对精神底一个阶段,直到辩证法的唯物论,才开始把问题"改正"了。即,它适应地再现了客观的事体。物质的事物,离开我们底意识而存在,我们能够认识它,并且正在认识它。从内容说来,这虽是回到旧唯物论者底立场,但形式上却并不是这样。因为辩证法的唯物论,在充分分析了这个问题以后,才把它解决的。因为它底结论,由于过去关于这个问题的全部发展,弄得更加丰富了。

真理底标准——实践

物质的事物离开我们底意识而存在

四、当作真理底标准看的实践、当作过程看的知识

为要证明事物与现象、内部与外部之辩证法的统一,除以上所述的事情以外,还有一个认识论的基础是必要的。这个认识论的基础,对于我们底表象底真实性底标准究竟是什么一个问题,能够给以解答。马克思在关于费尔巴哈的第二论纲之中,曾用几句话指摘着这个标准。

真理底标准—实践

表象底真实性底标准是什么

> 对象的真理能够达到人类底思维与否的问题,不是什么理论底问题,乃是一个实践底问题。在实践上,人类必须证明真理,即证明他底思维底现实性与力及其此岸性[Diesseitigkeit,——或译现世性]。从实践游离着的思维,果为现实的或非现实的等论争,这是一个纯粹烦琐哲学①底问题。②

恩格斯底主张

恩格斯同样地力说了认识底这个标准。他在《费尔巴哈论》之中,分析了康德底"不能认识"的事物本体。当我们把一定的事物适用于我们底目的时,当我们从那个事物取出某种元素时(例如从 Steinkohlenteer 取出 Alizarin),因此就证明我们对于事物的知识底真实性,同时"事物本体"也变为"我们底事物"。

---

① 烦琐哲学——起于中世纪底神学校而有用于神学的哲学。

② 马克思《费尔巴哈论纲》,恩格斯《费尔巴哈论》附录,文学政治出版所,维也纳—柏林。

要想在纯粹理论上解决这个问题的观念论底尝试，就是用无效的手段去做的尝试。（页边注：观念论解决这问题的尝试）在这种情形，理论变为怀疑论①，变为休谟底不可知论，或变为康德底先验的观念论，所以即使有人说真理应当在这些哲学的倾向之中去探求，但那种说明，也完全不能有什么价值。问题之理论的解决，决不是解答。因为，问题在理论上，一般的是不能解决的。

"生活、实践底观点，必须是认识论底第一个基本的观点。"马克思主义认识论底这一方面，曾经伊里奇加紧地力说了，巧妙地发展了。这个见地，

<blockquote>
必然地通达于唯物论。它自始[a limine]就排斥教授的烦琐哲学所没有做到的空想。不过，在这里不可忘记的事情，就是真理底标准决不能完全证实或否认任何人类底表象。然而这件事，决不妨碍它成为真理底标准。实际上，此外并没有标准。这个标准，即令是"不确定的"，但它对于下述两件事却是"确定的"，即是说，它能够充分防止人类底认识"变"为"绝对的东西"，它能够促起对于观念论及不可知论底一切变种的无假借的斗争。②
</blockquote>

当作真理底标准看的实践，和当作认识过程中第一次要素看的感觉，恰在相同的关系。唯理论的倾向底观念论者，反对唯物论者，提出了所谓感觉是不能置信的认识底源泉的论纲。"感觉"欺骗我们，——这是17世纪和18世纪底唯理论者所说的话。这句话在某一点是正当的。反映于感觉的太阳，即是在我们眼光中好像是小球的太阳，的确不是天文学上底太阳。但法兰西唯物论者们答复唯理论者说，感觉虽然的确不是"理论的"、绝对可以置信的认识源泉，而除此以外，我们就没有认识底第一次的源泉。这种主张，也是正当的，当作真理底标准看的实践，也是这样。据伊里奇说，即令它不是"理想的"标准，但"此外就没有标准"。波格达诺夫所主张的那种"同僚"底"言语"底"一致性"，"认识论上底德谟克拉西"，都不能有用。这一切事情，只是没有和当

---

① 怀疑论——广义地解释起来，是在理论上或实践上不满足于从来的思想或时流底解释而取反对态度的学说；狭义地解释起来，是哲学史上否定认识之可能的学说。前一种是普通的解释，后一种是就哲学解释的。

② 《唯物论与经验批判论》，《伊里奇全集》第十三卷，德国版，第131页。

作真理看的实践相矛盾,而它所以没有和实践相矛盾,恰和被系于汽车而和它走同一方向的马,不与汽车相"矛盾"的理由是一样的。

想专靠理论发见真理底标准的尝试,必然地成为真理底完全的否认,成为怀疑论,成为绝对的相对论①,或对抗理论那东西而成为信仰主义,成为对于被看成和真理同一的、"体现"真理的神的信仰。反之,理论与实践底统一,即是——

真理底标准不能在理论方面发见

　　　　成为人类底实践而显现的理论底使用、自然底现象及事象在客观上正当地反映于人类头脑中的结果,就是证明这个映像(在实践所指示的界限以内)是客观的、绝对的、永久的真理的。

关于伊里奇怎样解释客观的真理和绝对的真理的问题一层,后面还要说到,在这里有指示的必要的,就是伊里奇当说起人类底实践时,他并不是指着布尔乔亚底实际主义。② 如果我们要把实际主义、有用性、"经济"等看作真理底标准,我们就必会陷入相对论和主观主义底深渊,远离于客观的真理。

实践与实际主义不同

伊里奇说——

　　　　人类底思维,在它正确地映出客观的真理时,是"经济的";这真理底正确底标准,是实践,即是实验、产业。

产业底实践,在这里明明不是采取有用底见地的实际主义。有用的认识不是真理,而真理的认识是有用的。

真理的认识与有用的认识不同

　　　　认识只有在反映离人类独立的客观的真理时,在生物学上是有用的;

---

① 相对论——主张一切认识只是相对的有效的学说。

② 德波林:《战斗的唯物论者伊里奇》,文学政治出版所1924年版,第141页。"布尔乔亚底俗恶的实际主义,与马克思主义及唯物论所意指的实践,当然没有什么共通点。正如我们底表象不是客观与现实之绝对的映像一样,人类底实践、人类活动底成绩,也只是接近于客观的真理。"

为着人类底实践,为着生命底保存,为着种族底维持,能够是有用的。①

为使我们的认识接近于真理,如伊里奇所说,必须实行由理论到实践的"飞跃"。(页边注:由理论到实践的飞跃)这种飞跃或各个飞跃,实际上是我们每天实行着的。因此当着解决原则的、一见似抽象的问题时,也完全没有否认理论与实践底结合而相互地分离理论与实践的理由。伊里奇把那样的分离,叫作非开化主义。"活生生的人类底实践底总体,渗透于认识论,提供真理之客观的标准。"

然而,唯一的科学的这样方法论的论究,如果始终把这个论旨贯彻下去,就达到特定的哲学的结论。"把实践底标准作为认识论底基础时,必然地到达于唯物论。"——马克思主义者和伊里奇都不能不这样说。事实上,伊里奇所解释的实践,当作实验看的,当作产业看的实践,完全是唯物论的,并且排斥着一切的观念论。

马哈主义者底异议　"若果是那样——马哈主义者抗辩着——实践或许是唯物论的,但理论和这并没有关系。"观念论的哲学者底解答,结局归结于这样的主张,归结于理论与实践之辩证法的分离。然而他们底理论对于他们底观念论的见解,不能供给什么证据,反之,"人类底实践,证明唯物论的认识论底正确"。

关于认识论上真理底标准的伊里奇底以上的考察,对于辩证法的唯物论底理论,作了重要的贡献,这是客观上必须认定的事情。这是辩证法的唯物论底要素,观念论的哲学者或许是不同意的,但他们却又不能不加以考察。

我们若用伊里奇底几句话表现我们所得到的结论,就必须照下面那样说。

从上面得到的简单的结论　　(一)外物离我们底意识独立,离我们底知觉独立,存在于我们底外部……(二)现象与事物本体之间,决不存有根本上的区别,并且不能有那样的区别。若果有区别,也只是存在于已知的东西和未知的东西之间。……(三)我们在其他一切科学底领域上,也和在认识论上一样,必须做辩证法的思维。即,不把我们底认识看做已成的东西、不变的东西,

---

① 德波林:《战斗的唯物论者伊里奇》,文学政治出版所 1924 年版,维也纳,第 141 页。

而必须去探求怎样从不知产出知识、不完全不正确的知识怎样成为比较
完全比较正确的知识。①

　　前面的两个命题固无须加以说明，至于第三项，却有详细研究的必
要。——特别是这一项把第二命题更完全地限定着。在第三项中，马克思，并
且如我们所知道的，就是伊里奇，也用简单的语句，说明了由黑智儿继承了的
认识论底根本的论纲之一。即，知识是一个过程，但又是辩证法的过程。事物
并不是适应地被反映于我们底表象之中，我们底知识虽顺应于事物，但在任何
的瞬间，"它不完全地顺应于事物"。在第 18 世纪之时，物质底终极底要素，
是被看为物理学上底分子的。分子曾经是科学底最后的名词。但是，唯有形
而上学的、时代落后的思想倾向的人们，能在分子之中认定人类底知识底界
限，并以为表象完全和事物相适应。知识达到了一定的发展阶段时，对象就在
经验中把那用当时底知识所不能把捉的另一方面显现出来了。知识底对象，
就和关于那对象的知识，矛盾起来了。这个矛盾，促起知识底进步，而知识底
进步，又必须顺应于对象底新现象而行。在一种新兴科学——化学——发生
以后，起初关于对象的知识，变成了和知识底对象相对地适应着的东西。化学
的现象，在我们底表象受了一个变革，而原子之中能够认识的终极的物质分子
被发现之时，能够发现了它的说明。对象与概念底矛盾、知识底动因，在相对
的统一之中被解消了。但在这新的统一底内部，又生长了一个新的矛盾。经
验对我们指示了由原子论的见地所不能理解的种种现象。这新的矛盾又成为
一个统一而被解消了。即，电子底物理学、新的知识阶级，是关于现象的概念
底对于概念现象的新适应，但这种适应，当然不是绝对的，也不是永久的。②

　　这样的辩证法的见解，是马克思主义底强处。马克思主义在一切领域中
都主张着这种见解。依靠着辩证法底原理，马克思主义就得高高地超出一切
形而上学的观念论的体系之上。只有说知识是一个过程的这种见解，才能够
扬弃"事物本体"与"我们底事物"底分离。这一层，伊里奇完全理解着。

（旁注）知识是一个辩证法的过程

（旁注）分子

（旁注）原子

（旁注）电子

---

　　①　《唯物论与经验批判论》，《伊里奇全集》第十三卷，德国版，第 88 页。
　　②　参看德波林底论文集《哲学与马克思主义》中《马克思与黑智儿》一章，在理论上分析当
作过程看的知识的处所。莫斯科，1926 年俄国版。

　　我们底表象底对象，从我们底表象区别出来，事物本体，从我们底事物区别出来。因为，如同人类自身，只是他底表象中所映出的自然底一小部分一样，后者只是前者底一部分或一方面。

　　所以知识是一个过程，到昨日为止还是"事物本体"的东西，在今日就已经变为我们底事物了。（页边注：为过程的知识）电子在 18 世纪也是有的，但是直到第 20 世纪它才对我们存在。伊里奇对于当作过程看的、当作生成看的知识，只作了很简单的论究，这在我们虽觉得是遗恨的事，但他却把这个辩证法的见解在理论和实践上适用着。我们对于伊里奇底这样的适用，是常常要说到的。

五、客观的真理与主观的真理、
绝对的真理与相对的真理

马哈主义
者底空想

　　马哈主义的形而上学者们，把外物底第一次的性质移入于人类底意识之中，他们因此想象着把这个世界弄得丰富了，而他们底实在是有着所谓"物的要素"的色、香、味等东西了。他们用诉诸感情的论法，不唤起悟性而唤起感情地这样说着："唯物论者呵！你们底世界是怎样地贫弱？你们底世界，没有色，没有音，也没有香。它是'事物本体'底世界。"诉诸感情的一件事，不是论理的论法，只有形而上学者底世界，实是贫弱的东西。它是由终极的、硬化了的对象而成的世界，如辩证法论者底世界一样，不是永久过程底世界。

　　伊里奇说——

　　反之，在唯物论者看来，世界是比它底外观更为丰富而活生生的极其复杂的东西。因为科学上底发展底每一进步，在世界之中发现着新的方面。在唯物论者看来，我们底感觉，是唯一的而且最后的客观的实在底映像，——所谓最后的实在，并不是说它已被完全认识到最后境界的意思；而是说除此以外没有别的实在并且也不能有的意思。①

――――――――――

　　①　《唯物论与经验批判论》，《伊里奇全集》第十三卷，德国版，第116页。

真理底客观性底问题,只有从认识底辩证法的过程底见地,才能论究它。这个问题,包含着两个问题。第一是,客观的真理,即不依存于主体,于人类底表象底真理有无的问题;第二是,如有那样的真理,它在人类底表象中能够绝对地、无条件地被映出与否的问题。

真理底客观性问题

据波格达诺夫说来,真理只是一种意特沃罗基形态,只是人类底经验(经验在这里不能用唯物的意义解释)底被组织了的形态。不过,如果真理只是一种意特沃罗基形态,它就始终是主观的东西,不从人类分离,不与外界结合。关于真理的这种见解,虽完全与波格达诺夫底认识论底前提相一致,但它却直接地与自然科学及唯物论相对立。在人类以及什么"意特沃罗基形态"存在以前,已经有了地球,这是一个客观的真理。据马哈说来,人类可以追想到人类还没有存在的时代的事情,但这种主张,也只是幼稚的、非常愚笨的遁辞。若没有客观的真理,当然在主体以前,连地球也不会有了。所以,只有唯物论能够"救出"自然科学底基础,能够为自然科学守着自己底立场。因为唯物论底根本论纲,是主张着外界离认识而独立存在的。

波格达诺夫底错误

从关于真理的波格达诺夫底主观主义的见解出发,必然地要引出别的结论来。"若果真理只是人类底经验底被组织了的形态,那么,譬如罗马教底教理,也同样是一个真理。"伊里奇指摘着由波格达诺夫底立场生出的这种必然的结论。"客观性,在这里,无疑地正如具有普遍妥当性的宗教教理也适合于这个界说一样,而被界说着。"这是论理在命令着它。

关于真理问题的部分的问题,结局从新引导到哲学底基本的分裂,一是携带了自然科学底武器的唯物论者,一是把神学当作必然的同伴的观念论者。伊里奇趁着一切的机会力说到这种对立,在这个问题上,也淋漓尽致地论到它。

真理问题上底对立

若果客观的真理存在(如唯物论者所考察的一样),若果只有把外界反映于人类底"经验"中的科学能给我们以客观的真理,一切种类的信仰主义就无条件地被否定了。若果客观的真理不存在,而真理(也包含科学的真理)只是人类底经验底被组织了的形态,那就同时承认了僧侣主义底根本前提。为僧侣主义打开门户,造出容纳宗教的经验底"被组织了的形态"的余地。①

---

① 《唯物论与经验批判论》,《伊里奇全集》第十三卷,德国版,第112—113页。

所以由唯物论底哲学的论纲出发,产出感觉是外界底作用底结果的结论,因而又承认着客观的真理。

但客观的真理,也非无条件地是绝对的真理。为要说明真理底性质是绝对的或相对的一问题,伊里奇论到了当作一个过程看的知识底辩证法,和全体与部分底辩证法。(页边注:客观的真理也不是无条件的绝对的真理)

恩格斯很燥脾地嘲笑了杜林格[Dühring]①底究竟的、绝对的、最终审的真理。因为杜林格投播于周围附近的那种"绝对的"真理,正如所谓"窝尔加河流注于里海"的人们常说的笑话一样,同是平凡的事情。但是这件事,果然是认定了客观的真理的恩格斯用形而上学的方法否认了绝对的真理的意思么?所谓绝对的真理不存在的主张,和所谓人类具有这绝对的真理的主张,同样的是不正确。人类底相对的真理,不排除宇宙底绝对的真理。"绝对地认识的思维作用底无限性,由于有限的人类底头脑底无限繁多的集聚而成的。"——恩格斯在他底《自然辩证法》之中这样说。

绝对的真
理由相对
的真理构
成

　　在波格达诺夫说来——伊里奇说——,承认我们底知识底相对性一件事,对于绝对的真理,是一点也不许容纳的。在恩格斯说来。绝对的真理是由相对的真理构成的。波格达诺夫是相对论者,恩格斯是辩证法论者。②

相对的真理不是绝对的真理,正如部分不是全体一样,但各部分却以全体为前提,全体不是部分,而部分却构成全体。绝对的真理不是相对的真理,而前者却由后者底总体构成。

相对真理
与绝对真
理之间没
有不可逾
越的鸿沟

在辩证法的唯物论说来,正如现象与事物、现象与本质之间不存有不可逾越的深渊一样,相对的真理和绝对的真理之间也不存有不可踰越的深渊。神学者说:绝对的真理,存在于神底当中。形而上学者说:人类有着绝对的真理、绝对的价值。在人类的知识中只看到相对的真理的相对论者,陷入于绝对的

①　杜林格(1833—1921)——德国实证主义哲学家。他底哲学见解,详见恩格斯底《反杜林格论》。

②　《唯物论与经验批判论》,《伊里奇全集》第十三卷,德国版,第122页。

怀疑论,于不可知论,或陷入于主观主义。只有辩证法论者,由于次第地获得相对的真理,而接近于绝对的真理底阐明。

人类底思维,在其本质上,能够给与我们以相对的真理底总和的绝对的真理,并且实际上也正在给与着。科学底发展中的各个阶段,对于这绝对的真理底总和,添加了新的颗粒。但一切科学的命题底真理底界限,都是相对的;而这个界限,由于知识底更进步的增进,有时被弄得扩大,有时被弄得狭隘。①

绝对真理是相对真理底总和

我们的知识接近于客观的绝对的真理的界限,当然是被规定着的,但这种真理底存在,以及我们底和它接近,这却是绝对的。

承认知识底条件性、相对性的辩证法的唯物论,又承认相对论为正当的东西。但是,虽然"辩证法含有相对论、否定及怀疑论底一个要素",而"它却不被还原于相对论"。这是伊里奇和黑智儿都说过的。

辩证法的唯物论不被还原于相对论

马克思和恩格斯底唯物辩证法,虽然无条件地含有相对论,但它却不被还原于相对论。即是说,它虽认定我们底一切知识底相对性,但这并不是在否定客观的真理的意义上,而是在所谓我们底知识于接近客观的真理的界限中具有历史的条件的意义上。②

伊里奇在《唯物论与经验批判论》之中,只是依着部分的问题,即依着真理底性质底问题,说明了相对和绝对底辩证法的关系,但是他却把这种关系看得非常重要的。由他看来,这是很有重大的根本的意义的东西。对于人类底认识有意义的东西,对于存在也是重要的。因为存在是第一次的东西,是决定人类底认识的东西。

相对与绝对之辩证法的关系

世界上一切的东西,都是相对的! 这当然是正当的,但这个命题却还没有

---

① 《唯物论与经验批判论》,《伊里奇全集》第十三卷,德国版,第123页。
② 《唯物论与经验批判论》,《伊里奇全集》第十三卷,德国版,第125页。

李达
全集

第九卷

唯物辩证
法关于相
对性的见
解与相对
论不同

说尽一切。"相对性"那东西,也只是相对的。极端的相对论者,因为违背着他们自己底原则,所以他们底脚下也没有什么理论的地盘。由于主张一切东西都是相对的一件事,他们便把这个"相对性"也当作绝对的东西。他们说:一切东西都是相对的,实则这个相对性就是绝对的! 于是他们底立场就充满着矛盾,并且在最坏的意义上是这样的,因为这种矛盾既不被扬弃,也不被克服。

马克思主义底见解,和这个不同,一切东西都是相对的,因而"相对性"那东西也是相对的,因而相对与绝对底关系及差异,也只是相对的,决不是绝对的。因而我们在某种意义上对于绝对也可以说的。所以我们如果真正彻底地贯彻相对性底见地,其结果必然变为这个见地底否定。

唯物辩证法,反对形而上学的意义上的绝对,即是反对从地上底事物及过程分离了的绝对。相对论也同样反对绝对的。但唯物论辩证法,在事物及过程本身之中,客观地发现绝对的东西;而相对论在相对的东西之中,主观地自己消失了。据相对论说来,绝对不能存在于客观的东西之中。所以,相对论在事实上把主观主义作为绝对的东西了。

伊里奇在一般的并且必然是抽象的形式上,把这个关系作如次的规定。

> 主观主义(怀疑论、诡辩论等等)与辩证法底不同之点,第一是说,在"客观的"辩证法上,相对与绝对底差异那东西,也是相对的。在客观的辩证法看来,相对之中也包含着绝对。在主观主义及诡辩论看来,相对只是相对的,不容许绝对。①

未来的康民尼斯谟社会,譬如在相对论及怀疑论者看来,是一个"绝对",他们"不信仰"它。在辩证法的唯物论者说来,它并不是不能接近的、只能在超感觉的直观上能被"认知"的、形而上学的绝对,而是由多数有限的相对的事物及过程底集合成立并产出的某种意义上的绝对。所以,伊里奇这些光辉的明确的诸命题,也把辩证的唯物论弄得丰富了。它不但造出了知识过程底哲学

---

① 《关于辩证法问题》,《伊里奇全集》第十三卷,德国版,第376页。

的根据,又造出了阶级斗争底实践底哲学底根据。

六、物质、运动、空间及时间底概念

　　基本的客观的真理,是离开我们底意识而独立的物质底存在。物质这个概念,从古就成了观念论底攻击底目标,预想到今后也会是那样的。这个物质,究竟是什么东西?——观念论者质问着。各时代对于物质的考察,已经是各不相同,我们怎样能够从物质出发呢?在 18 世纪之时,物质是被想做由分子构成的东西,但在其次的一个世纪,就已经证明了以前那种想法是完全不对了。一个物理学者这样地考察着物质,别个物理学者又是另一样地考察着。到了今日,"物质消灭",它被还原于电子,等等。因而物质对于科学的世界底建设,是全不中用,和物质一起,当作哲学看的唯物论也崩坏了。物质是什么

　　伊里奇底伟大的功绩,就是阐明了这个问题。他由于这一事,明白地把辩证法的唯物论弄发展了、弄丰富了。在这种情形,论争是在它当然被实行的地盘上战斗的。即是说,在哲学底领域上去战斗,而不在物理学底领域去战斗。哲学底范畴,必须和其他实证诸科学底范畴区别出来。当一般的哲学底范畴被移到各个科学底领域时,它在各个的科学上,是发展于被应用到某程度的特殊方面的。它当然要使它底意义和内容,与相当于它底哲学底范畴相一致,但是它又要取出特殊的规定来。譬如"生产诸力"底范畴,是在政治经济学上被发展起来而取出它底特殊的规定的,并且在论理上,在它的外延上,又是与社会哲学的范畴不同的。哲学底范畴与实证科学底范畴不同

　　"物质"底范畴,也和这相同。物质底范畴也和一切范畴一样,是从客观的现实抽出的一个抽象。物理学上底物质底范畴,从它底表征底外延说,和当作一般的方法论看的哲学上底物质底范畴,是不一致的。物理学者说起物质时,他们常常意指着某种物质底构造。即是,在 18 世纪时,是分子底构造;在 19 世纪时,是化学底原子构造;在 20 世纪时,是电气底电子底构造。到了第 21 世纪时或许又是另一种东西罢。因为知识是经常不断的过程。哲学者说起物质时,他们就不是指着特定的物质构造,因为这不是他底直接的对象。物质底范畴

　　关于这点,伊里奇这样说——

把关于物质底各种构造的学说和认识论上底范畴混同起来的一件事——正如马哈主义者所做的一样，把关于新种类的物质（例如电子）底新性质的问题，和关于认识论底旧问题，即关于我们底知识底源泉及客观的真理底存在等等的问题混同起来一件事，是完全不能容许的。①

关于物质的哲学上底问题，也是把哲学者们分为两个对立阵营的、同样的根本的问题。

物质底界
说

物质是说明被给与于人类底感觉的客观的实在，说明经我们底感觉所复写、所摄影、所映像，而又离开我们底感觉独立存在的客观的实在底哲学的范畴。

客观的感
觉论是唯
物论

客观的感觉论，因为它把事物、物体（＝物质）看作是作用于感觉器官的唯一客体，所以它是唯物论。

一切时代底唯物论者们，即令他们对于物质构造之具体的考察是非常不同，却常是把物质这样解释了。关于物质底这种见解，事实上是永久不变的东西，到任何时代都不至变为陈腐的，这一层，也和二千年来的斗争，即柏拉图和德谟克里特［Demokrit］、观念论与唯物论、宗教与科学之间的斗争并没有变为陈腐，正是一样。因而霍尔巴克［Holbach］和狄德罗［Diderot］在一百五十年以前所下的关于物质的哲学底界说，就是今日再提出来说，它也决不是科学的停滞与无知底表征。法兰西唯物论者，如一般所周知，是照下面那样去下物质底界说的。即是说："物质是用某种方法直接或间接作用于我们底感觉器官的一切东西。"这个界说，虽然下得很"广"，但不能比它还"更狭"。因为这个界说底对象，就是在一定的界限以内，也是很广的东西。这个界说，曾经被马克思主义底建设者所继承，又经蒲列哈诺夫所继承，即如伊里奇在说起下述的话时，也同样地站在这种立场上。"物质是在它作用于我们底感觉器官时唤起感觉的一切东西。物质是通过感觉而给与于我们的客观的实在。"

法国唯物
论者关于
物质的界
说

① 《唯物论与经验批判论》，《伊里奇全集》第十三卷，德国版，第117页。

霍尔巴克还是生活于还没有近代底意义的化学的时代的人。他假定了火、水、气、土四个"元素"底存在,恩格斯对于这种关于物质底物理学的构造的见解,已经不能满意,这是明白的事情。同样我们在今日,对于在恩格斯底时代曾经是物理学上底科学的真理的那种物质构造论,也不能表示满足,这也是明白的事情。我们固然不能不超出在历史上被规定了的恩格斯底那种见解,但当作哲学看的唯物论底真理,却并不因此而受丝毫的损伤。实际上,伊里奇也曾经是这种的"修正主义者",并且一切马克思主义者,在这种意义上,也必须是一个"修正主义者"。

物质构造论底进化与哲学底真理之关系

伊里奇说——

　　所以恩格斯底唯物论底'形式'底修正、他底自然哲学的论纲底修正,不但没有包含着普通意义上修正主义的什么东西,它反而是马克思主义底必然的要求。

《关于马克思主义底哲学文献》底著者们,想做那样的修正时,他们或许对于马克思主义有所贡献,但他们并不那样去做,反而显出批判马克思主义底形式,而在其本质上,开始了反对的战斗,援助了反动的布尔乔亚哲学。

伊里奇底时代的物理学底危机、自然科学的唯物论底危机,结果是原子论的唯物论变成了时代落后的东西,那么,这件事就从那种意味着唯物论一般变成落后的那种形而上学的主张发生的。在旧日唯物论的自然科学(不是哲学)说来,它底理论,譬如物质底化学的构造论,是关于物质界的一个现实的认识。但这个理论破裂了的结果,却不必是必须否定客观的实在即物质底存在。伊里奇不断地力说过:"哲学的唯物论联系于它底承认如何的物质底唯一性质,就是物质是客观的实在而存在于我们底意识底外部的一件事。"反之,物质怎样被构造着的问题,不是哲学底问题,并且即在这个特殊领域,据伊里奇底意见,反动的及进步的教义,当然也都是可能的。

物质构造底问题不是哲学上底问题

当某物理学者宣言"物质消灭了"的时候,这个意思,只是说以前塞住我们底知识底界限消灭,到现在物质已显示着从来为我们所不知道的方面了。例如,不可浸性、惰性、质量等物质底性质底消灭,或者甚至本质的变化,在客观

关于所谓物质消灭的见解

55

上并不是意指着物质底"消灭",而只是表明我们在以前未曾得到全部底真理。

由这件事说来,其次的一件事,就完全明白,即,以物为基础的物理学者,如果要主张他们究竟没有得到真理,那便是错误,便是形而上学的见解。他们底真理,只是相对的。他们虽然有着真理,但它是今日底真理(正如他们底反对者有着昨日底真理一样)。反之,明日底真理在一种新的理论上,就成为"具体化"。所以辩证法的唯物论,在这里也指示着知识底发展底程途。辩证法的唯物论,在这里也指示着问题应该怎样在科学上、在方法论上提出来。

> 为要从唯一正当的立场,即是从辩证法的唯物论底立场提出问题来,就必得探寻电子、以太等是不是离开人类底意识而当作客观的实在而存在的?①

自然科学者,对于这个问题,不能不作肯定的解答,并且实际上也常是这样解答着。这种肯定的解答,对于辩证法的唯物论,是有利的。

现代底自然科学者,已经是排斥机械论的、形而上学的、旧日自然科学的唯物论,而正当地战胜它克服它了。不过他们竟至于玉石俱焚,把唯物论拿来和那在历史上成为过去的物理学的唯物论底形态放在一起,也加以否定了。他们由此证明了他们也只能做形而上学的思维而不能做辩证法的思维。

伊里奇说——

> 新物理学,因为物理学者不曾知道辩证法,首先迷入了观念论。……他们因为否认从来所不知道的元素底不变性和物质底性质,结局竟至于否认物质,即否认物质世界底客观的实在。

正如知识底过程,超出了原子以上的一样,这过程,早晚也会要超出电子以上的。不过在某种意义上,我们可以说,任何一方面都不能超越,这两者并未经完全究明。它们两方都和物质一样,是未经完全究明的东西,"电子是和

---

① 《唯物论与经验批判论》,《伊里奇全集》,德国版,第 162 页。

原子一样,不能完全被究明。自然是无穷的,它们也是无穷地存在着。"

在伊里奇看来,运动、空间及时间底唯物论底见解,和关于物质的这种见解,是不可分离地结合着。和物质相同,伊里奇把这些底范畴,也当作哲学底范畴解释着,他决没有把这些底范畴当作特殊科学譬如力学底范畴论究的。他并没有停止于所谓"没有物质便没有运动"的那种常有的论纲。因为在某种意义上,可以说思想也是在运动着。在伊里奇说来,运动底问题,不外就是在特定的视角下被观察了底哲学底一般的根本问题。在他说来,

从物质分离运动一件事,正与从客观的实在分离思维、从外界分离感觉,即与移转到观念论方面那件事,是同样的意思。

某物理学者说——物质消灭了。伊里奇反问说——然则思想是剩留了的么? 若果思想也随着物质底消灭而一同消灭了,就再没有说起什么的必要了。但是如果以为自己运动的物质虽然消灭而思想底运动,仍然是剩留着,那么,这就是观念论底见解。否定物质而保持运动的物理学上底能力主义的倾向,是形而上学的思维方法底一个标本。现在,因为从前被视为不能分解的物质分子底分解,已是实现,从来不能知道的物质运动底诸形式,已被发现,于是这个倾向的人们,就否定物质一般了,要想到无物质的运动的一件事,不外就是要救出从物质游离了的思想的企图,这在根本上是哲学的观念论。

关于空间及时间的理论,同样和认识论底根本问题紧密地结合着。因此伊里奇在这个问题上,也和第 18 世纪及第 19 世纪底古典的唯物论者,具有相同的意见。空间及时间,与运动一样,同是物质底存在形式,但不像笛卡尔[Descartes]①和斯比诺莎[Spinoza]②称呼时间的那样,说它是思维底"样式"[Modi];也不像康德所主张的那样,说它是人类底直观底形式。自然存在于经历数百万年的一个时间之间,它在具有经验的人类出现以前已经存在着。这种事情,这种实践底标准,就已经是不能不推翻观念论者底一切理论的构

---

① 笛卡儿(1596—1650)——法国哲学家。
② 斯比诺莎(1632—1677)——荷兰底哲学家。

想,在这个世界中,除了自己运动的物质以外,什么东西都不存在;并且这个物质,也只有在空间及时间之中,才能运动,却不能在空间及时间以外。例如在笛卡尔所说的情形,空间,在论理上不是和物质一致的东西;但是如费尔巴哈所说,它是存在底本质的诸条件之一。

伊里奇底如下的语句,极明了地表现着他底唯物辩证法的见解。这些语句.有全部引用的价值。

> 关于空间及时间的人类底表象,是相对的,但是,绝对的真理,从这些相对的表象构成,这些相对的表象底发展,进行于绝对的真理底方向,接近于这个方向。空间及时间底客观的实在性,不被关于这两者的人类底表象底可变性所否定,恰如外界底客观的实在性,不被关于物质底构造及运动形式的科学知识底可变性所否定一样。

如读者所知,伊里奇底准则,即他底唯物论和他把知识看作一个过程的见解,在哲学底一切部分的问题上,成为他底指针,对于他保证着关于这些问题底正统马克思主义的解决。并且这种解决,常是明了的、坦白的、彻底的东西。

伊里奇从这个基本的立场出发,对于更进一层的哲学问题,即对于不仅涉及自然哲学,并且还涉及社会哲学的问题,给了彻底的解决。这是必然与自由底问题,这个问题,据伊里奇底见解,是特别具有重大意义的问题。他把自然中客观的合法则性、因果性、必然底承认,与外界底客观的实在性底承认,密切地关联起来。

因为揭举俄国马哈主义者们底观念论,是伊里奇底主要著作底重要任务,所以他没有涉及关于自然底事物及事象底因果关系的详细的哲学的论证。他只限于说明费尔巴哈与恩格斯底适当的见解。但是他自己底意见,也不是没有兴味和意义的东西。如果承认自然底客观的合法则性一事就是唯物论,那么,反起来说,"因果性底问题上的主观主义的倾向,就是哲学的观念论,即是多少被加减了被弄稀薄了的信仰主义"。

如同伊里奇在以前说过的,关于事物的我们底认识,只不过近似地相对地是正确;同样,他现在所说的,自然底客观的合法则性,也不能是绝对正确、绝对真实的东西,这是明白的事情。不过,如我们所记忆着的一样,绝对的真理那东西,是由相对的真理构成的。思维底法则,虽和自然底法则相适应,而我们底思维,在一切个个的瞬间,并不是适应地再现这个法则的东西。

自然底客观的合法则性

关于原因及结果的人类底理解,往往是多少要把自然现象底客观的联络单纯化,人类底理解,只是近似地反映这个联络,并且人为地把一个统一的世界过程底某某方面游离起来。

关于自然之中的合法则的因果关系的我们底把握究具有何种程度的正确这个问题,并不是什么原则上的问题。这是时间底问题,这问题依存于知识底发展与完成。不过,原则上的问题,是如次所说的问题。即,关于诸现象底合法则性的我们底观念,究竟是由于存在于客观的现实的合法则性产生的呢(唯物论)?或者是,这合法则性不是"事物本体"所固有的东西,而只是经由我们底理性,先验地先于一切经验而达到事物之中的呢(观念论)?所谓因果性不是客观的东西而是根源于我们底习惯的休谟底见解,伊里奇是把它当作观念论底一个变种看的。正如他虽区别事物本体与现象而不承认两者之间的差异一样,伊里奇区别着客观的因果性和关于它的我们底主观的知识。但是这两者之间,也不存有不可逾越的深渊,即是说关于因果性的我们底知识,就是那个因果性底写像。这完全是明白的事情。因为关于某种对象的知识,从适应的再现一点说,即令它怎样完全接近于那个对象,当然不能成为知识底对象。"世界是物质底合法则的运动。我们底知识,是当作自然底最高产物,只能反映这合法则性。"这就是伊里奇底哲学的结论。

因果关系底问题

对于意志自由问题的伊里奇底解答,在大体上已是预先被决定了的。这种解答,也和恩格斯一同与黑智儿说过的自由是被认识了的必然那种解答,是相同的。必然离开人类底意识而独立存在,而自由却依存于意识。必然被人类所意识之时,意志底自由,才被决定。但是自由并不因此而被除掉,它是在科学上被说明着。依恩格斯与伊里奇说来,意志底自由,是认识了事物以后而下决心的能力。物质是第一次的东西,意识是第二次的东西。由这个关系说,必然性是一次的东西,意志底自由是第二次的东西。

意志自由底问题

59

七、辩证法的唯物论与形而上学的唯物论

对于伊里奇所做的哲学底一般根本问题的研究之检讨,引导我们到达于伊里奇对于唯物论或观念论的两者抉择。在这两者之间,并没有中间的东西。这两个党派底每一个,都有着不可避的必然的同盟者。即,观念论在信仰主义中,在种种假装的宗教中,发现它底忠实的同盟者;唯物论把自然科学作为不亚于它的忠实的同盟者。自然科学,当然只有在某种条件之下,才能成为可以信托的支柱。辩证法的唯物论,——简单点说——,含有着不被解消于一般自然科学的某种最后的剩余物,即是当作科学的方法或认识论看的辩证法。换句话说,马克思主义底一般的哲学,无论什么精密科学或实证科学自身是怎样精密的而且实证的,它完全不能溶解于自然科学之中。辩证法必须是自然科学底中轴,是贯串它的赤线。只有在那种时候,这唯物论和自然科学底同盟,才是确切不动的东西。但是这两者底统一,就产出辩证法的唯物论。

为科学的物理学,在它底性质上是唯物论的。它之"迷入"于观念论底道路,是硬化了、停滞了的、形而上学的思维方法底结果。因此伊里奇到最后为止都反复地说着,有非常意义的要求、自然科学上辩证法的立场底要求,纯正地是马克思主义的要求。

本来唯物论的物理学底精神以及今日底自然科学全体底精神,会克服一切的危机,但它也只有在形而上学的唯物论无条件地变换为辩证法的唯物论以后,才是那样的。

由它底全部本质说来,为唯物论的现代自然科学,有一部分"迷入"于观念论底道路。这种事情,据伊里奇所见,是自然科学上缺乏着辩证法的结果。然则与物理学上观念论的倾向相斗争的自然科学者及唯物论者,究竟需要辩证法么?就自然科学者及唯物论者说来,单是自然科学底严密地科学的最后的成果,还不充分么?人们不可以完全抛弃马克思主义底哲学,而从那种人类思维底不完的形态的"哲学",转到更完成了的唯一的普罗列达里亚的思维

形态的"科学"么？因此，现时某某"马克思主义者"也还是那样在想着，但伊里奇并不想做这种事，也不推奖这种事。如果唯物论者需要和自然科学者同盟，自然科学者也就同样地需要和辩证法论者同盟。

这有两层理由。非辩证法论者的唯物论者及自然科学者，要和观念论者相斗争，他们还是没有充分地被武装起来。形而上学的唯物论者，比较形而上学的观念论者，还要倔强。这在第18世纪底法兰西，曾经是如此，霍尔巴克和狄德罗，在哲学底领域中，不仅战胜了神秘论者圣马丁［Saint Martin］，并且还战胜了福禄特尔［Voltaire］①及达伦贝［D'Alembert］②等自然神教论者。这是因为他们是唯物论者，能够在他们底哲学之中，更适应地把现实再现了的缘故。但是把他们和"绝对的"观念论者黑智儿比较起来，那势力关系就不相同，斗争底形相也更加深刻。这件事，与黑智儿迟生数十年因而更精通于近代科学的那件事，全无关系。全部底秘密，如德波林所适切地说明的一样，就在于无唯物论的辩证法是空虚，无辩证法的唯物论是盲目的这一点。然而黑智儿却是辩证法论者。

黑智儿底辩证法，虽然是从完全错误了的出发点出发的，虽然是用头倒立的，它却是反映了现实。它反映了现实之中所包含的诸矛盾，并考虑了这些矛盾底发展。现实底这些范畴，在法兰西底唯物论者们，一般是一点也不曾论到。只有在限于适宜的情形，他们曾经注意过。这当然是有历史的客观的原因的。从论理的方面研究这问题，事实是如次。即，法兰西底唯物论者们，从他们所处的时代看来，虽然有着完全正当的自然观，而在事实上，却看落了非常重要的自然底诸方面。至于黑智儿，却考虑了自然底这些方面的。正因为这样，所以法兰西底唯物论者们，对于和黑智儿的斗争，是未曾充分被武装着。

在德意志本国，唯物论者费尔巴哈，对于和旧黑智儿学派以及和青年黑智儿学派的论争，在论理上，在历史上，都得到了胜利。这是因为费尔巴哈，虽然也和旧黑智儿学派一样地未曾充分地通晓辩证法，而和后者比较起来，他却是唯物论者，这便是他底长处。

（右侧旁注）
唯物论自然科学辩证法三者底联系

无辩证法的唯物论不敌有辩证法的观念论

费尔巴哈所以能战胜旧黑智儿学派的理由

---

① 福禄特尔（1694—1778）——法国启蒙时代底著名的哲学家。
② 达伦贝（1717—1783）——18世纪法国底启蒙哲学家。

然而到我们一方面取出 19 世纪后半期底自然科学的唯物论者俾希纳尔[Buchner]①、薄格特[Vogt]②、毛利嚣特[Moleschott]③，他方面取出已被称为"陈旧的"黑智儿时，唯物论与观念论之间的从前的斗争形相，在本质上就发生变化。在对于当时观念论的形而上学的论争上面，俾希纳尔当然比他们还接近于真理，不过他底唯物论，并未曾体现那个时代底真理。这也同样是俾希纳尔不是辩证法论者的结果。他和他底同志，都是唯物论者。他们是自然科学者，甚至是达尔文主义者及无神论者，却不是辩证法论者。因此，恩格斯很轻蔑地看待他们，说他们至多是只能宣传通俗的无神论的"低廉的唯物论底巡回说教者"。用他们底著述去对付乘机猛起的论争，他们是未曾充分地被武装起来。

的确，在唯物论者与僧侣、物活论者及其他类似的反动哲学者之间的斗争中，辩证法的唯物论者底"同情"，当然要在唯物论者一方面。不过"这种同情"，也和对于反动思想家非开化论者的斗争中底一元论者赫克尔与辩证法的唯物论底关系相似。俾希纳尔底立场底正当，在他是唯物论者的范围内，是被承认的，但同时他底形而上学的机械论的见解底谬误，也必得把它指摘出来。

自然科学
所以需要
辩证法的
理由

所以自然科学者需要和辩证法论者同盟。这种理由，第一是因为他没有这个同盟，他对于和观念论者论争，就不能充分地把自己武装起来。单只是自然科学者，他就有"迷误"的危险，这是实际上常常发生的事情。

第二，自然科学者所以需要这种同盟的理由，是因为不这样做，他就不是完全的整个的唯物论者。唯物论首先是客观的立场。即是，它必须尽量地适应地写出现实来。但，现实是辩证法的。所以非辩证法的唯物论者、形而上学的唯物论者、机械学的唯物论者，是不能够尽量地、完全而且正当地再实现现实底现象及事象的。

辩证法的唯物论者与观念论及观念论的物理学者之间，在最重要的问题上，有不能融合的意见底差异。这是正当的。不过辩证法的唯物论者与机械

---

① 俾希纳尔(1824—1899)——德国唯物论的自然哲学者。
② 薄格特(1817—1895)——德国唯物论的自然科学者。
③ 毛利嚣特(1822—1893)——荷兰底大生理学家。

学的唯物论者之间,即在关于现实底现象及过程底性质底各种问题上,也有着意见底差异,这也是同样地正当的。

伊里奇为着表示自然科学的唯物论者底特征,曾经再提起恩格斯底正确的规定。第 19 世纪后半期底唯物论者——恩格斯曾经批判过他们,——和第18 世纪底他们底教师们一样,他们底缺点,就是"局限性"。

第 19 世纪后半期底唯物论底局限性

> 第一个局限性——旧唯物论者底见解,在他们专是适用机械学底尺度于化学的及有机的性质底事象之上的意义上,很是"机械的"。……第二个局限性——是在"他们底反辩证法的哲学风"的意义上之旧唯物论者底形而上学的见解。……第三个局限性——"在上半身",即在社会科学底领域固持观念论,以及对于史的唯物论的无理解……。①

非辩证法的唯物论者底第一个"局限性",是由于所谓把复杂的东西合成的东西还原于单纯的东西是科学底唯一任务那种假定发生出来的。他们以为一旦把复杂的现象还原于单纯而且容易了解的东西,科学底任务,就被完成了。像这种办法,的确是科学底武器底一种。不过紧要的事情,对这种"还原",必得有根据,并且不得因追求单纯性而忘掉复杂的东西底特殊性。我们固然要在差别之中探求单一性,却又不可看落单一性之中所有的差别。自然是单一的,但这并没有把那种单一体中所有的各种特殊形态除外。化学被"还原"于物理学,更被"还原"于力学。然而这种事情,并没有把各个领域中底特殊性除外。人类有机体,在终极上是由原子核及电子成立的,而有机体全部,单用电子底力学,是不能完全说明的。因此,力学这种极可尊敬的科学,也不能成为全般的科学。第一,若果是那样,当作结论看,必得要把这种力学的见解代替纯粹地量的数学的见解,并且这样一来,就会引我们回到加里莱[Galilei]②去,更会引我们回到毕达哥拉斯③学派[Pythagorean]底观念论去。第二,力学只是辩证法底一个要素,把力学的见解适用于自然、社会及思维底

第一个局限性

---

① 《唯物论与经验批判论》,《伊里奇全集》第十三卷,德国版,第238—239 页。

② 加里莱(1564—1642)——意大利底大物理学家。

③ 毕达哥拉斯(前 580—前 550)——希腊底哲学家。

现实全体一件事,并不是根本上"把复杂的东西还原于单纯的东西",而是现实底直接的单纯化与俗恶化。

对于力学的这样的偏重,是由于第二个"局限性"发生的,即是由于不了解辩证法才发生的。换句话说,即是由于没有把捉物质变化的诸形态底全部复杂性的能力,由于没有理解差别性之中的单一性并理解单一性之中的差别性的能力,由于没有理解同一性并统一性,即力学的,物理、化学的及社会的过程底差别性的能力,由于没有考虑这些东西底形态的决定性的能力等等,才发生出来的。

这种事实,在第三个"局限性"中,即在社会科学上固执于观念论的一事当中,特别表现得明了。人们以为只有一般的哲学的观念论才通达于史的观念论,这是错误的。在自然科学底领域中,即令是最坚决的唯物论者,若果他不是辩证法论者,而把他底自然观(这在他底领域中是正确的)机械地引到社会现象的方面来,他在历史方面就变成观念论者。因为在那种时候,他不复顾到单一性之中所有的差别性,不复顾到存在底一般单一性内部的自然现象与社会现象以及过程底差别性。

八、自然科学与唯物辩证法

单是适用自然科学的范畴,就能够把捉并理解社会现象么？能够把那种在自然底领域是合理的是必然的是科学的东西,如实地无批判地移入于社会底领域么？这个问题,并不是一见就明白的那样单纯的东西,许多马克思主义者都曾被这个问题弄僵了的。

自然科学底范畴,例如生物学底范畴,明明是科学的。不过就是像"生存竞争"或"适者生存"那样普遍的范畴,如果被移入于社会科学底领域时,就必须明白地加以变更才行。如果这些达尔文主义的原理是社会的法则,我们就必然地要站在社会的达尔文主义底立场,"更能适应"的资本家比较那些不很

能适应的普罗列达里亚,就必会被容许永久"生存"了。社会的存在,在它底全本质上,和"自然的存在"比较起来,明明是一种新的东西。只要哲学上底范畴是从现实的、历史的、生灭的诸现象抽取出来的抽象,我们在建设社会哲学

之时,就必得要从社会的存在对于我们是客观的那种东西出发。这件事的意思就是说,在这里须得首先考虑那成为一个特殊现象的阶级斗争。如一般所周知,"阶级斗争"是当作历史的发展底理论看的史的唯物论底基本范畴之一。

我们首先要确定的事情是:伊里奇是明白地理解了诸范畴底那种差别性、那种特殊的意义的。他对于把自然科学的范畴,例如生物学的及能力论的范畴变为社会的范畴一层,曾经完全坚决地反对过。"社会的能力论"、"社会淘汰"等那样的概念,据他的意见说来,"是愚笨的冗言,是直接嘲弄马克思主义"。他在别的处所说过——"一般地把生物学的概念移入于社会科学底领域,这是一种空言"。如果使用这样的概念,就不能开始社会现象底研究,也不能造成社会科学底方法。伊里奇对于无批判地把力学的、化学的、生物学的诸范畴移入于社会诸科学一层,是曾经那样严峻地而且正当地反对过,这是完全值得特别注意的。

伊里奇常常力说过,要对于一切社会的构造去建立同一的发展法则,是不可能的。资本主义社会,不能够用家长的氏族制度底尺度去测量。若果照那样做,我们对于资本主义,就不会有什么理解的,我们怎样能够同时建立通用于无机的存在、有机的存在以及社会的存在的普遍发展法则呢?不消说,那样的法则,只是一句空话,只是空虚的、贫弱的、不中用的、无尽的抽象。所以伊里奇在这种地方,就显现是一个天才的深刻的辩证法论者。

社会问题,从来常是自然科学者底弱点。但"哲学的党派性",在这个问题上,却表现得最为明了。如果唯物论需要和自然科学结成紧密的同盟,那就自然科学也需要和历史上的唯物论即史的唯物论结成紧密的同盟。由于这件事,就发生出伊里奇底如次的原则的要求,而在这要求中所包含的深刻的思想,是值得特别注意的。

　　　扩大自然科学的唯物论到史的唯物论,这对于把它作为人类底伟大的解放战争上真正不败的武器,是一件必要的事情。

在伊里奇说来,马克思主义是自然科学的唯物论和史的唯物论底统一。它不是相互间没有联系的"两个唯物论",而是同一的世界观底两个分支或两

阶级斗争是史的唯物论底基本范畴之一

自然科学的范畴不能变为社会的范畴

一切社会底发展法则不能是同一的

自然科学必须与史的唯物论结合

个分野。费尔巴哈底不幸和他底见解底缺陷,就是他在自然观底领域是唯物论者而在历史观底领域却倾向于观念论。在前者底领域是唯物论者,在后者底领域是观念论者,这是不可能的事情。(页边注:马克思主义是自然科学的唯物论与史的唯物论底统一)无论在自然域领域,或在社会史底领域,只能有一个统一的辩证法的唯物论。

俄国底马哈主义者,波格达诺夫和他底朋友们,犯了和这相反对的谬误,却又同样是重大的谬误。他们在上半身,即是在历史方面,想成为唯物论者,而在下半身,即是在自然方面,却想用马哈主义,总而言之要用主观主义代替马克思主义。他们的谬误,由于他们不生在马克思以前而生在马克思以后的一件事,更加变得重大了。

伊里奇的这种见解,对德国社会民主党中底哲学的倾向,对于伏尔伦德[K.Vorlauder]①和别的人们底新康德主义,更是充分地适合着。融合马克思和康德,而把马克思主义引回康德哲学去,这件事,不仅背叛了马克思主义底"一部分",而是背叛了马克思主义一般。

若果是存在离意识独立,第一的东西决定第二的东西,社会的存在就决定社会的意识,并且离后者独立。如果不离开客观的真理,不为布尔乔亚的反动的欺骗底手所拥抱,那就不能从构成浑一体的马克思主义,取去仅仅一个的根本前提,仅仅一个本质的部分。

所以,"无唯物论的辩证法是空虚"。在辩证法论者说来,探求自然科学所踏过的迂回曲折的进步之迹,是一件必要的事情。第一是因为辩证法论者要完全得到知识,只有根据于自然科学底研究底结果,才能有力量。第二是因为要打破某种自然科学者底反动的观念论的奸计。

伊里奇在 1922 年这样写着——

这时我们必须时常留心的事情是,近代自然科学所受的急剧的变革,从它的自身,不断地产生出反动哲学底种种学派和倾向。深刻注意地讨论

---

① 伏尔伦德——德国底社会民主主义者、哲学教授、新康德派。

自然科学领域中的最新的革命所提出的诸问题——这是一个重大的任务，如不完成这个任务，斗争的唯物论就不能是斗争的，也不能是唯物论。①

但是，在另一方面，"无辩证法的唯物论是盲目"。如果自然科学者想停顿于科学底地盘，他们就不能不承认辩证法底方法论的作用。他们如果不与辩证法相结合，那就不能不承认有变为"追从的"浅薄的经验论者的危险。

伊里奇力说着——

> 　我们必须理解，如果没有巩固的哲学的根据，无论任何种类的自然科学，任何种类的唯物论，都不能对抗布尔乔亚思想底袭击与布尔乔亚世界观底复兴。为要对抗这种斗争，收得充分的成功，并且实行到最后为止那么，自然科学者就必须是近代的唯物论者、经马克思所代表的唯物论之意识的信仰者，即是辩证法的唯物论者。②

伊里奇要求自然科学之"巩固的哲学的根据"。他在辩证法之中看出这个基础，这可由前后的关系知道的。我们已经在许多处所论到这一点，并且取出世界观底具体实例，指出了伊里奇是怎样应用了辩证法底见解。现在我们必须研究辩证法的本身，理解那当作认识底手段看的辩证法底作用、它底任务以及在某种意义上说的它底价值。——简单点说，即必须解答伊里奇所见的辩证法是什么东西的那个问题。

的确，伊里奇是马克思主义者。所以，辩证法，对于他，正和它对于马克思及恩格斯曾经是那样的东西一样，不过他自身底意见，却是很有兴趣的东西。他底这种意见，表示着他特别力说了辩证法底什么方面，在什么处所认定了问题底本质，发展了这个问题及其他许多问题底什么方面，对于问题底解决贡献了什么新的东西。我们在后面的任务，就是要用一般的形态说明伊里奇怎样地研究了辩证法底问题。

---

① 伊里奇:《关于宗教》，《关于斗争的唯物论的意义》，第54页。
② 伊里奇:《关于宗教》，《关于斗争的唯物论的意义》，第56页。

旁注：
- 无辩证法的唯物论是盲目
- 自然科学要有巩固的哲学的根据
- 所谓哲学的根据是在辩证法当中
- 伊里奇怎样研究了辩证法的问题

第三章　唯物辩证法底问题

应用唯物辩证法于经济学全体之根本的研究,于历史、自然科学、哲学、劳动者阶级底政治及战术——这件事,正是马克思与恩格斯最用心的处所,在这里有最本质的东西,有最新的东西,并且在这一点,就存有他们在革命思想史上的天才的进步。①

一、为哲学底继承者的唯物论的辩证法

伊里奇在 1894 年,写了如下的一段话——

马克思主义哲学底基础所在

由马克思和恩格斯底立场看来,哲学没有要求特别的独立的存在之权利,并且它底要素散在于实证科学底各种部门。因而可以当作哲学底基础认定的东西,就是它底(马克思主义理论底)论纲与其他诸科学所确立的法则之比较对照,否则即是马克思主义理论底适用底尝试。②

哲学底废弃与否的问题

信奉单纯经验论与"常识"底混合物的人们,关于哲学,什么也不倾听,而同时却又想介绍马克思和恩格斯,像这样的人,伊里奇上述的文句,对他们是不给以什么资助的。恩格斯自身,在他所著的《费尔巴哈论》之中,曾经使用过"辩证法哲学"的用语,就是伊里奇,对于马克思底哲学、唯物论底哲学也往往有所陈述,这便是对我们表明这个哲学是不能那样简单地废弃的。于是追

---

① 伊里奇:《马克思恩格斯往复书简》。
② 《纳洛得尼克［Narodniki］学说之经济的内容与斯特鲁勃［Struwe］著述中它底批判》,《伊里奇全集》第二卷,俄国版,第 180 页。

求马克思和恩格斯以及在他们之后的伊里奇,究竟在怎样意义上,论述哲学底废弃,以及在它废弃以后,可以代替"哲学"而存留的东西是什么,这件事就成为问题了。

实际上,马克思主义底建设者,从 1844—1845 年(《德意志观念形态》中底《费尔巴哈论》底原稿)起到他们一生最后之日(譬如看 1886—1888 年恩格斯底《费尔巴哈论》)为止,始终一贯地主张了的哲学底这种否认,究竟有怎样的意味和怎样的意义呢? 在马克思和恩格斯两人于 1845 年所写的"和他们底当时底哲学的良心绝缘"底原稿之中,对于这个问题,做过很简单明的说明。 <small>马克思与恩格斯对于这个问题的说明</small>

独立的哲学一经抓住现实,同时就失掉它底存在条件。代它而出现的东西,至多只是从人类底历史的发展底考察抽象出来的最一般地结论之总括。这个抽象,如果从现实底历史分离,它自身就完全没有什么价值。它底用处,只是能够使历史的材料底整理容易做,能够暗示各个时代底顺序。但它决不像哲学那样,提供历史上诸时代所被处分的药方或范式。① <small>哲学与现实底真实关系</small>

所以,到了和现实相冲突而不考虑现实的"独立的"哲学,是要死灭的。被隔绝了的、硬化了的、思辨的、形而上学的体系,即是把自然推入思辨地固定了的范式去的"自然哲学",以及同样思辨地调制现成的药方的"历史哲学",是要死灭的。 <small>离开现实便没有哲学</small>

不过,在哲学上,还残留着由现实的、生灭的、历史的诸现象底抽象所得的"最一般的结论之总括",以及它底范畴中的概念的把握。这些抽象,"使得历史的材料底整理容易做"。它若"不离开""现实底历史",就能使我们理解在我们周围的自然的及历史的现实。不过这里所说的"容易做"[Erleichterung]的意思,却不可以这样去解释,即是说哲学的抽象譬如是解开现实的魔术底匙。一把锁只能用那特别为这锁造出的匙去开。若有十个匙,就必须在它们 <small>只有不离开现实的哲学才能理解现实</small>

---

① 《马克思＝恩格斯文库》第一卷,德国版,第 240—241 页。

当中去选择适合于特别的锁的匙。

马克思和恩格斯接着说——

> 反之，困难是开始于从事于材料底考察与整理……于现实底把握之时。这种困难底排除……首先是由现实底生活过程与各个时代中个人底行动之结果产出的诸前提所规定的……。

继承旧哲学而起的东西是什么

著者揭举了"这些抽象底若干东西"——如他们所说的——之后，如一般所周知的，说明着社会的诸现象及诸事件之唯物论的解释底基本的大纲。所以"独立的"、思辨的、观念论的哲学若被放弃，代它而出现的东西，就是由现实的诸现象得来的结论、抽象的总括以及最后结论底确定——这一切东西，适用于理解在认识主体底周围及其自身中发生的东西底目的。

继承了旧哲学的东西底内容，在这里不是具体地被规定着，而只是形式地被规定着，这是必须认定的事情。不过由以上所述看来，和各种实证科学并立，还有一个具有特别内容的某种科学——若果这样地把它命名——是有存在的理由的，这是明白的，这种科学，马克思和恩格斯在1845年已经巧妙地使用过它。它是浸透于他们底一切科学的研究和他们底一般实践的活动的东西。恩格斯关于这点，于1877—1878年，在《反杜林论》之中。很明白地说明如次——

形式论理学与辩证法——思维及其法则底科学

> 那时候，从前的哲学全体中，仍然独立地（所谓独立地，当然不是离开实证诸科学的绝对的独立底意思，而是不被消解于其他科学的特别内容的意思——卢波尔注）剩留下来的东西，是思维及其法则底科学——形式论理学与辩证法。①

辩证法是旧哲学底继承者

如我们所见，在这里，继承哲学的东西，已有了一定的名称。它被称为辩证法。

---

① 恩格斯:《反杜林论》，斯图甲特1921年版，第11页。

不待说,若只称辩证法为思维法则底学问,那么,基于马克思主义的辩证法底界说,只是不完全的东西。先前,康德已经是非常接近于那样的辩证法。不过在马克思主义者说来,它已变成另一种东西了。

恩格斯简单明确地说——

然而辩证法不外就是自然、人类社会及思维底一般运动及发展法则底学问。①

由于这个定式,辩证法才充分地被规定着,并且是当作唯物辩证法被规定着,这一点在这里无须絮说。思维与存在同是辩证法的,而概念底辩证法,只是外界底辩证法被意识了的写象。

关于为哲学底继承者的唯物辩证法底意义,起劲地把它力说出来,这是必要的事情。因为马克思主义哲学底概念,无论在它底建设者方面,或在伊里奇方面,都只是在这种意思上被使用着的。

恩格斯在《反杜林论》之中说——

所以哲学在这里被扬弃了,换句话说,即是"被克服并被保存着"。由它底形式说,是被克服,由它底现实的内容说,是被保存着。②

我们说过,思维与存在同是辩证法的,不过存在常是辩证法的,反之,思维也能够纯粹地是悟性的、形式的、固定的、形而上学的。只有辩证法的思维,才能尽量接近于现实的实在底完全适应的写象。这个正是科学底任务,同时又是人类底第一种任务。因而知识必须成为完全适应于对象的知识。知识——若用别的话说——应该是完全适应于对象的认识及研究底一个方法。在这种情形,唯物辩证法(=辩证法的唯物论=马克思主义哲学),当作在思想上反映对象的知识底辩证法看,是对象底认识方法底科学,或者是同样的事情,它就

---

① 恩格斯:《反杜林论》,斯图甲特1921年版,第144页。

② 恩格斯:《反杜林论》,斯图甲特1921年版,第143页。

是科学的认识底方法论。在伊里奇一方面，辩证法的唯物论，首先是在这种意味上，即是显现为方法。

二、形式论理学与辩证法的论理学

"从前哲学全体中剩留下来的东西，是思维及其法则底学问——形式论理学与辩证法"——恩格斯说。但形式论理学不能是科学的认识底方法论、对象认识底方法论，它反而只是科学的、客观的认识底一部分（不是全体），和它底名称那东西底意思一样，它是形式的，不是现实的。它论述依据于形式的界说，并不深入探究事物，至多只是飘浮于事物底表面。事物及其更重要的过程，被分离出来，只显现为它的自身；在形式论理学中被反映、被固定了的某种形式，也同样被分离出来，只显现为它的自身。这些形式，被固定于依据于悟性的界说之中，这些界说，在形式上与各种命题相结合，各种命题，又被用形式上正当的推论而配列于三段论法，然而一方面活生生的现实进到它自身底道路，在事实上是不适合于这些界说、命题及三段论法的。

只有适合于客观的现实而能够完全充分反映它的思维，才能说是正当的思维，所以形式论理学，是不能教给思维的事情的。伊里奇在他底《关于黑智儿论理学底草稿》之中，曾经这样说着："关于论理学的洞察：形式论理学'教给思维的事情'（恰和生理学'教给消化的事情'相同！！），是一个偏见。"形式论理学底这样的要求，当然和那要教给食物底消化的生理底要求一样，同是没有根据的东西。但对于这问题，还有一个方面。如一般所周知，生理学是反映有机体内部显现的特定的过程的。它认识这个过程，虽不能教给食物底消化，它却能教给食物是怎样被消化的。至于形式论理学，是不能教给自然及社会底过程是怎样经过的，因为它不反映这个过程。要反映这个过程，形式论理学就必得由形式科学变为关于自然及社会底一般的——我们所说的——运动法则的现实的科学。这样一种现实的论理学，对于笨人，虽不能教给思维的事情，但它至少也可以告知现实底过程是依着怎样的方法经过的。这样一种论理学，在某种意味上，也可以教给思维的事情。即对于认识客观的现实底内容，是能够有用的。但因为这样——反复地说来——，论理学必须从形式的东西变为现实的东西。

　　所谓现实的论理学,究竟是什么东西? 它是适应于现实的论理学;它是把它底概念、概念底配列、结合、媒介及顺序,按照这些东西反映客观上存在的对象、对象底配列、结合、媒介及顺序的那样地去配置的论理学。只要后者[即客观上存在的对象]是辩证法的,前者[即论理学底概念]也必须是辩证法的。

　　依据于形式的悟性的界说,如黑智儿所说,只是"无生命的骨格"。但必要的事情,是"活生生的生命,不是无生命的骨骼"——伊里奇这样地加以注释。这件事,只有在论理学真实地反映客观的现实时,才是可能的。论理学及认识论,必须要"从自然及精神底全生命底发展"引出来。①

　　论理学底形式,不能只是"关于内容的形式",而必须是内容自身。"黑智儿所要求的论理学是,它底形式是有内容的形式,是活生生的现实的内容底形式,是与内容不可分离地结合着的东西。"——伊里奇这样写着。在这种情形,黑智儿和伊里奇是走着同一的路线,因为他们两人都是辩证法论者。不过他们底路线,到了关于"内容"那东西底性质的问题一被提出之时,就显然地分手了,这是然的事情。黑智儿成为本体论者、绝对的观念论者,反之,伊里奇成为唯物论者。这种差异,只限于他们两人共同从事建立辩证法的论理学底根据时,只限于不发生怎样解释存在的问题时,是不出现于表面的。在伊里奇说来,存在是物质的存在;反之,在黑智儿说来,存在是存在底被本体化了的概念。

　　论理学底规定,必须反映存在。这个意思,就是说,论理学底规定不能离开存在。伊里奇这样写着——

　　　　论理学底范畴,是外的存在及活动底个别性之"无限的集合"之略符。这些范畴,又适用于人类底实践。

　　这个正是马克思和恩格斯当作"从现实的、历史的、生灭的诸现象抽出来的抽象"而下界说的唯物辩证法底范畴底本质。这些范畴,虽适用于人类底

──────────

　　①　伊里奇:《关于黑智儿〈论理学〉的草稿》,《马克思主义旗下》第1—2册,俄国版,第9页。

实践,但不能说是普通意义上的人类底辅助手段。因为它底自身,不外就是"自然及人类底合法则性底表现"。人类也被同一的法则支配着,并且这些范畴,即是"观念的东西只是被翻译了出来而当在人类头脑中被处理了的物质的东西"。

关于形式论理学底最主要的弱点的以上底证明,完全是在辩证法的唯物论底精神上做成的。不过要注意的事情是,恩格斯和蒲列哈诺夫在批判形式论理学之时,未曾明白述说过这种证明。伊里奇读黑智儿底论理学,就注意于这个论证,为自己附加了若干的觉书。他明白地理解着,同一律、矛盾律及排中律底形式论理学上底诸原理,非首先探求这些原理所以不完全的原因,是不能加以批判的。但是这些原因底探求,若当作认识论上底问题看,已经超出了纯粹论理学底范围。关于同一律及其他的形式论理学底诸原理,只因为它不是当作"现实底略符",不是当作从现实底客观的内容抽取出来的抽象而被构成的东西,所以它对于认识没有用处。

第一,我们不能是形式主义者,而必须是经验论者,但单是这样还不充分。

同一律矛盾律及排中律底批判

三、抽象底问题中的辩证法的
唯物论与浅薄的经验论

辩证法的唯物论所据以为出发点的经验

辩证法的唯物论,在它被应用于自然及历史时,它是经验的。经验是当作物质的外界传达于我们底感觉器官的作用看的东西,辩证法的唯物论是从这种经验出发,它在这样被解释了的经验之中,看出一切知识底源泉。然而,辩证法的唯物论,并不是拘泥于主体底感觉圈内而此外别无所见的纯粹经验论;在另一方面,它也不是拘泥事物圈内而此外别无所见的素朴实在论。人们或许以为,唯物论是在自己底周围及自己底内部只看到物质的东西,只在这些东西当中认定全部的实在,除此以外,再没有唯物论的东西。但是,如果在实在之中只看到物,并且连人也要当作物去观察,它就不是辩证法的唯物论底立场。它只是"本能的"意识,不,甚至不能是意识。它反而是"在无限复杂的材料中茫然自失的"、无意识的、本能的行动。反之:

由知力规定了的意识的行动,是从那和主体的直接的统一,把向着行动的冲动底内容分离出来,并把它当作对于主体的对象物设置的。

伊里奇这样概括了黑智儿底见地。

黑智儿底用语实在难于了解,并且是极其抽象的。伊里奇充分理解了黑智儿底思想。他在唯物论上充分理解了它之后,常常给以自己底简单正确的规定。在这里,那种在唯物论上被充分理解了的辩证法底命题,对于我们是必要的。"怎样去理解它呢?"——伊里奇这样地发问,并且自己给了解答。

自然现象底网,张在我们底面前。本能的人、野蛮人,不从自然区别出自己。意识地思维着的人,却是区别它。种种底范畴,是这种过程底阶段,即是帮助认识世界把捉世界的网底眼孔。①

辩证法的论理学底概念及其范畴,决不是直观的表象。那种表象,是与野蛮人有关系的东西;浅薄的经验论者,也只是要求它。辩证法的论理学底范畴,是从事物抽出的抽象,它是构成向着世界认识去的阶段的东西。的确,它底范畴,没有表象是不可能的,但单只表象还是不够。换句话说,若单是有表象,那就会缺乏世界认识上的非常重要的阶段。 *辩证法的论理学底概念与范畴是不直观的表象*

我们必须在物底背后,更正确地说,在物与物之间,认出那相互地并个别地结合人与物的关系。没有这个关系,就会没有人,也没有物。物质的物与物底关系,虽然不能用肉眼或用戴着眼镜的眼在感觉上去知觉它,但这个关系,与物的自身一样,同是物质的。它只是被用戴上所谓意识底活动的眼镜的眼去认识的。的确,在这种情形,把意识当作调剂其他感觉(视觉、触觉等)底报告的感觉看的唯物论的认识论底解释,完全是正当的。不过,意识底活动,是成为构成那意识内容的表象及概念而出现的东西,没有这些东西,意识便不存在("空虚的意识!"),并且也不能存在。 *物与物之间有人与物底关系* *意识底活动能够认识物与物底关系*

若果表象譬如是个个外物底写象,概念及一般的表象,就是物与物之间的 *抽象的概念之意义*

————————

① 伊里奇:《草稿》,第12页。

联结及关系底写象,是抽象。巴克列批判抽象及抽象的概念,他说,现实地适应于"人类"(人类一般)的概念的对象是没有的,而所有的是所谓约翰[Johann]或彼得[Peter]等个个人,他这话确实是对的(这人类在主观的观念论者巴克列看来,也只是感觉底复合吧,这一点在这里于我们无关)。但是他从这个原理出发,主张现实地适应于"广袤"的概念的东西是没有的,因而广袤那东西是不存在,这话却是不对的。①

广袤底范畴广袤一般,在事实上虽不存在,但有广袤的外物却是存在的,因而各种外物都有广袤。因此,当作抽象看的,当作论理学的范畴看的广袤,把意识外部底外物所固有的东西,反映于意识之中。而这种范畴,具有一定的方法论上底价值。因而它是从现实底观察被抽象出来的最一般的结果之一,它和别的东西结合,"使历史的材料底整理容易做",这是马克思曾经说过的。我们虽然选择了最初步的实例,但那种没有超出个个事物以上的素朴经验论,连这样的范畴也是不能使用的。并且这样的范畴,乃是唯物论的方法论底武器之一。

经验论者主张:物,并且只有物,是环绕着自身的。这当然是对的,不过这种主张,究竟有什么意思呢? 经验论者把结合物与物的关系看落了。(页边注:经验论者只看到物却不能看到物与物底关系)只有踏到抽象底道路,我们才能从物出发,而引出结合物与物的关系及其被支配的法则。抽象是科学底前提抽象是科学底第一前提。然而反对"一切抽象及其他空漠概念"的我们底经验论者,却证明他们自己底见解是他们自己所非难的抽象的东西,即是证明被闭塞了达到科学的通路的愚笨。

我们从形式论理学底诸规定出发,对于物质的现象底内容,得不到什么知识;和这一样,单是直观的表象,我们也不能得到关于这内容的什么"表象"。并且,我们不能不去认识的东西,就是那种内容。因此,这种内容,必须受论理的考察。这件事,是依着抽象及辩证法的范畴底设定而实行的。伊里奇对于这层,附记着如下的觉书。

随着内容被实行论理的考察,不是事物变为对象,而是事和物底概念变为对象,不是物变为唯物论的,而是物底运动法则变为唯物论的。

① 德彼林《辩证法的唯物论哲学入门》中关于巴克列的论文,可参看。

只有科学底抽象，不是使我们能够把握个个物质的东西，而是使我们能够把握物底运动法则。这运动法则，实是现实底内容底本质。

抽象必须与事实一致，这是唯物论者第一个要求。并且实际上，唯物论者底抽象，是适合于这个要求的。当作方法论的范畴而被给予了了的关系，被给予了的法则，必须和那种当作事实而被给予了了的关系、被给予了了的法则相一致。在这一点，就存有真理的标准。引力底法则，物质及能力保存的法则，以及辩证法底一切原理，都是具有这种性质的。伊里奇在恩格斯底文句之后，接着这样适当地述说着。 抽象要和
事实一致

　　　　不把那概念和它所反映的事实比较，而把那概念和别种概念，和别种事实底写象比较，这是旧心理学底方法。

形式论理学底诸范畴，不只是"关于内容"的形式。它拘束内容的事情也是有的。 形式论理
学底范畴
往往拘束
内容

伊里奇在黑智儿和恩格斯底文句之后，接着这样地写着——"忘记了这些范畴在认识底某种领域内是妥当的一件事，固然是不对，但因为这些范畴离开内容而是只'关于内容'的东西，所以它不类似于现实，不能包括真理。"康德的先验的论理学的诸范畴，已经是比这理个多少要"进步"些。这些范畴，已知道辩证法的矛盾，表示着"不安的"神气，表示着其中的某种东西有可以变化为它底反对物的倾向。如同康德自己在"先验的分析论"所做的一样，就是看到这些范畴底列举方法，[也可以知道]它底分类，是照下面那样行着的。即，各个范畴和它底反对物是被并列的，如同，一——多，现实——否定，等等。不过这些范畴，都不外是悟性底先验的形式。康德从现实界把这些范畴取出来，而永久地把它们移入于意识之中。因此，当作萌芽而存在的这些矛盾，不是现实底矛盾，而只是人类底认识机构即思维底矛盾。那种先验的性质，把他底形式论提高到极端。 康德底先
验的论理
学底范畴

黑智儿底辩证法的论理学底范畴，早已克服了康德底那种形式论。黑智儿敏锐地批判了康德，他说："康德因为把矛盾移入于意识之中，就从矛盾把现实解放了。"黑智儿底诸范畴是客观的，不过这些范畴所以是客观的，是在 黑智儿辩
证法论理
学底范畴

77

一种观念论的意义上说的，所谓观念论的意义，即是说，这些范畴和中世纪实在论者底普遍概念一样，同是在论上并且从它本身发展出来的某种本体、绝对精神底发展阶段。

最后，马克思主义底唯物辩证法底范畴，乃是它不能不是那样的东西，即是从物质的、历史的、生灭的诸现象抽取出来的**抽象**。唯物辩证法底范畴，并不是它被对象化了的实体，在单是概念的意义上，它是主观的。在实在界底特定事物、关系及事象与它相适应的意义上，它是客观的。它是"阶段"，却不是从它自身发展起来的绝对精神（被客观化了的没有思维的主体的思维！）底阶段，它是世界认识上底阶段，它是帮助认识世界的自然现象之网底网孔。它所以能够完成这种任务，是因为它自身是从"自然现象之网"取出来的东西。

但是，范畴底科学，是辩证法底论理学，是在所谓思维科学底意义上的唯物辩证法。伊里奇所下的辩证法的论理学底界说，给予了明白而包括的问题之总括。

论理学不是关于思维底外部形式的科学，而是关于"一切"物质的、自然的及精神的事物底发展法则的科学，即是关于世界及其认识底具体的全内容底发展的科学。它是世界认识底历史底总和、底结果。①

四、唯物论的抽象之具体的性质、联结底范畴

以上所引用的辩证法底界说，并不是我们在伊里奇一方面所看出的唯一的界说。伊里奇对于辩证法，有时从内容去研究它，有时从形式去研究它，有时从它底意义和任务去研究它，因而所下的界说，也是各不相同，这些界说底每一个，都各是力说着辩证法底一个方面。所以我们不能够拘泥于一个个的界说，而是要研究那一切的界说。照这样，辩证法论者伊里奇底真相才能活现出来。

---

① 伊里奇：《关于黑格尔〈论理学〉的草稿》，《马克思主义旗下》第1—2册，1925年俄国版，第12页。

以上所引用的界说，是给予一般的定式的东西，它是在当恩格斯下辩证法底界说，说辩证法是关于自然、人类社会及人类思维底运动与发展底形式之科学时，给予了的东西，所以伊里奇也把辩证法叫作"世界及世界认识底具体的内容全部底……发展法则底科学"。伊里奇底界说，还含有着对于世界内容底具体性，照文字的意义说，即对于它底"联结性"［Verwachsenheit］的暗示。

伊里奇在关于黑智儿的觉书之中，这样写着——

在关于转化的旧论理学之中，没有什么发展（概念及思维底），也没有一切部分底必然的内在的联结，又没有一种东西到别种东西的转化。而黑智儿建立着两个根本要求。

联结的必然性。

"差别之内在的发生"。

伊里奇更这样附记着——

"是非常重要的！"据我的见解，它有如下的意味。

一、"当面底现象合成之一切方面、力、倾向之必然的联结、客观的联结"。

二、"差别之内在的发生"——差别底——两极性底——进化及斗争之内在的客观的论理①。

伊里奇所指摘的这些要素，我们须得详细加以研究。在被单纯化了的辩证法底说明中，通常在最初的一种情形，所谓"一切东西都是联结着！"的命题，是当作一种辩证法底"命令"显现出来。这无疑地是正确的。伊里奇在它底觉书底第一项，曾说到这个。世界是统一的，在它的当中，一切东西都是联结着，而孤立的、离开其他一切东西而独立的个个事实或"本体"，是不存在的。伊里奇引用黑智儿底观念辩证法底范式"天国——自然——精神"，在这

"一切东西都是联结着"的命题

———————

① 伊里奇：《草稿》，第14—15页。

种意味上,作下述的注释。

> 放弃天界吧! ——唯物论——等等——。一切的东西都被媒介,都结合于一,都由转化联系着,放弃天界吧! ——世界全体(世界过程总体)底合法则的联结。①

论理学底建立必须依从联结底原则

然而世界底这种统一,这种一般的联结,必须反映于我们底认识之中。认识底任务,就是适应地反映现实,不过这种任务,如果是世界过程总体停止于人类意识底外部,如果意识忽视它,是不能完成的。论理学必须依从这种联结底客观的原则而建立起来。形式论理学实际上不适用这种原则,辩证法的论理学,却是适用它的。

但是所谓论理学必须依从联结底原则而建立起来的这种要求,究竟是什么意思? 它底意思,就是说,论理学的概念及范畴,必须表现这种一般的联结。但这件事,并不如所说"一切的东西都是联结着"的言辞那样简单。论理学底范畴,必须包含存在物底活生生的联结于自身之中,必须包含现实底种种方面的这种"联结性"。

科学底两个前提和一个条件

科学底第一个前提,是意识底抽象活动;第二个前提,是这种抽象及概念之与事实相一致,即是概念与抽象之唯物论的设定。但单是这个还不充分。由以上的前提必然发生的还有一个条件,是必要的。方法论上底这种条件或这种要素,——无论在开始它好像是如何奇妙——曾经观念论者黑智儿指摘过。

黑智儿底辩证法底颠倒

它所以好像是奇妙,是因为有这样一种周知的事实,即是:黑智儿是辩证法论者,而马克思为要把黑智儿底辩证法变为科学的辩证法,不得不把它用脚竖立起来。所以这种要素,就从黑智儿底观念论的定式进到马克思底唯物辩证法,再通过它而进到伊里奇底方法论。

黑智儿这样论述着——

> 说哲学只论究抽象,只论究空虚的普遍性;说我们底经验的自己意识、我们底自己感情以及生活感情,却反而是它自身上的具体物,是它自

---

① 伊里奇:《草稿》,第17页。

身上被规定了的王国;——这类见解,是常有的偏见。事实上,哲学属于思想底领域,因而它是处理普遍性的。即,它底内容是抽象的。然而也只有从它底形式、它底要素看,才是抽象的。但因为理念[Idee]是种种规定底统一,所以在它自身上大致是具体的。理性认识所以和单纯的悟性认识不同,就在这一点。指示真理和理念不存在于空虚的普遍性之中,而存在于在它自身上是特殊的东西是被规定的那种一般的东西之中,这就是哲学对于悟性底工作。真理若果是抽象的,它就不是真理。常识是处理具体物的。至于悟性底反省作用,才成为抽象的理论,它不是真理的,它只在头脑之中是正当的,就中也不是实践的。哲学最忌抽象的东西,它复归于具体的东西。①

真理总是具体的不是抽象的

　　由于那辩证法而值得注意的这段文章,把所谓当作方法论看的哲学是"空漠的抽象"那种偏见扫除了。思想底王国,是哲学底领域。但思想只有在形式论理的(在黑智儿方面是悟性的)思维底领域中,才是抽象的。反之,在辩证法的(在黑智儿方面是积极的、理性的、思辨的)思维底王国中,思想是具体的,到某种程度止,它和对象、和事实、和现实的关系相一致,它是种种规定的统一,只有从形式上去看,才是抽象的。所以马克思主义方法论底概念和范畴,例如资本、生产诸力、生产诸关系等等,只有从形式上去看,才是抽象的。因为这些东西是种种规定底统一,所以是具体的。例如于主语"资本"附于客体"产业的",于主语"生产诸关系"附以客语"资本家的",它就变成更具体的了。上面所引用的黑智儿底文章底意味,就是说:方法底范畴必须是具体的;真理是抽象物与具体物底统一,概念只有在这种条件之下才具有特定的认识价值。

形式论理的思维和辩证法的思维底区别

辩证法的概念或范畴是种种规定的统一

真理是抽象物与具体物底统一

　　如一般所周知的一样,马克思在《政治经济学批判》之中,曾经论到抽象物与具体物底关系底问题。在那种处所,是论述经济学建设底方法的。认识作用,当然是从具体物出发,但为要使具体的东西变为能够理解的东西,使它在实际上能被理解,譬如是为要使"社会"不显现为"空虚的抽象",那就必须

抽象物与具体物底关系

① 黑智儿:《哲学史》,牟恩仙[München]1923,第70—71页。

从价值、货币等抽象物出发。那时候,社会才成为被用内容充满了的、富于种种规定的具体的范畴。

客观世界底联结,必须反映于论理的范畴之中,伊里奇为黑智儿附注着说——(页边注:客观界底联结必须反映于论理的范畴之中)

> 卓越地被规定着。不只是抽象的、一般的东西,并且是特殊的、个人的、个别的东西底丰富的内容(特殊的及个别的东西底丰富的全内容?),也放在它当中体现的一般的东西! 好极了!①

我们底概念,是一般的概念,但它不能变为这句话的别种意义上"一般的概念",即是不能变为一般的、空虚的、不意指什么东西的言辞。它必须"在它底当中体现出特殊的及个人的东西底丰富的内容"。要建立当作空虚的抽象看的一般的概念,是一件容易的事情;不过要在这一般的概念之中,总括并表现一切个别的现象,却是一件困难的事情。一般的概念,是表示一切个别现象底联结,而从这些现象抽象出来的东西。黑智儿底功绩,就是发现那种概念底可能性及存在,而用他底观念论的用语把它说明了出来。马克思[德文本为马克思主义,但据上下文的语义,似宜改为马克思]底功绩,就是他在黑智儿底方面,发现了"为神秘的外被所包藏的合理的核心"。伊里奇底功绩,就是他使我们想起在今日已被忘掉的唯物辩证法底这一方面,并且因此举出了卓越的定式和实例。

据伊里奇底见解,这种要素,是在说明并研究辩证法之时所不可忽视的。种种规定底联结性及具体性,是研究者所必须充分理会的。概念及一般表象之辩证法的研究,必须从它开始。一个概念及表象与别个概念及表象底联结以及它自身内部的联结,必得要指示出来;概念及表象,必得当作种种规定,而且是对立的诸规定底统一去理解。

伊里奇这样写着——

（黑智儿马克思及伊里奇底功绩）

（概念之辩证法的研究）

---

① 伊里奇:《关于黑智儿〈论理学〉的草稿》,《马克思主义旗下》,第1—2号,1925年俄国版,第16页。

从最单纯的东西、最普遍的东西、最大量的东西等开始,例如从所谓 对立物底
树叶是绿的、约翰是人或斯丕兹[Spitz——尖耳的狗,波恩墨尔产]是狗, 同一
等等任意的定言开始吧！在这里就有一个(如黑智儿天才地认识了的一
样,所谓个别的东西是一般的东西的辩证法(关于这个,可参看亚里士多
德底《形而上学》……"因为在眼所见的种种家屋以外,还有家屋……家
屋一般……,当然是不能想到的")。因此,对立物(个别的东西和一般的
东西对立着)是同一的。即是说,个别的东西,只有在引导到一般的东西
的联结之中,才能存在。一般的东西,只有在个别的东西之中,只有通过
个别的东西,才能存在。个别的东西,一切(在一种什么方法上)都是一
般的东西。一切一般的东西,都形成着个别的东西底一部分,或一方面, 个别与普
或它底本质。一切一般的东西,只是近似地包括一切个别的东西。一切 遍底同一
个别的东西,只是不完全地进到一般的东西之中,等等。一切个别的东
西,都经过无数的推移,而与其他种类底个别的东西(物、现象、进行)联
结着。在这里就已经有了自然底必然性,客观的联结底要素、萌芽、概念。 偶然与必
偶然的东西与必然的东西,现象与本质,在这里已经存在着。因为说起约 然
翰是人、斯丕兹是狗,这是树叶等等时,我们就把一系列的特征当作偶然
的东西除掉,只从显现着的东西抽出本质的东西,使他们互相对立起来。
照这样,我们在每一个任意的定言中,譬如在一个"细胞"中的那样,能够 一个任意
发现辩证法底一切要素底胚种(并且是应当发现的),照这样,我们就能 的定言都
够指示出辩证法一般是人类认识总体中所固有的东西。自然科学,对我 包含辩证
们指示出具有同一诸性质的客观的自然,个别的东西到一般的东西的转 法底胚种
化,偶然的东西到必然的东西的变化、转化、融合,对立物底互相联结(这
件事,还必须用任意的简单的实例证明出来)。①

读者会看出上述一切的伊里奇底思想,是与联结底问题或范畴有关的。
伊里奇并不停止于所谓"一切的东西都是联结着"的那个公准[Postulat],还在
概念那东西当中探求这种联结。这些个说明,不仅有着论理的意义,还有着认

---

① 《关于辩证法问题》,《伊里奇全集》第十三卷,德国版,第 377—378 页。

识论的意义。还是明白的事情。因为在马克思主义说来,辩证法首先是认识论。

人、屋、狗等一般的表象,是和客观地存在着的个个对象结合着,离开这些对象,并不存在什么一般的表象。如马克思所曾经说过的一样,除开个个的果实,没有当作概念看的果物。(页边注:一般的表象与客观的对象底结合)在另一方面,这个个的对象,一切都被总括于一般的表象之中。一切偶然的东西脱落了,一切必然的东西被集中于一般的表象之中。资本主义社会,离开了英吉利,法兰西等个个的资本主义社会是不存在的,但偶然的东西、对于各国是特殊的东西底一切被除去了,那本质的东西、必然的东西底一切就进入于"资本主义社会"的概念之中。因此,伊里奇也这样说着:"一切个别的东西,只是不完全地进入于一般的东西之中";"一切一般的东西只是近似地包括一切个别的东西"。知识作用底任务,首先是尽量地完全地把捉个个的对象。而这种把捉,不仅靠着造出新的别种表象一事而实行,并且又靠着造出新的、更完全的、更具体的、一般的表象及概念一事而实行的。在这种新的表象及概念中,别种新的对象或别种新的方面,是互相"结合"着的。

这种概念底具体性、一概念与他概念之外在的联结以及它自身中间的种种规定之内在的联结,论破了关于观念论者底纯粹概念或形而上学者底纯粹事物及现象的一切童话。如同孤立的、没有互相联结的现象并不存在一样,"纯粹的"、孤立的、满足于他自身的概念,也是不存在的。一切的东西都是联结着——虽然是反复说起已经用旧了的公式——,一切的东西,甚至"纯粹性"的概念,也是被媒介着。

伊里奇在完全实践的问题上,在帝国主义战争底问题上,这样论述着——

> 纯粹的现象,在自然中,在社会中,都不存在,实际上它也不能存在——这是马克思底辩证法所教诲的处所。马克思底辩证法,指示着纯粹性底概念那东西已经显示着人类认识底狭隘和一面性,人类底认识不是完全包括对象底全部复杂性的东西。世界上没有'纯粹的资本主义'那东西,实际也是不能有的。而存在着的东西,往往有时是封建的,有时是小布尔乔亚的、有时是什么别的要素底混合。①

---

① 《第二国际底崩坏》,《伊里奇全集》第三卷,一六〇卷,俄国版。

如果我们把某种现象，并且是把被给予了的现象，当作"纯粹的"东西去规定（形式论理学是这样处理的），它就只是表示我们不曾顾到那现象底一切方面、一切结合与媒介。人类底知识作用，确实是有界限的，但如我们已经知道的一样，这种界限，也是可变的相对的大小。认识底任务，就是在知识过程底一定阶段上把捉一切可能的结合与媒介。

五、运动底范畴、转化

当我们论到伊里奇底社会的方法论之时，打算再来研究这个诸现象底联结底问题及概念底具体性底问题。这里须得考察由前面所说的伊里奇那个提言——在每一个任意的定言中，譬如在"细胞"中的那样，能够发现辩证法底一切要素底胚种（并且必须发现它）的那个提言所生的种种结论。

动与静的见地

我们说起联结时，这个联结，究竟是静的东西或是动的东西，就成为问题。既然一切东西都是联结着，那么，实际上，这个"联结着"的对象和现象究竟是静止着的呢，或是运动着的呢，就成为问题了。这个联结是死的东西呢或是活的东西呢？从辩证法底通常的说明看，一切东西都是运动着，这是当作第二个"命令"被我们所知道的。但是，辩证法的论理学怎样解释那很普及的近代意识底这种真理呢？

"一切东西都是运动着"的命题之探讨

伊里奇也把这个问题，在辩证法的论理学上、在辩证法的认识论底精神上，提了出来。若果在物质的外界，一切东西都是运动着，这种事实，也必须反映到论理学上面的。论理学底范畴，不可以当作悟性底硬化了的规定去解释，却是必须当作自己运动底规定去解释。

论理学底范畴必须当作自己运动底规定去解释

形式论理学底规定是固定了的形而上学的东西，这件事，在恩格斯和后来的蒲列哈诺夫批判同一律、矛盾律、排中律等等形式论理学底原理时，已经是阐发无遗了。他们指摘了形式论理学不能把捉运动，如要把捉运动，只有借助于辩证法的论理学，才有可能。不过蒲列哈诺夫对于论理学底规定那东西当中已经包含着运动的一层，却未曾指摘出来。这种运动，必须由辩证法的论理学去开发，例如说，去"解放"，并且事实上是由它所解放所发现的。

形式论理学不能把捉运动要把捉运动只有借助于论理学

伊里奇当他唯物论地去充分理解黑智儿之时，就已经注意到辩证法的论

85

理学底这一方面。他采取最单纯的实例,表示着在事实上,这个论理的"细胞"是怎样"包含着辩证法底一切要素底胚种"。(页边注:伊里奇关于辩证法论理学这一方面的说明)

伊里奇在"读到黑智儿底书籍时关于辩证法的意见"的标题之下,这样写着——

怎样地犀利而聪明呵!黑智儿分析一般地以为是死物的概念,指出它是包含着运动的。所谓有限的东西?因而是向终点运动着的东西!所谓某种东西!因而是和别的东西不是相同的东西。所谓"纯粹的"存在?因而像存在=非存在那种非规定性。向着一切方面的概念底普遍的柔软性、到达对立底同一性的柔软性——这是核心。这种柔软性若是主观地被适用起来=折中论与诡辩论。客观地被适用起来,反映物质的过程底全面性及其统一的柔软性,是辩证法,是世界底永久发展底正当的反映。①

概念中包含着运动

辩证法论理学底范畴底柔软性

辩证法的论理学底范畴所以能够反映物质界底运动,就因为它底范畴是"柔软"的,它自身当中是包含着运动的。但是,我们不能把这种柔软性作为绝对的东西。因此,我们不能把范畴作为主观的东西去考察。在一方面,一切东西都是"联结"着、运动着;在别方面,如果这一切东西都被论理学上底概念所完全取尽,我们就不可避地走到观念论去,并且还到达于相对论及诡辩论——这一层,正如我们在前面对于绝对的真理与相对的真理底问题所见到的一样。一切概念都是联结着,一切东西都是运动着,一切东西都要转化而为它底反对物,并且能够或必须成为一切概念底标准的东西,什么也是没有的。真理在这些概念之中自己消失,而变为一般的相对关系底牺牲。但真理是表象底适应性,是表象与客观的实在底一致,而概念底柔软性如果客观地被适用之时,即概念底柔软性如果反映"物质的过程底全面性"之时,辩证法就至于

① 伊里奇:《关于黑智儿〈论理学〉的草稿》,《马克思主义旗下》第1—2号,1925年俄国版,第23页。

具有当作正当的认识论看的特质。

> 物自身、自然自身、事件底进行自身底辩证法，是第一次的东西；概念底辩证法是第二次的东西，是被附了条件的东西，是被规定了的东西。

伊里奇在别的处所这样说着。

伊里奇论及辩证法之时，他常常着眼于两个方面，即第一的主观方面和第二的客观方面，或者拿旧的用语法说，即本体论的方面与认识论的方面。换句话说，他同时把辩证法当作存在底法则底科学及思维底法则底科学解释着。这时候，若果第一的东西是辩证法的，那第二的东西也必须是辩证法的。

同一的事情，对于运动底分析也能够说。在运动之时，某物推移于别物。如果伊里奇只是辩证法底通俗解说者，他当然像通常在我们之间所做的一样，只会说起由量到质的转化。他会忽视问题之方法论的方面，忽视理论，而只是说起在自然及社会之中所见到的东西了。的确，"由量到质的转化"，是辩证法底一个重要的原则。所以，例如恩格斯和杜林格论战时，为了阐明这个问题，曾耗费许多的时间和纸面。反之，伊里奇呢，他或许是相信这个问题已经恩格斯及蒲列哈诺夫充分阐明了，或许是不曾把这个问题看作辩证法底本质，无论是属于哪一种理由，他对于这一层，比较地说得少。

由量到质的转化，确实是重要的，但是由可能性到必然性的转化、由相互作用到因果关系的转化等等，也同样是重要的。不过在这种情形，由一种现象到别种现象、到它底反对物的转化，对于一切都是共通的。伊里奇是想要说明辩证法底本质的，所以他论究关于把一切特殊情形加上特征的一般的东西，比较论究特殊情形以及无疑是非常重要的诸特性那件事，更为重要。

六、对立底统一

一现象及一概念到别种东西、到它底反对物的转化，在伊里奇看来，这是关于对立底统一的新问题。而这对立底统一，原是联结底问题与转化底问题之综合。一切东西都是联结着，运动着，因而空虚的无差别的同一性，是不存在的。一切东西都充满差别，在诸种对立之中运动着。如果概念是"互相联结"的，是"结合"的，是具体的，如果概念在这种联结底实现中，运动到与它相结合了的对立，那么，这件事的意思，就是说，概念是对立底结合，是它底统一。

（页边注：概念是对立底结合）

一个统一的联结了的现象，在它底运动底经过中，在一定条件之下，分别为各种的对立。它暴露自己底矛盾，但是，其次又从新变为别种的形态与质而发生出来。联结与运动底这种综合，是辩证法底本质。当作认识论看的辩证法，必须考察这一件事。

伊里奇这样写着——

统一物底分裂及其充满了矛盾构成分底认识，……是辩证法底本质（"本质性"之一，即令不是基本的特征或主要特征，也是基本的特征之一）。所以黑智儿也提出着这个问题……辩证法底内容底这一方面底正确，必须用科学底历史去实验出来。在辩证法底这一方面，通常（例如蒲列哈诺夫）是未经加以充分的注意的。即，对立底同一性，被当作实例底总计去考察（虽说是为了通俗化起见，如恩格斯也曾那样做过的一样，——例如"种子"，例如"原始共产主义"），被当作认识底法则（及客观界底法则）去考察。

在数学上——正数与负数、微分与积分。

在力学上——作用与反作用。

在物理学上——阳电气与阴电气。

在化学上——原子底化合与解离。

在社会科学上——阶级斗争①

在辩证法之通俗的说明上，"统一物底分裂及其充满了矛盾的构成分底认识"这个要素是完全被忽视着，这是不能不认定的事情。蒲列哈诺夫对于这层，也未曾加以适当的注意。为了历史的事情，主要地为了论战而被制约了

---

① 《关于辩证法问题》，《伊里奇全集》第十三卷，德国版，第375页。

的恩格斯及蒲列哈诺夫底关于辩证法的说明,是关于在辩证法之中成为反马克思主义的对象的一方面的东西。其结果,通俗的解说者,虽然把"量与质"、"否定之否定"、"三段法"[Trias]等等解说了,注释了,但着眼于辩证法底真的本质——单由它说明一切的东西——的努力,却不曾实行过。

　　读了里亚乍诺夫[Rjazanov]所发表的恩格斯底《自然辩证法》,我们就知道恩格斯在特别的一章"科学的辩证法底一般性质"底标题之下,详细地论究了"对立底一般的渗透底法则"[Gesetz der allgemeinen Durchdringung der Gegensätze]。

对立底一般的渗透底法则

　　伊里奇底觉书《关于辩证法问题》被发表出来,就表明了伊里奇从辩证法的唯物论底一般见解出发,就黑智儿底观念论的原型研究了辩证法以后,已理解了辩证法底本质,并且明明是注重于这种本质的。

伊里奇对于这个本质的注重

　　世界底物质的性质、世界底诸现象底联结及其运动,是被给予着的。但是,怎么样并且为什么发生出这种眼所见的诸现象底复杂性呢?这是内在的、它自身所固有的物质底运动。这种正确的答复,已由第18世纪法兰西唯物论者给与着。但这个回答,还不充分,它还没有说尽一切。运动底本质及其起源,是基于这统一物底分裂或分离,基于它底各部分底复杂的结合。这就是统一"联结"及"运动"于它底当中,而说明宇宙底一切推移、眼所见的复杂性底全体的辩证法底本质。

运动底本质及其起源

　　客观界底这个法则,由同一的理由说来,也是这个世界底认识底一个法则。社会的诸现象及过程,只有在建立阶级斗争底范畴的不可缺的条件之下,才被理解。因为在社会上,阶级斗争是客观的现象。

社会上阶级斗争底范畴之重要

　　在资本主义社会中,布尔乔亚与普罗列达里亚之间有一种联结。布尔乔亚,在普罗列达里亚之中有着"和他们不同的人";普罗列达里亚,在布尔乔亚之中,有着"和他们不同的人"。社会在某种意义上是分裂着。在它底内部,行着运动,演着阶级斗争。阶级社会,是从原始无阶级的社会经由这统一体分裂为互相矛盾的部分一件事而发生出来的。无差别的同一性,包含着它底分裂底原因。它惹起差别,这个差别,当作存在底本质的要素,转化而为它底对立。而这个对立,再发展而成为矛盾,这个矛盾,要求到新的统一的扬弃。这是由于旧的矛盾底死灭而产出新的统一的社会过程底论理。社会是对立底统

社会也是对立底统一

一。和这同样,关于社会的马克思主义的概念,也不是空虚的抽象,而是基础与上层建筑、生产诸力与生产诸关系、技术与劳动力、剥削阶级与被剥削阶级等等有差别的对立的诸规定之活生生的具体的统一。

伊里奇说——

> 对立物底同一性(更正确地说,是它底"统一",固然"同一性"与"统一"底表现底区别,在这里不是特别重要的。在某种意思上说,两者都正确),是意味着自然(包含精神及社会)底一切现象及进行中充满了矛盾的、互相排斥的、对立的诸倾向之认识(发见)。"①

对立物底同一性

的确,与其说对立底"同一性",不如说对立底"统一"为好。因为同一性虽然意味着完全的一致、完全的同一、一切差别皆无的东西,但统一底概念,却表现着同一性,同时表现着差别性,因而表现着真的辩证法。伊里奇在《关于辩证法问题》之中所使用的同一性底概念底意思,也是这样的。所以,它是一切现象及过程中充满了矛盾的诸倾向底统一。它是世界底客观的本质底表现。

七、发展底范畴

辩证法底基本的东西,单用以上所研究的诸范畴,还不能完全说明出来。据恩格斯说,辩证法是自然、人类社会及人类思维底一般运动法则及其发展法则底科学,这是我们已经知道的事情。然则,发展底范畴,对于它究有什么关系? 发展是非常重要的范畴,人们往往把辩证法看作和发展相同的东西,这里无须再说。的确,在这种情形,也可以容易地说"一切东西都是发展"的。不过,这个绝对正确的论纲,必须与其他辩证法底诸范畴联结起来。否则,辩证法(实际上往往是那样)将变成机械地被计算着的、相互间全无联络的、编上号码的"命令"了。

发展底范畴

一切东西都是发展的

---

① 《关于辩证法问题》,《伊里奇全集》第十三卷,德国版,第375页。

马克思主义者们,关于发展[底范畴],曾经写了很多的东西。发展底公式,是当作伴随于连续性之突然的飞跃的中断及向着新的质的转化而显现的量的变化底渐增,而被人们所知道的。蒲列哈诺夫仿照黑智儿底范本,为着阐明飞跃中的发展之辩证法的见解以及"平凡的卑俗的"进化之间的差异,曾经大大地努力过。伊里奇当然是容纳了辩证法的唯物论底这种 ABC[初步],但他并没有停止在这种地方。他深化这问题,并且更深刻地提出发展底问题。

黑智儿说——

> 发展是周知的观念。但哲学底特征,就是研究人们普遍以为是已经知道的那些东西。人们很容易地处理着使用着的东西、在生活上利用着的东西,当他没有学习哲学时,实是未知的东西。①

当然,哲学的教养是要紧的,这诚如黑智儿所说。不消说"发展"一语,是每日一千遍地被使用着,然而人们却不能站在发展底立场。无体系的、不是意识地被使用的"发展"的名词,与方法论上底范畴所说的发展,大有径庭。发展底概念,同是马克思及恩格斯在"德意志观念形态"之中所说的、那种遵循抽象底路程而得到的"最高结果"之一。在言语上说的发展,是为一般所知道,为普遍所使用的,但是具有着从那种贯彻自然及社会现象的、意识地被适用了的、发展底立场去观察的特权的人们,为数却是很少的。然而这样地去做,正是辩证法的唯物论底立场。

黑智儿为要阐明发展底概念,区别了两种东西:第一是可能性[Möglichkeit]、即自在[Ansichsein](Potentia),第二是现实性[Verwirklichung]、对自在[Fürsichsein](aotu),可能性成为现实性。即,自的地存在了的东西成为对自的[Fürsich werden],这是发展。发展底主体,包含着是即自在同时是他在[Anderesein]的矛盾。只是即自的地存在了的东西,在发展过程中,变为对自的东西。照这样,对自的地变成了对象的东西,本来是即自的地存在了的东西! 它并不是从外部添加了的东西。而且在从新被达

---

① 黑智儿:《哲学史》,牟恩仙 München 版,1923 年,第 66 页。

到的阶段和以前的阶段之间,大有差别——黑智儿说。在这种情形,人类虽没有因新的内容弄得丰富,但这个阶段与以前的阶段之间的差异,却是很大的。在所谓不从外部添加什么东西的意义上,新的东西固然是没有的,而发展底"成果",却是某种新的东西。因为本来存在了的东西,展开起来,变化起来,发展起来,变成了别的东西、新的东西。在资本主义社会中,普罗列达里亚是生产底主体。他们支配着生产。但这种支配,普罗列达里亚只是即自的,如马克思所说,只是可能的实行它;并且是为着别人,即是为着布尔乔亚去实行它。(页边注:以普罗列达里亚及布尔乔亚为例)可是到了普罗列达里亚收夺生产手段而被解放之时,他们就为着自己实行那个生产底支配了。在外观上,一般是没有新的东西的。新的东西是不从外部添加的。但发展底"成果",却是新的东西。它和发展底"前芽",根本不同。

结合具体物底概念与发展底概念就生出运动　　具体物底概念与发展底概念结合起来,就生出具体物底运动。具体物之起源的统一,显现那当作有差别的、充满矛盾的规定底统一看的它底性质,即当作分化了的东西[Ein Differenziertes]显现出来。"因此,具体物是单一的,同时又是有差别的。具体物之内在的矛盾,它自身正是发展底推进力,招致差别到存在去。"的确,运动着发展着的东西,如黑智儿底情形,不是概念,而是实在底客体。但尽量地适应地反映现实之辩证法的实在于概念当中的科学,事实上不能不建立能够把握这个实在的概念。辩证法底一切概念、发展底概念,也适合于这个要求。

伊里奇对于"发展"的努力　　在伊里奇说来,"发展"并不单是言语。它是他底方法论底主要部分。如果可以这样说,伊里奇是通过他底全生涯而为社会的发展尽力的。要追溯他底全生涯来研究这件事实,本是非常有趣的事情,不过要完成这件工作,就必得描写伊里奇底全生涯。本书底目的并不是那样高远的东西,所以只想用伊里奇底著作中的若干文章,证明他并未忘掉这个概念底理论的意义而适用了它的事情。

发展是对立物底斗争　　这里底问题,是发展底起源、诸现象底动因,因为发展底见解,单是承认"飞跃",还没有变成辩证法的。问题之真正辩证法的解决,即在于"发展是对立底斗争"。

　　伊里奇如次地论述着——

关于发展(进化)有两个基本的(或是可能的？或是在历史上被观察的？)见解：一是当作缩少与扩大看的、当作反复看的发展；一是当作对立底统一(统一物分裂为互相排斥的对立及其对立底相互关系)看的发展。① 关于发展
底两种见
解

第一个见解，是达尔文[Darwin]②、斯宾塞[Spencer]③及一切实证的进化论者们许久以前就知道的见解。它虽然想采用飞跃以补充发展底这种表象，而它却还不能成为辩证法的，发展底起源在那里？理解发展底关键在那里？实证的进化论者，已经否定着关于"最后的原因"底问题，所以关于发展的第一个见解，虽然至多只能证明事实，记述现象，而他们却以这种见解自满的。他们不答复"为什么"底问题，只是答复"怎么样"底问题。但是辩证法的唯物论者们，并不否定"为什么"底"形而上学的"问题。他们以为提出这问题而加以解答，是他们自己底义务。实际地说来，实证的进化论者们，也不是否认这个问题的。他们只是把那个原因转移到对于一切"超越的东西"都是适宜的处所的"不可知"底领域去。反之，辩证法的唯物论者却主张这些原因是能够认识的东西。 发展底起
源

伊里奇还继续写着——

第一个见解是死的、贫弱的、干燥的；第二个见解是生动的。只有第二个见解，才能给我们以理解一切存在物底"自己运动"[Selbstbewegung]的锁匙。只有它才能给我们以理解"飞跃"、"连续底中断"、"到反对物的转化"以及旧物底死灭与新物底发生等等的锁匙。对立底统一(合一、同一性、作用平衡)是制约的、暂时的、生灭的、相对的。互相排斥的对立底斗争是绝对的，如同发展、运动是绝对的一样。……在关于运动的第一个见解上，自己运动、它底推进力、它底起源、它底动机，都被隐蔽着(或者这个起源被移于外部——神、主体、等等)。在第二个 两种见解
底区别

自己运动

① 《关于辩证法问题》，《伊里奇全集》第十三卷，德国版，第376页。
② 达尔文(1809—1882)——最有名的自然科学的进化论者，英国人。
③ 斯宾塞(1820—1903)——英国底哲学家、社会学家。

见解上,主要的目标正是向着"自己"运动底起源底认识。①

伊里奇底关于发展的两个基本见解的明了正确的规定,正是古典的。我们不能说,第一个见解不对而必须简单地否认它。那个见解是对的,因为它是映出发展,即映出量的变化之渐次的增大与新的品质之飞跃的发生的。不过,单只第一个见解,还不能包括全部的真理。辩证法不能不答复为什么它是那样地发生的问题。(页边注:第二个见解胜于第一个见解)对于这个问题,只有第二个见解,才能给以回答。它是解开"自己运动"的锁匙。

"自己运动"底意义

我们不要为"自己运动"的言语所迷。它决不是含有"进化"力或隐蔽了的性质的暗示的。它只是意味着发展底起源是自行发展的——自然地被媒介了的——对象那东西当中所固有的。发展底起源,虽然内在于自行发展的对象之中,却决不是超越的东西。第17世纪及第18世纪底观念论的形而上学者们,也不曾否认物质是运动着的那件事。不过他们对于运动是物质所固有的与否一问题,却做了否定的回答。即是说:因为物质起运动,运动底起源是必要的。一个"原动力"、一个为宇宙机构、为神底时钟[horologium Dei]"挂上螺旋"的大时表匠是必要的。但是法兰西底唯物论者们,已经说过:运动是物质底一个特性,是它底一个属性。

运动是物质底特性

同样的事情,对于发展也能够说。在这种情形,完全的类似并不存在,这是当然的。发展并不是神所赋予的物质底属性。但是物质为了它底发展,并不需要使它"发展的"外部的力。第一个见解,却认定这种力(神、主体),而这种发展力不是经验上被给予着的,所以它被移到不可知底世界。第二个见解,在经验世界中探求这种力,并且发见它。它底一般的公式是这样的:"统一物底到互相排斥的对立底分裂及其对立底相互关系。"但同时发展底范畴却不是当作公准被给予的,也不是附加适当的号码而机械地被编入于其他范畴之列的,它是与其他一切范畴、联结、运动、到反对物的转化、对立底统一等诸范畴,极密切地结合着。发展底范畴,由这些范畴发生而出,在某种意义上又包含着那一切。它是这些范畴底综合。

物质底发展不需要外力

① 《关于辩证法问题》,《伊里奇全集》第十三卷,德国版,第376页。

这个包括的、一般的、富于内容的发展底界说,伊里奇在他替格拉纳特 发展底界
说
[Granat]百科辞典写了的论文《加尔·马克思》之中给予着。然而这个界说被
编辑部所删除,到 1925 年为止,论文底任何复版都是缺着这个。1925 年,伊
里奇研究所才发表了未经检阅或为编辑所删去的这篇论文。下面一节,就是
照这样再抄录下来的东西。

　　在现代,发展、进化底思想,几乎完全变成了社会意识,这不是通过黑 关于发展
之辩证法
的特征
智儿底哲学,而是采取其他的途径的。但这种思想,在马克思及恩格斯从
黑智儿出发而给与于它的规定上,比较普通的进化论更是全面的,更是富
于内容的东西。在某种程度再通过已被通过的阶段,却又是在不同的方
法上,在较高的基础(否定之否定)上,通过它的发展;不是直线的,而譬
如是描画螺旋而实行的发展;飞跃的、伴随激变的革命的发展;"渐进的
中断";由量到质的转化;在被给与了的现象底界限以内,或在被给与了
的社会以内,由于作用于当面的物体的种种的力及倾向底矛盾或冲击而
引起的发展之内在的反跳;各现象底一切方面之间的相互依存以及极密
切地不可分的联结(在这种情形,历史不断地显现着新的方面),成为一
个统一的、合法则的运动底世界过程底联结——这些是当作比较进化论
更富于内容的进化论看的辩证法的若干特征。[①]

八、当作以行动为基础的知识底
方法论看的辩证法

　　世界之客观的发展,既然是对立底斗争,人们在认识这些对立底统一时,这个 世界过程
底认识条
件
发展也只能当作统一去认识。世界过程之科学的认识,不须假定什么或隐或现的
超越的原因,而只是在它底自己运动上去认识世界过程,因此又如次地写着——

　　在它底"自己运动"上,在它底自然发生的发展上,在它底活生生的

---

①　伊里奇:《马克思、恩格斯、马克思主义》,列宁格勒,1925 年俄国版,第 13 页。

生命上,一切世界过程底认识条件,就是把它当作对立底统一去认识。

在这里被说明了的、经伊里奇特别力说了辩证法的内容,以及经伊里奇发见了究明了的关于发展之辩证法的本质,这一切,都必须包含于辩证法底界说之中。恩格斯说过,辩证法是自然、社会及思维底法则底科学,但在这无条件地是正确的界说之中,还缺乏着发展底把捉,伊里奇却给与了表现这种把捉的一个具体的界说。

伊里奇底辩证法底界说

　　辩证法是关于对立怎样能够同一而且是同一(它怎样变成那样),——在怎样条件之下,对立是同一而且相互转化——,为什么人底悟性不能把这种对立当作死了的、硬化了的东西去解释,反而必须当作被规定了的、可动的、互相转化的东西去解释,等事的学理。①

这个界说,也和恩格斯底界说相同,指示着辩证法底客观方面(世界过程及其发展)及其主观方面(思维过程及认识底发展)。所谓"辩证法底主观方面",决不是说恣意的主观主义。这句话底意思,即是说,辩证法不仅是认识底客体所固有的,并且是认识底主体所固有的;即,辩证法在马克思主义者说来,又是认识论。

辩证法又是认识论

马克思主义底认识论

马克思主义底认识论,就是感觉论。这种规定底意思,只是说,当作刺激于感官的外界作用底结果看的感觉,是认识过程中底第一次的动作。但同时却又不可忘记"适用合理的方法于感觉底报告上的那件事"。而这件事,就是意味着:认识论在马克思主义者看来,就是把捉"对立怎样能够是同一而且是同一"的一种感觉论,即是唯物辩证法。

伊里奇这样写着——

　　辩证法是(黑智儿及)马克思主义底认识论。问题底这一方面(它不

---

① 伊里奇:《关于黑智儿〈论理学〉的草稿》,《马克思主义旗下》第1—2册,1925年俄国版,第22页。

是一个"方面"，而是问题底本质），在别的马克思主义者，固不待说，就是蒲列哈诺夫也未曾注意到。

由这句话看来，伊里奇对于马克思主义底认识论，看得有怎样重大的意义，是可以知道的了。在他看来，辩证法不单是确定自然及社会底事变，——而是认识自然及社会底这种事变的一个手段或认识底工具；是我们借助于它而从"非知"即未经认识的领域把"某种东西"引到"知"即已经认识的领域去的一种工具。

辩证法又是认识底工具

唯物论的感觉论是真理。但更正确地说，它只是行近于现实的一个条件。唯物论的感觉论，与为真理之标准的实践结合起来，它已经就是表示我们在向着现实走的正当的道路之上的一个保证。但这个道路本身就是辩证法。没有唯物辩证法，我们始终就有迷入形而上学的唯物论底陷阱中的危险。

唯物论的感觉论

当作认识论看的辩证法是重要的，所以伊里奇特别力说辩证法底这种任务，还加了进一层的规定。这种规定，和以上所述的，一点也不矛盾。

伊里奇底更进一层的规定

辩证法是具有一切种类的无数色调与接近现实的无数色调的（具有由各个色调成长到一个全体的一种哲学体系的）生动的、多方面的（诸方面是无限地增加的）认识，——它和"形而上学的"唯物论比较起来，实有不可测度的丰富的内容。后者底主要缺陷，就是没有应用辩证法于写象理论、于认识底过程及发展的能力。①

这种简单的表现，含着少许"可惊的"言辞。即，伊里奇说辩证法是有"无数色调"的认识，又说这无数色调底每一个成长为一个"体系"。这果然是马克思主义变为硬化了的不动的体系的意思吗？究竟马克思主义就是那样的体系的意思吗？伊里奇是不曾为言辞所拘泥的。伊里奇不注重言辞，而是注重它底内容。伊里奇底论纲底意思是这样的：在唯物辩证法上面，一切方面、一切范畴、一切要素，是互相联结着的，所以我们从一个方面、一个要素、一个色

伊里奇底规定底说明

---

① 《关于辩证法问题》，《伊里奇全集》第十三卷，德国版，第377页。

调出发时,如果论理一贯地把它发展下去,这些"色调"底每一个必然由别的东西媒介着,所以说它到达于一个体系的世界观,各个的色调、各个向着现实的"接近",期望到达于一个全体,成长到一个全体,其结果,在事实上,生出在原来的文字上的意义的体系,即生出由多数部分成立的一个统一的全体。换句话说,当作认识论看的、当作特定的方法论看的辩证法,在接近于现实时,又成为特定的世界观。即,当作认识底方法论看的唯物辩证法,成为当作世界观看的辩证法的唯物论,或者把这种世界观底另一个方面、另一个"色调"摘取出来,就变为科学的康民尼斯谟。

方法与世界观底统一

如前面说及辩证法底主观方面与客观方面底统一(不是同一性)的一样,现在我们可以说及方法与世界观底统一(不是同一性)。我们所以说起唯物论的辩证法与辩证法的唯物论,决不是因为建立"烦琐哲学的区别",只是因为要摘出辩证法的唯物论底两个方面、两个"色调"、它底两个意义、它底认识论的方面和它底(我们敢于使用旧的"可怕的"名称)本体论的方面。

马克思在资本论上分析了的东西

依据伊里奇说来,马克思在《资本论》上分析了的东西,

　　首先是布尔乔亚商品社会底最单纯、最普通、最根本、最大量、最日常、几千亿次被观察了的关系,即商品交换。那个分析,在这最单纯的现象中(在布尔乔亚社会底这个"细胞"中)暴露了现代社会底一切矛盾(即一切矛盾底胚种)。以后的叙述,对我们揭示这些矛盾以及从始到终当作基本的构成分底总和看的这个社会底发展(成长及运动)。①

为方法论的辩证法

于是当作认识底方法论看的辩证法,就成为特定的形象、资本主义社会底"本体论"、关于那个社会的种种表象底一个体系。如果更一般地把问题提出来,当作方法论看的辩证法,就成为特定的世界形象、当作本体论看的辩证法的唯物论、当作存在物底一个表象看的辩证法的唯物论。

我们与其把当作认识论看的意义上的辩证法叫作认识论,还不如把它叫作方法论。因为认识论这个名称,使人们想起那固蔽于自身的"认识批判",

_____

① 《关于辩证法问题》,《伊里奇全集》第十三卷,德国版,第377页。

想起康德主义,方法论底概念是更为广泛的东西。即,认识底方法论是对象认识底方法论,因此,客体与主体底统一、我们底知识底对象性也再度被力说出来。

所以,在马克思主义上面的辩证法底任务,最一般地如次地被规定着。即,辩证法是关于对象的知识底方法论。但若不加上"以行动(实践)为基础的"言辞,单说做知识底方法论是不完全的。因为认识论中行动底要素,从1845年以来,从马克思关于费尔巴哈的论纲以来,已构成着马克思主义底一部分。 辩证法底任务

特别是依据前章所说,实践、行动是伊里奇底认识论底武器之一,这里不必再说了。 实践是伊里奇底认识论底武器之一

唯物论的辩证法,因而是以行动为基础的知识底方法论。但在这个表式上,也只说明问题底一半。行动不单是知识底理论底一个要素,用同样的正确程度来说,可以说知识也是行动底理论底一个要素。辩证法如果是知识底理论,它也是行动底理论。 辩证法是知识与行动底理论

在本书开头,列举伊里奇底特征时,我们曾说过理论与实践底统一。关于费尔巴哈的马克思底十一个论纲,已把这个统一提高到原理底地位。伊里奇是完全继承了这个原理的。他在一篇论文中,如次地论述着——

> 我们底理论不是独断,而是到行动去的指针——恩格斯关于他自己和他底友人这样说过,在这个古典的文句中,马克思主义中常被忽略的方面,被用值得注目的力量和明了力说了出来。但我们如果看落了这一方面,马克思主义就会变为一面的、不完全的、死板的东西。即,我们就变为从马克思主义拔去那活的灵魂,葬送最重要的理论的基础——关于全面的充满了矛盾的历史的发展底学说的辩证法,葬送那随着历史上底新的转换而变化的各时代特定的实践的任务与马克思主义底联结。① 马克思主义底理论是行动底指南

---

① 《关于马克思主义之史的发展底若干特性》,《伊里奇全集》第十一卷,第二分册,俄国版,第138页。

在关于马克思主义的这种重要文句之中,暗示着辩证法又是行动底理论、到行动去的"指针",即是行动底方法论。所以辩证法又是行动底方法论。但在这里又必须添加"以知识为基础"的言辞。因为如本书开头所说的那样,"没有革命的理论,就没有革命的实践"。

唯物论的辩证法底任务、它所完成的任务,做一句话说,它底一般的意义,就是:唯物论的辩证法是以行动为基础的知识底方法论,又是以知识为基础的行动底方法论。

九、伊里奇底对于黑智儿辩证法的地位

下章打算表示伊里奇怎样应用上述辩证法底意义于社会诸科学底领域一件事,并且要努力阐明伊里奇底社会的辩证法,但这里却首先要回想到伊里奇对于马克思主义辩证法底观念论的原型底创始者黑智儿的地位。

马克思主义是唯一的革命的世界观

马克思主义是唯一的革命的世界观。它严峻地和一切旧的东西断绝关系,要建立新的东西、别的东西、和旧的东西完全不同的东西,去代替那旧的东西。它不向着过去而向着未来。并且在一切世界观、一切哲学学派之中,像马克思主义那样对于它底思想的先驱者表示尊敬的东西是没有的。

形而上学的唯物论者也有过功劳

我们充分地认定了形而上学的唯物论者底功绩底价值。我们虽然完全知道他们底一切缺陷和那客观的贫弱,却决不忘掉他们对于烦琐哲学或观念论斗争的功绩。我们研究着他们。因为这种研究,是显示他们对于观念论的形而上学者的全优越性。

辩证法论者黑智儿底功劳也值得尊敬

我们不能不公平地待遇伟大的观念辩证法论者黑智儿。即令我们看到他底一切缺乏和那全部的贫弱,却不能忘掉他在对于形而上学的思维方法的斗争上底功绩。我们不能不研究他。因为这种研究,不但显示他底对于观念论的形而上学者的全优越性,并且在某种意义上又显示他底对唯物论的形而上学者的优越性。他底辩证法的论理学在唯物论上被消化起来,它成为对于一切领域中底一切倾向的必胜的武器。

伊里奇底哲学系统底路线

伊里奇底哲学的系统,越过马克思及恩格斯而通达于他们两人底先驱者费尔巴哈、黑智儿以及第18世纪底法兰西唯物论者方面。由马克思而迷入于马哈和亚勃纳流士,再向到巴克列——这是经验批判论的修正主义者底路线。由马克思到康德,——这是新康德派修正主义者底路线。在修正主义者一方面,黑智儿是缺乏者,因而辩证法也是没有,他们把马克思主义加以修正,这虽似不可思议的事情,然而却是当然的事情。

伊里奇这样写着——

　　大学教授们把黑智儿当作"死了的狗"看待了。他们自己所主张的观念论,在它是一千倍幼稚平凡的一点上,确实和黑智儿底东西是不同的。然而他们也只是耸着肩轻蔑了辩证法罢了。而修正主义者们,追随着他们底背后,陷入了科学底哲学的俗恶化的泥沼中,把"狡猾的"(并且革命的)辩证法和"单纯的"(并且平稳的)"进化"替换了。①

伊里奇不但是自己欢喜探究辩证法的唯物论之历史的路线,他还热心地把这件事劝告了别人。　　　　　　　　　　　　　　　辩证法的唯物论底历史路线底探求

在唯物论上研究黑智儿这件事,对于他决不是思维底游戏,他在那种研究中,看出了把武器磨锐的一种手段。

在他死的两年前写下来的小论文、被称为他底哲学的遗言的《关于战斗的唯物论底意义》之中,他简单明了地述说着应该做什么以及马克思主义者应该向着什么注意的两件事。

伊里奇在那篇论文之中,力说着应当暴露"有学位的僧侣主义底从仆"的　站在唯物必要;力说着把第 18 世纪无神论者底著作翻译为俄文以实行反宗教的宣传一　论底观点事底必要和紧急,以及与自然科学同盟底必要;最后又劝告要"组织由唯物论　上研究黑的观点出发的黑智儿辩证法之系统的研究"。　　　　　　　　　智儿底辩证法

　　的确,关于黑智儿辩证法的那样的研究,那样的阐明,那样的宣传,是　不犯过错极其困难的事情,这个方向底最初的尝试无疑地是会伴随着谬误的。但　的人是一是不犯什么谬误的人,只是什么事都不做的人。基于由马克思所实行而　事 不 做的人

① 《伊里奇全集》第十一卷第一分册,俄国版,第 55 页。

唯物论地被把捉了的黑智儿辩证法底适用,我们能够向着一切方向去完成辩证法,并且必须完成它。①

伊里奇劝告过设立一种"黑智儿辩证法底唯物论者僚友会"。(页边注:黑智儿辩证法底唯物论者僚友会)他说——

近代自然科学者们,将在唯物论地被设置了的黑智儿辩证法之中(如果他们想探求它,并且如果我们就它学习帮助他们的事情),发见对于经自然科学底革命所提起而使得布尔乔亚的流行底智的崇拜者们"起混乱",使他们倒在反动方面的、哲学诸问题的许多回答。②

依据伊里奇底意见,这种任务若没有系统的完成,唯物论就不能是战斗的。而唯物论不能不是战斗的。否则,它在成为"克服"的东西以前,就会成为"被克服的"东西了。

这是伊里奇底哲学的遗言底主要点。这个遗言,是深刻地经过熟思的东西,具有深远的真理,是由伊里奇底全世界观底哲学基础一贯地发生出来的。今日我们在别的领域中也实现着伊里奇底遗言,所以在理论领域中、在辩证法的唯物论领域中的他底遗言,我们也不能忘记。

---

① 伊里奇:《关于战斗的唯物论底意义》,《马克思主义旗下》第一册,德国版,第16页。
② 伊里奇:《关于战斗的唯物论底意义》,《马克思主义旗下》第一册,德国版,第16页。

第四章　社会的方法论底问题

据马克思说来,设立真的斗争标语,是科学底直接的任务。即,科学——必须理解把斗争当作由生产诸关系成立的特定的体系底产物在客观上说明出来,而抓住这个斗争底必然性,它底内容、它底发展底进行条件。①

一、史的唯物论与社会学

马克思主义者研究社会现象时,也可以应用以上由伊里奇底著作研究得来的辩证法的唯物论的见解。伊里奇在《"人民之友"是什么?……》的小册子之中,已经把唯物论说做社会学底唯一的科学的方法。这社会学一语,是需要一个说明的。在我们说来,在一切马克思主义者说来,"社会学"的概念和"哲学"的概念,是完成着同一的任务的。它们底差异只是:哲学底领域说明实在底全体及实在界底一切东西,把一切都嵌入它底范式和药方;反之,社会学专处理社会底实在。但在这种情形,社会学是与哲学追求着同一的目的,即是要说明一切东西,要把一切都嵌入它底范式和药方。在这一点,布尔乔亚底"科学的社会学",与从来的社会哲学或"历史哲学",一点也不相差。伊里奇在1894年底初期著作中,已经排斥了这种"世界历史的"或"历史哲学的"立场,不过他自己还常常使用着"社会学"的名称。正如马克思主义废弃抽象"哲学"——以为已经说尽了一切,后世的人们只宜安于已得的荣誉的那种哲学——,而与思辨的哲学断绝关系一样,它又用同一的手段与同一的效果,与

唯物论是社会学底唯一的科学的方法

伊里奇所说的社会学不是布尔乔亚底社会学

---

① 《"人民之友"是什么? 他们怎样和社会民主主义者斗争着?》,《伊里奇全集》第一卷。

那种解释一切时代和制度底诸现象的抽象的社会学,也断绝关系。

伊里奇对于"社会学"的概念(他后来的著作中已经弃掉这个概念),是在和它不同的意义上,在与我们今日还使用着"哲学"的概念一事略略相同的意义上,即是在某种特别的并社会的诸现象底认识底方法论底意义上,使用了它的。(页边注:伊里奇所说的社会学底意义)

> 史的唯物论,决不是要求说明一切的东西的,如马克思所说的一样,它只是想指示唯一的科学的历史解释底处理方法。①

所谓马克思主义社会学是一种方法论——社会的方法论

历史上底唯物论,首先是认识、研究、说明底方法,所以唯物论的见解底基础树立、这种见解底把捉、这种见解底学问——是历史的、社会的对象底研究及认识底方法论,是使尽量地适应地认识这对象一件事有可能的一个方法论。伊里奇说到马克思主义社会学时,他常常只是意味着这意义上底社会的方法论。

布尔乔亚底社会学是研究社会一般的

事实上,社会学是社会科学,是关于社会一般、社会那东西的科学。一切倾向的布尔乔亚社会学者,都是把种种自然现象(自然的环境、气候及其他)及种种社会现象(人口、国家、法律及其他)拿来与那种"社会"一般结合起来而处理的。

马克思主义却放弃了"社会一般"的概念

当然,人们不能断言:这些社会学者们,不知道人类在它底发达中通过下来的历史和各种阶段。但他们却都犯了共通的缺陷,即是,他们只是不完全地理解研究对象之历史的性质,并不考察社会现象底具体性底要素。至于马克思主义却放弃了"社会一般"的概念,其理由是因为它是反历史的,是抽象的。只要各种社会的构造有它自身底人口法则,就不能说及人口法则一般。如果地理环境底影响在各种社会的形态上是不相同的,就不能说及那些影响底不变的法则。蒲列哈诺夫已经指摘过:就是在地理环境被看作不变的东西时,这种不变量及于社会的影响也是可变量。

史的唯物论不能解做社会学

如果要把史的唯物论解为社会学,我们就碰到史的唯物论在这里提出的不能克服的障碍。

---

① 《"人民之友"是什么……》,《伊里奇全集》第一卷,俄国版,第76页。

现在就是把这个命题加以修正,而说史的唯物论是阶级社会底社会学,问题在原则上还是未变。因为历史是知道着种种的阶级社会的。

恩格斯在《反杜林格论》之中说——

> 所以知识在这里,本质上是相对的。即,知识仅仅知道那只对于一定的时代及民族存在的、在其性质上是生灭的一定社会及国家形态底内部的关联,以及由它发生的结果。

所以,把论理贯串下去,马克思主义的"社会学者",就弄到不能不把史的唯物论解为"资本主义社会底社会学",但这不消说就是没有根据的、难于支持的、史的唯物论底限定。因为当作社会现象底认识底方法论看,史的唯物论,不是只被适用于资本主义社会的东西。

这个问题底要点,是如次所述。即,辩证法的唯物论,是研究社会现象及自然现象的方法论。被适用到社会现象底领域(因而又是在社会科学上),辩证法的唯物论,就把自身具体化,而成为史的唯物论。所谓史的唯物论,并不意味着其他的事情。因而,史的唯物论是历史、经济学、法律学及国家学等等底方法论。

特定的唯物论的前提,和一群具体的对象接触起来,就变成特定的一般的世界观,变成诸现象底某个领域中底特定的理论,这是前面已经说过的。史的唯物论,当作国家学上底方法看,就成为马克思主义国家理论,成为普罗列达里亚狄克推多底理论;在经济学上,它就成为劳动价值论。在历史上呢,在这里,史的唯物论底方法,同样成为科学的社会主义底理论。①

但是科学的康民尼斯谟,是我们从历史的(辩证法的)唯物论底方法出发时,在历史科学领域中到达于它的理论。这件事,正和我们从辩证法的(历史的)唯物论底方法出发时,在生物学领域上到达于进化论(达尔文、赫克尔底)相同。②

史的唯物论也不是阶级社会底社会学

史的唯物论也不是资本主义社会底社会学

史的唯物论是历史、经济学、法律学及国家学等等底方法论

马克思主义与达尔文主义之对照

---

① 在现代一切的讨论上,辩证法的唯物论、唯物论的辩证法、方法、世界观、理论、体系等等概念,是被提示着,至于科学的社会主义这个旧的、有功劳的概念,却不曾顾到,这是奇怪的事情。引用着这个概念的人,主要的是社会主义底历史家,他们却不必是拿这个概念和史的唯物论底方法相结合的。

② 提米亚瑟夫[K.A.Timirjasew]正当地把达尔文主义称为生物学上底历史的方法。在某种意义上,可以说当作方法看的达尔文主义与当作理论看的达尔文主义;和这一样,为谋简洁起见,也可以说当作方法看的马克思主义与当作理论看的马克思主义。

在马克思主义为着摘出它底种种方面而选择的用语之中,科学的康民尼斯谟是最接近于"社会学"。若果想那样说,科学的康民尼斯谟即是"马克思主义的社会学"。我所以说"若果想那样说",是因为科学的康民尼斯谟底理论,在形式上虽然最接近于"社会学",而从本质上说,它却是扬弃社会学的。"社会学"这名称,因而在某一点,从马克思主义底立场说来,是不适当的。(页边注:科学的康民尼斯谟与马克思主义的社会学)但最后,如果想把史的唯物论叫作社会学那东西[Soziologie als Solche],并且说它不是引导到科学的康民尼斯谟理论去的方法,那也就不能不把辩证法的自然科学的唯物论叫作生物学那东西,而说它不是引导到达尔文主义进化论去的方法了。问题底这样解决,当然是错误了。

依据由伊里奇底见解所引出的界说,辩证法的唯物论不仅是以行动为基础的知识底方法论,又是以知识为基础的行动底方法论——如果我们把这一层放在眼中,"社会学者"底地位,结局是要坍台。当然,"方法论化一件事"底危险是有的。并且这种危险,越是把史的唯物论限定于社会诸科学底方法论,就越是增大。因此,对于辩证法的唯物论底其他实践的方面,就有更加紧地力说的必要。

所以,辩证法的唯物论被适用于社会的存在,就是以行动为基础的社会的知识底方法论,同时又是以知识为基础的社会的行动底方法论。(页边注:适用辩证法的唯物论于社会的存在底意义)

缺乏了行动底要素的社会学不能存在 史的唯物论首先是社会现象底认识底方法论

但是,辩证法的唯物论或史的唯物论如果是行动底方法论——我们基于伊里奇底见解这样主张着——,那么,当作关于社会一般的科学看的、当作完全缺乏着行动底要素的科学看的社会学,结局会丧失它底存在底理由。

因而,史的唯物论首先是社会现象底认识底方法论。在这种情形,不可以说及另一个特别的、与史的唯物论有区别的伊里奇底社会的方法论吗? 单是说:伊里奇是最彻底最能干的史的唯物论者;他严格地应用了马克思主义的见解;他由它出发,正当地判断了历史的现象及事变,又依从那个判断在实践上行动着。——单是这样说,还不充分吗? 这一切当然都是正当的,并且这种主张,在深深注意于伊里奇底著作的读者看来,并不含有什么新的东西或未知的东西。辩证法的唯物,因而革命的唯物论底严密的分析,在伊里奇关于大小种种事物及事变的一切判断之中渗透着,但是停止在这种处所是没有什么意味的。

然而不拘是那样,单是在伊里奇底一贯的立场(这当然是要紧的)上,单是在他底能力上,去认定他底方面底史的唯物论底特殊的东西,还是不充分的。马克思主义底社会的方法论,具有伊里奇所特别指出的、力说的、发展的方面。他并不是从外部(从别的什么哲学)把这种方面引进于史的唯物论之中的。这种方面本来包含于马克思主义之中,不过在许多情形被隐蔽到某种程度罢了。然而[认定]这种要素,对于认识与行动是大有意义的东西,因而把它加以力说,这无疑是伊里奇底功绩。如上面所述,这件事情,并不是变更马克思主义,反而是把马克思主义底内容深化、扩大,并加以力说的。它使我们知道史的唯物论者伊里奇底特性,它构成他底社会的方法论,涅灵主义底社会的方法论底根本要素。以下数节,要把这些要素阐明出来。

伊里奇发展了史的唯物论底另一方面

二、史的唯物论底抽象底具体性

我们在考察当作一般的方法论看的唯物论的辩证法之时,已经指摘了,马克思主义决不是浅薄的固执于表面的经验论。马克思主义还是承认唯物论的抽象底必要与认识价值的。

唯物论的抽象底与认识价值

这件事,也同样适合于社会现象底领域。这里应当注意的事情,只是:只要社会的实在显示其他特殊的诸关系,社会的方法论底抽象,也不能不是其他特殊的东西。如后面所见的一样,这件事是经伊里奇非常加紧地力说的。素朴的经验论者,在社会的实在之中看出人类,并且只看出人类。这是对的吗?因而单只人类是构成社会的,所以或许确实是那样,不过社会的实在并不尽于人类。人与人之间现实地存在着的诸关系,虽是没有人类是不能有的东西,但它们却决不是人类。不看到这些关系(它们也和"广袤"一样,是不能用肉眼去觉知的),这是就意味着对于社会现象毫无理解。

说历史是由伟人造成的那种主张,在理论上是全无内容。历史底全部是人人底行动构成的。而说明这类行动,就是社会科学底任务。①

社会科学底任务

---

① 《人民派[Narodnitschestwo]底经济的内容及斯特鲁勃[Struwe]氏著书中的它底批判》,《伊里奇全集》第二卷,俄国版,第62页。

所以仔细地检讨起来，就知道"历史是由伟人造成的"那种一看像是科学的论纲，实是最空虚的最无内容的抽象。因为经验论者并没有超出眼所见的社会底客体——人类——以外，并且没有深入于物质的人与人之间的关系。我们知道：素朴的经验论者，无论他是历史的观念论者或自称为唯物论者，都只能处理个个的对象，但他在企图"建立理论"时，就拘泥于完全没有说明什么事情的、最有害的、最无内容的抽象。（页边注：经验论的抽象是无内容的抽象）

因此，问题底归趋，就在于抽象底差异，更正确地说，就在于素朴的经验论者底抽象与辩证法的唯物论者底抽象之间的差异。这种差异，并不是关于琐细的个个事物的东西，而是关于问题自身底本质的。这是原则的。我们由于一般的问题底提起，已经知道辩证法的唯物论者底抽象，是充满了内容的东西。它是统一对象底种种规定，做一句话说，即是具体的。

概念、界说底具体性，做一句话说，对于"抽象"底具体性的这种斗争，已经是少年伊里奇底特征。伊里奇在1894年对于米海洛夫斯基［Michailowski］的论战上，把《政治经济学批判》序论（这是在1903年总发表在《新时代》［Neue Zeit］杂志上的）中底马克思底说明，几乎照语义那样再现了出来。

社会是什么，进步是什么，从这样问题出发，这就是从终到始的事情。在诸君还不曾研究何种社会的构造，特别是诸君不曾理解确立这种概念的事情、不曾理解对于真实的正当的研究采取某种社会的诸关系之客观的分析时，诸君究从什么地方得到社会或进步底概念呢?①

社会底概念，在它要意指什么东西时，必须是具体的。抽象地下社会底界说，这件事底意思，只是"把社会底概念还原于英吉利小商人底市民的观念，或还原于俄罗斯民主主义者底小布尔乔亚社会主义的理想"。在社会的方法论上，社会底具体的界说，构成着它底第一步。例如，现实的、经常的"人类底总体"，或其他种种表现的公式那样的空虚贫弱的抽象，在这一点已经是根本的谬误；并且要拿那种界说通过论理底导线而与史的唯物论底其他范畴相结

---

① 《"人民之友"是什么……》,《伊里奇全集》第一卷,俄国版,第74页。

合,也是劳而无功的事情。然而关于社会的那样的抽象的界说,和那种把史的唯物论看成社会学的见解是一致的。

的确,社会是由人类构成的,但这种确定底价值究竟在哪里? 不待言,那样的总体,也是现实地存在着,——只有主观的观念论者会否认这个。关于经常的问题,即是关于时间的问题。封建社会,在欧罗巴曾经历了约一千年之久的年龄,但我们说及幼少的资本主义社会(它一总只经历了一百五十年至二百年的年月)时,却已经和说及活尸相等了。再把采入"劳动结合"的特征看看,问题也是不变的。劳动结合,在蜜蜂和蚂蚁当中也是存在的,但它们中间并没有社会——若果说有,那就是滑稽之谈。

社会底概念,在马克思主义底社会的方法论上面,必须包含具体的规定。而力说社会底马克思的界说,拥护它、发展它并且宣传它,这是伊里奇底功绩;这种功绩,比较俄国任何马克思主义者或任何的自称马克思主义者的人底功绩还要优。

关于社会的马克思主义的界说底特征、本质究竟在哪里? 它是在于用寥寥数语给与社会底概念底最完全、最深刻并且——这事最重要的——最具体的规定,而这种规定,包含着被规定的东西底全本质、单只它底本质于自身之中,并对于一切社会阶级底代表者,同样课以被规定了的实践的归趋。不过在这里,这概念底历史的及论理的发生史,当然是未经给与的(例如在《资本论》中的那样)。因为这是经济学底任务,而不是论理的规定底任务。又,在这里,适合于某一瞬间的全地球底一切人类或——在最坏的事体上——一切时代底(即一切社会底)人类的社会底界说,也是未经给与的。然而不给与那样的抽象的界说,一件事,正是构成着马克思主义方法论底核心,并且这件事是把那个界说弄成具体的,而不致使它变为空虚的抽象的东西。

马克思在《工钱劳动与资本》上,给予着如次的界说——

社会底界
说底规定

马克思所
给与的社
会底界说

> 生产诸关系,在它底总体上,构成被称为社会的诸关系、社会的东西,并且是构成特定的历史的发达阶段上底一个社会、具有特殊的而与其他相区别的性质的一个社会。古代社会、封建社会、布尔乔亚社会,是那种生产诸关系底总体,同时各自又显示人类历史上特殊的发达阶

段底特征。①

社会是必须当作生产诸关系底总体被把捉的。人与人、劳动结合、无数相互作用,等等,接续地自行发生出来。问题底核心,就在史的唯物论不给与社会底抽象的界说,而给与它底具体的界说。正如社会一般是一个抽象一样,生产诸关系底总体一般也是一个抽象,但在这里,特定的生产诸关系例如封建的、资本主义的生产诸关系等等,就成为问题,照这样,然后普罗列达里亚就能够从这个问题引出实践的结论来。(页边注:普罗列达里亚基于具体的社会底界说就引出实践的结论)——关于这点,后面再说。

在马克思主义者说来,社会一般那东西是不存在的,只有生产诸关系底特定的总体,即特定的社会的形态能够存在。因为只有对于特定的社会形态,它底运动、发展及扬弃底法则才被规定的。这是当作科学看的"社会学"底唯一的前提。

伊里奇说——

马克思由于把社会的经济的构造底概念界说为一定生产诸关系底总体,把那种构造底发展确定为一个自然史的过程,才开始把社会学安置在科学的基础上面了。②

伊里奇对于那样的社会底见解,认定它有很大的认识价值,这是正当的。在伊里奇看来,它是他底社会的方法论底出发点,并且它对于确立他底活动底

---

① 这里当注意下面所说的各点。蒲列哈诺夫("一元史观")虽曾引用过上面那段引用文,他却不曾更进一步去发展它。布哈林——"社会是人与人之间底相互作用底最广大的体系,这个体系包括他们中间一切经常的相互作用,并基于由劳动而成的结合"(《史的唯物论底理论》)。

恩格斯——"社会是由社会的诸关系底特定体系结合了的个个人而成的,在地域上被限定了的独立的总体",而这社会的诸关系,是"固有着目的与规范底两个基本的意特沃罗基底要素的人类相互间底、那种社会心理的以及生物学的诸关系"(《唯物论的社会学纲要》)。托拉哈敦堡[Trachtenberg]——"社会是当作由多种复杂的经常相互作用而互相结合了人类所构成的一个总体,被界说着"(《就史的唯物论与教师底会话》)。《史的唯物论纲要》著者郭列夫 B.Gorew 一般地没有给与关于社会的界说。拉苏莫夫斯基[Rasumowski]虽然更进一步接近于目的,但他说了许多的话。"社会是人类底一定诸关系底某种完全的总体,生产过程中人与人底各种结合构成那个总体底基础,并且在那个总体上形成它的人类,是在他们和全体底关系中以及从这个全体见地上被观察着。"(《〈史的唯物论底理论〉底教程》)

② 《"人民之友"是什么……》,《伊里奇全集》第一卷,俄国版,第73页。

根据也有过用处的。据伊里奇底意见，马克思把历史的过程作为自然史的过程那种见解自身，是"由于从社会生活底种种领域抽出经济的领域，由于从那种当作基本的、本源的、决定其他一切的诸关系看的社会诸关系底总体抽出生产诸关系"，才造成功的。

社会底具体的界说，对于认识，有很大的价值。只有这种界说，才容许正当地把捉一定国家底现实。譬如就社会与国家底相互关系底问题看看。这个关系，明明是在领土上，在论理上，都不一致。然则所谓"不一致"究竟是什么意思？第一，在一个社会底领土上面能够有数个国家存在。任何布尔乔亚学者，也会承认，譬如多数欧罗巴底国家是属一个所谓"文明"社会的。若是马克思主义者，必会说这些国家是属于资本主义社会的。不过单是这点，问题还没有说完。

"领土"不是社会的特色的表征。如我们所知道的一样，社会是如马克思所说的，在它底总体上是构成社会诸关系的生产诸关系底总体。第二，在一个国家底领土上，能够有数个社会存在与否，这是问题。马克思主义的社会观对于这问题的回答是肯定的。

如伊里奇所说一样，"纯粹的"社会现象那东西是没有的。如同资本主义社会中保存着封建社会底遗物等等。所以，一般地在表示特定的社会的经济构造的一个国家底领土上，多少有他种社会的经济构造存在，因而有适应于那种基础的意特沃罗基的上部构造存在，这完全是可能的事情。再说一遍，领土不是决定的特征，因为没有某某国家以领土为基础而加入于某某社会的事情，所以在一个国家底内部，能够有种种色色的社会的构造底"基础"和"上层建筑"底非常复杂的关联存在。

伊里奇举出了俄国在普罗列达里亚狄克推多时期中存在了的这种社会经济的构成底要素，这就是对于这论纲的极好的实例，同时又是对于这论纲的证明。他在这事实当中，看出了认识苏俄的关键。

这些社会经济的构成如次，这是大家所知道的。

1.在高级程度上是自然经济的家长的农民经济；

2.单纯的商品生产（贩卖谷物的多数农民属之）；

3.私经济的资本主义；

4.国家资本主义；

5.社会主义。

伊里奇更附记着说——

俄国是那样广大而且那样错杂的，在它底当中，这一切样式的社会经济的构成底型式，能够在它底结合中发见它们底场所。①

社会构造底型式底规定

上述"社会经济的构成底型式"，普遍称为"社会的构造底型式"。要规定一国属于怎样的社会的构造，明明是由上级的连环［上列三、四、五项］决定的。例如苏俄，是由资本主义正在通过到社会主义及共产主义去的过渡期的一个国家。所以，从资本主义到共产主义去的过渡期底社会以及适应于它的普罗列达里亚国家底政治的上层构造，就成为问题。

生产诸关系底高级型式规定一个国家底社会型式

下级的连环，［上列一、二项］决不废除这个客观的特性。据伊里奇说来，它是构成该国底特殊性的东西。别的国家，或许由于别种特性而具有特征的（例如或许缺乏着第一个最下级的阶段的）。这种特殊性，在研究那种国家时固然也不能不加以考虑，而社会经济的构成底上级连环、生产诸关系底高级型式，对于那个国家，在规定那个国家时，常是本质的东西。

新社会学与旧社会学底分野

依据伊里奇底意见——（只要是我们不加入在马克思以后的时代底布尔乔亚社会学者底同道之中）——，马克思主义以前的社会学者，并不知道区别重要的现象与不重要的现象，并没有关于这种区别的客观的标准。马克思主义，由于抽出生产诸关系底特征，就把这种标准给予我们了；并且，马克思主义，在其与事实符合一点上，在显示这种事实底映像的那种范畴上，适用了永久的反覆［Ständige Wiederkehr］之一般的科学的规准。这件事实行以后，变成了社会的方法论的社会学才能够显现出来。在以前，人们不能不停止于素朴的经验论之上，而记述个人的社会现象，否则便不能不耽于思辨而编出历史学的伪理论。基于观念与事实底对照的唯物论的抽象，把种种国家底构成归结于当作差别的诸规定之具体的统一看的社会的构成那个根本概念的总括，

永久的反复

① 伊里奇：《关于现物税》，德国版，第649页。

　　对于从社会现象底记述(以及由理想底见地而行的它底估价)移转到譬如抽出由别的国家区别资本主义国家的东西而研究那为一切国家所共通的东西的、社会现象之严密地科学的分析去的那件事,是给以可能性的。①

　　在怎样确定社会底概念那种问题一样的基本的社会的方法论底问题上,伊里奇要求科学的唯物论的抽象,即是要求在它自身是具体的、对于认识是有价值的那种普遍化。我们对于他,可以应用黑智儿底话。即是说:他底哲学最忌抽象的东西,而复归于具体的东西。

三、社会现象底形式与内容底特性

　　据黑智儿说来,具体物底概念,和发展底概念结合起来,发生具体物底运动。如一般所周知,伊里奇在1894年还没有读到黑智儿底书籍,但马克思底唯物辩证法,却已经把他引导到下述的见解。这种见解,即是说,社会之具体的概念,和发展底概念相结合,在方法论上说来,就发生社会构成底运动,并且是前进的运动。

社会底具体概念与发展的概念结合产生社会底运动

　　他说——

　　　　只有把社会的诸关系还原于生产诸关系,把生产诸关系还原于生产力状态,对于把社会的构成底发展看作一个自然史的过程的见解,给与了巩固的基础。②

因为抽象的东西不含有种种的规定,所以不能运动,不能发展。

　　但是社会之抽象的界说——依据它,社会底发展只是被假定的——,对于那样的社会学者,课以不能解决的课题,如果那样的社会学在这种情形想要贯彻论理的时候。

---

①　《"人民之友"是什么……》,《伊里奇全集》第一卷,俄国版,第71页。
②　《"人民之友"是什么……》,《伊里奇全集》第一卷,俄国版,第71页。

在社会之抽象的界说（如俄国主观主义者所给与的）中，

> 一般地，发展（自然史的发展更不消说——卢波尔）是不能成为问题，至多也只是违背了［他们］"所期望的"东西以及历史上所显现的"缺陷"，才成为问题。而那样的缺陷之所以发生，是因为人类底不聪明，是因为人们未曾正当地理解人间性底要求，因为未能发现那种理性状态底实现底条件。所谓社会经济的构成底发展是一个自然史的过程的马克思根本概念，从根本上把要求社会学的名称那种孩子气扫除了，这是明白的事情。①

伊里奇知道了有名的三段法决不是发展底根据或推进原理。推进原理是统一中底矛盾，而三段法只是发展、生成底过程显现的形式。

伊里奇在 1894 年这样写着——

> 马克思和恩格斯，拿社会学上底科学的方法，和形而上学的方法区别出来，称为辩证法的方法。而这种科学的方法，是把社会当作不断地发展着的生动的有机体解释的（不当作容许个个社会要素底一切可能的任意的组合解释的）。这样一种有机体底研究，要求着构成各该社会形态的生产诸要素之客观的分析以及它底作用与发展底法则底探究。②

所以，当说明伊里奇底方法论底根本要素时，我们只是说到他关于三段法反对纳洛特尼基而实行的论战为止，那是没有什么意思的。因为它对于伊里奇是完全没有演着什么任务。

把"人类社会"解为特定的社会构造、把反复底标准使与事实一致而适用于它上面的方法，是把历史的过程当作一个自然史的、因而不易变更的、因果的、合法则的、非恣意的过程规定它的。然则从所说社会底发达依从着自然史

---

① 《"人民之友"是什么……》，《伊里奇全集》第一卷，俄国版，第 69 页。
② 《"人民之友"是什么……》，《伊里奇全集》第一卷，俄国版，第 93 页。

（旁注）三段法不是推进原理

（旁注）辩证的方法解释社会为经常发展的生动的有机体

的法则那种见地出发,就可以把自然科学的范畴适于社会底现象及事件上面么? 换句话说,我们只是借助于力学的、物理学的、化学的及生物学的范畴,就可以理解社会底过程么? 史的唯物论对于这问题底回答,是一般所周知的。只要是社会的联结与新的东西、无机及有机界底联结,在原则上是不同的东西,自然科学的尺度,对于判定社会现象是不充分的。生物学的范畴以及类似于它的范畴,到了社会的世界,就成为无效的状态。要理解社会的世界,还必要有别的范畴,即必要有从特殊的社会现象抽拔出来的抽象。社会学底范畴与自然科学底范畴之差别

　　不单是从来的社会学者,就是许多马克思主义者,都犯了把这些力学、生物学的以及类似于它的范畴,无批判地移到社会现象上面的谬误。但那样的办法,是伊里奇在他底活动当初就加以排斥的有害的方法之一。伊里奇看出了这种谬误底根源,是在于忽视了对于方法论的界说底具体性的要求一件事当中。社会的构造之具体的概念以及史的唯物论底其他概念底确立,据他底意见说来,是足以证明那种抽象的滑稽之谈底一切无效和空虚。史的唯物论底概念或范畴的确立

　　　　经济的构造底概念,由于驳论从来经济学者底见解一件事,已被充分阐明了。从来的经济学者,在存有特殊的、历史上被制约了的生产诸关系底体系底法则的处所,看到了自然法则。①

　　把历史的过程当作一个自然史的过程来下界说一件事,和这个唯一的科学的见解,决不矛盾。因为辩证法正存在于这一点。自然与社会,并不是构成着两个分离了的互不适应的领域的。宇宙底法则是单一的。譬如因果性底原理,对于社会,对于自然,同是有效的。但这个原理,在社会方面,却是和在自然方面不同地显现着。从[自然和社会]两方面抽象出因果性底原理,这是对的,但它却不能在那和自然科学底领域相同的形式上,被应用于社会科学底领域。世界底统一,并不因此而陷于紊乱;反之,那个界说,却被具体化了。宇宙底法则虽适合于自然与社会而显现的形式却各不相同

　　以上所述,对于生物学和社会科学底界限,具有特别的意义。在这种处所,上述的谬误,是常常被人们冒犯的。这时候,同样的类似,意识地被称为

————————

① 《伊里奇全集》第一卷,俄国版,第74页。

"科学的"。

马克思底理论,决不是切断那贯串到人类的有机的全自然底导线的东西。这个理论只是要求着:"劳动者问题"——因为这问题只存在于资本主义社会之中的——,根据关于人类生殖的"一般研究",是不被解决的;根据关于资本主义的诸关系底法则的特别研究,是被解决的。①

生物学底范畴不能无批判地移用于社会科学之中

这种"一般的研究",只是空虚的抽象,全然没有说明社会现象,这是本质的事情。生存竞争底范畴(或如斯宾塞更精确地述说它的那样——适者生存),的确是说明动物界底事象的——在现今我们总算是没有知道对于它的更进一步的说明——,"但是,我们——伊里奇附加着说——当人们问起贫困是生存竞争底一个变态时,我们对于贫困底原因,对于那政治经济的内容及发达底进行,真个一点也不知道么?"不但农奴与封建诸侯底关系、劳动者与资本家底关系,即一般所谓任意的关系对于这个概念也不会适合的。因此,我们

阶级斗争底概念之定立

在我们底分析之中,不能不移入别的范畴,即是不能不移入阶级斗争底概念特别是社会的概念,而探求这范畴在各个对立的社会的构成底内部是怎样变化的。照这样,我们底概念才变成具体的,才给与我们以向着适应于它的实践的行动去的冲动。对象底具体性底认识,是伊里奇底社会的方法论底基本要素。

四、阶级底范畴、诸阶级底运动

伊里奇对于社会的方法论底一切概念,要求界说底具体性,正在它底当中,看出了马克思主义之科学的性质。我们底任务,并不是引用伊里奇在社会的分析上所应用了的一切范畴的。因为这些范畴,在内容上一切是和史的唯物论所给与了的东西相同。但我们还可以引用当作一个实例看的阶级底论理的范畴底完成。这个范畴,在伊里奇底批判的武器之中,完成着一个重要的显著的任务。

阶级底论理的的范畴底完成

---

① 《纳洛特尼基学说之经济的内容》,《伊里奇全集》第二卷,俄国版,第113页。

　　主观的个人主义的社会学(在俄国是纳洛特尼基)从个个人出发,把那种拿人与人底关系看成社会的集团的一件事,当作"神秘"看待。伊里奇对于这种见解的批判,是我们所已经知道的。个人完全不说明什么事情,主观主义者看不到人与人之间底关系,不能提供关于社会现象的什么科学的说明。"然而唯物论者,却把人与人底特定社会关系,作为他底研究对象,又因它而研究现实的个人——这些个人底行动底结果是社会关系——"。

　　第一,个人主义的见解,不能不为社会的见解所代替。纵然否认社会的方法的客观主义者,在实际上也必得从这个方法底前提出发。若果他在讨论它之时而从称为活着的个人出发,他就在实际上是从空想开始了。他底思想,在他自己或许没有意识到它,然而却是反映当时社会的环境的,所以他底结论,也就不外是表现小布尔乔亚底立场及利害。

　　在马克思主义的分析上,是设置特定的社会的构造以代替社会一般的概念的;和这一样,我们不可以从个个人或多数人出发,反而是必须从社会的集团出发。但是,所谓社会的集团这个概念,在它自身上,也是一般的,在内容上也是贫弱的,是抽象的。为要得到认识价值,这个概念,必须成为具体的东西。这是关于阶级斗争的马克思底理论所实行的事情,在伊里奇方面,也是特别明了地显现着。

　　　　这个概念,在它自身上,还是很不正确的、任意的。集团,也可以依着人类学的、政治的、法制的及其他的特征,同样被区别出来。在这些领域中底每一个,并没有成为能够把"集团"互相区别的特征。至于阶级斗争底理论所以是社会科学底大成果,不待言,是因为它更精密而且正确地确立用怎样的方法把个人的东西还原于社会的东西。[①]

　　史的唯物论,设置阶级的具体的概念以代替暧昧的社会集团。这并不是忽视民族、身份等等集团的意思。这些集团也是被说明的,并且这件事是社会科学底第一个任务。社会的方法论——用伊里奇底用语说——,必须理解着:

---

　　① 《伊里奇全集》第二卷,俄国版,第73页。

客观地从不重要的东西区别重要的东西。并且采用这"重要的东西"做基础。阶级斗争底理论，是用这样一种方法，把主观主义者所谓"活着的个人"底行动。

> 还原于个人集团底行动。而个人集团底行动，由于他们在生产诸关系底体系内所演的任务，由于生产底诸条件，因而又由于他们底生活诸条件以及那样被规定了的他们底利害而互相被区别着。——做一句话说，阶级斗争底理论，是把个人底行动还原于那斗争规定了社会底发展的诸阶级底行动的。①

阶级底概念底具体的规定 所以，伊里奇把阶级底概念底具体的界说，看做社会的方法论底最重要的前提。

当着下阶级底界说时，伊里奇是从生产底特征出发的，而不是从分配底特征出发的。在一切社会的构造上，分配底方法及形态，紧密地联系于生产底方法及形态。分配底要素不是规定阶级底概念的东西，不过在下阶级底界说时，却不能不考虑它。

"身份"是法制底范畴 关于身份底概念底决定的要素，如一般所周知，是权利与义务，即是法制的范畴。近代资本主义社会底诸阶级，却是相反，如伊里奇所说，是以法律上底平等为前提的。身份成为一个社会的构造底特征，是在那个构造内底经济现象被确定被固定于法则的规定中的时候。

阶级与身份底区别 伊里奇说——"身份属于以农奴制为基础的社会，阶级属于资本主义社会。"这件事，并不是说封建社会底编制专是身份的，资本主义社会底编制专是阶级的。阶级在封建社会之下也是存在的。"身份以由于社会底诸阶级底编制为前提，它是阶级差别底一个形态"——伊里奇这样说。

阶级差别底这种形态，也流传于资本主义社会例如沙皇底俄罗斯，当作资本主义国家看，是还有身份的编制的。这身份的编制，在俄国是客观地存在着，所以研究国内底社会的诸关系时，必须加以考虑，不过它不是决定的要素。

---

① 《伊里奇全集》第二卷，俄国版，第74页。

存续底范畴,在社会现象上演着一个重要的任务。身份在特定的历史的诸条件之下,在身份那东西已不成为特征的社会构造之中也能存续的,和这一样,这件事对于个个阶级底情形也能够发生。

"存续"底范畴

封建社会底主要阶级是地主与农民;资本主义社会底主要阶级是布尔乔亚与普罗列达里亚。但这样抽象地把社会二分起来,由于采入存续底范畴,就趋于复杂化。在资本主义社会中,地主与农民,在多少变化了的形态(农奴制度底废止)上,依旧继续着它底生存。不过在这种情形,当然是各国各自表示它底特殊性的。因而具体的分析,在研究某一国底社会的现实时,必须考虑诸阶级底运动底这种存续。

现代社会中地主与农民两阶级底存续

以上底说明,是表示着适合于所谓社会基于二阶级原则的模型的见解,陷入了形而上学的缺点。二阶级原则是客观的倾向,是研究者手中所有的准则、导线,但研究者须得时常考虑那所谓"纯粹的"社会现象并不存在的一件事情。和这同样,若果说社会有固定的[阶级数],譬如说社会底五分编制,即有五个阶级,而不是有四个或六个阶级的,那种说法,也是形而上学的。

二阶级原则

伊里奇教训我们:认识必须是有弹力的,它必须反映客观的现实。只有这样做,认识才能完成对于自己所课责的任务——首先是为现实的认识的那种任务。诸阶级底运动,是社会的实在底很重要的范畴。社会的实在底认识,因此又必须再现诸阶级底运动。

诸阶级底运动

社会的方法论,如果形而上学地被使用起来,它如果从资本主义社会底两极出发,其结果就至于无视农民而从社会底阶级构造把他们除外。那时候就会被主张着:农民不是阶级! 这只是证明认识底硬化了的模型,因而决不能是现实的。为封建社会两个主要阶级之一的农民阶级,如我们所见,在资本主义社会之中,也当作"非基本的"阶级存续着。但这个阶级底运动,是在超过这一点移转到从资本主义到社会主义的过渡期底社会去的方法上实行的。毕竟农民阶级——这是特别有兴趣的事情——在这个新社会的构成上,又和普罗列达里亚一起,当作一个主要阶级存在着。这是历史底辩证法!

农民在资本主义社会中当作非基本的阶级存续着

诸阶级运动底辩证法

伊里奇明白地理解了诸阶级底运动底这样的辩证法。当 1921 年俄国共产党全国大会举行之时,曾有出席大会的人向他质问说:"你说农民是一个阶级或不是一个阶级?"他简单直接地答复他说:"是的! 他们的确是一个

"农民确是一个阶级"

阶级。"

我们在这里要注意的：布尔乔亚底运动，是相反的运动，但对于这却又相类似。在封建社会中，布尔乔亚，是如所谓"市民阶级"［Bürgertum］的语义一样，当作"非基本的"阶级出现了的。在资本主义之下，他们虽实行着当作主要阶级看的他们底凯旋行列，但这种胜利却因为普罗列达里亚革命被弄得黯淡了。布尔乔亚，在普罗列达里亚狄克推多底时期中也是"存续"的，不过他们不能够要求这新时代底"主要阶级"的名称。

当规定阶级底范畴时，因为这个范畴充分地是弹力的，是具体的，所以必须考虑诸阶级底运动。在阶级底界说中，不但要表现那规定阶级的生产底要素（和分配底要素结合起来），并且要表现诸阶级底运动在它中间显现着的社会的构造底历史性底要素。

伊里奇所给与的阶级底界说

伊里奇曾给与那样的包括的阶级底界说。那界说是——

由于历史上被规定了的社会的生产底体系中的他们底地位，由于他们对于生产手段底关系（这个在许多情形是经法律所确立所规定的），由于劳动底社会的组织中的他们底任务，因而由于他们依怎样的方法、在什么程度领受在社会的财富中所能自由使用的部分，而互相被区别的人类底大集团，叫作阶级。阶级是人类底集团，它们当中底一个，在规定社会的经济制度时，由于他们底地位不同的结果，而处于能够领有他人底劳动的地位。①

五、社会的方法论上底党派性底要素

历史被阶级斗争充满着。阶级斗争，形成了当作一个全体看的阶级社会底运动底辩证法的起源，把社会的存在底行动要素也弄得具体化了。这种斗争，如一般所周知，首先是由于有组织地行动着的诸阶级底前卫、政党所实现的。

阶级斗争由革命的政党而实现

---

① 《伟大的创意》，《伊里奇全集》第十六卷，俄国版，第249页。

伊里奇说——

　　民众运动越是扩大，种种阶级底本性越是鲜明，指导阶级、组织阶级并不为事实所牵引的政党(指普罗列达里亚底党说——卢波尔)底任务，越变得紧急。①

　　伊里奇与涅灵主义，有表现辩证法的唯物论当中所隐藏着的东西、表现在说明伊里奇底社会的方法论时所决不能忽视的东西底功绩。这即是党派性底要素和当作它底结论看的实践的行动底要素。

　　如果观念论者及主观主义者底社会学的构思，是恣意的，而缺乏着一切巩固的基础，那么，它底反对的立场，立脚于事实的客观的、唯物论的立场，就是在科学上建立着根据的，但对于这两个立场，能够有两种信仰者。我们就同一的现象，即资本主义社会观察一下。主观主义者可以单纯地不看到它，即令看到它，也要用什么个人、身份，甚至民族底坏的(或好的)行动去说明它。客观主义者，却把这个分析，在科学上建立根据，而达到下述的结论：被给与了的现象，不是任意的，而是必然的东西，它是在因果上被规定着；并且，现象一旦成为必然的，就有"难于克服的历史的倾向"，所以那个现象必须像经历过来的一样去经历的。唯物论者对于客观主义者第一的结论是同意的，但他还要更进一步。他要正当地确定被给与了的社会经济的构造底性质，规定它底敌对的诸关系底本质。他发现阶级对立，并且由于发现它而自行采取特定阶级底立场，对于对立的阶级怎样去斗争，就成为他底问题。

　　所以在一方面，唯物论者，比较客观主义者是彻底的，他底客观主义更是根本的而且完全的。唯物论并不停滞于只是指示过程底客观性。他还要说明怎样的特定的社会经济的构造给与这过程以内容，怎样的阶级规定这个必然性……在另一方面，唯物论在某种程度包含党派性底要素。因为唯物论每逢判定一件事情时，感到直接地公然地采取特定的社会的集团底立场的义务。②

────────────

①　《新任务与新势力》，《伊里奇全集》第六卷，俄国版，第 104 页。

②　《纳洛特尼基学说底经济的内容》，《伊里奇全集》第二卷，俄国版，第 65 页。

党派性底要素

主观的立场与客观的立场之对立

唯物论者赞成客观的立场更进而从事于斗争

理论上及实践上底党派性这种要素,特别显示着伊里奇底特征。主观主义者非难信仰客观的立场的人底不彻底,他说:一切的东西若果是因果的是必然的,人们就应该不能不依照斯比诺莎所说"不哭,不笑,只是理解"的话去行动了。但这种非难正是错误的。理解一个过程或一个现象、一件事,就是意味着赞成或反对这个现象而站在某一方面,主观主义者说——资本主义若果是因果地被规定着,是必然的,要"憎恶"它就是无意味的,这种说法,对于客观主义者或许适合,而对于积极的彻底的唯物论者却是不适合的。不待说,"憎恶"不是问题,对于资本主义的特定的立场、阶级的立场,却是问题。被选定了的立场,譬如说普罗列达里亚底立场,客观上又决定对于资本主义以及在资本主义内支配着的阶级的"憎恶"。

若果特定的理论,对于公然活动着的一切人们,课以在客观上分析现实以及在现实底地盘上发生的种种阶级的关系,那么,为什么能从这件事得到这样的结论:公然活动着的人们有不同情于任何阶级的义务,所以表示什么同情,对于他是"不相称"的。这里说起义务的话,实是滑稽。因为活着的人们,一旦理解诸阶级之相互关系时,就必得站在某一阶级底方面,欢喜那个阶级底成功,悲惜那个阶级底失败,并且不能不愤慨那些对于那个阶级怀着敌意而普及落后的见解以阻碍他们的发达的人们等等。①

党派的立场,规定了伊里奇底全部活动。那个立场——这件事,从本节底题目看,是重要的——,形成了他底社会的方法论底主要部分,形成了它底基本的要素。在伊里奇看来,从特定的党派的立场考察社会现象一件事,决不是个人的偶然的要素,而是一个方法论上底要求。如我们所已经知道的一样,伊里奇在《唯物论与经验批判论》之中,不问它是认识论底问题或是本体论底问题,都把这种要求,扩大于哲学底全领域上面了。在社会历史的领域上,它底分界线,首先通到一方面的主观主义者及客观主义者(在这里,两者间底差异不重要)与另一方面的唯物论者之间;在一般哲学的领域上,首先通到观念论

———————

① 《我们拒绝怎样的遗产呢?》,《伊里奇全集》第二卷,俄国版,第344页。

与唯物论之间。但是唯物论者，无论在那一种情形，都不能不采取党派的立场。唯物论者，在这一点，不能是无党派的。因为无党派的哲学、无党派的社会科学是不存在，而且实际上也不能有的。

唯物论者
不能是无
党派的

六、社会的方法论上底行动底要素

科学上底党派性，又必须采取实践的活动上底党派性。在这里，对于伊里奇底世界观，有着极特色的那种理论与实践底统一。理论上底党派性，实提供了伊里奇在劳动者阶级方面实行了的实践的活动底根据。伊里奇在他底最初期底著作上，已经加紧地要求了这件事。

科学上底
与实践的
活动上底
党派性

对于人类底活动究有什么意义的问题，它自身必须正当地被理解？马克思主义者，在社会过程之理论的分析上，不停滞于各个人底行动，而探究那规定这种行动的东西。但是，如一般所周知，唯物论的决定论，它与宿命论或关于显现着的东西的判断底放弃，是没有共通之点的。意志底自由以及历史上个人底作用底问题，在辩证法上被解决着。意志底自由，不被否定，反而被说明；个人底作用，不被还原于无，反而是从属于阶级底作用。

唯物论的
决定论底
立场

伊里奇这样写着——

> 确定人类行动的必然性、否认关于意志自由的童话的决定论底思想，决不排除人类底悟性或良心，也不使他底行动底判定归于无用。完全是相反的。只有采取决定论底立场，代替把一切任意的事情归于意志自由的，严密而正当的判定，又是可能的。同样，历史的必然性底思想，决不废弃历史上个人底作用。历史底全体，当然确实是由于为行动的个人的人类底行动构成的。①

宿命论引导到寂静主义［Quietismus］；但决定论、史的唯物论，却要求站在特定阶级一方面去参加阶级斗争。

决定论与
宿命论底
差别

---

① 《"人民之友"是什么……》，《伊里奇全集》第二卷，俄国版，第88页。

即令是主观主义者,当然也能成为斗争者,但若客观主义者只有理论(在这里,那种理论,没有彻底到论理的归结),那么,主观主义者所有的实践,在这种情形,就明明不能不是主观的、偶然的。不过,没有革命的理论,实际上也不能有什么革命的实践。只有在唯物论者说来,理论是与实践不可分离地结合着,因而他底实践,客观上具有根据,并且其他条件如果相同就有成效的。

伊里奇说——

唯物论者底理想底根源

　　唯物论者若果把理想放在和造出它的体系相对立的东西的意味上去解释,那就可以从那种和纳洛特尼基所说的理想相同的理想出发了;但是他[唯物论者]不从'现代科学及现代道德观念'引出那个理想,而是从现存的阶级对立引出它。所以他不把那个理想当作'科学'底要求去规定,而把它当作特定阶级底要求、当作由特定的社会诸关系(这关系依从于客观的研究)产出的要求去规定。而这个要求,当作社会诸关系底一定特殊性底结果,只有由一定的方法才被实现的。①

所以伊里奇底方法,要求对于被给与了的社会现象附以特定的客观的特征,更进而要求从党底立场下一种诊断。它最后还要求引出在这一切被给与了事情和条件之下应当做什么的那种特定的实践的结论。在自然科学底领域

社会领域中人类底最高任务

上,为着征服自然而尽量地适应地把捉自然底"论理",这是最高的任务。在社会底领域上,这种任务,要相当地加以变更。在这里,为着尽量正确地同时批判地使资本主义诸关系底进步的阶级底社会意识适应于社会的发展的目的,而把捉经济的发达底"论理",即把捉社会的存在底发达底论理,是一件必要的事情。这种任务是革命的。所谓批判地把捉经济发达底论理,究竟是什么意思? 这就是说,它不但解释世界,并且还要变革世界。

伊里奇说——

科学底直接的任务

　　科学底直接的任务,据马克思说来,就是给与真实的斗争标语,即是

① 《纳洛特尼基学说之经济的内容》,《伊里奇全集》第二卷,俄国版,第79页。

客观地把这个斗争当作从生产诸关系而成的特定体系底产物指示出来，阐明这个斗争底必然性，它底内容，它底发展底进行及条件。①

如果我们从方法论底一般问题转到对于资本主义应当采取的政治底具体问题时，一般的斗争标语就变为对于资本主义的斗争标语。具体的分析，暴露出资本主义制度底矛盾。发展底立场，和现实的论理结合起来，同时就指示出成为到资本主义没落的道路去的资本主义发达底道路。党派性，在最初两个要素[具体的分析与发展底立场]存在的情形，促起普罗列达里亚选择党派，一切要素合起来，就引导我们到达对于资本主义的斗争底标语与实践。

以上我们当然只是在社会的方法论底范围内追求了这个过程。伊里奇巧妙地并且寓意地[inbildhafter Form]说明了这论理的过程底最后要素（在这里使用的当然是由于顾虑检阅而写出的话！）。

> 如果顾虑着阶级敌对底理论而提出怎样从资本主义底压制解放勤劳者底问题时，……对于这个问题的回答，就给与我们以特定阶级底生活利害底规定；对于这个回答的任务，最初就在于由那个感到这些生活利害的阶级，并且只有由他们才实践地被适用起来的一点；它——用一个马克思主义者适切的表现说——是要追求那些离开"知识阶级狭隘的研究室"而参与于发达了的并且最纯粹的形态上底生产诸关系的人们，即是要追求那些最痛切地感到矛盾的现状是不好而以"理想"为必要的人们。②

在这段巧妙的文章中，因为顾虑到检阅的缘故而写出的委婉的言辞，是须得用原来的言辞去改换的。例如要用"阶级斗争底理论"代替"阶级敌对底理论"，用"普罗列达里亚"代替"特定阶级"，用"革命的实现"代替"实践的适用"等等。照这样，这寓意的言辞，就变成一个充满了光辉的力的革命的集合号[Appell]。这种集合号，是从伊里奇底社会的方法论全体当作结论产生的

旁注：对于资本主义的斗争底标语与实践

旁注：革命的集合号

---

① 《纳洛特尼基学说之经济的内容》，《伊里奇全集》第二卷，俄国版，第79页。
② 《纳洛特尼基学说之经济的内容》，《伊里奇全集》第二卷，俄国版，第158页。

东西;伊里奇底社会的方法论底根本要素是可以研究他底批判的及论战的著作而确立的。革命的集合号,并不是由伊里奇底方法论才出来的实践的归结;它本来内在于伊里奇底方法论,是完结他底方法论的重要要素。

读者已经看到:我说明伊里奇底方法论底主要要素时,常常引用了他在1894年写成的初期的著作,我所以这样做,不但是因为把材料限得狭隘,并且是因为要表示伊里奇在溯及俄国底马克思主义开始发生的后方的时代,就已经做成了他底社会的方法论中底基本的而且最重要的要素。在1894年当时,伊里奇底社会的方法论,在关于革命的马克思主义的最天才的独特性的意义上,是可以称为最独创的说明的。

如果一般地系统地把我们在伊里奇一方面发现的社会的方法论底根本要素及要求要约起来,它底公式就如次。即是:使观念与事实一致,把对象在它底具体性上、在它底发展上去把捉它,选定一个党派的立场之后,引出一切实践的结论。

第五章　普罗列达里亚狄克推多底问题

把阶级斗争底承认扩大到普罗列达里亚狄克推多底承认的人,只能是马克思主义者。①

一、伊里奇与马克思及恩格斯底国家论

伊里奇底社会的方法论,如前章所述,是使他向着直接、实践的行动底方向,向着新基础上的资本主义社会底改造底方向,并且是向着从这个社会取去它底资本主义的性质的改造底方向的。

于是,关于社会的知识底方法论,变为社会的行动底方法论。不过本书不是论究伊里奇底政治的战术底原则的。这里只述说伊里奇底政治的战术也被唯物辩证法所渗透了的一件事。

不过有一个问题,它当然与伊里奇底革命的战术关联着,却又有独特的原则的及理论的意义。这个问题就是国家问题,更具体地说,即是普罗列达里亚国家底问题。社会的世界底革命的改造底理论与实践,社会改造底理论与实践,以国家为中心而运动。布尔乔亚国家,是从一切危险防卫资本主义社会的盾,是支配阶级对付那要停止他们底支配的阶级的武器。

分析了伊里奇底世界观及其方法底一般的基础,分析了他底社会的方法论之后,如果把本书底研究在论理上进行下去,我们必然地又到达于这个问题。国家底问题,是社会的知识及行动底方法论底试金石。并且要想描写出当作哲学家看的伊里奇底姿态(我们在这里所用的"哲学家"的名词,也是采

国家问题之提起

布尔乔亚国家是支配阶级对付普罗列达里亚的武器

国家底问题是社会的知识及行动底方法论底试金石

---

① 伊里奇:《国家与革命》。

用前几章中所用的意思），就不能不说明他怎样解决了普罗列达里亚国家底问题，或用相同的话说，即普罗列达里亚狄克推多底问题。

的确，要在几页文字之中明示伊里奇关于普罗列达里亚国家的理论底特征，这件事，比较用少许强力的激昂的言辞表现它，比较用一册浩瀚的书籍说明它，还要困难些。这第一条道路、简洁的表现底道路，已经普罗列达里亚当作墓碑铭选定了。在那个铭辞之中，无限丰富的内容，辩证法地被用无限的简洁表现着。那个铭辞说："伊里奇"。第二条道路、浩瀚的专门著述底道路，现在刚才踏上去，要待几年之后才能踏遍它的罢。于是替我们留下来的，只有荆棘遍地的中间的道路、较小的研究底道路。因为要从伊里奇底遗稿中常常到处都有价值的材料当中选拔最有价值的东西，是一件不容易的事情。并且我们这些人——不仅是积极参加俄国普罗列达里亚革命的人，还有目睹这个革命的人都在其内——，已经充分地把伊里奇底关于普罗列达里亚国家的理论采入于我们之中，而非常习惯于它了，所以伊里奇底国家理论，已变为我们底共同财产，变为日常使用的工具。而这个理论底创始者底名字，在日常的使用之中已充分融合到某种程度了。

俄罗斯革命，自从二月"暴动"以来，已经产下了在伊里奇旗帜下的苏维埃共和国，并且把它实现了。现在如果有人采取反对的办法而把普罗列达里亚国家底理论与实践总括于伊里奇底旗帜之下，他必定要冒犯一种攻击的危险，说这是一般已经知道的真理底絮说。他还要蒙受一种非难，说他是想要"发现"未经任何人忘掉的东西、尚未属于历史的东西。

若果马克思主义国家理论，特别是关于普罗列达里亚国家的理论还未经故意地或无意地葬送了去，那么，伊里奇底功绩，也就会是把这种谁也都知道的事情再"发现出来"的一件事。不过关于国家与革命的马克思主义理论，已被人们所忽视并且一点也不能理解，所以伊里奇在 1917 年所做的最初的事业，就是完成了国家理论之马克思主义的革命。在关于普罗列达里亚国家的马克思底理论未经在革命上实现以前，伊里奇就首先实行了普罗列达里亚国家理论底革命。

伊里奇使马克思底国家理论复活了。这是 ABC 底真理。但他并不如把一个画像复原的那样去把马克思底国家理论复活的——那样的事情，就是想做,在他也是不能够的。伊里奇在一切处所,是和复旧者不同的。他不会把马克思和恩格斯底关于国家的思想,综合于一篇"学术论文",或一册"专门著作"或一册"教科书"。马克思和恩格斯底关于国家的思想,散见于他们在半世纪之间写下来的几打的著作之中。如果以为伊里奇底全部功绩,如同考古学者基于各个断片构成立像、古生物学者基于二三遗骨改造已死灭的动物底骸骨那样,是把那种思想在一册书籍中整理起来,而改编了马克思底国家论——单只这件事已经就是伟大的功绩了吧——,这种想法,实在错了。伊里奇在一切处所,是和再建者不同的。他不但把马克思底国家理论复活了,再建了,并且解释了它,发展了它中间所包含着的东西。

　　伊里奇解释了马克思底国家理论——这是第二的 ABC 底真理。但是,他怎样解释了它的呢？考茨基[Kautsky]、古诺[Cunow]及别的人们,也都解释过这个理论的哩。

　　　　他底解释发现了"真正的"马克思与否,已成为由政治的热忱所燃烧的论争底对象。我们知道着为什么这个论争完全不被调停的理由,并且伊里奇底解释不是文献学的目的,宁是完全适用于政治的目的的东西,这一层是明白的。革命的过渡期 1917 年底伊里奇底学说,比较他底导师马克思底 1848 年以来的学说,还更进而诉诸直接行动的。①

　　关于为什么这个论争不被调停(现实已迅速地解决了这个论争)一层,让布尔乔亚批评家列恩兹[Fr.Lenz]耽沉于他底秘密罢。不过,他正当地攫住了伊里奇底理论上的行动底要素一件事,我们不能不加以承认。伊里奇底关于马克思底理论的解释,事实上不是"文献学的"目的,而是适用于政治的目的。就是把法律作为草案看,它若不被施行,也是无用的。就是把马克思底关于普罗列达里亚狄克推多的见解写下来一看,如果不努力把它从可能性变为现实性,也是无用的。马克思主义底"文献学的"及论理的解释底要素——它在伊

（右侧旁注）伊里奇不但复活了马克思底国家理论并且解释了它、发展了它

（右侧旁注）伊里奇对于马克思国家理论底解释

（右侧旁注）伊里奇底解释不是文献学的目的而是政治的目的

――――――――――

① 列恩兹[Fr.Lenz]:《国家与马克思主义》,《马克思主义社会学说底基础与批判》,斯图甲特[Stuttgart]1921 年版,第 147 页。

里奇一方面也是有的——，是被从属于较高的要素，即在革命上实现马克思主义的要素的。

伊里奇并不单是复活马克思底关于普罗列达里亚国家的理论而在行动底意味上解释了它。他并且把它实现了。这样地说，的确是第三的 ABC 底真理。不过，关于这一点的事情，已经超出了预定的范围，以下数章，只限于指示出伊里奇怎样把马克思主义国家理论中何种要素拿来和普罗列达里亚革命关联起来而摘出它、补充它、发展它。（页边注：伊里奇在行动底意义上解释了马克思底国家理论）

二、普罗列达里亚国家之历史的地位

康民尼斯谟社会之生诞

未来无阶级的康民尼斯谟社会，并不是像 deus ex machina［不期而出现的神、在地狱中遇到的神佛，——古代戏曲中往往故意造出绝境而于不意时使神出现以解决一切纠纷，系用技巧而来的，而 Machine 是舞台中把神吊下来的工具］那样而突然出现于舞台的东西，也不是像 Athene［女神］那样从 Zeus［希腊底主神］底头飞出来的东西。它底发生，也不是两个元素化合的结果的那样突然的化学的反应。康民尼斯谟社会是在充满了长期苦痛的斗争中，从旧的资本主义社会胎内产下来的。这资本主义社会中，藏着长成为未来经济制度的萌芽，而这未来经济制度，与今日的制度底无政府的生产体系，根本不同。这两个经济体系，体现于资本主义社会底两个主要阶级——布尔乔亚与普罗列达里亚。

两个经济体系与代表它们两个主要阶级——布尔乔亚与普罗列达里亚

资本主义经济制度底发展，诱致阶级斗争底尖锐化的增大，这个经济制度，达到一定阶级，就已经意味着这制度底潜伏的崩坏。布尔乔亚不断地要再生产资本主义的诸关系和他们自身；反之，因这些关系而愈益结集的普罗列达里亚，就破坏这资本主义制度，而代以如苏维埃宪法所说的"无阶级分裂无国家权力的"有计划的经济。

国家是阶级社会底产物

为阶级社会底产物的国家，是阶级社会之"公的表现"。在国家中，行使经济权力的阶级，被构成为支配阶级。国家是布尔乔亚在它底内部再生产他们自身的组织。是他们借助于它以抑压普罗列达里亚的机关，是布尔乔亚在可能的限度内要保证资本主义底完全底保护外被。

因此,全阶级斗争是一个政治斗争,普罗列达里亚竭尽全力以突破资本主义社会底这个保护外被,是不足怪的事情。(页边注:全阶级斗争是一个政治斗争)追求康民尼斯谟、无阶级的社会,即是追求国家一般的消灭。在没有任何阶级存在的处所,一阶级压迫他阶级的机关,客观上就没有必要。国家是一个历史的生灭的范畴,未来的无国家状态,在辩证法上,包含现代已发达的技术的要素与那时以前的康民尼斯谟的要素。马克思主义底背教者们,曲解着马克思主义的辩证法这种初步的知识,这种曲解,就成为他们底在任何情形都不能理解马克思及伊里奇底国家理论的出发点。

国家问题中的涅灵主义底最热心的理论的反对者之一的古诺[H. Cunow],曾说过下面一段话:

> 在黑智儿辩证法上说起来,可以正当地说:马克思从黑智儿出发,虽然正当地否定了黑智儿国家观底一部分,但他却停止于第一的否定,而未曾到达于否定底否定,未曾到达于把它底对立的见解扬弃于较高的统一之点,未曾到达于把当作支配组织看的国家底考察与当作大的人种的生活共同体看的国家底意义相关联的国家观。①

这不但是对于唯物辩证法的可惊的暴行,又是完全曲解马克思主义而与马克思底理论完全断绝关系的东西。说国家永久存在的这种主张,含有阶级社会底永久性底主张,因而又含有资本主义底永久性底主张,不但是古诺这样想着,就是许多在引用符号中的"社会主义者"和"马克思主义者",也是这样想着。所以我们在这里要力说伊里奇底正统性,要力说伊里奇对于破坏那为一阶级压迫他阶级的组织的国家那个问题中底马克思底理论的原则,是忠实的。

我们说过,康民尼斯谟社会,是在苦闷之中,从资本主义社会底胎内生下来的,从永远的立场看[Sub specie aeternitatis],这种出生的苦闷,显现为一个飞跃,为"从必然底王国到自由底王国底飞跃";但这种出生的苦闷,对于同时

（页边注：）
国家是一个历史的生灭的范畴

康民尼斯谟社会之出现与阶级一般之消灭

古诺对于马克思底国家论底曲解

伊里奇对于马克思国家理论的正统性、忠实性

从必然底王国到自由底王国底飞跃

---

① 古诺[H.Cunow]:《马克思底历史、社会及国家理论》,柏林1923年版,第310页。

代的人们,甚至对于以后几代的人们,形成一定的时期,即一社会到他社会的"革命的变革底时期"。因为康民尼斯谟底诞生,即是资本主义的死灭。

伊里奇也和马克思一样,不曾精密地描写共产主义制度,并且也从没有那样想过。但是,他用他底时代底全本质,把他底时代底任务解决了。已发展的阶级差别,久已成为对立,这种对立,已经成为矛盾。阶级利害间底矛盾,达到它底顶点时,那矛盾底解决就由革命而开始。在普罗列达里亚底革命上,资本主义底矛盾,是由于阶级底废弃而被解决的。这个革命的过渡期,有它自己底经济形态,到这个形态去的第一步,就是收夺资本家底生产手段。布尔乔亚底收夺,是意味着当作阶级看的他们底废弃,不过这种收夺也不是立刻可以完全成就的事情。过渡期底经济,在暂时之内,还维持着资本主义底残泽。这种残泽和阶级底残泽,在过渡期之中,还是依然存在的,但在阶级存在的限度内,国家也不能不存在。对于过渡期底经济,有过渡底"政治"、过渡期底政治的上层建筑即过渡期底国家与它相适应的。伊里奇特别加紧地力说过这种事实:国家在过渡期中也是不可避地而且必然地存在的。

三、当作阶级斗争底新形态中底连续
看的普罗列达里亚狄克推多

阶级斗争
底新形态
中 底 连
续——普
罗列达里
亚狄克推
多

过渡期社
会之政治
的上层建
筑

第二国际
理论家底
偏见

我们说过,在过渡期底社会中,只要有阶级存在,国家也是存在的。和这同样,在过渡期底社会中,只要有阶级,那社会中底阶级斗争也是不可避免的。这第二的论纲,在论理上甚至先于第一的论纲。因为,国家在某种意义上,不外是在支配阶级手中的阶级斗争底一个工具。所以阶级斗争,在过渡期底社会中也是存在的。而这过渡期底社会本身,原来已经就是到社会主义去的预备阶段,它底政治的上层建筑,即是普罗列达里亚国家或普罗列达里亚狄克推多。

在没落期中的第二国际底理论家们。想抹杀过渡期底这种性质。在他们看来,过渡期那东西,始终进到平和之路的议会中多数派之空想的"获得",同时,在他们看来,阶级斗争也就开始死灭。但是据伊里奇底意见说来,"把阶级斗争底承认扩大到普罗列达里亚狄克推多底承认的人,只有是马克思主义者"。

　　前述的"社会主义者们"，也有不否认普罗列达里亚狄克推多那种马克思主义底公式的事情。不过他们要把它和那种依靠社会民主主义者底很可疑的多数派而行的议会政治观念相换置。这些"社会主义者"不理解普罗列达里亚狄克推多的主要理由，伊里奇在他们不把阶级斗争实行到终结、到最后的归结一件事当中看出了它。这种"终结"，明明是要等到任何人早已没有相斗的必要时，即任何阶级已不存在之时，才是可能的。伊里奇说——"普罗列达里亚底狄克推多，是普罗列达里亚底阶级斗争底新形态中的连续"①。

　　在这里，我们从新又说到存续底范畴。这里成为问题的，就是阶级底存续又引起阶级斗争底连续的一件事。不过，品质上不相同的社会经济的构造中底这种存续，不是单纯的反复，而是新形态上阶级斗争底再现。单只国家底存在，并不是新的东西，国家那东西，在那时候明明是品质上不相同的东西。它由布尔乔亚底工具变为普罗列达里亚底工具。阶级底存续与阶级斗争底存续

国家由布尔乔亚底工具变为普罗列达里亚工具

　　伊里奇说："那个国家，不外是普罗列达里亚底阶级斗争中的一个工具——，一个特别的棍棒，单是这一点！"在这个文句中，国家变为普罗列达里亚底一个工具（这是我们已经说过的）一件事，以及国家不是普罗列达里亚底工具以外的什么东西一件事，都被用同一的力量力说着。因此，如我们在下面作为问题的一样，新的国家形态及阶级斗争底新形态，是能够说的，而且是不能不说的。因为"普罗列达里亚底狄克推多中，他们底阶级斗争底形态，已经不能是从前的东西"。

　　伊里奇在不幸没有写成的小册子《关于普罗列达里亚狄克推多》之中，暗示着普罗列达里亚底五个最主要的任务以及和它们相适应的五个新的斗争形态。第一，普罗列达里亚有在普罗列达里亚革命底过程中镇压剥削者底反抗的任务。机会主义者以及在引用符号中的"社会主义者"虽然忘掉这个，但这件事却是我们底时代底第一任务。（页边注：第一个任务——镇压剥削者底反抗）过渡期中普罗列达里亚五个主要任务和五个新斗争形态

　　严密地说来，以前支配阶级底反抗，已经开始于他们底崩坏之前，即是开始于他们在客观上虽为支配阶级却已失掉脚下底地盘底时代。在 1917 年底剥削者实行反抗底两个方向

---

　　① 伊里奇：《关于普罗列达里亚底狄克推多》（未写成的论文底草稿），《伊里奇全集》附录，第三卷，俄国版，第 511 页。

俄国革命底过程中,这种反抗,大略开始于六七月之间。即是开始于支配阶级在事实上对于他们底防御比较对于攻击还不能不多加考虑的时候。原来普罗列达里亚革命爆发以后,这种反抗变得尖锐,在两个方向实行了。一个是从内部实行的,即是在支配阶级刚刚失掉权力的国家内部实行的;一个是从外部实行的,即是从邻近的资本主义列强底方面实行的。

据伊里奇底意见,从这种事实,就已经生出对于过渡期的阶级斗争底特别的极端的尖锐化,这是明白的事情。因为对于互相抗争的两个阶级,这是生死存亡的关键,如伊里奇以现实为基础而确实证明的一样,我们所说的剥削者底国内的反抗,是以谋叛、怠工底形态,并依靠到小布尔乔亚层去的特殊作用而实行的。事实上,这一切在资本家看来,都是阶级斗争底新形态。在他们还是自由行使国家权力之时,他们之中是不曾想到谋叛等等事情的,但到现在,特别是在普罗列达里亚国家成立底最初时期,他们就把谋叛看作夺回权力的最急激而且最确实的手段之一了。同样,当他们自己所有着生产手段的时候,他们是不曾想到当作阶级斗争底手段看的怠工的。工场锁闭以及劳动者之个别的解雇,在特定的诸条件之下,确实是对于劳动者底罢工或消极抵抗的理论上及实践上底回答,但到现在,布尔乔亚知识阶级,却在完全不同的状况上,诉诸为他们一看似乎不惯的怠工底手段了。以前,资本家主要地在经济上策动着小布尔乔亚层,到了失掉权力的今日,这种影响,就滑稽地专含有政治的性质了。即,对于小布尔乔亚层,约定依据普通选举权底实施以积极参加于政治生活,并描画出康民尼斯谟底结果是小布尔乔亚底没落,借以对他们作政治的威胁,等等。

布尔乔亚
内乱

两个古典
的内乱

由国内的
反抗移到
国外的反
抗

布尔乔亚之国内的反抗,最后又在他们不想放弃权力而开始内乱的一点显现出来内乱,是普罗列达里亚底狄克推多之中的,用更广的意义说,是一切社会革命之中的阶级斗争底必然的一个形态。伊里奇在他底小册子草稿中论及内乱的处所,特别地把 1649 年及 1793 年底两个史实附上了括弧,因而他在这里是指着两个古典的内乱的,这种内乱,是构成两个古典的布尔乔亚革命,即第 17 世纪底英国革命及第 18 世纪底法国革命底不可分的要素的东西。在这两个革命中,以前的支配阶级,当内乱底进行中,由对于新兴阶级的"国内的反抗"移转到"国外的反抗",即是移转到接受外国底援助,甚至杂有外国军队的有组织的战争。

"在国际的资本主义结合底时期中",内乱在这一点带着更明白显著的性质。它变为真实的"国外的"阶级战,一方面由少年普罗列达里亚国家所指导,他方面由那些公然或秘密援助革命国家底正在没落的布尔乔亚的旧布尔乔亚诸国的指导。国外的阶级战

这种战争,在帝国主义与布尔乔亚革命底时期中,成就有兴趣的辩证法的发展。特别地在俄国,事体究竟是怎样的呢? 首先就有过当作用别种手段实行的布尔乔亚国家底政策底连续看的帝国主义战争。其次,当作对于它的反命题[Antithese]看的,有对于一方底阶级是自然发生的、对于他方底阶级是意识的、转向于帝国主义战争底内乱去的转化。最后,当作它底综合[Synthese]看的,就有内乱——更正确地可以称它为阶级战——转向于革命底,即再转向于"国外的战争"底转化。但这种"国外的战争",单从形式上看,只构成第一的东西即向到正命题[These]的复归,它是由于"反命题"底全内容,即是由于一个公然的显著的阶级内容而被弄得丰富了。它是对外的国外的战争底特征以及国内的战争即内乱底一切特性底综合。国外的阶级战之辩证法的发展

对于普罗列达里亚底狄克推多实行武装反抗的人们,是以前的支配阶级。但资本家与普罗列达里亚,如我们所知道的一样,只是直接先行于资本主义与康民尼斯谟间底过渡期底社会的资本主义社会底主要阶级。在这两个阶级以外,到普罗列达里亚革命底时期为止,还存有封建社会底主要阶级,即地主与农民(当然已不成为主要的阶级)。阶级底分析

地主由于土地底国有而完全消灭,当作经济上落伍了的社会底要素看,在客观上或在主观上都与资本家运命相共。

农民与小布尔乔亚层底地位,更为复杂。普罗列达里亚与农民底关系,适应于那时代底历史的诸条件,受特别明了的变化。(页边注:普罗列达里亚与农民底关系)伊里奇在他底小册子《草稿》之中,列举普罗列达里亚狄克推多之下的阶级斗争底新形态,其中更记载着"小布尔乔亚层尤其农民底'中立化'"。这一层是需要说明的。在布尔乔亚革命以前,即在地主与资本家底支配之中,普罗列达里亚与农民是相异的阶级,但也只是相异的阶级。他们对于地主与布尔乔亚,有着同一的利害。由这件事出发,就产出了为谋对付"沙"、小布尔乔亚与农民底中立化 普罗列达里亚与农民同盟底必要

地主及布尔乔亚而与农民联盟的普罗列达里亚底政治的方针。

这种趋势,随着普罗列达里亚革命底迫切而起变化,在普罗列达里亚狄克推多底第一阶段上,竭尽全势力以拥护并确立普罗列达里亚国家,是一件必要的事情。在这个时期中,资本主义所造出的阶级层次,就显得明白。农村劳动者与贫农,站在普罗列达里亚底阵营;中农采取旁观的态度,他们决不是可靠的同盟者。库拉克[Kulak](大农)是公然加入布尔乔亚方面的。诸阶级内部底这种势力关系之具体的分析,使得普罗列达里亚尤其他们底政党采取别一种战术,对于包含大农在内的全布尔乔亚就与贫农同盟起来,并使中农中立。伊里奇在他底小册子《草稿》之中,所以写着中农大众底"中立化",即他们底"说服与引诱",就是这个时期底事情。

随着普罗列达里亚国家底巩固,随着战时战线底清算,因而随着资本家底"国外的"武装反抗底几被完全克服,简单点说,随着向到新经济政策的推移——如在我国也曾经是这样的——,普罗列达里亚对于农民的政策,就从新变化了。这是因为阶级状态从而阶级斗争底形态在现实上变化了的原故,所以这种政策在客观上也变化起来。中农"等待了结果",农民大众与普罗列达里亚一起变成过渡期底社会底主要阶级。普罗列达里亚与农民底关系,是差异底关系,不是敌对底关系,更不是矛盾底关系。因此,普罗列达里亚把他们底党做首脑,而与贫农提携,与中农同盟,以对付农村底大农及都市底布尔乔亚。这是普罗列达里亚狄克推多时期中农民运动底辩证法。的确,普罗列达里亚,在这综合底阶段上,如伊里奇所说,也有"引导"农民"指导"农民并与他们"合作"的任务。

组织为支配阶级的普罗列达里亚,不但是必须引导农民、指导农民。他们对于技术的布尔乔亚——所谓知识阶级,也有着新的任务。伊里奇也曾说到这个新的阶级斗争形态(这是他所列举的第四种形态)。于是所谓"专门家"就成为问题。伊里奇常常力说过,康民尼斯谟不是单凭康民尼斯特底力量所能建设的东西。技术的知识阶级——不问他们愿意不愿意——,必须为这种建设所利用。不过他们有跑到敌对阶级方面去的倾向,虽不是它底主要部分,却是它底附属物,所以在这里,阶级斗争也不能避免。普罗列达里亚底狄克推多,在这个斗争中,却加上为从来所不知道的独特的形态。伊里奇如次地附说着："不仅克服反抗,不仅'中立化',并且对于劳动的引诱为普罗列达里亚服务的强制。"①

当作第五类底任务看的,伊里奇加上了为"教导新的规律"而实行的方策。这是指着那些当作康民尼斯学校看的劳动组合底工作、共产党底工作、工钱政策底特殊问题等等说的。这些,无疑地正是在过渡期底社会中,在非常广大的范围上,要普罗列达里亚去做的很重要的任务,却不是阶级斗争底特殊形态,所以在这种关系上,即使忽视他也不关紧要。

第五类底任务

如果伊里奇写那个论究普罗列达里亚狄克推多的小册子草稿的时候,不是在 1920 年底初头而是大略在 1921 年底初头,那么,他(由以后的一切演说或论文看来是明白的)确实是论究了过渡期中普罗列达里亚底阶级斗争所呈现的一般形态的。这就是所谓新经济政策。新经济政策,不是偶然的东西,也不是和生活没有关联而浮泛于谁人头脑中的思想。它是从过渡期底经济中必然产生的东西,在这过渡期底经济中,例如已经国有化的工业那样社会主义底诸要素和那些维持经济财流通底特殊方法的单纯商品经济及资本家的商品经济底虽逐渐死灭而又"存续着"的诸要素,往往特别地错综着。

所谓新经济政策,是这个时期中普罗列达里亚阶级斗争底一般的形态。它没有使普罗列达里亚及农民"隔离"于社会主义,也和所谓战时共产主义组织不曾使他们"接近"于社会主义社会,正是相同的事情。反之,由组成为支配阶级的普罗列达里亚所实行的新经济政策,只要它不是单纯的"退却"(在什么人面前?),而是诸势力底一定的改编,是使用不同方法而行的普罗列达里亚底新攻击,就能使勤劳者更接近于社会主义。

这种无疑的新的普罗列达里亚阶级斗争底形态,在普罗列达里亚爬上权力底地位时,正确地说,在国外的阶级战争底最初阶段(资本主义的干涉底防卫、国内白卫军底扫荡等等)终了时,才有可能。这种斗争形态中,本质的东西,就是它由于过渡期底国家、由于普罗列达里亚国家而被实现的。然则这种过渡期底国家是怎样实现着的呢?

---

① 伊里奇:《关于普罗列达里亚狄克推多》,俄国版,第 513 页。

四、布尔乔亚国家与普罗列达里亚国家

过渡期底国家,明明不是为资本主义社会底上层建筑的布尔乔亚国家之单纯的连续,它也不是促进布尔乔亚国家底发展的东西。只要它是布尔乔亚国家底发展上底一点,它就是量的增加产出新的质底一点,我们可以把这种关系作如次的规定。即,过渡期底国家或普罗列达里亚国家对于布尔乔亚国家的关系,与过渡期底经济对于资本主义经济的关系,是同样的。在过渡期底经济还存留着资本主义底遗物——伊里奇所说的——"痕迹",我们也在普罗列达里亚国家中发见布尔乔亚国家底"痕迹"。

伊里奇对于阐明普罗列达里亚国家与布尔乔亚国家底根本的差异,特别尽了力。他在许多处所加紧地力说了:康民尼斯谟不是被移入的东西;康民尼斯谟是自行到来的东西;但因为只有普罗列达里亚国家是造出康民尼斯谟发生底前提条件的,所以第一步就有移入这普罗列达里亚国家的必要。然则普罗列达里亚国家究有怎样的特征呢?它和一切国家一样,它是强权。国家底

概念,和强权底概念是不可分地结合着。在国家存在的限度内,就没有什么自由,若果有自由,就会早已没有国家存在了。国家是布尔乔亚遗留于普罗列达里亚的一种害恶。普罗列达里亚国家,如同布尔乔亚国家对于布尔乔亚曾经是那样的一样,它对于普罗列达里亚,决不是自己的目的[Selbstzweck——不成为别种东西底手段的目的],它反而只是在社会底阶级编制被克服以后,去克服那当作人类共同体底形态看的国家的一种手段。

普罗列达里亚国家是什么东西?它就是被组织为支配阶级的普罗列达里亚。普罗列达里亚把自己组织为支配阶级,开始抑压那当作阶级看的布尔乔亚。同时,普罗列达里亚就踏上当作阶级看的他们自身底绝灭底第一步,踏上到达于无阶级无国家的社会底第一步。对向于布尔乔亚的普罗列达里亚底国

家机构,同时又对向于国家一般。不过这种国家机构,要正当地完成自己底使命,它必须好好地被组织起来。普罗列达里亚国家,在"技术的"方面,不能够比布尔乔亚底国家坏,并且还不能不好好地加以组织。普罗列达里亚国家,不能不更确实地更敏捷的显出更大的效果,以完成行驶强权、抑压敌对阶级的机

能。因为在这里,重要的事情,如同布尔乔亚在他们底国家做过的一样,不单是把被抑压的阶级放在抑压底一定界限内去维持它、再生产它,反而是绝灭敌对的阶级,这件事是成为问题的。

那种国家机构,对于普罗列达里亚是有特定的革命的价值的。社会主义革命一经爆发,普罗列达里亚首先不能不掌握政权。因为,单靠"从下"而行的压力、单靠自然发生的民众暴动以抑压布尔乔亚,是不可能的;而被组织了的压力,必须通过普罗列达里亚国家权力,"从上"而行的。从下而行的压力与从上而行的压力

所以,在过渡期底最初数年间,国家底建立、组织及巩固化,是普罗列达里亚底基本任务之一。为理论家同时又为实际政治家的伊里奇,对于普罗列达里亚国家底建设,也努力过。这并不是说他把这种国家底模型看作永久的东西的意思,也不是说他在那康民尼斯谟的世界观上未曾顾到未来无阶级社会的意思,这种无国家的社会。在普罗列达里亚国家随着社会的诸阶级底消灭而一同"死灭"时,是要到来的。普罗列达里亚国家底建设　伊里奇并非不顾到无国家的社会

这件事,在批评伊里奇的布尔乔亚批评家是不能理解的。他们"隐密地"而且公平地研究马克思主义,并且把它做"文献学的"解释,说得好一点,他们是胡乱地解释它的。

　　"对于伊里奇底社会学的综合,我在原则上说起下面一件事:它把重心从最终目标移置于向着最终目标的革命运动。"又说:"伊里奇由于无疑反对马克思而宣言革命底途径所谓无国家的社会的'最终目标'在他以为是还在未来底远方,而在未来底这一边,先树立普罗列达里亚国家建筑于已经革命化了的国家底废墟之上,这在他是被看为必要的事情。"……最后,"国家与革命底著者,所以——违反他底意志与意见——由国家思想底研究者变成了他自身底国家底前卫战士。"[1]列恩兹底谬见

在伊里奇底批评家列恩兹上面底说明中,只有确说伊里奇对于普罗列达里亚国家课以重大任务的一点,是正当的。从那意特沃罗基说来,一个布尔乔列恩兹底批评与库诺底批评底同异

---

[1]　列恩兹:《国家与马克思主义》,第148、151页。

亚批评家列恩兹，非难着伊里奇底对于"国家思想"的偏爱，反之，"社会主义者"库诺却非难着伊里奇底对于同样"国家思想"的决然的否认，这实是有趣的对照。据列恩兹底意见说，伊里奇太过于把无国家的社会放在远的将来，只是当作"学术上底要求"去维持它。又据库诺底意见说，虽然马克思已不能不把这种无国家的状态那东西当作学术上底要求放弃了，而伊里奇却太过于把这种状态放在近的将来。这里说的是什么呢？为什么这两个批评伊里奇的人，一看就像是在两个阵营呢？这个问题，可以简单地答复它。这两个批评家底立场虽然容易地互相统一，而伊里奇却是站在和他们相反对的马克思主义底立场的。在这里，重要的事情，本来就是讨论怎样的国家、怎样型式的国家一件事情。布尔乔亚底意特沃罗格［思想家］列恩兹、小布尔乔亚层底意特沃罗格库诺，都是普罗列达里亚国家底反对者，都是赞成维持布尔乔亚国家的。反之，普罗列达里亚底意特沃罗格伊里奇，却赞成为过渡期经济底政治的上层建筑的普罗列达里亚国家，反对布尔乔亚国家的。列恩兹以为只要布尔乔亚国家当作现实的事实被保存着，对于当作学术上底要求看的无国家的社会，就没有什么可以反对的东西了。又如库诺，他以为社会主义底实现，只要在法治国家即布尔乔亚国家底框子内去试验，对于社会主义就没有什么可以反对的东西了。但是伊里奇，他知道着在支配阶级支配着战区的限度内，康民尼斯谟制度不能成为问题，所以他赞成布尔乔亚国家底绝灭。

在布尔乔亚存在的限度内，无论这个国家怎样扩大德谟克拉西，劳动者底解放不能成为问题，只有在德谟克拉西被扩大到普罗列达里亚国家时，事实底成果，就为劳动者所保证。但普罗列达里亚国家，与布尔乔亚国家，品质上是不相同的。伊里奇反复地力说过原则上不同的普罗列达里亚国家底型式。如同布尔乔亚国家比诸封建国家，曾经是社会上较高级的型式一样，普罗列达里亚国家，是社会上较高级的型式底一个国家。在以生成底见地观察社会现象的辩证法论者看来，这些都是自明的事情，但在本质上把布尔乔亚的德谟克拉西看作不可逾越的界限的、像库诺那样形而上学的思维倾向的人，却不能理解这一点。不管革命底一切"损耗"怎样，连续于资本主义后的过渡期底经济，在社会上，比较资本主义经济是高级的。同样，前者之政治的上层构造，比较后者之政治的上层构造，也是高级的。

把种种国家,依照它底社会的形式底顺序,照这样配列起来,这便是对于国家问题的辩证法之伊里奇的应用。这种应用,是马克思主义理论底发展与扩大。民主主义共和制,可以称为比较立宪君主制是相对的高级的形态。这种见解,完全适合于伊里奇底构想。因为他是从普罗列达里亚底利害底立场,批判那内容上的布尔乔亚的、所谓法治国家底政体的,不过我们不能忘记,这种差异,只是通过于一定的国家形式,即布尔乔亚国家底内部。立宪君主制、议会君主制、民主主义共和制,从伊里奇看来,当然都具有特定的意义,但这一切都只是一个国家形态内部的、同一社会之政治的构造内部的政体。在所谓政体之间,只有量的差异,在国家形态之间,却有质的差异。

伊里奇认定:民主共和制,在一切可能的形态中,是资本主义之政治的上层构造底最良形态。

> 我们虽赞成对于在资本主义之下的普罗列达里亚是最良的国家形态的民主主义共和制,但是就在最民主主义的布尔乔亚共和制之中,工钱奴隶制度总是国民底运命。①

民主主义共和制,总算是到达于普罗列达里亚国家的"最近的"阶段,但也只是一个阶段。为要从布尔乔亚国家底一个政体即民主主义共和制到达于普罗列达里亚国家,必要有一个遂行普罗列达里亚革命的一个飞跃。布尔乔亚民主主义,在现实上,在理论上,都不能是普罗列达里亚国家底形态。

五、普罗列达里亚国家与强权

在普罗列达里亚革命底过程中,布尔乔亚国家及其全部机构,都要被打碎,被破坏,被废绝的。这件事越快越好,这是伊里奇常常在他底国家理论中重说的。即令这种国家是民主主义共和国,也不能不同样地、无假借地破坏它。民主主义共和国,是资本主义社会底一个被造成的东西,并且由那个国家

---

① 伊里奇:《国家与革命》,《马克思主义文库》第十九卷,第20页。

推广的形式的平等,也只是隐蔽对于劳役者底通常剥削的欺骗形式,外观上底"公正"。对于旧国家底这种破碎与破坏,明明是由于强权底行使而实行的,但是革命,在根本上与使行强权底区别,究竟在哪里呢?布尔乔亚政治革命,结局和剧烈的政变[Staatsstreiche]及贵族底宫廷革命一样,是少数者对多数者的压制,反之,普罗列达里亚社会革命,自从资本主义成立以来,多数者才开始压制少数者,并且为这多数者底利益,为了全人类底利益,才施以这种压制的。(页边注:由少数者对多数者的压制变为由多数者对少数者底压制)

强权底运
用与革命
底辩证法　　强权也不能被视为是绝对的恶。绝对的恶那东西是不存在的。革命极端地是辩证法的,所以形而上学的思维方法不能理解革命。普罗列达里亚国家,如不依着事实的状况而行使强权是不能主张自己底立场的。"对于握有权力底工具与机关的压迫者,如不施以权,国民就不能从压迫者手中解放出来。"——这是伊里奇在1906年已经说过的。在这里就有革命底辩证法。

普罗列达里亚国家不但为着主张自己,而需要行使强权,并且它当作国家本身看,就是一个强权,如前面所说,它是一个压迫底工具。但若布尔乔亚国家,无论它带上怎样民主主义的假面具,而在本质上却是布尔乔亚底狄克推多,那么,普罗列达里亚国家,就不能是普罗列达里亚狄克推多以外的东西。这两个概念完全是同一的,完全可以互相换置的。伊里奇力说这两个概念底同一性,并且把它发挥尽致了。普罗列达里亚狄克推多,不但普罗列达里亚国家底"政体",也不是俄国普罗列达里亚与贫农底国家底特殊形态,而是普罗列达里亚底他我,是它底同义语。

国家与狄
克推多

狄克推多
底意义　　狄克推多是什么?这个概念底意思,并不像考茨基所想说的那样;说什么狄克推多者,只是个人底事情,因而一阶级之政治的支配,不能称为狄克推多。伊里奇是常常在一阶级底支配底意义上,下这个概念底界说的,他所下的第一个界说,是开始于1906年他充分体会了第一次俄国革命底经验的时候。他在1905年时论述劳动代表苏维埃底作用,说了下面一段话。

伊里奇底
狄克推多
底界说　　以上所说的权力机关,有了狄克推多底萌芽。因为这种权力机关,不论它是什么人发出的,都不会认定任何国家权力、任何法律、任何规范。狄克推多,它是立脚于最直接的意义的强权之上的、无限制的、不为法所拘束的权力。①

　　所以,狄克推多,是在它自身以外不承认任何规范的国家权力。不过布尔乔亚狄克推多,简单点说,它底立脚点,是对付大众的武装权力;反之,普罗列达里亚狄克推多,它底地盘是国民大众,是这个大众底武装权力。

　　"前进的发展,即向着康民尼斯谟的发展,超过普罗列达里亚狄克推多而进行,此外的途径是不能通行的。因为资本家的剥削者底对抗是不能用其他什么东西、用其他什么手段所能打破的。"——这是伊里奇解明马克思及恩格斯底理论,而依据1871年巴黎公社[Pariser Kommune]与1917年俄国革命底经验而证实了的论纲。伊里奇为了这个论纲,曾受了各方面底尖锐的攻击,并且从右翼社会主义者方面、从考茨基、库诺及其他人物所受到的攻击,比较从布尔乔亚方面所受到的攻击,还要尖锐。这里的着眼点,就是德谟克拉西与狄克推多底相互关系底问题。考茨基无忌惮地这样写着:把普罗列达里亚狄克推多作为必然的东西的见解,是根据马克思在1875年曾经一次用过的话而来的。考茨基与库诺,否②承认巴黎公社是普罗列达里亚底狄克推多,但他们却主张巴黎公社是基于普通选举而选举了的,所以——它不能是从普通选举权底原则而出的、从这种文化底成果而出的例外的东西。普罗列达里亚狄克推多正是普通选举底完成。

　　　　所以马克思和恩格斯两人,把巴黎公社看作普罗列达里亚狄克推多底一个例子。但巴黎公社果曾有过一种苏维埃的狄克推多么?不,它底职员们都是依着普通选举权选举出来的人,这种普通选举权底扩张,是曾经马克思当作巴黎公社底优点赏赞了的。③

　　选举权的形式底问题,与当作普罗列达里亚狄克推多看的国家形态底原则的问题比较起来是次要的东西这一层,库诺是不想承认的。库诺并不想理

---

① 《Kadett底胜利与劳动者底任务》,《伊里奇全集》第七卷第一分册,俄国版,第122页。
② "否"疑为排印错字。——编者注
③ 库诺:《马克思底历史、社会及国家理论》,第330页。

（右侧批注）

布尔乔亚底狄克推多与普罗列达里亚狄克推多底区别

巴黎公社底历史的教训

德谟克拉西与狄克推多底关系

库诺对于巴黎公社观察底错误

巴黎公社之被马克思认为普罗列达里亚狄克推多与普通选举无关

解:使马克思说巴黎公社是普罗列达里亚底狄克推多的东西,并不是普通选举权,而是它底活动;巴黎公社所以不拘于普通选举权而被称为最初的普罗列达里亚国家的缘故,是因为它是原则上不同的一种国家型式,并且是过渡期底国家形态。最后,库诺又没有看到巴黎公社的"普通选举"被实行了的历史的诸条件。在选举底当日,3 月 26 日,巴黎差不多连一个布尔乔亚也不存在了。就是他们之中最积极的部分,在 3 月 18 日之晨国民军底想攻占炮台的计划失败以后,也逃亡到凡尔赛去了。这种逃亡,在 3 月 20 日贵族党底(在今日说,即是白卫军底)示威运动之后,也继续了的。梯尔[Thier]底军队,同样由巴黎被打退了,布尔乔亚底残余受着威吓,由选举投票可以看出来的,他们差不多一般未曾参加于选举。巴黎有两百万住民,而康民尼斯特只用 25 万的投票被选举了出来的(库诺说明形式的德谟克拉西,多数者与少数者底原则时,还得特别考虑这种关系)。公社底总委员 90 名之中,有 15 名的激进主义者,不久也从巴黎销迹了。只有这样子去做,公社所以只杂有极少数的小布尔乔亚分子在内,而得以维持了普罗列达里亚国家底权力。

然而这件事,却没有引起伊里奇底批评家底兴趣。他们以为最紧要的事情,就是确定公社并不曾是苏维埃国家;确定苏维埃俄罗斯不是实现了马克思底理论的普罗列达里亚国家,而只是"普罗列达里亚党底少数者或特定指导者群底专断支配"。

他们说了公社底一切方策以后,又这样地附记着说:

> 的确,这一切都是非常深刻地侵害旧来统治制度的方策,在被战争弄混乱了的当时底国内状态之下,它底有用性与完全的实现可能性虽是可疑的,然而它总不是苏维埃的狄克推多。

对于公社给以普罗列达里亚狄克推多底名称的东西,正是这些方策,但伊里奇底批评家却不顾到这些,而竟是那样地怀疑公社底一切方策底有用性与实现可能性。伊里奇也仿照马克思底例子,对于公社非难那和这个正相反对的谬误,非难它底方策底不彻底,非难它没有完全打碎布尔乔亚国家,非难它对付布尔乔亚的太过于微温的政策。

巴黎底普罗列达里亚所以未曾造出为权力机关的苏维埃,是因为他们未曾树立他们底公社为普罗列达里亚国家底权力机关。马克思所以未曾一般地论及苏维埃——库诺特别力说到这件事——,也和他在 1871 年以前未曾说及公社那件事,是同样的理由。他虽然理论上规定了普罗列达里亚狄克推多之历史的地位,却不曾论究普罗列达里亚国家构造之具体的形态。伊里奇底功绩,就是他在那普罗列达里亚国家理论之中,指示了在当作国家形态看的普罗列达里亚狄克推多底内部,适应于历史的及地方的诸条件,种种不同的统治形式是有可能的。特别是就俄国说来,当作普罗列达里亚俄罗斯底权力机关看,只有苏维埃是问题,这在 1905 年以后,已经是明白的事情。不过伊里奇并未曾自始就把国家权力底这种形态看成普遍妥当的东西。例如在白牙利发生了的那一类后起的许多普罗列达里亚革命,现实地证明了为劳动者底权力机关的苏维埃底普遍妥当性与弹力性之时,事体是显现得不同的。英吉利底议会是布尔乔亚权力机关底模范,我们现在可以应用和这相同的意味,主张俄罗斯底苏维埃变成了普罗列达里亚权力机关底模范(是模范,不是绝对固定了的模特儿)。

苏维埃与伊里奇

反对伊里奇和俄国革命的人,所以反对苏维埃,又隐秘地反对关于普罗列达里亚狄克推多的马克思底见解,这是因为对于布尔乔亚德谟克拉西底运命深抱不安的原故。他们想要扩大布尔乔亚德谟克拉西并“完成”布尔乔亚国家,而反对伊里奇所唱导的粉碎并破坏布尔乔亚国家的主张。在伊里奇说来,德谟克拉西决不是绝对的界限,而只是从封建主义到资本主义、从资本主义到康民尼斯谟底路线上底一个阶段。(页边注:德谟克拉西底路线)

伊里奇底反对者目的在拥护布尔乔亚国家

但就这个路线看,它是可以迅速地从一阶段通过到他阶段的,即使它是“民主主义的”,也决不能长久停止于这个阶段,依据伊里奇底意见,布尔乔亚国家机构底全体,至少要被破坏 3/4,而为新的东西所替代,它底机构底某部分,要从根本上加以改造。

构成伊里奇底国家论底特征的东西,就是它不像专门法律学者那样停止于纯“国家论”、国法学底范围。当伊里奇说到关于国家机构底一个方面、它底“压迫的”方面(国家权力底本来的机关及其压迫工具,即常备军警察及其他)时,他并不忘掉为国家学者所不注意的另一方面。它即是

怎样去破坏布尔乔亚国家机构

与实行许多的——若果那样说也可以的话——记入事务与登录事务的银行及新的加特别有密切关系的机构。这个机构不能被粉碎,也不是可以粉碎的东西。只是它不能不从资本家底支配摘取出来,资本家和他们底影响底线索,不能不由它所切断、所隔绝、所分离。它必须被从属于普罗列达里亚底苏维埃。……并且这件事,只有在以大资本主义所已经实现的成果做地盘之时,才被实行的。(正如只有在普罗列达里亚把基础放在这种成果之上时,才能一般地达到它底目的一样)。①

这是今日通称为伊里奇底"保守主义"的东西,实际上,这只是承认康民尼斯谟是把一切先行的要素在被扬弃了的形态上包括的、最高的辩证法的统一体。但这个"保守主义",决不是涉及本来的政治机构或布尔乔亚德谟克拉西的。不是布尔乔亚德谟克拉西,即布尔乔亚底狄克推多,即是普罗列达里亚底狄克推多,此外没有第三种东西。

布尔乔亚狄克推多呢普罗列达里亚狄克推多呢

在革命的阶级看来,没有第三种东西,一般地在这两条路之间是没有选择的。1924 年底所谓英吉利底劳动党政府,它并未曾讲求颠覆布尔乔亚德谟克拉西的手段,在没有超出议会主义范围的限度内,它并不曾是普罗列达里亚国家底开始。由量到质的变换,即议会主义完成底限度被充满了的瞬间,就已经和革命发生的瞬间相一致了。革命完结布尔乔亚德谟克拉西,所以它得到可以颠覆它的可能性。1918 年之初,因召集宪法会议而达于最高底完成的布尔乔亚国家,就被用新的权力机关苏维埃大会与它相对立的普罗列达里亚国家所颠覆,这种情势,就是上面所说那样的。可以说,这是一切成功了的革命底一般的发达法则。所以在 18 世纪之末,由于三部会底召集而达于最高的完成的封建国家,就被用国民会议的新权力机关与它相对立的布尔乔亚国家所颠覆了。

布尔乔亚国家底完成与倒坏

代替已被破坏国家底新国家

伊里奇底理论所意味着的处所,并不是像库诺所想要归罪于它的那样去完全破坏国家一般,而是破坏特定的国家形式并用原则上不相同的别种形式

---

① 《布尔什维克是维持国家权力的吗?》《伊里奇全集》第十四卷第二分册,俄国版,第231 页。

底国家去代替它,就现在的情形说,即是用正在死灭的国家即立时开始死灭并且必须死灭的国家去代替那已被破坏的国家。

如辩证法论者的伊里奇,不是抽象地解释国家与德谟克拉西底现象,而是把这些概念具体化起来,去质问什么样的国家、什么样的德谟克拉西? 这样具体地被提起了的问题,已经是预先规定着解答:布尔乔亚德谟克拉西,当作对于普罗列达里亚而实行的狄克推多证明出来;对于布尔乔亚的普罗列达里亚狄克推多,当作为普罗列达里亚及贫农而实行的德谟克拉西证明出来。因为,在种种的阶级存在的限度内,只有阶级的德谟克拉西能够成为问题。"历史知道着继续于中世期的布尔乔亚德谟克拉西,与代替布尔乔亚德谟克拉西的普罗列达里亚德谟克拉西。" 阶级社会中底阶级的德谟克拉西

为着布尔乔亚,即为着少数者而实行德谟克拉西,比较为着劳役者,即为着多数者而实行的德谟克拉西,不能不更受限制,更被歪曲,这是明白的事情。于是问题就变为如下所述的那样。即,在阶级的社会中,是不是为着布尔乔亚,为着普罗列达里亚,都能够同样地建立德谟克拉西吗? 这个问题,只有是被否定的,因而问题又不能不变为如下所述那样。即,在当作一个社会群看的富人及剥削者被绝灭的历史的时期中,德谟克拉西也能够为这些人所维持么? 普罗列达里亚,如不用强权去压迫他们底敌人,是不能获得胜利的。在强权支配着的地方,对于被压制者不能有什么自由,因而也没有什么德谟克拉西。伊里奇就照下述那样地表现着那种德谟克拉西底辩证法。 为多数者而实行的德谟克拉西胜过为少数者而实行的德谟克拉西

所以在资本主义社会中,只有为着富人为着少数者而被限定了的、贫弱的、假的德谟克拉西。普罗列达里亚狄克推多,到康民尼斯谟去的过渡期,才造出对于少数者及剥削者之必然的压迫,并造出为民众,为多数者的德谟克拉西。只有康民尼斯谟,才能真正地提供完全的德谟克拉西。并且这种德谟克拉西越是完成,它越是迅速地变为无用,而将自行死灭。① 德谟克拉西底辩证法

---

① 伊里奇:《国家与革命》,《马克思主义文库》第九卷,第87页。

六、获得政权底问题

为要建立第二种类的德谟克拉西，普罗列达里亚不能不获得政权，夺取政权。获得国家权力底问题，不仅有战术的意义，并且在普罗列达里亚由于这种行动而组成为支配阶级，而这种行动又造出普罗列达里亚国家底基础时，它又引起一定的理论的兴味。伊里奇实践地参加于这个过程，并且理论地研究了它。他底分析底对象，第一是巴黎公社，第二是1917年底俄国革命。

国家权力
底问题是
一切革命
根本底问
题

"国家权力底问题是一切革命底根本问题。"这话是他底考察底出发点，是他底分析底原则。革命底经过，也有使得从来掌握权力的阶级急速地萎靡下去，而国家权力突然地归于新的支配群的。例如1917年布尔乔亚革命底情形，就是这样。或者又有——这是革命发展底第二种型式——支配阶级不失掉斗争力而不降服的，而攻击的阶级又没有充分地从他们夺取权力的强力，但自己却能充分地组织起来，已经可以造出自己底权力机关。这是二重支配底状态，伊里奇在它底当中，认出了二月革命底特殊性。伊里奇接到二月事件底报告时，立即从瑞士写寄了下面一段话。

二月革命
与二重支
配

> 和这个政府(临时政府)相并行……发生了表现都市及农村底普罗列里达亚及人民中贫弱分子底全体底利害的、新的、非公式的、未发达的、比较还是微弱的劳动者政府。它是彼得堡劳动者及兵士代表底苏维埃。

在对抗旧
政权中形
成的新政
权

伊里奇称苏维埃为劳动者政府(不是自治机关)的一件事底理论的意义，就是说，普罗列达里亚国家权力底机关不是出现于布尔乔亚国家权力崩溃之后的，它是由革命而被显现于表面，最初在萌芽状态上，当作"非公式的国家权力"而与旧来的国家权力并存的。

两个政权
对抗底结
局是一个
政权底胜
利

但是二重支配底状态，能够长期地继续下去吗？一个国家中底两个权力、两个国家权力，是意味着两个狄克推多的，但狄克推多底概念，是一个国家权力底意思，这个权力，不能为任何人所分占的。在一方面有临时政府，他方面有劳动者底苏维埃的事实当中，伊里奇早已看出了1917年4月当时两个狄克推多底纷纠。他预先说过,这样的状态以后是不能持久的。两个国家权力,不能存立在一个国家之内。两重支配,只是一个过渡的要素。两个权力中一个明明占着优势的方面,是必须胜利的。这种胜利,意味着新国家底发端。正如1789 年法国国民议会底胜利是到布尔乔亚国家底胜利去的第一步,同样,俄国苏维埃底胜利,就是普罗列达里亚国家底胜利。

由普罗列达里亚实行的"政权获得",并不是意味着对于强敌的掠夺、诈欺、欺瞒的夺取,也不是意味着阴谋者党徒底恶事底成功的夺取,由于普罗列达里亚实行的"政权获得",是一种军事的胜利,是对于强敌的公然的攻击,是由多数者实行的直接的夺取。如库诺所企图的那样,把伊里奇这一方与巴枯宁[Bakunin]、布朗葵[Blanqui]那一方互相比较,这件事,是不值得加以批判的,也只是证明库诺对于普罗列达里亚国家问题,没有理解,没有学识。 政权获得是一种军事胜利

> 为要成为一个权力,有阶级意识的劳动者,必须把多数者做同党。在对于大众的强权支配不存在的限度内,到权力去的别的途径就不成问题。我不是布朗葵主义者[Blanquist],也不是信奉由少数夺取政权的人,我们是马克思主义者,是反对小布尔乔亚底陶醉、排外主义的祖国防卫主义、对于布尔乔亚的从属,而信奉普罗列达里亚阶级斗争的人。[①] 普罗列达里亚底政权底夺取是由多数者实行

多数者及少数者底范畴,不是以布尔乔亚狄克推多之下的代议机关选举时投票数底正确计算为前提的东西。专想信托选举结果的人,演着"形式主义的可耻的游戏",想用形式论理底方法——当然无用的——把捉辩证法的现实。普罗列达里亚,不能不把那些给与于他们底候补者的投票数,当作更确实的行动底可能性与必要性底征候去估价。议会中底多数党以及多数党实现底合法的前提条件即普遍选举权,据恩格斯说来,单是"表示劳动者阶级底成熟程度的记号"。"它在今日底国家中,决不能是比它更进步的东西,而且也不能有"。 多数者与少数者底范畴底规定

库诺底算术与伊里奇底算术不同,这是明白的事情。前者自称有陷于误算的忧虑,其实是害怕变为多数,深深注意地改数了勤劳者在选举时所得的投 库诺底算术与伊里奇底算术底区别

---

① 《关于二重支配》,《伊里奇全集》第二十卷第一分册,德国版,第 128 页。

票数,如果判明还是多数的时候,仍劝导勤劳者去维持布尔乔亚国家。后者确定了"两个主要都市底人口中革命的分子底积极的多数"以后,就主张只要是这样就足够引导大众。伊里奇分析俄国革命的现实所达到的结论,不是个人的东西,也不是只通过于特定的状况、特定的时期的东西。那个结论,譬如说就是解决普罗列达里亚革命底任务的第一次方程式。如果伊里奇"以为布尔什维克而等待'形式的'多数"一件事是"素朴",而"不安闲地等待革命底到来",那么,这个"布尔什维克"的名词,在这里就是表现着一个普遍的概念、革命底阶级底前卫底代数学的量。

伊里奇分析过莫斯科市会底选举。1917 年 6 月,门塞维克[die Menschewiki]得到投票数底 70%,8 月得到 18%;立宪民主党[die Kadetten]得到 6.7 万票与 6.2 万票;但布尔什维克却得到 3.4 万票与 8.2 万票(这数为 47% 与 49%,把左翼社会革命党员合起来,属于多数)。在伊里奇看来,这个数字不是死的而是活的。它不是不变的量。其中有的减少,有的增加。这是一种可变量底算术。伊里奇研究了全部的状况就确定布尔什维克底投票到十月底初头更是增加,就达到了下述的结论:在那种情势之下"等待"的一件事是一种犯罪;"苏维埃大会尽量地去等待一件事,是形式主义底愚笨的游戏,形式主义底可耻的游戏,是背叛革命。"

重说一遍,在伊里奇看来,这件事并不是单独的偶然的党底指令,也不是没有类似的俄国革命底"特殊情形",反而是一种理论的原则,是规定普罗列达里亚国家发生的一瞬间的东西。它也不是单纯地战术地暗示"何时可以开始取得政权"一事的东西,而是普罗列达里亚国家本身诞生底法则,是"何时开始取得政权"一事底法则。照这样,二重支配就被排除了。

伊里奇底"选举投票算术",根据于更深的"阶级底算术"。选举术本是政治的上层构造底问题,而这个上层构造却与社会的构造最紧密地结合着。这一点可以就库诺与伊里奇底算术底一例证明出来。库诺底算术要求着!"普罗列达里亚占据人民中底多数一件事是条件。即普罗列达里亚狄克推多,只有在普罗列达里亚占据人口底多数时,才被允许。"[①]关于这个,伊里奇作成下

---

① 《普罗列达里亚狄克推多》(未定稿),《伊里奇全集》附录,第四卷,俄国版,第 433 页。

列的表式。

51%	最下层?（概数）……
40%	中间阶级(小布尔乔亚层)概数
9%	资本家

100%

　　这个表给与了一个明白的图解,这种图解,是第二国际底"革命的'理论家'也是—马克思主义者"[Auch-Marxisten]敢于提出取得政权底问题时而当作前提条件要求的诸阶级底势力关系底明白的图解。不过这个表并不是活的东西。它虽然正确,却是很抽象的。它在事实上,是纯粹的算术、抽象的算术方法,而不是考虑生活底一切倾向的具体的辩证的方法。伊里奇当研究社会现象时,具体地处理它,建立了和这不同的表式。他提出一个深刻的问题,同样在算术底形式上把它列举出来。

　　其大概如次。

20%	普罗列达里亚		
75%	小布尔乔亚层	30	贫
		30	中财
		15	富
5%	资本家		

100%

　　如果专采取量的立场,第二表,一见好像是从议事日程把普罗列达里亚革命削除似的。国内不是只有20%的普罗列达里亚么? 但是马克思主义者底更深刻的更具体的问题底提出,却在积极的意义上把革命问题解决了。它是根据什么理由呢? 这是很明白的。75%的小布尔乔亚层(伊里奇无疑地把农民也列在其内),并不是什么统一的无差别的大众。资本主义,简单地说,从为贫民的小布尔乔亚大众分泌了(全人口底)30%。这种事实,在经过了大约三年间底破坏的战争以及数十年来被地主与资本家剥削过来的国家,就是意味着这30%的贫民是与20%的普罗列达里亚在一起的,还有30%的中间层(虽不是全体,却是一部分)自行采取"旁观的态度",或者"守中立",或者由于有能的革命的指导而被"中立化"。

所以"被物质化了"的算术，虽然现出"腐儒们"［Pedanten］所要求的革命的分子底多数，但这样的"腐儒们"却不想看到这种多数。（页边注：被物质化了的算术）伊里奇批评他们说："忽视新的东西、本质的东西、具体的东西，而代以关于'普罗列达里亚'一般的陈腐事情底絮说。"①

伊里奇底第二表，用国家底阶级构造底言语，说明 1917 年 8 月莫斯科选举战表现了纯政治地同一的结果，这是明白的事情。

不在单纯的数字中，而在现实底势力关系中，在革命的阶级本身中去探出多数的这个原则，是关于普罗列达里亚国家的伊里奇底理论的台柱之一。伊里奇从巴黎公社底经验引出了这个原则。但是，在这巴黎公社之中，单是小市民阶级有着形式的多数。不管是这样，恩格斯却从它底行动去观察巴黎公社，称它为普罗列达里亚底狄克推多。在这种情形，恩格斯是考虑了普罗列达里亚代表者在巴黎革命政府中所有的意特沃罗基上底指导的。② 同样，苏维埃俄罗斯，也不是因为苏维埃大会中显示勤劳农民底形式的多数底理由，而停止普罗列达里亚狄克推多的东西。

以上底原则，在十月底政权取得之时，精密地被证实了，在排除第二次底落后的二重支配，即清算宪法制定会议之时，又在实践上被吟味了。在普罗列达里亚底意德沃罗基底影响占据优势的地方，即主要都市、工场区域、北部战线底军队中选举的结果，布尔什维克底议员，占到压倒的多数。议员底大多数，是从军队选出的，即是从那些因战争而觉悟了的农民党以及受过莫斯科及彼得堡底普罗列达里亚底意德沃罗基影响的西北诸县，选举出来的。这种多数，是足够排除新的二重支配，使人口中大部分的农民、小市民层、半普罗列达里亚做党与而指导他们的。所以二重支配就被排除了。

在这个时候，也实现了前述的原则。即，革命把旧的国家"完成起来"，使它底最高机关完成到最高度，并充实它底限度，其次把这个国家完全破坏。

---

① 《普罗列达里亚狄克推多》，《伊里奇全集》附录，第四卷，俄国版，第 494 页。

② 《巴黎公社与民主主义狄克推多底全务》，《伊里奇全集》第六卷，俄国版，第 281 页。

七、普罗列达里亚国家底组织问题、民主的中央集权主义、苏维埃选举权

在以上底说明中,我们已经完全注意到伊里奇底国家论中最根本的东西,即是注意于普罗列达里亚国家与布尔乔亚国家底对照、于所谓普罗列达里亚国家是达成勤劳者底最后目标的前提的确证,并且最后又注意于一切国家论底最主要的要素即国家权力底问题。就普罗列达里亚国家底构造、它底种种机关、官厅及其机构底建设等做详细讨论的事情,不是国家理论家伊里奇底任务。这是为政策家的、为"政治家"的、为人民委员评议会的议长的他底任务。但是普罗列达里亚国家底最重要的政治的基础或如专门的公法学者所说的公法上的基础之理论的基础底树立,并不是琐碎的事情,不是无用的事情。反之,做理论家的人,能够把它做一般的及原则的研究,并且不能不去研究。普罗列达里亚国家底这些政治的基础,例如普罗列达里亚底狄克推多——这是由资本主义到社会主义去的过渡期底必然的前提——,也可以说它没有普遍妥当的性质,而是因地方与时代底诸条件而变化的。不过这里要附带说的,普罗列达里亚国家给这些东西以特殊的特征,原则上造出不容许什么偏向的特定的方针。我们一点也不想说法学者所说的话,不过仿照伊里奇底例子,不能不就过渡期底国家法底这一般的规范说几句。

第一是国家构造底问题。普罗列达里亚国家、革命底国家,原则上究竟怎样组成的呢?——统一的中央集权呢,联邦的地方分权呢,和这点相关联的,如联邦底原则与联合底原则两者底差异,当然于我们无关。在这个问题上,理论家伊里奇,与恩格斯步调一致;政治家伊里奇,保持着同样经恩格斯所列举的可能性之中的一种,而这种可能性,不是可以任意去选择的,而是被命令着临时应变去选择的。

伊里奇,也和马克思及恩格斯一样,从普罗列达里亚及普罗列达里亚革命底立场,主张民主的中央集权主义底原则、统一而不可分离的共和制。联邦共和制,只有当作例外,才是可能。因为在根本上成为普罗列达里亚国家底发展及死灭底障碍,阻害康民尼斯谟底发达,反而助成无政府主义底理想。

伊里奇国家理论底要点底概括

过渡期底国家法底一般规范

国家构造底问题

民主的中央集权主义原则

153

普罗列达里亚国家必须是强大而有权力的东西。它不能不有一个统一的意志和一个统一的行动中心。它对于资本主义底外围，不能不实行强烈的武装斗争。（页边注：统一的意志与统一的行动中心）它在它底存在底初期，时常构成为被包围的要塞，在这个要塞中，有严格的联队支配着。它底命令必须无异议地被遵守。俄罗斯革命，确实证明了1871年巴黎公社底经验。极端的中央集权主义受它底民主的性质所矫正；国家权力底高级机关，由到达于具有完全权力的国家市民为止的下级机关所选拔。伊里奇在革命以前适用这个原则于党中，到革命以后，它被普罗列达里亚国家所继承了。

原则上底
例外

但在特殊的各种条件之下，中央集权的普罗列达里亚国家，原则上也承认有例外。这种唯一的条件，就是一个国家内部有多种民族存在。伊里奇，和马克思主义底创始者一样，不回避民族问题。反之，他在种种民族存在的处所，承认离开统一原则的例外。普罗列达里亚国家底诸原则，在伊里奇说来，并不是"为着单纯的原则"而必须把诸民族推于它底当中的那种穷困的形式。

民族自决
的要求

更进一层，伊里奇还宣言民族自决底要求，并且把它当作政治家实现着。伊里奇在1917年为乌克兰[Ukraine]及芬兰倡导解放底权力时，曾经这样写着——"我们不是信奉小国主义的人。但友谊是不可以强制的。它虽能由友谊的态度而取得，却是不能强夺的。"

普罗列达
利亚底联
邦底成立
条件

当两个民族底普罗列达里亚构成民族上及地域上不同的两个单位而实行革命以后而被统一于更强大的普罗列达里亚国家之时，事情便不同了。在民族的差异存在的限度内，那样的国家，明明是被构成为联邦国家的。

联邦与自
由

联邦底问题，与国家内部的"自由"底大小底问题，没有直接关系。建筑于民众的中央集权主义底基础之上的统一的国家，比较以前德意志帝国那样联邦，还能给以较多的"自由"。在德意志联邦国家中，地方的权力，在其与联邦权力的关系上，是自治的，而它底自身却不是民主的。伊里奇在1917年附以《原则上底一个问题》的有意义的标题的小论文之中，主张了这种立场。所以中央集权的国家能够是民主的，而联邦国家却不需要是民主的。普罗列达里亚诸国家底联邦，是离开那起源于各国家底民族的差异的一般原则的一个例外。这些国家底每一个，都依从于民主的中央集权主义底原则而建设，它底联邦，在一切国家之中，会是最民主的东西。只要是在人类共同体底国家形态

中央集权
的国家与
联邦国家
之差别

中,自由能够成为问题的限度内,它是会给勤劳者以最多的自由的。

如果更具体地提出民主主义底问题,我们就到达于选举制度底问题。在大国家中,直接的国民支配,明明是不可能的。因而它底权力机关,在普罗列达里亚国家之中,就不能不当作代议体建设起来。这种代议体是怎样构成的?它底机关究有若干? 有几多广泛的民众来参加它? 选举人与被选举人之间有怎样的关系? ——这些当然是别的问题。

普罗列达里亚国家之从布尔乔亚国家继承那种当作形式看的代议体,正与议会主义布尔乔亚共和制之从身份的封建的君主制只把它当作形式继承了的一件事,是同样的。

伊里奇这样地论述着——

没有代议体,我们就不能想象民主主义。又普罗列达里亚民主主义,如果对于布尔乔亚社会的批判在我们不是空言,如果对于颠覆布尔乔亚底支配的努力是诚实地真挚地被思考着,而不是为要获得劳动者底投票而说的‘选举’标语,那么,没有议会主义,我们就不想象它[普罗列达里亚民主主义],并且也不可以想象的。① (关于这点,后面还要详细地论述)

他附记着说。

为权力机关的代议体,它只是形式;它底内容是由国家底形式规定的。但代议体以一定的选举制度为前提。伊里奇是把选举权底问题看成从属的非原则的问题的。据他底意见,"关于民主主义与狄克推多底一般的(不是特殊的民族的)阶级基础的理论",不能处理像选举权问题那样特殊的从属的问题。他底思想运用方法如次。在为阶级的普罗列达里亚看来,选举权底问题,与布尔乔亚所见的对于普罗列达里亚国家权力的怠工问题是在同一的程度,由革命底地方的及时代的诸条件所决定。

剥夺布尔乔亚底选举权一件事,不是普罗列达里亚狄克推多底绝对

（右側边注：选举制度底问题　代议体　代议体与民主主义底联系　代议体底形式底规定　选举权问题）

---

① 伊里奇:《国家与革命》,《马克思主义文库》第十九卷,第48页。

的必然的特征,就是在俄国,在十月以前已经宣言了这种狄克推多底标语的布尔什维克,并未曾预先说到要剥夺剥削者底选举权。狄克推多底这种要素,不是依着某个政党底计划发生出来的东西,而是斗争经过中完全自然发生出来的东西。①

　　这段话要加以说明。选举制度之单独的形成、它底"技术",在实际上不是什么原则的问题。选举底技术,在苏维埃匈牙利,与苏维埃联邦不同。不过,选举权在普罗列达里亚国家,也有着原则的理论的方面,首先充分地解决了、说明了这一方面的这件事,是俄国革命底功绩。

选举底技术

　　伊里奇说俄国底制度是自然发生了的东西,这一层是对的。事实上,劳动者代表苏维埃底选举,在劳动者底工场集会中,并没有什么"选举法"等等东西就实行了的。布尔乔亚国家古典时代底选举权底精华,例如妇女底除外、高率的选举年龄、最低限虽然是有的,而一定居住期间要求那种事情,却自然地被废止了。但是构成苏维埃选举权底本质的特征的东西,不是这些事绩,而是不许布尔乔亚参加于选举、在这方面把布尔乔亚从公权底分野除外的事实。这种方策,是自发地实行了的东西。劳动者选举他们底代表送到他们底苏维埃,而企业家却不能参加选举,他们[企业家们]也不为劳动者所代表。巴黎公社底些少的经验,当然不能被提高到原则上去,要把俄国革命那样规模广大的革命经验弄成一般的东西,这是有很多的理由的。俄国革命底实践,依着它底存立底几年来的经验与苏维埃匈牙利底经验,是可以正当地把它提高到理论上去的。

苏维埃选举权底根本特征:剥夺布尔乔亚底选举权

　　苏维埃选举权底特征,从大体上看,就是剥夺布尔乔亚底选举权,即侵害普通选举权底原则。在普罗列达里亚狄克推多中被抑压着的布尔乔亚底政治权利底缩少,是不可避免的事情。那样的政治权利之一,就是选举权。布尔乔亚怎样式被隔离于为权力机关的普罗列达里亚代议体,结局当然是随便怎样都可作的问题,但从这些代议体把布尔乔亚除外的一件事,实际上就是从国家生活底领域把普通选举权除外。如果普通选举权以后再在社会上被实行,

普通选举权问题

---

　　① 伊里奇:《普罗列达里亚狄克推多与背教者考茨基》,德国版,第39页。

这个社会在那时就已经没有公法的制度，即是说那个社会已经是没有国家的社会了。不过目下普罗列达里亚国家，在它"复归"于限制资格的选举权[Zensuswahlrecht]，即限于劳动的资格限制的限度内，它构成一个辩证法的反命题[Antithese]。

伊里奇在从事理论的研究时，不深入于选举权底细目，这是正当的。的确，在将来发生的别的普罗列达里亚国家，不同的选举制度会是可能的。——革命底理论不是固定的教义。不过和这一样明白的事情，西欧普罗列达里亚，如苏维埃组织那东西底实例已经显示的一样，是可以利用苏俄底经验与成绩的。

八、普罗列达里亚国家底组织问题、
为国家权力机关的苏维埃

十月革命之时开始变成了普罗列达里亚国家权力机关的苏维埃，伊里奇是把它当作理论上底俄国革命底产物考察的。据伊里奇底见解，它不是普罗列达里亚国家底唯一的"统治形式"。固然它在俄国已于 1905 年革命时显现为那样的东西，但在别的国家，或许建立普罗列达里亚狄克推多底别种形式的罢（只是别种形式，至于它底内容在任何地方，一般会都是同一的）。因为国家权力底机关，是由于革命而自然发生地被造出的东西。

所以伊里奇不曾积极地下普罗列达里亚国家权力底机关底界说，而在消极的形式下它底界说。他论究过这个机关不得是什么样的东西。它不得是布尔乔亚国家底议会。

> 代议体（也在普罗列达里亚国家中）是存在的，而当作特别制度看的、当作立法权与行政权底分立看的、当作代议士底特权地位看的议会主义，在这里是不存在的。①

---

① 伊里奇：《国家与革命》，《马克思主义文库》第十九卷，第47—48 页。

伊里奇在所谓三权分立之中,看出议会制度之特色的特征。(页边注:权力底分立与权力底统一)普罗列达里亚底狄克推多,据他底意见,和这个概念不一致。布尔乔亚是实行权力底分立的,反之,普罗列达里亚只有实行统一的国家权力内部底机能底分配的可能性。但权力底统一,对于普罗列达里亚是必要不可缺的东西。当然,所谓"三权分立",不是意味着几多异种国家权力底存在的东西,它只是布尔乔亚国家底形式的法制的组织。就是在三权分立底原则最彻底地实行着的北美合众国,一切的"权力",都在资本家阶级底掌握之中。但普罗列达里亚,就是在表面上,在纯粹形式上,都不使那个权力分散。

否认三权分立底原则,就是把立法权和行政权统一于普罗列达里亚代议体。普罗列达里亚代议体,也行使司法权,从它自身当中决定相当的下级机关。俄国底苏维埃,当作"非公式的"权力机关看,已经是立法与行政底代议体。同时议决并执行法律的这个苏维埃,据伊里奇底见解,必须是代替议会的代议体的东西。伊里奇在政权底取得以前,即在1917年4月,已经在对于党纲的他底修正案之中,写着这件事情。

从议会分离执行并管理的行政机能一件事,是把议会变为"演说的"代议体的。这是如实的"议会"一语底文字上底意义。为议员所具体化的议会那东西,仅只有审议立法底发案[发动或发起之意]权与种种法案并就它议决的权利。法律之直接的实际的适用及其实际地试验,在三权分立底制度上,不属于议员底权能。通例,代议士底资格,甚至从别的国家官吏把他们除外的。所以议会变成功"饶舌底场所"。在这种事实之中,在代议士免除责任一事之中,伊里奇看出了一种弊害。所谓法治国家底这种原则,伊里奇是加以否认的。在普罗列达里亚底狄克推多中,它底权力机关,不能单是"演说的"机关,它还必须是"工作的"机关。苏维埃及其执行委员会底构成员,除了为代表者的他们底委任权以外,还必须完成伴随一定权利义务的实践的活动。于是代议员在代议员委任权底全时期中,不能不对他们底选举人负责任。伊里奇要求能够随时撤回代议员的权利——这种要求是法国大革命当时已经提起的东西。所以伊里奇对于议会主义,要用国家权力底别种制度、苏维埃制度去代替它。

普罗列达里亚国家,与布尔乔亚国家比较起来,是国家底较高级的型式;同样,苏维埃共和制,与议会的共和制比较起来,也是较高级的形式。

> "不是议会的共和制，——从劳动者代表苏维埃而复归于它，是倒退一步——，反而是由全国劳动者、农村劳动者、农民代表苏维埃而成的由下而上的共和制。"——伊里奇于 1917 年春天刚回到俄国时就这样写着。

伊里奇把苏维埃国家看作国家存在底最高形式。在这个国家之后，或在它底存立之中，国家底死灭就开始。

> 人类还未曾造出比较劳动者、农村劳动者、农民及兵士代表苏维埃底国家还要高级、还要良好的形式底国家。我们在今日还没有知道在这个以外的国家。

苏维埃采取了议会主义底长处

由于统一立法权与行政权，苏维埃把议会主义代议体底长处，拿来和直接的德谟克拉西底长处结合起来了。"它与议会主义比较起来，它是具有世界史的意义的德谟克拉西底发展上底一个进步。"为我们所见，伊里奇在这里是不把苏维埃当作单是"民族特有的"、俄国特殊的普罗列达里亚底狄克推多底形式看的。他虽没有说苏维埃是对于一切普罗列达里亚国家的命令，却把这个形式底世界史的意义确立了。

伊里奇在关于宪法会议的他底论纲之中，把苏维埃底这样意义更加具体化了。考茨基偏颇地引用着的这个论纲底第三项说：

> 在那由布尔乔亚制度到社会主义制度的推移看来，即是在普罗列达里亚底狄克推多看来，劳动者、兵士及农民代表苏维埃底共和制（比较以宪法会议为它底顶点的布尔乔亚共和制）不但是民主主义代议体底较高级的形态，又是用最少限度底苦痛保证向着社会主义的推移的唯一形态。①

---

① 《伊里奇全集》第十五卷，俄国版，第 50 页。与这个相关联的，"苏维埃底共和国制"〔Republik der Räte〕与"苏维埃共和制"〔Räterepublik〕底概念底微细的差异，不关重要。

在这里,苏维埃底又一个特征,明白地显现出来:当作阶级及大众底机关看,只有它能够用最少限度底苦痛为全社会成就普罗列达里亚狄克推多底政策。(页边注:苏维埃底又一个特征)

苏维埃是普罗列达里亚狄克推多底机关。它不是勤劳者底自治机关,也不是地方的自治机关,更正确地说,它不但是自治机关,并且是行政机关,是权力机关。又在旧国家底胎内,当它出生时,在前述的二重支配中,苏维埃已经就是取得权力的斗争底机关。(页边注:苏维埃是普罗列达里亚狄克推多底机关)苏维埃底创设,意味着要取得权力的普罗列达里亚底直接斗争机关底创设。这种思想,伊里奇在1906年已经发表了。当时,他已把苏维埃底真意义与真任务理解了、估价了。并且他在当时还曾经计划着当作"苏维埃评议会"看的宪法会议底计划。

如果苏维埃放弃权力,放弃取得权力的斗争,它就失掉一切的意义。因为取得权力,取得权力的斗争,是苏维埃底要素,是劳动者运动底这种形态底特殊生存形式。不为权力去斗争的苏维埃,并不是苏维埃。

　　苏维埃只有在获得国家权力之时才能够真正地发展起来,才能够充分地展开它底素质与能力。因为如果不是这样,苏维埃便没有什么应该做的事情存留,它在那时候或者是单纯的萌芽(在长期间内也不能停留于萌芽状态),或者只是一个玩具。

苏维埃底要素是斗争,而斗争意味着进步。"就这个机关说来,没有别的道路。它不能退却,也不能停留。它只有在要前进的时候,才能存在。"所以如果苏维埃是进步底固有的要素,而革命是被促进了的进步,那么,苏维埃没有革命是不可能的,同样,革命没有苏维埃也是不可能的。

据伊里奇底见解,革命与苏维埃有共通的运命。

　　如果民众底、革命的阶级底创造力不造出苏维埃,俄国普罗列达里亚革命就会是无望的事业。

这里必须注意的事情,关于论及为普罗列达里亚狄克推多底权力机关的苏维埃底任务,我们所引用的文章,多是十月革命以前的时代底东西。单就这点看,我们就知道伊里奇在原则上估评苏维埃底作用时,并未为狭隘的党的立场所左右(布尔什维克在当时的苏维埃之内还没有占着多数),而被导入于理论家及政治家底阶级本能与马克思主义的分析的。伊里奇对
于苏维埃
客观分析

由 7 月 3—5 日底事件之间,苏维埃在外观上好像是背叛了革命的样子。当时,伊里奇就确定了:"如今政权已是不能平和地取得它。"并且为期待革命底胜利是没有别的途径的。他当时这样写着——

> 在这个新的革命上,苏维埃能够发生,而且必须发生,但它不是今日这样的苏维埃,也不是与布尔乔亚合作的机关,而将成为对他们[实行]的革命的斗争底机关。那时候,我们将仿效苏维埃底形式而努力于全国家底建设。但它不是苏维埃一般底问题,而是对于现存的反革命与现存的苏维埃底背叛[而行]斗争的问题。①

1917 年之末,苏维埃底多数派因取得政权而证明了那革命底性质之时,这个问题就变得更为明白了。苏维埃底权力,明明地不能是多数党底内阁,反而只是苏维埃底国家权力本身。已经组织了的普罗列达里亚国家,意味着旧来权力机关底终结,同时又规定了延迟了发达的宪法会议底终结。宪法会议虽然反映了第一次苏维埃大会底阶级关系,却看落了第二次及第三次大会底阶级关系。1917 年终
底苏维埃
底作用

俄国底苏维埃,是通过了涉及未曾有的范围的普罗列达里亚革命底热火的,它在实践上,证明了它是普罗列达里亚权力机关底真实普遍的模范。因此,共产国际,在理论上也把这个苏维埃看作西欧普罗列达里亚革命底组织的要素,又把它看作普罗列达里亚狄克推多一般底将来的权力机关。共产国际
对于苏维
埃底决定

然而还不止于此。苏维埃底意义,不仅在于它是适宜的权力机关,又在于它反映着由资本主义到康民尼斯谟的过渡期底社会底全文化但是文化底问题,特别是伊里奇怎样解释了非常重要文化问题的问题,还有特别研究的必要。文化问题
底提起

---

① 《关于标语》,《伊里奇全集》第十四卷第二分册,俄国版,第 18 页。

第六章 文化问题

一、文化底内容

伊里奇在
文化史上
底意义

在勤劳者解放底斗争上、因而在全人类底物质的及精神的解放底斗争史上的伊里奇底意义,以及在人类底一般文化史上的他底意义,是非常重大的,现代底著作家——不论他属于什么阶级——在论述社会问题的著作上,总不能不列举伊里奇底名字。在有些人看来,伊里奇是"全人类底"导师,在别的人看来是恶魔,——但是一切的人都不能不承认他底名字在文化史上划分着极有意义的阶段。

为思想家、为斗士的伊里奇底全生涯,是一定的斗争底理论体系,是一定的理论体系底斗争。他[毕生]尽力于新文化底建设事业、无阶级的康民尼斯谟的并且——借空想社会主义者底旧的用语来说——调和的社会底文化建设事业。这正是他底目的。就第 19 世纪底空想社会主义者说来,目的阻碍运动,实践上把运动废弃了;又就修正主义者说来,运动是一切,而把目的的消灭于绝对的无;但就辩证论者伊里奇说来,目的虽为运动所制约,而运动对于目的有用处。因为目的——具有自己所固有的文化的康民尼斯谟社会——构成着包含运动与行动的总体,所以伊里奇底一切精力都为着运动、为着劳动者阶级底革命的斗争而提供出来了。于是就想起费尔巴哈所建立了的辩证法的原则来,这个原则,即是说,一切的手段(革命的斗争),在它成为手段(达成康民尼斯谟制度的手段),以前,它自身就必须成为目的。这件事,就是说明伊里奇所以那样热心地使用马克思主义底建筑石材去建立他底关于普罗列达里亚底战略与战术的理论体系,关于他底党、他底国家、他底文化的理论的理由的。

伊里奇并未曾被政治的日常斗争底以及十月以后普罗列达里亚国家经济

目的与运
动

目的与手
段

的建设底紧急的现实的任务所妨害,竟把这种建筑底一切部分详尽地、完全而且正确地造成功了。伊里奇把国家、劳动者阶级底战术、关于共产党的理论,都在大纲上发挥尽致了。《唯物论与经验批判论》以及别的著述,积极的、与在当时成为论争的、马克思主义哲学底诸任务,都充分地解决了。就那天才的觉书《关于辩证法问题》看起来,就可以推测得到他只要有时间即能成诸种著述显现出来的、关于行动底哲学的深渊的思想。同样的事情,关于文化一般的问题,也不能不说说。当作思想家及人类看、当作文化史上最伟大人物中底一人看,伊里奇在文化问题依从历史底进行而列上政治上底日程时,就决定了对于这个问题的态度。他往常对于这个问题的具体的而且现实的意见,大略在二十年之间陆续发表着。这些意见发表底动机有种种,它底关系也有种种而共通的特征就是出发点底统一性与世界观底坚固性。当伊里奇底晚年,即是苏维埃联邦终结阶级战争而不能不面着文化问题的时候,他往往进而研究到这个问题。把这些意见综合起来,就知道伊里奇是怎样解决了文化问题的。伊里奇未曾用展开了马克思主义底国家理论的那样形态去展开这个思想,实是极其遗憾的事情。若果他已经把这个思想展开了,那我们就应该已经有了关于文化问题的辩证法的唯物论底古典的著作。所以我们在这里要把伊里奇关于文化问题的意见收集起来并且加以阐明。

　　首先发生的问题,就是伊里奇对于"文化"底概念给与了怎样的内容。普通流行最广的意见,就是把文化当作科学、文学及艺术底意思解释着。它是与物质的文化相区别的"精神的"文化。波克洛夫斯基〔M.N.Pokrowski〕给与了包括两者的界说。"文化是与自然不须我们劳动而单只给与于我们的东西不同,它是由人类底劳动造成的东西底总体。"

　　如果打算尽量地给与一般的界说,这无疑的是正当的很好的严密的界说。如果限于"精神的"文化底领域,那么,科学、文学及艺术,或用一句包括的话说,即意特沃罗基的上层构造,就属于这个分类。

　　但是我们不可以把波克洛夫斯基所力说过的"人类底劳动"底要素,太过于狭隘地去解释,不可以单把那凭人类底意识的劳动及努力、凭意识的创造及意识的活动而发生了的东西叫作精神的文化。如果那样地把文化底概念限制起来,被称为习惯与风习,即生活样式与风俗的东西,就从文化底领域被除外

右侧栏批注:
伊里奇底伟大使命底完成

伊里奇对于文化问题底见解

阐明对于伊里奇底关于文化问题底意见是一件重要的工作

文化底概念

波克洛夫斯基底文化底界说

精神的文化底意义

163

了。考虑"劳动"、行动底要素时,就必得知道这种要素不必是由于意识底要素,即由于意识底行动或忍耐而被伴随的东西。在精神的文化领域中,创作之无意识地显现出来,不只是太古原始时代底特征。当然,在原始时代,为同民族叙事诗、原始的艺术等等,是显然缺乏着意识的,但在发达到了高度的社会中,习惯、风俗及风习,也在无意识中变化着。做一句话说,"精神的"文化,不单是由于意识的人类的劳动创造出来的,又是由于无意识的努力创造出来的。

伊里奇论述文化底问题时,他往往很有气力地再三说着"生活样式"、"习惯、风习及观念"、"变成了血与肉的习惯"、"习惯及信念"以及"偏见及习惯"一类的概念。依据伊里奇,构成文化底本质的东西,不尽于科学、文学及艺术,更进一层,还是根源于生活底深处而不从书籍出来的习惯及观念,是自然地成就某种东西的能力以及在一定形式上行动的习惯底意味上底技术。

在这种意味上,文化明明属于社会过程底上层构造,而不属于它底土台,但它和被称为意特沃罗基的上层构造的东西,论理上却不一致。它底范围,比意特沃罗基更广。意特沃罗基只构成文化底一部分。在文化之中,除它以外,当作全体看的社会的心理及社会的生活样式,即——模范地说来,——比较意特沃罗基的上层构造更接近于土台的事物,还必须加进去。社会的生活样式,本来只是社会经济及社会底阶级构造底另一方面。所以,与政治的上层构造并行而说起文化的上层构造的一方面,毋宁是正当的。更进一步,议会及苏维埃、企业家联合及劳动组合,它自身就是把物质的文化与精神的文化统一于它当中的政治的文化底实例。在未来的无阶级的共产主义社会中,这种特殊的国家的文化是会消失的,但与未来的社会制度相照应的、伊里奇所意味着的文化,将依旧存在的罢。

二、文化形成、文化、阶级及民族

马克思主义社会观,如我们所知,始终是具体的,所谓社会"一般"那东西,并不存在,而且不能存在。社会"一般",即令给它加上"人类的"形容词来看,也是一个抽象。马克思主义,铸造了社会的构成底概念。社会是生产诸关系底总体,并且是特定的生产诸关系底总体。封建的生产诸关系底总体,产出了封建社会;资本家的生产诸关系底总体,产出了资本主义社会。——这是具体的、被确定了的、明白的范畴。

　　所谓文化、文化"一般"的概念,也是裸露的、空虚的抽象,是分离了空间与时间的存在,如果不是完全无望的观念论者就不能玩弄它。当作上层构造看,文化在客观上在论理上,都与社会底土台,因而与当作全体看的社会共其运命。因为如果不是一定的具体的社会构造或形态就不成问题,所以只有适应于被给与了的社会构成的具体的文化,常常成为问题。基于产出了文化的社会构成而规定文化一件事,即当作封建的、资本主义的、康民尼斯谟的文化去规定的一件事。是文化概念底有生命的具体化底第一步,是必要的事情。如果把文化规定为一定发达阶段上的社会底文化的上层构造,那个文化就不是抽象的东西了。"文化"依其类型而被区别的一件事,是与社会相同的。 文化底概念必须是具体的

　　1923 年之初,伊里奇论述普罗列达里亚文化底问题之时,写了下面一段话。 伊里奇对于普罗列达里亚文化的论述

　　　　在开始之时,现在的布尔乔亚文化是可以将就的罢。例如官僚底文化、地主底文化,那种在布尔乔亚以前的极粗暴的文化,如果把它廓清,在开始之时,或许充分的。[1]

　　在这里,文化底类型,是依着种种的社会、政治的形态底支配的阶级而被命名的。地主底文化是封建社会底文化;官僚底文化,是专制的官僚的警察国家时代底文化;最后,布尔乔亚文化是资本主义社会底文化。 文化底类型与时代底关系

　　文化与其母体的社会的诸关系及过程之间的相互关系,是不能忽视的。否则,我们就只能见到所谓"文化"、所谓"文明",而见不到文化底真的本质。文化及文明,在它底通常的意义上,在被理想化了的——可以这样说——意义上,明明是排除强权、压迫、粗暴的恣肆威一切可能性的。这样理想的文化,只有在未来的康民尼斯谟社会中才有可能。资本主义,在其性质上是剥削者底强权,所以资本主义的文化中,必然包含着压迫及剥削底诸关系。现实是现象 文化与社会过程底相互关系底重要
文化与强权

---

[1] 《期望量少而质良的东西》,《伊里奇全集》第十八卷第二分册,俄国版,第135页。

与本质底综合。现代社会底文明底假相,必须是和它底本质即剥削相结合的。照这样去考察,我们才能得到资本主义文化底真观念,由未来的康民尼斯谟文化底见地看来,由为着实现这种文化而斗争的阶级底见地看来,就知道这资本主义文化,完全是"无文化"。

资本主义文化底真本质,在这种文化通过危机时,在它被危险所威胁时,在它遇着"没趣的事体"时,就充分明白地显现出来。和这同样,布尔乔亚国家,在濒于危殆的瞬间即革命爆发的时期,也现出它底真姿态。伊里奇在俄皇主义底俄国发生了饥馑的时候这样写着——"民族的灾难,把我们自称'文明'社会制度全体底真本质,一举而暴露了"。在我国,旧日的奴隶制度,"上流一万人"底财富、奢侈、游惰的名称之下的数百万勤劳者底奴隶制度,在别种形态上,在别种假面与别种文化底形式上存在着。从资本主义底最进步的阶级底立场看来,"野蛮的"后进国,比较世有定评的进步了的"文明国",往往反而是文化的,是进步的。例如,殖民地或半殖民地爆发了革命或叛乱时,帝国主义的文化国家,照例为镇压叛乱支持反革命起见,总是使用非常"反文化"的手段的,伊里奇在附上了所谓《落后的欧洲与进步的亚洲》那种一见好像是反说的标题的论文中,曾经论述了这样的情形。和1905年革命中底俄国政府一样,袁世凯在欧洲诸国募集借款,就用这举借款去镇压革命的运动。

伊里奇这样写着——

若果中国民族不承认借款时,就将怎样呢? 中国还是一个共和国,议会中底多数是反对借款的。到了那种时候,"进步的"欧洲,会要在"文明"、"秩序"、"文化"及"祖国"底名义下叫嚣起来的罢;进步的欧洲,会要简单陈列大炮,而与冒险家、背叛者、反动党徒的袁世凯同盟以绞杀中国共和国的罢。①

资本主义文化底具体的概念,果然不能更进一层比这个还深刻地具体化吗? 的确,这件事是能够做而且必须做的。因为,充满着差别或对立的资本主

① 《伊里奇全集》第十九卷,俄国版,第30—31页。

义文化底概念底诸规定底丰富内容,还不曾全部地被展开出来。在我们已经达到的阶段上,这个概念底内容,还是贫弱。资本主义社会中,有着风俗、习惯及观念各不相同与特性及偏见各不相同的种种民族。我们不能忽视这一点,并且还得考虑文化底民族的特性。我们一方面要看到民族底文化,同时,更正确地说,要在民族文化底内部看到阶级底文化及诸阶级底文化的特性。

社会底阶级构造底要素,把文化问题弄复杂起来,同时又把它弄丰富起来。这件事,当我们在这里以发达了的资本主义为前提而把民族与阶级底概念相互地结合起来之时,就变得明白。"布尔乔亚底民族文化是一个事实"。——伊里奇说。但普罗列达里亚底民族文化,却是虚妄。因为普罗列达里亚底文化,在发达了的资本主义之下,最初虽然只是萌芽状态,却已经是社会主义的文化;因为在发展了形态上,它只有在适应于它的经济基础之上才是可能的。

布尔乔亚,在资本主义之下,有着一个民族文化。普罗列达里亚,在资本主义之下,虽依旧还是俄罗斯人、德意志人、波兰人、犹太人,但他们却已经把未来社会主义文化底要素采入自己当中了。这种文化,在社会主义之下,在后来的康民尼斯谟之下,即在为阶级的普罗列达里亚消解于勤劳者底集团社会之时,就要发展起来。这是伊里奇底深远的思想底运行。

伊里奇说——

在各个民族文化中,即令是在未发达的形态之上,而民主主义的(这是在 1913 年写的——卢波尔)及社会主义的文化底要素,却是被包含着。因为在各个民族中,有被剥削的勤劳的大众存在,他们底生活诸条件,必然要产出民主主义的及社会主义的意特沃罗基。但是各个民族,不但是在"要素"底形态上,并且在支配的文化形态上,有着布尔乔亚文化(并且它大概是反动的,是教会的)。因此,民族文化,一般是地主、僧侣、布尔乔亚底文化。①

人们将要发问:为什么布尔乔亚文化是支配的文化呢? 这因为它也和布尔乔亚在资本主义之下是支配的阶级那件事有同样的理由。在 1913 年之时,

---

① 《对于民族之批判的考察》,《伊里奇全集》第十九卷,俄国版,第 43 页。

布尔乔亚底民族文化是事实

普罗列达里亚底民族文化是虚妄

未来社会主义文化

支配的形态上民族文化一般的是地主、僧侣、布尔乔亚底文化

布尔乔亚文化所以是支配的文化的理由

伊里奇的确是未曾读到里亚乍诺夫［D.B.Ryazanov］在 1924 年才发表出来的《德意志观念形态》底原稿的。但是伊里奇在最真实的意义上变成了"血与肉"、变成了自己底"文化"的马克思主义，使得他在关于文化领域中底观念上，到达如文字底意义上那样地与马克思及恩格斯一致的严密的规定。在马克思及恩格斯方面的这种处所，是非常值得注目的东西，我们就把它如实地再录出来，尤其是它提供了伊里奇底思想底完全的基础，所以更是要那样做。

《德意志观念形态》中有这样一段话：

支配阶级
底思想都
是支配的
思想

　　　　支配阶级底思想，在任何时代，都是支配的思想。即，为社会底支配的及物质的权力的阶级，同时又是社会底支配的精神的权力。……支配物质的生产手段的阶级，同时又支配精神的生产手段。所以没有精神的生产手段的人们底思想，同时大概是从属于他们。支配的思想，不外就是支配的物质的诸关系之观念的表现，即当作思想被表现了的支配的物质的诸关系，因而是使一个阶级成为支配阶级的诸关系，因而是他们底支配的思想。构成支配阶级的各个人，第一有着意识，因此而思考。所以只要是他们当作阶级去行支配，而规定一个历史时期底全范围，那么，他们就把这件事通行于那个时代底全体，因而就当作思想着的人、当作思想底生产者去行支配，去规定他们底时代底思想底生产及分配，所以他们底思想是那个时代底支配的思想，这是自明的事情。①

布尔乔亚
底民族文
化是民族
主义的，
是排外主
义的，是
愚弄普罗
列达里亚
的

　　所以，在资本主义之下，布尔乔亚文化是支配的。这种文化，是民族的及民族主义的。再在论理上把它颠倒起来，可以说民族文化，在资本主义之下，是布尔乔亚底文化。布尔乔亚要维持他们底支配，并且永久地要把它再生产，同时又要维持并再生产民族文化。因而布尔乔亚底民族文化，本来是民族主义的，是排外主义的。排外主义，在布尔乔亚把那于普罗列达里亚无缘的民族主义、把布尔乔亚自身底民族主义文化，去强制普罗列达里亚的时候，就显露出来。

---

① 《德意志观念形态》，《马克思、恩格斯文库》第一卷，第 265 页。

伊里奇这样写着——

　　布尔乔亚底民族文化是一个事实（我重说一遍，在这种情形，布尔乔亚常与地主及僧侣协定着）。如果使劳动者顺从于布尔乔亚，蛊惑、诳骗并离间劳动者的好战的民族主义，是现代底根本事实之一。①

　　因此，在僧侣阶级与布尔乔亚以外，民族文化那东西是没有的；只有他们，才倡导民族文化。但是，包藏别种的、历史上较高级的文化底萌芽的普罗列达里亚，就用全世界劳动者运动底国际文化底标语，与民族文化对立起来。"只有这样的文化，才意味着完全的、真实的、公正的诸民族底平等；只有它才意味着民族的压迫底扬弃与民主主义底实现。"地主与布尔乔亚，在"民族文化"底假面之下，实际上实行着他们底反普罗列达里亚的努力。勤劳者在反对他们的斗争上，如伊里奇所说，实现着并创造着那种"自由的宣传者与反对压迫的人们在长期间中准备下来的"真的国际文化。

唱导民族文化者是谁？

与民族文化对立的国际文化

　　在资本主义社会中，所谓独立的、自由的、纯粹的文化等一切言辞，都是空谈。

资本主义社会中没有自由的文化

　　"文学及艺术底绝对自由，是布尔乔亚的或无政府主义的文句。"因为"人们在一个社会中生活着，不能与这个社会没有关系。""布尔乔亚著作家、布尔乔亚艺术家、布尔乔亚女优底自由，只是粉饰了对于钱袋、贿赂及津贴的隶属的东西（或完全伪善地假装了的东西）。"②

　　所以暴露这种伪善，阐明资本主义社会底民族文化底阶级性，是普罗列达里亚底党底实际任务。这种战术，决不是为着唤起无阶级的文学及艺术而实行的。因为无阶级的文学及艺术，在客观上如没有无阶级的社会是不能显现的。这种战术，是因为要把那种与普罗列达里亚公然结合的文学，去和那种单只表面上自由而实际与布尔乔亚相结合的文学相对立，才被实行的。

暴露民族文化底阶级性是普罗列达里亚党底任务

① 《伊里奇全集》第十九卷，俄国版，第44页。
② 《伊里奇全集》第七卷第一分册，《党底组织与党底文献》，俄国版，第23页。

那样的文学,已经可以说是一种自由的文学,因为它不根据于那种在经济上对于支配阶级的隶属,即往往难于识别而为眼所不见的隶属,而是根据于对于勤劳者的同情;它不为维持资本主义的反动主义所制约,而是为社会主义底理念[Idee]、真正自由的未来社会底理念所制约的。(页边注:与普罗列达里亚公然结合的文学是一种自由文学)

这种自由的文学,正是使人类底革命的思想界底最高表现依着社会主义的普罗列达里亚底经验及或活生生的活动而结果实,并且实行过去底经验(完成了由素朴的空想社会主义而来的发展的科学社会主义)与现代底经验(劳动者底现代的斗争)底不断的交换的东西。

这里要预先说明的,就是伊里奇很注意地回避了"普罗列达里亚文化"、"普罗列达里亚文学"的语句。他宁肯说出与普罗列达里亚公然结合了的文学。这个理由,是因为只有资本主义的文化与康民尼斯谟的(或者如伊里奇在初期著作上所说的"社会主义的")文化底对比,在论理上,在社会学上,都是正当的、正确的。反之,布尔乔亚文化与普罗列达里亚文化底对比,只会引起误解,而把伊里奇底一贯的见解弄得暧昧起来。布尔乔亚文化,是在资本主义及初期资本主义时代的,即布尔乔亚在经济上变成支配阶级,如布哈林所说,他们"正在成熟"的时代的布尔乔亚文化。如果考虑支配阶级底思想界是该社会形态底支配的思想界,那就"布尔乔亚文化"只是资本主义文化,即已经说过的民族主义的文化,这是明白的事情。因而"普罗列达里亚文化"一语,如果不附以大的条件,就不能与"布尔乔亚文化"一语相对比。因为在这种情形,单是康民尼斯谟文化底要素,即在已经发展的形态上已成为无阶级的社会底上层构造的文化底要素,才成为问题。所以普罗列达里亚文化底人为的"助长",意味着阶级文化底维持,但以普罗列达里亚为积极的担任者为原动力的历史过程,具有着在有着无阶级的文化的无阶级的康民尼斯谟社会底方向发展起来的倾向。所以资本主义文化虽是布尔乔亚文化,而康民尼斯谟文化却不是普罗列达里亚文化。因为在康民尼斯谟之下,像今日所意味着的普罗列达里亚早已没有了。因而资本主义之下的普罗列达里亚底文化底概念与资本主义社会中,布尔乔亚底文化底概念,是不可以在论理上把它们并列的。

理论与实践之具体的统一,如一般所周知,是伊里奇底学说底最显著的特征。在一切理论的思想、一切的论纲中,他常常结合实践的结论、行动底标语、政治的态度底格律。在刚说的这种情形,也是这样。对于民族的布尔乔亚文化,首先要把劳动者阶级底文化底国际化那种明白的标语与它对比起来。这种标语,不外是要把现实中客观上已经包含着的东西实现出来的要求。

> 布尔乔亚民族主义与普罗列达里亚国际主义——这是对应于资本主义世界底两大阵营、表现关于民族问题的两个相异的政治的立场(实是两个世界观)的、互不妥协的敌对的标语。①

劳动者阶级底政策,明明是要踏上克服民族的文化的道路的。因为民族的文化特质,无论是怎样微小,却是使得劳动者底势力分散而提高资本主义底权力的。

> 想尽力于普罗列达里亚的人,必须使一切民族底劳动者团结起来,无假借地去攻击布尔乔亚民族主义、"本国与外国底民族主义"。拥护民族文化底标语的人,到民族主义的小布尔乔亚中间去求位置吧。毋须到马克思主义者中间去探求。

这是说明着伊里奇严格地尖锐地批判了"文化的、民族的自治"底观念一件事情的。1913 年之末,文化的、民族的自治观念,在俄皇主义俄罗斯底社会民主党之间,也发见了它底信仰者。最初一看,这个观念是倡导被压迫诸民族底保护的,好像也可以容许。最初一看实现文化的、民族的自治观念一件事,好像是对于被压迫诸民族给以一种可能性,足以防止他们底文化底俄罗斯化,"自由地"发展他们底文化的、民族的要求,满足他们底精神的欲求似的。其实这些都只是外观。如果彻底实行起来,这种观念,会只是粉碎该国普罗列达

---

① 《对于民族问题之批判的考察》,《伊里奇全集》第十九卷,俄国版,第 45 页。

里亚底统一体。在当时,民族的学校底问题,是最紧急的东西。于是伊里奇就首先论究了这个问题。当时俄国虽然是俄皇主义在支配着,而伊里奇却要求了社会民主党否认文化的、民族的自治底原则。代替这样的"民族主义的小布尔乔亚底死板的空想"的东西,伊里奇要求了政治的独立,在别种关系上,要求了政治的自治,如当时所说的"地域的民族的自治"。但因为一般政治的问题,是在我们底研究范围之外的,所以我们在这里只限于研究文化问题。

民族底完全平等权底政治的要求,依然是存在着,但在社会民主党未能实现民族联合的限度内,文化的、民族的自治底要求,决不能前进一步。

一切民族
的劳动者
底统一

劳动者阶级底利害与政治的目的底利害,一般是无例外地要求着一个国家中底一切民族底完全平等权、诸民族间底一切障壁底撤除,与一切民族底儿童底统一于统一的学校。

更进一层:

其中想把犹太人学校民族化的有害的计划,就是表示着所谓文化的民族的自治计划,即把学校机关从国家的指导解放出来而把它划归于各族的计划,是如何的错误。这不能是我们底目的。我们在对于一切民族主义的斗争上,在真正为着民主的共同学校及一般政治的学校而行的斗争上,不能不要求一切民族底劳动者底统一。①

单从1913年起,也可以引用和这相类似的许多文章,我们再引用一个看看。这里是伊里奇显示出文化的、民族的自治底信仰者怎样努力想把文化的上层构造用人工的方法从它底经济的基础分离出来的事情,即是实行那种要逆溯于全历史过程的计划的事情。

伊里奇说——

---

① 《犹太人学校底民族化》,《伊里奇全集》第十二卷第二分册,俄国版,第185页。

当经济结合着在一个国家内部生活的诸民族之时,[那种]在'文化'底领域,特别是在学校底领域要断然分离他们的计划,是无意味的,并且是反动的。反之,要想把生活所实现的东西在学校里准备起来,就不能不在学校机关中努力于诸民族底合一。①

不单是小布尔乔亚,并且理解了事体底本质的大布尔乔亚与地主,也想出了把犹太人底儿童隔离于特别民族学校的妙法。因此,"文化的、民族的自治"底阶级性,对于一切人都变得明白了。1913 年夏季俄国社会民主劳动党底中央委员会及党职员底会议,在他们底会议之中确认了这件事情。

这件事果然是普罗列达里亚底党想创造那种失了各民族底一切特征的"无民族的"文化或文学的意思吗? 果然描写成为民族成长底地盘的文学必须抛弃的意思么? 这种推论,确实是躁急而谬误的。对于在一定历史的时期底诸条件之下发生了的习惯、风习及观念采取某种的态度一件事,并没有意味着人们要"培植"这些东西的。第一,文学及艺术——如我们所知——,不是构成文化底全内容的东西。第二,民族的及民族主义的文学之故意的培植,无疑地是与社会底、因而文学底历史的及民族的发达不相一致,例如 19 世纪斯拉夫爱好家底作品,是应该烧弃的一层,是任何人也不主张的。但如由"新斯拉夫爱好家"当作移民文学流行的他们底作品底培植,确实是引导到直接的反启蒙主义的始终反动的现象。这种"民族"文学,可以说已经不是民族的俄罗斯文学。即令斯拉夫爱好家今日在移民之间写出贫弱的俄罗斯底"欧亚"魂底"分裂"及"再合并",而他们当然不能因此而供给关于苏维埃联邦底现代文化的上层构造的任何描写。他们只是实行着思想的反动底卑劣的业务。然而描写了俄皇与地主底俄罗斯的没有什么乐趣的、绝望的现实的那种历史上成长起来的俄国古典文学,可以说只有脱离了民族主义的文化底遗物的劳役者,能够在客观上认识它底价值并且利用它。

例如伊里奇说——

---

① 《关于民族的、变化的自治》,《伊里奇全集》第十二卷第二分册,俄国版,第 273 页。

托尔斯泰所创造了的那样的艺术作品,只要是大众脱掉地主与资本家底桎梏,造出像人的生活诸条件,他们就能够随时评价它,诵读它。(页边注:托尔斯泰底艺术作品底意义)①

普罗列达里亚底风俗、习惯及观念,在资本主义之下,是与布尔乔亚底风俗习惯及观念有区别的。(页边注:风俗习惯及观念)前者本来是国际的,后者却是民族主义的。但国际性不是无民族性。在民族存在的限度内不能有无民族的文化,这正与在阶级存在的限度内不能有无阶级的文化是相同的。伊里奇底文化理论底这种原则,必须加以注意。伊里奇在对于"联盟"〔Bund〕底一个代表的论战之中,写了下面一段话。

国际的文化不是无民族的

是的,国际的文化不是无民族的、我所爱的联盟主义者〔Bundist〕呵。任何人也不曾主张那样的事情。谁也不会要求"纯粹的"、不是波兰人的,也不是犹太人的,也不是俄罗斯人的文化。所以你底空谈,只是追逐那想用空论隐秘事体底本质的目的的牵制行动。

资本主义下旧普罗列达里亚内部社会主义的文化的要素之发生及发展

我们已经知道,事体底本质,是在于处在资本主义之下,与布尔乔亚文化并立的普罗列达里亚内部社会主义的文化底要素底发生与发展的一点。

伊里奇这样写着——

因此,当我们宣传"全世界底民主主义及劳动者运动底国际的文化"底标语时,我们在各民族底文化之中,只看到那民主主义的及社会主义的要素。我们单把这点当作对于布尔乔亚文化,对于一切民族的布尔乔亚民族主义的对抗力,无条件地采用它。②

照这样,把社会底一般的经济的发达当作基础,还在资本主义之下,在布尔乔

---

① 伊里奇、蒲列哈诺夫:《马克思主义镜子中所映出的托尔斯泰》,《马克思主义文库》第十八卷,第41—42页。

② 《对于民族问题的批评》,《伊里奇全集》第十九卷。

亚民族文化底胎内的未来的国际文化、社会主义文化底要素,是渐渐地发生并发展的。

那些与已经正在通过由资本主义到康民尼斯谟的过渡期底一国为有机的结合的诸后进国及诸民族,一旦成为问题时,换句话说,那些虽有后进文化而却有普罗列达里亚狄克推多与已经发达到高度的一国去支持它们的诸国,一旦成为问题时,事体当然更变得复杂起来。执掌着狄克推多权的普罗列达里亚,极其深刻注意地处理后进诸民族底文化。他们底任务,在这种情形,就是在那样不发达的诸国底民族文化底形式中,装入过渡期底文化内容。照这样做,无论在很长的期间内是民族的,而文化被国际化的一般倾向,却是不变。在这里我们要再三力说国际主义并不是无民族主义。只是,有国际的倾向的文化、由资本主义到康民尼斯谟的过渡期底文化,究竟带着怎样程度的民族的色彩,那种程度,却是问题。

执掌着政权的普罗列达里亚对于后进诸国底文化所负的任务

三、为康民尼斯谟文化底前提的普罗列达里亚革命

社会主义的文化要素——不论它属于物质的文化底领域,或是属于通称为精神文化的东西——,还不是社会主义的文化底全部。为上层构造的社会主义文化,只有在与它相适应的社会的基础存在之时,才能实现。虽然全体是由各个部分成立的,而各个部分决不构成全体。辩证法的论理底这个命题,完全被适用于文化之上,社会主义的及康民尼斯谟的文化,是由它底发生与最初的发达还属于资本主义时代的那些要素组成起来的。

社会主义的文化要素之由来

但社会主义文化果能够在平和的道路上而不须社会的政治的震动,就可以从资本主义发生出来么?对于这个问题的解答,是从下述的问题底解答发生的。即,康民尼斯谟,能够安稳地、平和地、无社会的震动地而从资本主义发生出来么?换句话说,我们能够在平和的道路上成长到康民尼斯谟去么?第二个问题底否定,同时意味着第一个问题底否定。不过,这里还不是详细论究这种马克思主义的回答底经济的基础,或一般的社会历史的基础的处所。康民尼斯谟制度,它自身在那最初的阶段上,除了依靠普罗列达里亚革命过程中布尔乔亚国家底破灭以外,是不能发生的。普罗列达里亚革命是导入由资本

社会主义文化只有依靠革命才能发生

主义到康民尼斯谟的过渡期的创造的行为。由勤劳大众而行的国家权力底取得，由布尔乔亚国家到普罗列达里亚国家的转换，是向到共产主义去的更进步的发展所不可缺的前提条件。

　　资本主义社会底政治的上层构造底不可避的必然的变革，决不是不涉及文化的上层构造的。（页边注：革命与文化）社会主义文化底"要素"，它自身必须发达到使普罗列达里亚确信不能不敏捷地处理资本主义底"政治的文化"的那种程度才行。但是，这种要素能给我们以更多的东西么？这种问题是不能不否定的。普罗列达里亚革命，对于文化也是必须过渡的卢比根[Rulikon——意大利底河名]河，由于它，社会主义文化底活动的发达，才有可能。

　　于是我们就必然地说及布哈林所提出的、资本主义胎内底康民尼斯谟底"成熟"底问题。布哈林正当地提出了关于"普罗列达里亚社会与布尔乔亚社会间的类似的界限"的问题。这句话如果把它改说为"康民尼斯谟社会与资本主义社会底发展之间的类似的界限"，在论理上就会更明白起来。我们在这里不能确定完全的类似，这完全是正当的。布尔乔亚在布尔乔亚社会革命（例如法国大革命）底前夜，已经成熟为社会上及经济上支配的阶级，在他们说来，只是政治的支配成为问题；反之，普罗列达里亚在普罗列达里亚革命底前夜，并不是经济上支配的阶级。我们只有在被限定了的意味上，尤其在他们是生产底真主体的意味上，才能称普罗列达里亚是经济上支配的阶级。不过他们在资本主义社会中，不能成为"分配底主体"。布尔乔亚发达底经过是这样的：他们首先掌握着事实上底经济的支配，其次到达于政治的支配。普罗列达里亚发达底经过是相反的：他们首先取得国家权力，构成为政治上支配的阶级，其次（或在同一瞬间，或在其次的数日，那时期当然不是问题）才到达于经济的支配，到达于对生产手段的支配。

　　我们在文化底领域，也看到同一的事情。劳动者阶级，由于客观的理由，在资本主义胎内，决不能造出康民尼斯谟文化。支配阶级即布尔乔亚底文化，是支配的文化，别的东西在资本主义之下是不能想象的。另一方面，劳动者阶级，如果他们不依靠取得国家权力及树立普罗列达里亚狄克推多，以造出促进康民尼斯谟文化底"要素"的现实前提，那么，他们就陷于永久不能进到康民尼斯谟文化"要素"以上的运命。照这样，所以我们不论从经济过程出发，或

176

从文化的发达出发,结局总不能不承认普罗列达里亚革命的必要。普罗列达里亚革命,是拼命的飞跃[salto vitale],社会的生产诸力底进展,"文明"底进展,都系于这个飞跃底成功与否。

拼命的飞跃

但是如今却有某个"人民之友"或"也是一马克思主义者"[Auch-Marxist]走来向我们说:对不起,足下! 为着社会主义底建设,为着你们普罗列达里亚革命,是必要有一定的而且非常高度的文化水标的。否则,革命便是破坏一切、荒废一切的有害的事情。你们底劳动者,可惜没有这种水准,所以请你们底革命留待着吧!

机会主义者底疑问

当着比较别的诸国而在经济上落后的一个国家成为问题,形势便变得更为复杂。这种国家底普罗列达里亚底"落后状态",因为布尔乔亚底"落后状态"的原故,而变得更强。勤劳者底微少的政治的成熟,由支配阶级而被再生产、被"助长"的、农民的愚笨与无教育,劳动者的普通教育程度的低下——,这一切事情,到某种程度为止,都是表示实行革命的大众的"无文化"的一个证据。于是,实际上,劳动者阶级到达在文化上发达起来之时为止,到达他们学习政治底技术之时为止,到达他们在某种程度上与支配的布尔乔亚同"受教养"之时为止,把革命"延期起来"的一方面,岂不更是合理的么?

炫学的小布尔乔亚民主主义者底立场

这种见解,据伊里奇说来,是"我们底炫学的小布尔乔亚民主主义者"底立场,他们把农奴时代底第 19 世纪前半期或第 18 世纪后半期底地主底理论,拿来放在不同的时代,用别形式重说起来。即在当时,人们也曾说过,农民解放还不合时宜,还嫌太早。地主说——农民是没有文化的无教育的人,即使他们被解放了,他们也不会懂得怎样去利用那个自由。第一,农民必须懂得礼节,必须受教育,必须受教养。然后才能够把他们从农奴制度解放出来。这种理论,不外就是地主底阶级政策底诳骗的伪善的假面。那种伪骗,只要是农奴制度存在,农民决不能获得他们所要求的资格。但历史底客观的论理,却要求了打破这种诳骗的循环论法。农民底叛乱成暴动,便是实行这件事的尝试。经济的合法则的历史的发达,开始造出了脱离这种虚伪的循环论法的道路。

上面那种见解等于地主关于农民解放的理论

革命能揭破那种伪骗的假面

拉底西捷夫[A.Radischtschew]曾经很好地洞见了农奴制度底这种理论底真实基础。只要是农民处在今日这样的状态,农民底启蒙,一般地不能成为问题——他说。当作这件事底结果看,问题底解决就明白了。那么公式是这样

拉底西捷夫底洞见

的:先解放,后启蒙。只有"解放",能够造出为农民底相对的启蒙底必要条件。(页边注:先解放后启蒙)

在资本主义发达到最高度的情形,我们在更广泛的意义上,也面着同一的问题。人们说:劳动者阶级"没有文化",因为连梦想普罗列达里亚革命的权力也是没有的。首先是启蒙与文化,其次到解放与革命——小布尔乔亚炫学者、"也是一马克思主义者"这样叫嚣着。

伊里奇当解决这个问题时,也继承着拉底西捷夫底传统。在未经普罗列达里亚革命与普罗列达里亚底狄克推多造出它底前提条件的限度内,启蒙、文化,完全不能成为问题。"介在文明诸国与依着最近的战争(1914—1917 年)才决定地被引入于文明的诸国底境界"上的俄罗斯底相对地不利的特殊地位,决不是把这个原则加以丝毫变更的东西。反之,那种国家底勤劳者,无论怎样,都必须战取必要的物质的诸前提。当着由帝国主义战争而被引起了的革命的局面开始之时,他们不能不着手于有战取"文明底更进一层的成长的"——如伊里奇所说的——条件之希望的斗争。

伊里奇在他趁着斯哈诺夫[Suchanov]①底《回忆录》底机会写成的备忘录《关于我们底革命》之中,曾经完全明确地提起了如次的质问。

> 若果为着树立社会主义而必要有一定的文化水准(它必须有怎样的一定的"水准",任何人也不能够说),那么,为什么我们不可以进到革命底道路,从造出这一定水准底前提条件一件事开始,然后把其他的民族引导到劳动者与农民底支配以及苏维埃制度底基础之上呢?

因此,他又说——

> 诸君说:为着社会主义底建设,不能不被文明化。这是很对的。但是,为什么我们不能先把驱逐地主及俄国资本家的那种文明底前提在俄

---

① 斯哈诺夫(1882 年生)——先为人民派的分子,后来加入社会民主党,现供职于苏维埃经济机关。

国实现起来,而接着开始到社会主义去的运动呢? 究竟什么地方写着对于通常的历史过程的那样变异是不可允许的,是不可能的等等事实呢?①

因此勤劳者只有在普罗列达里亚革命底过程中,才能够获得他们底文化的前提。

四、文化形成底连续性

在革命底过程中,普罗列达里亚底狄克推多树立以后,文化问题,才以它底全部伟大的姿态,出现于勤劳者之前。对于布尔乔亚国家底政治的文化,劳动者阶级,急速地断然和它相对抗。布尔乔亚的国家机构,是被破坏、被粉碎、被绝灭的。代它而起的过渡期的国家底政治的文化,即必须完成新任务的苏维埃与劳动组合等等,就被设立起来,在纯文化的上层构造底领域,事体略有不同。在这里也要承认类似的界限。但文化不是一日之间能够"再造"的东西,也不是可以用指令创造的东西,也不是可以用革命的强权手段移入的东西。它发生出来的速度虽有快慢的不同,却只是在特定的经济的及一般特殊的诸关系与过程底基础上发生出来的。

新的政治的文化可以因革命而树立

新的纯文化的上层构造底形成的步骤

布尔乔亚法律学者的形式的意义上的国家权力底"继承",在革命上是不成问题的。"继承"在这里,只有在普罗列达里亚革命以后,一个国家权力存在着的时候才得说及它。但在这里,它底性质,原则上却不相同。"继承"、传统是已被中断了。如今是别种的品质的国家权力,成为问题。不过文化,在革命以后,和在革命以前的东西是同一的。并且文化即令"在后日"变化,而这种变化底发展与性质,在它底强度和现象形态上,是不能与政治的上层构造底变革相比较的。

文化底变革与政治的变革不同

在国家生活的一切领域中,有习惯与熟练,得到了权力的普罗列达里亚,不能不利用布尔乔亚机构底某一部分的熟练与能力。伊里奇曾说及例如"与司掌无数计算、统计事物的银行及新的加有特别密切的结合的机构"。据伊

资本主义文化底遗产底利用

---

① 《关于我们底革命》,《伊里奇全集》第十八卷第二分册,俄国版,第119—120页。

里奇底意见,这种机构没有打碎的必要,并且也不可以打碎它。它只是要从资本家底影响被分离出来。资本家所给与这种机构的影响底路线,必须被切断、被分离。它必须从属于普罗列达里亚苏维埃。

所以在到康民尼斯谟去的过渡期中,为支配的阶级,必须取得有一系列的熟练、习惯与知识——依伊里奇说,即是要取得构成资本主义所创造的文化内容的一切东西。这些东西,如一般所认识的一样,是勤劳大众在资本主义之下由于他们底地位底结果所不能取得的文化要素。(页边注:没有资本主义底遗产不能建设社会主义)"没有资本主义文化底遗产,我们不能建设社会主义。如果不利用资本主义遗留给我们的材料,我们就将用什么去建设康民尼斯谟呢?"——这是伊里奇在第八次党大会上俄国共产党中央委员会底活动报告中说过的话。①

事实上,说过渡期与资本主义之间不存有什么结合的意见;说过渡期要排斥一切"经布尔乔亚素性所污损"的东西,说它要依从所谓"拿撒勒还能出什么好的么?"[Was kann aus Nazareth Gutes kommen?——《新约全书》《约翰福音》第一章四十六节的话]底原则,无例外地否定资本主义底一切成果的那种意见;——这样的意见,是反历史的,是形而上学的。

在哲学底领域中,黑智儿是指摘了下述一件事的第一人。即,如果哲学史底全体是像第二个哲学家驳论第一个哲学家、第三个哲学家驳论第二个哲学家、第四个哲学家驳论第三个哲学家那样去经过[它底过程],那么,它就显现得是没有像这样的背理的东西了。辩证法主张与经验相一致,有一个,统一的发达路线;它主张结果如没有导入于它并且引起它的道路,便是虚无。比较高级的社会底形成,以比较非高级的形成为基础;比较高级的社会底构造,把比较不发达的构造在其"被扬弃了"的形态中包含着。这是马克思主义真理底 ABC。

这一层也切合于文化的上层构造。在资本主义文化被"扬弃"以前,首先要从它底当中取出肯定的要素来。

---

① 《伊里奇全集》第六卷,俄国版,第 105 页。

在旧资本主义社会底改造中,创造康民尼斯谟社会的新时代底人士底训练、教育与养成,总不能是从来的东西,这是问题。——伊里奇说,但是"青年底训练、教育与养成",必须"从旧社会留下给我们的材料出发"。

如果相信毋须学习资本主义时代所创造的东西,人类底知识所集成的东西,便可以成为康民尼斯特,这种人就犯重大的谬误。表示康民尼斯谟怎样由人类底知识底总和发生出来的范本,即是马克思主义。

伊里奇在这种地方,力说着文化的发达底连续性。人们可以说起意味着封建的及资本主义的文化底渐次的克□的那种文化的飞跃、与社会的发达相并行而发生的飞跃。但是不能够说起原则上别种性质的文化底发见,即令"发见"这个名词未曾公然说出来。文化发达底连续性

马克思是立脚于在资本主义之下被得到的人类知识底巩固的基础之上的。他虽然批判了这种知识,并且从劳动者运动底见地研究了它,却是未曾忽视它、排斥它。

普罗列达里亚文化,只有立脚于由人类底全体发展所造出的文化底正确知识之上,并且由于这种文化底改造,才能被建设出来——这件事,我们如不充分明白地理解它,我们会不能完成任务。普罗列达里亚文化,不是突然地出处不明地显现出来的东西。它也不是自称为普罗列达里亚文化底专家的人们底发见。这一切事情都是虚妄。普罗列达里亚文化,是人类在资本家、地主、官僚底压制之下集成了的知识底蓄积底合法的发展。[①]普罗列达里亚文化底建设立脚于历史上底先行的文化

如我们所见,伊里奇在这种处所,追求涉及数世纪的"普罗列达里亚"文化底发生史,溯及比资本主义社会还古的古昔。他追求由封建主义越过专制官僚国家底时代到资本主义为止的文化底发达。"这一切的道路与小径,都通达于普罗列达里亚狄克推多"。普罗列达里亚文化发生史底研究通达于普罗列达里亚狄克推多

---

① 《伊里奇全集》第十七卷,俄国版,第317页。

若果是那样,若果康民尼斯谟文化立脚于历史上,时间上先行的文化,那么,这些文化应该怎样去利用,这种利用应该有怎样的性质与界限,还有,为资本主义文化底最重要的担当者的人才应该怎样去利用,像这类的问题,就不期然而然地发生出来。(页边注:怎样利用先行的文化底问题)为着富人的学问与技术——它是资本主义下面的客观的状态。"资本主义,是意味着为着少数者的文化"。并且,伊里奇在1897年之末就已经这样写着:"随着人类底历史的实践底扩大与深化,为意识上行动的历史底主体的人民大众底范围,就必须增大。"成为这件事底结果而发生的当作最初的实践的任务看,文化底深化,不及文化底范围底扩大。尽可能地在短时日之中,必须把农民那样落后的广泛的大众引到文化生活上面来。

资本主义只使少数者参加于文化;但在今日,我们不能不根据这种文化去建设社会主义;目前我们还没有供这种建设用的别的材料。普罗列达里亚革命,已经依靠苏维埃权力底树立,造出了为文化革命的真实前提。但这只是仅少的事情。第一,文化底普及与向上是必要的。

伊里奇说——

苏维埃机关[原文为 Räteapparat,本是评议会机关的意思]是结合勤劳者大众而以大众底全重量粉碎资本主义一事的意思。实际上,他们把资本主义粉碎了。但单只被粉碎了的资本主义还是不够的。还须得占有资本主义遗留下来的全文化,而在这基础上去建设社会主义。科学全体、技术、一切知识部门、艺术等,都不能不占取过来。否则,我们会不能建设康民尼斯谟社会底生活。但这种科学、技术及艺术,是装在专门家底手及头脑之中的。①

这种在最后所揭举的事情,为着消灭阶级一般,对于现时刚刚掌握权力的阶级,成为主要的困难。虽然只有这个阶级能够把人类引导到康民尼斯谟,而他们自身却还没有建设康民尼斯谟的充分的文化。和他们对立过的阶级底代

---

① 《苏维埃权力底成效与困难》,《伊里奇全集》第十六卷,俄国版,第75页。

表者以及与这阶级结合了的集团,是很有教养的,并且如果想这样说,他们是被教育了的。但是,我们决不能说他们是进到康民尼斯谟道路的指导者。

> 这些文化人[Kulturmensch]是从布尔乔亚环境并且经由它而受到他们底文化的,所以他们服膺于布尔乔亚底政治与影响。因此,他们每走一步就倾跌,而对反革命的布尔乔亚为政治的让步。①

但是别的部分的劳动者阶级,也握有他们自身底科学。这正是科学,是煽动家及宣传家底理论,是"由工场劳动者及饥饿的农民底极端恶劣的生活所锻炼过的人们"底理论。这种科学,教训忍耐,教训阶级斗争中的铁一样的坚忍,这一切的性质,在普罗列达里亚狄克推多底时期中是必要的,但单只它还不充分。为要得到康民尼斯谟底胜利,还须占取资本主义所视为重要的一切东西,占取科学及文化底总体。 劳动者阶级也有他自身底科学

劳动者阶级在长期执拗的斗争中学得的他们底文化,必须和布尔乔亚底科学、技术及艺术结合起来。(页边注:劳动者阶级要把自己底文化与旧文化结合起来)

劳动者阶级必须把布尔乔亚文化那东西底这一切成果采入于自己一方面来。他们不能永久仰赖他人做"专门家"。这无疑是正当的。但在最初的时候,在最初的数年间,甚至在数十年之间,他们才得需要旧的文化担当者。这件事,不单是意味着他们为着实践的活动去利用旧的文化担当者,即利用这些的专门家代替他们工作,并且意味着劳动者阶级要从那些专门家学习。普罗列特卡而特[Proletkult]②底意特沃罗格[Ideology——思想家]蒲列特约夫[W.Pletnjow],在他底一篇论文《在意特沃罗基战线上》(《真理报》[Prawda],1922年9月27日)之中,如次地论述着。 对于旧文化担当者底暂时的利用　蒲列特约夫底见解

> 普罗列达里亚文化建设底任务,只有依靠普罗列达里亚底力量,只有依靠由他们中间出来的学者、艺术家、技师等等底助力,才被完成。

---

① 《苏维埃权力底成效与困难》,《伊里奇全集》第十六卷,俄国版,第75页。
② 在革命当初的数年间,由别的国家制度独立而担负造出普罗列达里亚文化的任务的一种组织。

伊里奇读到这段文章,在"只有"与"他们底"等字句上加上傍点①,对于同志蒲列特约夫,简单地用"最上的虚构"的旁注答复了。(页边注:伊里奇对于蒲列特约夫底了解底批评)旧日布尔乔亚"专门家"既有着科学、技术及艺术,如不就他们学习,究竟就谁去学习呢?从这件事情,对于政治的态度,就发生出"就你底敌人去学习!"的格律。的确,他们是要做意特沃罗基上底反抗的。这种反抗,如伊里奇所说,是极其顽固的强有力的东西,它真是主要的困难。(页边注:就敌人去学习)

把得到了胜利的普罗列达里亚革命拿来和那些在以前是少数者底财产的布尔乔亚文化、布尔乔亚科学及技术结合起来的任务,这种任务——重说一遍——是困难的事情。在这种情形,一切事情,系于勤劳大众底进步的阶层底组织与训练。②

五、伊里奇对于普罗列达里亚文化底标语的态度

十月革命以后,伊里奇特别爱好地方③说到从新教育大众是怎样困难的一层。据他底意思,打碎外部的障碍、破坏布尔乔亚底国家机构,是比较容易的事情。但在取得政权以后成为议题的文化革命,却更是困难。劳动者阶级,非常强烈地感到:要"在组织、教育及知识普及底领域内活动"的事情,要把那种由资本主义留下给他们的,并且他们因在资本主义支配之下所处的从前的地位的结果而被搁在肩上的、"无教育、无文化、野蛮与粗暴底遗产加以克服"的事情,是如何的困难。

文化革命底困难

伊里奇在革命底前后对于资本主义文化的态度

在革命以前,伊里奇对于"文明化了的野蛮",做了廓清的批判。他议论了"资本主义文化底暴力行动",指摘了它底积极的方面、它底剥削的,并且把劳动者阶级"弄得愚钝"的性质。在普罗列达里亚革命以后,他又力说了资本主义文化底积极的内容——精密科学底文化、为支配阶级底利益而活动的知

---

① 原书为竖排版,"傍点"即着重号,下同。——编者注
② 《伊里奇全集》第十六卷,俄国版,第76页。
③ 此处疑有排印错误。——编者注

识阶级底能力以及这支配阶级底一般的"教育"。

伊里奇底这种战术，并没有含着什么矛盾。即在革命以后，他也看到了对 战术上底
观点康民尼斯谟运动的资本主义文化底敌意。他很知道资本主义文化比较康民尼斯谟文化是怎样的贫弱。但他却又认定了普罗列达里亚必须从资本主义文化 布尔乔亚
文化之批
判的学习学习若干的东西。由于这件事，就发生了布尔乔亚文化之批判的学习底要求，就敌人学习［beim Feind zu lernen］的训令。

伊里奇在第十一次党大会的报告中说——

> 征服者的民族，在文化方面，如高于被征服民族，前者就对于后者强行他们底文化。事体如果相反，对胜利者强行其文化的人们，在许多情形，却是被征服者。在苏俄社会主义共和国联邦底首府中，不也曾发生过和这同样的事情么？4700 名底康民尼斯特者（差不多是一个全师团，是最优秀的人们底全部）不是服从过敌人底文化么？事实上，在这里或许给与了好像被征服者有着高级文化的印象。但这决不是事实。他们底文化虽是贫弱的极其低级的东西，但它比较我们底却是高级的。并且无论它是怎样贫弱的可怜的东西，但它比较我们有责任的康民尼斯谟的职员却是高级的，因为后者还没有充分地行使统治底技术。①

在这里，伊里奇吐露了"胜利者"底文化或许为"被征服者"底文化所败北 学习旧文
化而又压
倒旧文化
是一件很
困难的工
作的忧虑，即取得了政权的劳动者阶级或许不知道只是由资本主义接受必要而有用的东西，反而完全陷入他们底网阱中的忧虑，这当然是不能发生的事情。所以伊里奇从新确定着：一面"派弟子"［in die Lehre］到布尔乔亚那里去而又不使整个布尔乔亚文化得到胜利这种事情，是很困难的。

这种困难，果然可以依靠那用一种如接受雇客定货那样地急速地在特别 困难底克
服底问题实验室或制作场造出的特殊普罗列达里亚文化去与布尔乔亚文化相对立的一件事，就能够比较容易地被克服吗？许多同志，都想照这个样子去解决问题。

---

① 《俄国共产党中央委员会底活动报告》，《伊里奇全集》第十八卷第二分册，俄国版，第43 页。

但伊里奇底意见，与他们却不相同。① 事体并不是那样简单的。即时造出特殊的文化、造出对付布尔乔亚文化底一切弊害的秘法，这并不成为问题。康民尼斯特第一并不想把资本主义科学和技术底成果、贯串数千年的文明发达底结果，作为"只供分离自己充实自己之用的"②少数人底东西。"他们想无例外地把它作为一切勤劳者底东西"。因而，第一，——如果可以那样说——把科学与知识民主化的一件事，成为问题。（页边注：科学与知识的民主化）

所谓普罗列达里亚科学底见解

然而即时创造普罗列达里亚科学，不是很好么？——例如普罗列达里亚数学，普罗列达里亚自然科学、普罗列达里亚哲学。这样的说法，在伊里奇是不能承认的。

科学的与非科学的之比较

事实上，如果我们不是玩弄笔墨，我们就不能照那样去把以上的概念互相结合。例如把 18 世纪底自然科学和 20 世纪底自然科学比较一看，我们可以说从今日的科学底见地看前者底自然科学是非科学的。但我们在这种处所，不能忽视历史的展望。再就关于同一对象的同一时代底二种任意的自然科学理论比较一看，我们也可以说一个理论底科学性与别个理论底非科学性即谬误，就那个时代说，给与客观的自然现象底最适应的表现的理论，是科学的理论。关于物质构造的 18 世纪底见解与 20 世纪底见解，明明不是同一的。然则可以说一方面是布尔乔亚的或封建的、称另一方面与普罗列达里亚的么？不然，这是言语底游戏。同样的事情，也可以适合于物活论与达尔文主义底比较。

学说底科学性与科学底阶级性之区别

人们当然可以说，在其他同样的规定之下，自然科学只要它是由布尔乔亚实行的，就害怕由科学引出结论，或者欺瞒地把那结论隐蔽起来；但是为什么一定要说那个结论是普罗列达里亚的呢？阶级利害，对于布尔乔亚，有时唤起有意识的盲目，有时唤起无意识的盲目。在这种意义上，伊里奇说起了科学及哲学底党派性。如我们所见，赫克尔底"宇宙之继"，把科学家和一般公众，分裂为两个党派。赫克尔底反对者，是从反动的社会层出来的，用某种方法和僧

就自然科学说明

---

① 《苏维埃权力之成功与困难》，《伊里奇全集》第十□卷，俄国版，第 74 页。

② 蒲列特约夫在他底《意特沃罗基战线上》之中写着："新的普罗列达里亚阶级文化底创造，是普罗列特卡尔特底根本目标"，伊里奇对于这点，附记了讥笑的并且含蓄的"哈哈"，[Haha!]一语，参看合订本《普罗列达里亚底狄克推多期间底文化问题》，莫斯科，俄国 1925 年版，第 6 页。

侣界结合着。进步的社会层,是赫克尔底拥护者。但这果然是两个"科学"之间的、布尔乔亚科学与普罗列达里亚科学或半普罗列达里亚科学之间的论争么?不然,一方面的流派单只是科学的,普罗列达里亚底代表者赞成它(固然他们不会赞成赫克尔底不可知论底见地);但另一方面的流派,是非科学的,僧侣界附和它。因此,我们之能够说及自然科学上阶级的立场,是在所谓布尔乔亚在资本主义之下对于某项问题采取并且必须采取反动的非科学的立场的这样一种意义上说的,而不是在所谓有两种自然科学、布尔乔亚科学与普罗列达里亚科学的意义上说的。

和这同样的事情,我们也可以在社会科学底领域中看出来。例如在政治经济学上,有界限效用说与劳动价值论两个学派。前者在布尔乔亚之间发现它底支持者,后者代表着普罗列达里亚底立场,种种的阶级,在意特沃罗基底斗争上,是照这样被分布着。我们往往说及"布尔乔亚",政治经济学。但若我们不就两个前后连续着的时代,而就一个历史的时代譬如现代来看,果可以正当地主张着说:现代有两个经济学,一个是布尔乔亚底东西,供他们所使用的,一个是普罗列达里亚底东西,供他们所使用的?这样建立问题的方法是错误的。一个流派,必然是非科学的;另一流派,体现着该时代该社会构造底科学的真理。然则为什么马克思主义经济学只是普罗列达里亚底科学,只是为着普罗列达里亚的东西呢?最进步的阶级作成的马克思主义经济学,是一个客观的科学,只要是它最适应地反映出资本主义底经济的现实在某种程度上,它对于普罗列达里亚存在,也对于布尔乔亚存在。所以伊里奇也说:既然把科学依从阶级而命名,而要说起普罗列达里亚科学时,他自己只知道能够最适应地反映出现实底各个侧面及"横断面"(这件事是科学底最重要的任务)的唯一的科学、当作方法看的马克思主义。

在俄罗斯,当第 20 世纪的最初 10 年间,经验批判论哲学底信仰者,已经揭举了普罗列达里亚文化底具体的标语。如一般所周知他们在政治上。会于暂时之间形成了颇为结束的渥案维斯特[Otsowisten]的集团。他们在那政治的纲领之中,宣言了"普罗列达里亚文化"底标语。伊里奇从根本上详细研究了当时想把马哈主义和马克思主义结合的经验批判论者底哲学的著作,并且对于他们底见解下了不客气的深刻的批判。他在 1910 年,就他们底纲领,写

就社会科学说明

科学的与非科学的之区别以是否反应现实底真理为断

只有马克思主义是普罗列达里亚底科学

了下面一段话。

> 普罗列达里亚科学,在这个纲领中,也显得是"可怜的不适当的"东西。(页边注:关于普罗列达里亚科学伊里奇对经验批判论者底批判)第一,我们在今日只知道唯一的普罗列达里亚科学、马克思主义。纲领底起草人,由于什么样的理由,有系统地回避使用这唯一正确的名称,反而是在一切处所,使用着"科学的社会主义"的名词,……但是,第二,如果把发展"普罗列达里亚科学"的任务采入于纲领之中,那么,在这里就不能不说明现代意特沃罗基的理论的斗争是怎样被意味着并且纲领底执笔人是哪一个方面的。①

伊里奇还暴露了"渥案维斯特"纲领底经验一元论的基础。马哈与亚勃纳留士底哲学,是被他们称为普罗列达里亚哲学的。但普罗列达里亚是唯一正当的哲学,即辩证法的唯物论底担当者。

伊里奇对于要想创造普罗列达里亚文化一事的态度

这里不是批判那经验批判论及其修正主义的变种的处所。现在只是指出伊里奇把马克思主义看作真理底标准一件事。伊里奇这样写着——"在这里,现实地把马哈主义伪称为'普罗列达里亚哲学'的一件事,是一般所周知的事情,若是有理解力的社会民主主义者,谁也会立时发见这个'新的'伪称。"伊里奇还写着——"现实地关于'普罗列达里亚文化'的一切言辞,都只是隐蔽那反对马克思主义的斗争的东西。"

想创造"普罗列达里亚文化"的概念,在我国是由经验批判论者,特别是由波格达诺夫所代表了。十月革命以后,想实现这事的实际的方策,也曾经计划过。俄国普罗列特卡尔特底发生,是在波格达诺夫底决定的影响之下显现了的,伊里奇考虑了这一层,就在普罗列特卡尔特大会决议文底他底草案中,写了下面一段话。

> 近代史底全经验,特别是万国普罗列达里亚在五十余年以来、《共产

---

① 《一个评论家底党书》,《伊里奇全集》第十一卷第二分册,俄国版,第20—21页。

党宣言》发表以来实行着的斗争底全经验,给与了只有马克思主义世界
观是革命的普罗列达里亚底利害、见地及文化之正当的表现的确切的
证据。①

所以,当我们概论伊里奇怎样处理文化问题一层的时候,就不能不特别力
说他对于这个文化创设底企图是采取了极端怀疑的态度的。蒲列特约夫在已
经引用了的他底论文之中,还写了下面一段话——

　　"布尔乔亚底支配底基础、他们底经济的及政治的权力已被破坏了;
普罗列达里亚已经使它崩坏了。但布尔乔亚意特沃罗基还是存留着;它
还在反噬着它底周围。所以我们不要期待着由于辩证法底法则而不可避
免的布尔乔亚意特沃罗基底没落,而必须准备普罗列达里亚文化底要素,
造出阶级的意特沃罗基上层构造。"说它是②

伊里奇对于这句话附上傍点,"如何不分明的迂回语"。由以上所述的一
切看来,这个批评是可以理解的。对于这个问题的伊里奇底具体的言语,表示
着这个问题底真正实际的而且现实的处置。我们在这里再看到理论与实践底
统一。伊里奇也把这个问题在非常概括的意义上解释着,并未把它限定在科
学及艺术底范围,他虽然特别地处理了科学及艺术底问题。他在 1923 年之
初,述说关于国家机构底改善之时,说过下面一段话。

　　我们对于那些关于"普罗列达里亚文化"列举着过于繁多、过于轻率
的文句的人们,不得不然地采取这种立场(不信用及怀疑论的)。在起初
的时候,正当的布尔乔亚文化也会充分的。起初,我们只要从布尔乔亚文
化中除去那过于是病的形态的东西,换句话说,除去官僚、地主及其他文
化,就充分了。在文化问题上,性急与皮相是最有害的。我们年轻的文学

蒲列特约
夫底见解

伊里奇底
批评

伊里奇对
于所谓普
罗列达里
亚文化采
取怀疑的
立场

---

① 《赤色处女地》[*Krasnaja Nowj*]第三号,俄国 1926 年版,第 225—226 页。
② 原文如此,疑排印掉字或"说它是"为多余的字。——编者注

家、康民尼斯特底多数,应当记忆这一点。①

他底理论的见解,使得伊里奇作出悲观的实际的结论;我们对于普罗列达里亚文化,对于它与布尔乔亚文化底关系,固然是"饶舌"了,可是在这时候忽视了"我们今日还未曾脱离的半亚细亚的野蛮"。

当作"普罗列达里亚"文化底范本、当作它底成果而提供在大众面前的东西,只是没落期中的布尔乔亚的文化,它不包含社会主义文化底任何萌芽,也不包含要素,——这种事情是能够发生的(并且实际上发生了)。伊里奇曾经说过,"把劳动者及农民底新设教育机关,看作文化及哲学领域中底个人的妄想底跑马场的、布尔乔亚知识分子出身的人们",太过于多了。他又曾说及"把最新的谐谑当作新的东西推荐,并且在纯正普罗列达里亚的艺术及文化底假面目之下提供一切种类的超自然的东西及狂妄的东西的那一类的事情"。

六、马克思主义与布尔乔亚文化

由以上所述,可知伊里奇并未曾把发见特别文化的事情看作社会革命过程中普罗列达里亚底任务。社会主义底建筑,是不能不用布尔乔亚底烧砖去建筑的。因为别种材料,暂时不会在什么地方找寻得出来。不过资本主义文化,也不可以单纯地把它保存起来。对于这种文化作批判的摄取与分析,是需要一定的规准的。即是说需要一种方法,它许可正当地批判资本主义文化底成分与要素,指示何者应该除去何者应该维持,资助分别"重要的东西与不重要的东西",如伊里奇所常说的。

据伊里奇底意见,马克思主义是为着劳动者阶级的这样一种的方法。资本主义文化,必须从辩证法的唯物论底立场去加以分析。资本主义文化+马克思主义——这个公式,决不是算术方程式。它底结果,不是单纯的总和。它和化学的反应相比较,是适当的,但它当然也只有在设定限制时,才是适当的。

布尔乔亚文化之批判地摄取与分析

怎样分析资本主义文化

———————

① 《期望量少而质良的东西》,《伊里奇全集》第十八卷第二分册,俄国版,第125页。

即，它只有在考虑文化底复杂过程要采取一定的形态必须有比较长期的时间一件事情的时候，才是切合的。

如果承认这个决不完全切合的比较，那就可以说：对于资本主义文化的马克思主义的分析，是把那个文化要素底某种东西在内容上弄丰富起来的；别的东西，或许单纯地被保存；还有某种东西是"被中和"的；或者完全被"除掉"，并且因此从社会的现实底文化的习惯被删除出去。

例如无疑地构成资本主义文化底成分的宗教与礼拜，是不能不被"除掉"，不能不从文化的习惯被删除出去的。关于伊里奇对于宗教的关系以及他对于反宗教斗争的思想，是可以写成一种特别的研究的。但我们在这里只止于确立那种从文化的上层构造除掉宗教的格律是马克思主义底一个命令的一件事情。辩证法的唯物论或马克思主义，当作思维底方法看，到达于宗教底驱逐；当作世界观看，马克思主义绝不含有宗教世界观底痕迹。

宗教在事实上是资本主义文化底一个遗产，人们不能不与它断绝关系；这件事越做得快越好。

> 劳动者底经济的压迫，必然地发生出一切可能的种类的政治的压迫、社会的屈从，而引导于大众底精神的及道德的生活底堕落与萎靡。……宗教是一种精神的压迫，到处压抑着因为替他人做永久的劳动、因为贫穷与孤立而被压迫着的国民大众。①

宗教是在资本主义关系下面的支配阶级底手中而阻害大众精神生活的一个手段。这种状态，我们再也不能容忍。马克思主义，对宗教布告宣战。在这种情形，马克思主义明明知道这个斗争是困难的。虽然胜利还是前途辽远，但认定对于宗教的斗争的必要以及走上这个斗争的第一步，就已经意味着普罗列达里亚底积极的成果。伊里奇就这种关系说道——"知道自己底奴隶状态而为谋自己底解放起来斗争的奴隶，就已经有一半不是奴隶了。"

关于这个斗争底战术上底具体的详细之点，我们不打算论述它，所以，如

---

① 伊里奇：《关于宗教》，德国版，第15页。

旁注：资本主义文化之马克思主义的分析

旁注：宗教之驱除

旁注：宗教是压迫劳苦群众的精神的工具

旁注：马克思主义对宗教布告宣战

旁注：宗教在普罗列达里亚底党看来并不是私事

伊里奇所说的,宗教对于国家虽被看作私事而对于普罗列达里亚底党却不是私事的那个命题,也不深入地加以研究。对于宗教信仰的斗争,当作意特沃罗基斗争看,当然不是私事,而是全党及全普罗列达里亚底问题。

宗教信仰底一切变种——从具有秘法及教条的完全粗野的天启宗教起,及由宗派的、有神论的及自然神教的宗教,以至于被洗练了"被开化了"的宗教为止——,这一切变种,无论它明明是神秘的东西,或是用观念论哲学装饰了的东西,都同样经伊里奇由革命的马克思主义的见地加以批判了。(页边注:宗教信仰底一切变种都要排斥)即令教会的神秘为"求神"底神秘所代替,原则上也没有一点差别;即令所谓"求神"未经特别尖锐地被排斥,也必须比较和缓地加以排斥。

当 18 世纪底初期,自然神教底信徒,倡导了历史上被生产了的种种天启宗教底批判。"求神者"批判着今日底例如希腊正教会。但对于"求神者"那东西,"造神者"底批判又向着它。

当时高尔基这样写着——

> 暂时之间,"求神"不能不被中止,它是无益的工作,未经给与着的东西,是不能去求的。不播种的人,不能去收麦,你没有神。你也没有创造着神,人不是求神的。人是创造神。生命不是被设想出来的,而是被创造出来的。

这种很有特色的文句,表示着要用别种比较高级的宗教的、"文化的"流派去代替一个宗教的及文化的流派。"求神者"求神,"造神者"却在旁边嘲笑它。奇异的人,探求着还未经给与着的东西。因为那儿没有神,所以它不能被发现。然而造神者却不从这件事情引出必须放弃求神及关于神的思想的那种的唯一的可能的明白的结论,他反而要说先给与神而后必须去求的话。他底结论说——"人不是求神的,而是创造神。"但当神被创造了之时,为什么人必须把它当作神看呢? 被称为文化底成果的、这两种宗教的流派间底根本区别,究竟在哪里,伊里奇对于这问题,给了完全不客气的回答。

求神与创神或造神等底区别,是黄色恶魔与青色恶魔底区别一类的东西。其所以要反对求神的,并不是因为倡导反对一切底恶魔与神、反对一切观念的瘟疫(一切的神都是瘟疫,无论是最纯粹的神,是最理想的神,或者不是被求出的神而是被造出的神,结局都是一样的),而是因为要选择比黄色恶魔较好的青色恶魔——这件事情,比较不说及神的事情,还要坏一百倍。①

求神与造神都在排斥之列

一切神都是瘟疫

造神比求神更坏

与马克思主义接触起来,资本主义文化底宗教的领域就是那样的状态。但科学成为问题之时,事体就决不是那样简单。关于知识底文化底学习底必要,我们已经充分地论述过了。

但是取得资本主义社会底文化一件事,决不是意味着要把布尔乔亚学者胡乱写出的一切东西去无批判地接受它、暗记它,像奴隶一样地仿效它。在这种情形,也必须"从不重要的东西把重要的东西"分离出来,从虚伪科学把科学分离出来。这种真实的"自然淘汰",必须从革命的马克思主义立场去实行。这是问题底一般的解决。我们在刚才这种情形,当然不能一一详述自然科学与社会科学底差别,所以不更多说了。不过由于这种一般的问题底提起,从以上所说的看来,就晓得伊里奇是未曾想到算术、技术的科学之"普罗列达里亚的"完成。

从马克思主义底立场对布尔乔亚文化实行自然淘汰

的确,在社会科学底领域上,把马克思主义全面地一贯地适用起来,就诱致一种科学革命。这是马克思主义"威胁"资本主义文化底科学领域的改造与激剧的扩大,并且是在根本上基于把虚伪科学的无数理论完全扫尽的理由而加以"威胁"的改造与激剧的扩大。首先是哲学、经济学、社会学、伦理学,等等,就受着"损害"。

科学革命

马克思主义,把科学作为广义上底"党底问题"因为它在反动的流派与进步的科学的流派之间,引出了界限,无论是怎样,凡属带有宗教臭味的一切东西、使资本主义底维持与再生产有利的一切东西、对于一定时代已经不是真理的一切东西——,这一切都形成着科学底反动派。并且普罗列达里亚,是今日

科学是广义上底党底问题

---

①　伊里奇:《写给高尔基的书信》,德国版,第87—88页。

社会上最进步的阶级,和这样的流派,不能有什么共通点。反之,为真理的东西即马克思主义——它在实践及阶级斗争过程上已经试验完结——所视为堪以吟味的一切东西,都是进步的,普罗列达里亚亲密地和它携手。伊里奇把代表布尔乔亚见解的国民经济学教授,称为"资本家底有学识的掌柜";把哲学教授称为"神学者底有学识的掌柜"。他更进而这样说——

> 于是马克思主义者底任务是,一面理解在这里或在那里(在哲学底领域或在经济学底领域),把"这些掌柜"底研究结果摄取出来消化起来(例如要研究新的经济现象时,如果不利用这些掌柜底著述就不能前进一步),——同时又理解排除这些东西的反动倾向,贯彻自己底战线,攻击那敌对我们的诸势力和诸阶级底全战线。①

马克思主义是分析布尔乔亚文化底武器

所以,马克思主义是我们必须借助于它去研究并分析资本主义全文化的武器。这种论理的方法,与康民尼斯谟文化发展底历史过程平行并进,因而又适应于后者底过程。这种过程又是与康民尼斯谟社会底生成,平行并进的。如一般所周知,马克思主义,辩证法的唯物论,是康民尼斯谟底理论。马克思主义首先是行动底方法论,是斗争底方法论。它是由普罗列达里亚底阶级斗争产出的东西,它自身就是斗争。没有斗争,是不能想象马克思主义的。所以

马克思主义自身是斗争

我们更进而追求伊里奇底思想路线时,由马克思主义而行的资本主义文化底克服,没有现实的实践的斗争就不能想象,这是不能不承认的事情。

学习并且再一度学习!——伊里奇说——我们必须摄取精密科学底文化、资本主义社会底科学,我们必须学得康民尼斯谟。但这一切还太过于是一般的说法。因为它不是意味着康民尼斯谟教科书必须被暗记的事情。书籍与实践之间底分离,是旧世界遗留给我们的弊害。"没有活动,没有斗争,单从书籍中得来的康民尼斯谟底知识,绝对没有什么价值。"②

单从书本中得到智识没有价值

科学底文化与实践的斗争

科学底文化,只有在现实的、实践的斗争底过程上才能得到,而不是在单

---

① 《唯物论与经验批判论》,《伊里奇全集》第十三卷,德国版,第351页。
② 《青年同盟底任务》,《伊里奇全集》第十七卷,俄国版,第315页。

纯的理论斗争底过程上所能得到的。在充满了这种生命的斗争过程上，资本主义文化底要素，也被"扬弃"的。所以在今日劳动者阶级内部底连带性明白地当作"普罗列达里亚文化"要素被指出的时候，比较重要的实践的斗争底构成要素，决不能忽视。只有这样，当作资本主义文化底成分看的宗教，才被克服。

> 对于宗教的(这里是对于资本主义文化底一切反动要素的——这样也可以说——卢波尔)斗争，不能只限于抽象的、观念的宣传。我们不能够把它缩小为那样的宣传。我们要使这种斗争，与倾向于排除宗教底社会的根源的实践，互相关联起来。①

从来人们把道德底伪价值，称为文明底积极的成果。想把伦理学作为精密的规范科学的尝试，是很多的。这一切构想，碰到马克思主义，便如空中楼阁一般，崩溃下去。并且在这种意义上，文化底伦理的领域，也是消灭的。但是，道德底概念，在完全不同的基础上，再被构成起来。阶级社会中底无阶级的道德，明明是虚妄。基于阶级斗争的阶级道德，是一个事实。不过观念论的体系，伪善地把这件事隐匿下去；反之，马克思主义却公然承认它。 _{关于道德问题} _{阶级的道德}

伊里奇这样写着——

> 我们主张：我们底道德，完全从属于普罗列达里亚阶级斗争底利害。我们底道德，是从普罗列达里亚阶级斗争底利害引导出来的，由这种见地说来，"道德那东西，是为着破坏剥削者底旧社会而把一切勤劳者集合于建立康民尼斯特新社会的普罗列达里亚周围的东西。康民尼斯谟的道德，是使这个斗争有用而把劳动者团结在对于一切剥削、一切小私有财产的斗争上面的道德。因为小私有财产是把全社会底劳动收益交付于一个人手中的。② _{康民尼斯谟的道德}

---

① 伊里奇：《关于宗教》，德国版，第26页。
② 《青年同盟底任务》，《伊里奇全集》第十七卷，俄国版，第323页。

当着批判地摄取并克服资本主义文化时,在到康民尼斯谟文化去的过渡期中,伊里奇对于普罗列达里亚底阶级斗争,担负了怎样的任务,这是我们所知道的道德底实例。由于这件事,就可以知道,要把道德说做一个"文化价值",也是可以的。但这个概念底内容和它底基础,与布尔乔亚文化领域中的东西,完全不同,这是可以看出的。(页边注:在斗争中的伊里奇底道德)

所谓无阶级的道德底主张说阶级道德是普遍的无阶级的道德那种主张,是具有它自身底论理即资本主义下面的支配阶级底论理的。把这种论理彻底起来,就到达于所谓布尔乔亚国家中军队是非政治的性质的东西那种形式的结论;但这是不能实行的事情,并且也决不能实现。"非政治的"军队,被政府利用以镇压劳动"争议"及农民"暴动",而完全公然地被引入于政治底焦点。"教育机关"底"非政治

所谓教育无政治性质的主张的"性质,也和这相同,这是周知的事实。教育机关及文化一般与政治机构底关系,是极其紧密的。——这里只要举出布尔乔亚新闻、学校及教会就够了。但这种关系是被隐蔽着的。普罗列达里亚必须用他们自己底真理,即所说教

普罗列达里亚反对上述的主张育中有政治性质的真理,去和布尔乔亚真理相对立。普罗列达里亚不隐蔽教育机关底政治性质;事实上,在国家当作人类共同体底形态存在的限度内,教育机关决不能没有政治性质。

我们在我们底教育活动底全线上,必须排斥所谓教育之非政治的性质的那种旧立场。我们不与政治生关系,就不能实行任何教育活动。①

过渡期中政治的启蒙普罗列达里亚狄克推多时期中底政治的启蒙,究竟是什么意思?这种启蒙底内容,即令不加以详细的讨论,我们也可以说:它底内容,是预先由普罗列达里亚狄克推多底诸种任务规定的,即是由于以绝灭一切阶级为目的的新支配阶级底一般政治底诸任务所规定的。在一般的文化问题之中,这种启蒙,意

伴随政治的启蒙的文化味着文化水准底向上,意味着资本主义文化底积极方面底摄取及其消灭方面底克服当时的有效手段。普罗列达里亚狄克推多期中政治的启蒙,伴随着全文化及教育活动底指导归普罗列达里亚政党所掌握的一件事。这种政党,完

---

① 《政治的启蒙活动大会底讲演》,《伊里奇全集》第十七卷,俄国版,第178页。

成普罗列达里亚狄克推多底教育的任务。

为什么能够是在这个以外的事情么？康民尼斯谟文化，只有在资本主义文化被马克思主义所克服并被醇化于普罗列达里亚阶级斗争底净火中的条件之下，才能发展，这是我们已经说过的。但是普罗列达里亚政党，是马克思主义底担当者，是阶级斗争底指导者，并在马克思主义旗下，实行这种斗争。所以普罗列达里亚政党是转化资本主义文化为康民尼斯谟文化的、经历长期苦闷的转化过程的、第三个必要的要素；这种要素，是其他两种要素即马克思主义与斗争底生动的综合。康民尼斯谟文化底发展过程

指导阶级斗争的、用革命的马克思主义武装着普罗列达里亚底政党，要求着并且指导着新的康民尼斯谟文化底发展过程、大众底新教育过程、新的正当的文化人底创造过程。

七、文化革命底问题

"真正的"、"实际的"文化，伊里奇在晚年是特别地常常放在心头的。在他说来，这个一见像是贫弱的抽象的规定。只是康民尼斯谟文化底同义语。只有在当作特定的经济制度看、当作特定的社会构造看的康民尼斯谟之下，那种只是空想主义者所梦想的文化，最后才被实现出来。真正的实际的文化

这种文化底具体内容究竟是怎样的东西，这在今日还是不能够说的。未来的诗人，也会歌咏工场妖女、食物、太阳、小川及早春之绿等东西么？这样的问题底提起，从马克思主义底立场看来，也和所谓在康民尼斯谟之下各人有几个金表的那种无意识的平凡的质问一样，是不可容许的错误。在今日详细记载生活样式并给以娱乐底取缔一类的事情，与建立空想主义的法郎斯特尔〔Phalanstère〕的计划，没有一点不同。未来新文化底具体内容怎样

正如没有一个马克思主义者说及预定了的、——详细地计划了的、康民尼斯谟底高级阶段底"施行"的一样，——因为那种阶段，在今日一般是不能被"施行"的——，在今日对于康民尼斯谟文化底细目，是不能推测的。只有在一般的正确的概括上，可以说，它底前提是："劳动底生产性，是与今日不同的另一种东西，并且如像无益地浪耗社会财富底蓄积、要求不可能的事情的今日

的小布尔乔亚已不存在"。

伊里奇所加于康民尼斯谟文化底特征,和他底包括的文化观同样,也是非常包括的,但同时又是很客气的。伊里奇说及未来的一个时代,"在这个时代中,人类习惯于尊重共同生活底原则,并且他们底劳动是极其生产的,他们自行按照自己底能力从事劳动"。(页边注:共同生活原则之自然的尊重)像这样基于自由意志而无强制地实行的"共同生活底原则底尊重",依伊里奇说来,正是把康民尼斯谟与未来人类文化加上特色的东西。

单只一看,或许上述附有特征的内容,好像是充分的,但如果留意于关于资本主义及为其基础的剥削的、关于"资本主义文化底暴力行为的、马克思主义的涅灵主义的学说,那就可以完全明白知道,在资本主义底时期中,也和在一切阶级社会底时代一样","共同生活原则之自然的尊重",一般是不成问题,并且也不能成为问题。虽然人们自数百年以来就说着这个原则,而它底现实的前提,在普罗列达里亚革命底过程中,才开始造出来。在以前,这个原则,是道德的规定,而实行这个原则的要求,是一种乌托邦,并是伪善的乌托邦。普罗列达里亚革命,造出了实现它的前提,并且也不只是前提。普罗列达里亚民主主义那东西底死灭,因而国家一般底死亡,即社会底阶级构造底消灭,才开始意味着这种共同生活原则底渐次的开展,它才变成人类底血和肉。普罗列达里亚民主主义底死灭与新的真正文化底创造,是以普罗列达里亚狄克推多为基础而实行的、本来是两个平行并进的过程。

新的真正的文化底创造与国家底死灭平行

伊里奇说——

并且在那个时候,德谟克拉西才开始死灭;它底理由是简单的:即,因为从资本家底奴隶制度解放出来的,从资本家的剥削底无数残虐、残忍、不合理、粗鄙解放出来的人类,是习惯于遵守那种经古来知道的数千年来一切规定所反复说过的社会的共同生活底最进步的原则,并且是无强权地、无强制地、无服从地、无所谓国家的特别强制机构地去遵守它。①

共同生活原则之自然的尊重与德谟克拉西之死灭

---

① 伊里奇:《国家与革命》,《马克思主义文库》第十九卷,德国版,第87页。

依据这个论纲说来,德谟克拉西之所以死灭,是因为人类习惯于尊重共同生活底根本原则,并且这种习惯,是在普罗列达里亚德谟克拉西底特殊发展过程上自行构成的。所以我们可以说起这两个过程底平行性。伊里奇在这书(《国家与革命》)底其他处所这样说着——

　　因为,如果一切人们可以自主地指导社会的生产并且实际上指导它,如果寄生者、老爷底儿子、诈欺者以及类似的"资本主义底传统底保护者"底登录与统制,自主地实现出来,那么,由全国国民而实行的这种登录与统制底回避,就必然地变得极其困难,而构成极端稀少的例外,的确随伴着迅速的严格的处罚。……其结果,遵守一切人们的共同生活底简单的根本原则一件事底必要,就会很快地变成习惯。

　　并且,在那种时候,向着由康民尼斯谟社会底最初阶段到更高级的阶段的推移去的、同时向着国家底完全消灭去的大门,就会完全开放了。①

所以康民尼斯谟文化发生底前提,是有普罗列达里亚革命底行动而被造成的;反之,那个文化底展开与发达,是在过渡期底社会底政治的及文化的上层构造上均等进展的平行过程上被规定的。政治的上层构造底特殊发展与文化底飞跃,是互相补充、互相依存。因此,伊里奇在论及苏维埃国家机构底改善的他底晚年论文中,说到了文化问题。并且他在若干处所,直接地把这个问题——据他底言辞说——提出着。例如他说及再被组织了的劳动者与农民底监督要用怎样的方法协力于国家机构底改善一件事情。外观上,改革底客体与改革底主体,好像是同属于政治的上层构造,外观上,因而在这里好像与文化问题一般没有什么关系,但这个问题,与文化的上层构造密切地结合着,如不考虑文化的上层构造,它是不能被解决的。

伊里奇趁这个机会写着——

　　我在这里提出文化底问题。因为,在这里,只有成为文化、成为生活

① 伊里奇:《国家与革命》,《马克思主义文库》第十九卷,德国版,第100页。

样式、成为日常习惯的东西,才能够看作是被达成了的东西。可以说:社会的文物底良否,在我们中间,决没有充分地被熟考、被理解、被感知;它虽匆忙地被采入,却是未经吟味,未经试验,未经经验证实,未经确立。①

官僚的旧弊与贿赂一类的国家机关底显明的部分,不是单用政治与立法底手段所能绝灭的东西。(页边注:文化底飞跃能疗治政治上底腐败)伊里奇说:"这种疾病,不是军事的胜利与政治的改革所能疗治,只有文化的飞跃能够疗治它。"

这个问题的提起,指示我们知道:伊里奇在他底晚年底论文与演说中所倡导的文化水准底向上是如何重要,文化革命是如何迫切,普罗列达里亚底政治的及社会的革命,是已经通过了。现在,最困难的、最难于完成的革命即文化革命,成为当面的问题。这个革命之所以最困难,是因为习惯之观念的反抗最固执,最激烈。于是,提高大众底文化水准而从新教育他们的一件事,就成为问题。

于是,必须造出一种能够自行死灭并为无阶级的社会开放途径的有弹力的机关。因此,必要有两个要素。

第一,用热诚为社会主义奋斗的劳动者。这种要素,还未经充分地训练出来。……它在今日还没有达到文化发达底必要的阶段,但因为要做这层,文化是必要的。在这里,就是用嘲骂、用压迫手段、用研究和精力、用可以想到的最良的人性,都做不成什么事情。第二,知识、教化、教育底要素。这在我国,与其他一切国家相比较,是贫弱得可笑的。②

由于这件事,产生出伊里奇底训令:学习,学习,再一度学习! 这时当然要在涅灵主义上学习,即不单是由书籍去学习,而要从生活、从阶级斗争底生活、从实践底生活去学习。

---

① 《期望量少而质良的东西》,《伊里奇全集》第十八卷第二分册,俄国版,第125页。
② 《伊里奇全集》第十八卷第二分册,俄国版,第126页。

学习,其次检讨学得的东西!因为科学对于我们不终于是死的文字和流行的标语(我公然表白出来:这在我国是常常发生的),而是成为血和肉,它在充分的程度上真正成为生活样式底主要部分。

政治斗争、社会革命、政权取得、普罗列达里亚国家之武装的拥护,——这一切阶级是已经通过了。普罗列达里亚底斗争底这些要素,已是被"扬弃"着,这个意思,就是说,这些要素在今后虽依然是重要,而现时却是文化革命占据重要地位。"要点在今日是在于平和的组织的'文化事业'上"。现在列入议事日程的,不是"皮相的、被限制于布尔乔亚上的文化普及",而是由马克思主义的立场导出的数百万大众底文化水准底真实向上。 提高文化
水准底必
要

伊里奇在1920年之终已经这样写着说——"我们如今是阅历着对于比我们更有力的国际布尔乔亚的斗争底历史的瞬间。在那样的时期中,我们拥护革命的建设,并且用军事的手段、用更广大程度上的观念的手段、用教育底手段。同时又用劳动者阶级为政治的自由奋斗数十年得到的习惯风俗及确信,去与布尔乔亚斗争;这些习惯风俗及观念底总量,必须被当作教育一切勤劳者的工具去利用。"①

但习惯风俗及观念底总和,据伊里奇说来,是广义的文化。这一点,我们本章底前面已经说过了。把这些习惯风俗及观念,拿来和康民尼斯谟调和起来,这便是"文化革命"底最大的任务。伊里奇当论究合作社底问题时,基于特别的理由,曾说过我们只有一件应该做的事,即是应该把人民"开化"起来,使他们理解一般的合作社组织的长处。 文化革命
底最大的
任务

我们今日为着行向社会主义,不需要其他的学识。但为要"单只"实行这件事,必要有民众全体底文化的发达底全变革、全时期。

---

① 《伊里奇全集》第十八卷第二分册,俄国版,第180页。

当我们进到这种历史上唯一正确的方向时,我们又遇到文化革命底必要。没有文化革命,康民尼斯谟是不可能的。(页边注:没有文化,革命康民尼斯谟是不可能的)布尔乔亚社会革命,为资本主义社会与布尔乔亚国家开辟途径;普罗列达里亚革命,为过渡期底社会与暂时的普罗列达里亚国家开辟途径。和这一样,现时勤劳者底文化革命,由社会革命出发,并依据于它,为康民尼斯谟社会与那个社会底无阶级的"真正的"、"实际的"文化,开辟途径。

文化革命
之历史的
辩证法

在具有不充分的文化的一个国家中,要建设康民尼斯谟,是没有什么意味的。和这一样,勤劳者在取得政权以前,他们要求文化革命,也是无意味的。但取得了政权以后,他们就遇到文化革命底必要。这是历史底辩证法。文化革命底实行,如我们屡次说过的一样,是伴随着异常的困难的。伊里奇虽然充分地理解了这一层,但他并未曾忘却这是最后的困难。

文化革命
是最后的
困难工作

为要使我们当作一个完全的社会主义的国家存立着,现在只要实行文化革命便充分了;但文化革命,在纯文的方面(因为我们是无学者),在物质的方面(因为文化以物质的生产手段底某种程度底发展,某种物质的基础为前提),对于我们,都伴随着非常的困难。①

伊里奇这种包括的论纲底最后的文句,是论究文化的上层构造底、因而又是文化革命底物质基础的。

与文化革
命相结合
的种种要
素

这种物质的基础,第一是当作国有化了的国家的工业被给与着。在生产诸关系底领域中,它是由过渡期社会底两个主要阶级即劳动者与农民底同盟被给与着。他们底政治手段,是依从马克思主义、涅灵主义底原则指导的共产党所实行的普罗列达里亚底狄克推多。这一切的要素,必须与文化革命相结合,而更增发展,以引出康民尼斯谟制度与康民尼斯谟文化。

---

① 《关于合作社》,《伊里奇全集》第十八卷,俄国版,第145页。

政治经济学教程[*]

（1932.6—1933.2）

---

　　* 《政治经济学教程》由苏联拉比托斯和渥斯特罗维查诺夫合著，原书名为《经济学——商品　资本主义经济的理论及苏维埃经济的理论纲要》，李达和熊得山根据其1931年第6版的日译本译成中文。原书分上、下两册，上册说明资本主义经济的法则，下册说明苏维埃经济的理论，李、熊所译的是原书的上册。中译本亦分上、下两册，分别于1932年6月和1933年2月由笔耕堂书店出版，并于1933年9月再版，1936年4月出版第3版，各版内容相同。——编者注

译者例言

本书是拉比托斯与渥斯特罗维查诺夫两人合著的,原名为《经济学——商品　资本主义经济的理论及苏维埃经济的理论纲要》。我们是根据本书1931年第六版翻译的。

本书第六版,不但与第一版(曾有中译本)不同,并且与1929年的第五版也不同。据原序中的说明,本书截至第五版止,都不能完全免除鲁宾派的影响,以致冒犯少数派观念论的错误。这些错误,在第六版当中被清算,被纠正;严格的辩证法唯物论的立场,正确地考察了经济学的诸问题,正确地解决了生产力与生产关系的问题。本书实可说是现阶段的唯一的科学的经济学。

至关于说明的体系,从前是把苏维埃经济理论与资本主义经济理论对照说明的,但到第六版,却分为上下两册,上册说明资本主义经济的法则,下册说明苏维埃经济的理论。所以在叙述的形式上,面目也完全更新了。我们现在所译成的,就是原著的上册。惭愧得很,我们都不懂俄文,所以只能从日译本重译。日译本中,也有意义不甚明晰的,也有附着"×""×"的,在这种处所,译者不免有暗中摸索之嫌。总之,全部译文中,译者不敢说没有错处,兹特以十分诚意,欢迎读者叱正。

绪　　论

第一节　生产及生产关系的一般概念

我们着手研究经济学,首先要把经济学的对象是什么这一层,作一个大概的规定。

经济学,首先是社会科学,就是说,这种科学,是研究那在社会的共同劳动及共同生活上发生的人与人的关系的。这就是经济学和别的一些科学所以不同的地方,因为别的科学,只研究无机自然界或动植物界,或各个人的生命现象,并不研究人与人的社会关系。

社会关系上发生的人与人的关联,具有怎样伟大的意义,这是谁都知道的。实际上,就是原始的发展阶段,人类也不能离社会而生活。"人是社会的动物",这句话有十分的理由。

但是,人类的社会关系,非常复杂。这中间,有基于各阶级及其政党间的斗争而生的政治关系,有基于人与人的文化交通而生的各种关系,还有其他一列的各种关系。然则经济学是研究一切社会关系的么? 不是! 它所研究的不是一切的社会关系。经济学的目的,是研究那基于物质的生产发生的社会的人与人间的关系,即所谓生产关系。现在来说明这句话的意义。

人类社会要能够存在,就必须满足许多欲求。可是满足欲求的必需品,在照原样被使用的形式上,直接在自然中立刻找到的事情,是很少的。

通常,要用多大的劳动,从自然取得材料,施以某种加工后,才能满足欲求。

如没有对自然的斗争,没有为了取得必要的物资与加工而实行的社会活动,就是说,如没有劳动,社会的存续就不能想象。

但是,我们还要把人类的社会劳动的特性,深入地研究一番。

人和别的人们共同劳动时,决不是一双空手和自然斗争的。究竟是怎样办的呢? 他身体的自然器官,在做这种斗争时,便运用那强有力的"人工器官"即生产工具。

人类社会不是照已经做成了的形式,从自然中得来这些器具的,而是自己制造那些器具的,只有原始人,拿着从自然中发见的那种已成的器具(如石、棒等)去劳动,至于近代社会,却是用自己所造的机器工作的。

人类和别的动物不同,他用人工的器具和自然斗争,不仅使自己适应于自然,并且积极地、意识地,使自然适应于自己。他征服自然力,使它供自己的利益之用。

人类社会逐渐征服自然,并且积极地使自然适应于自己,又顺应其发展,变更和自然斗争的方法。从原始的器具,转移到复杂的器具。随着生产要具的发展与改良,生产过程中,人类的(劳动力的)机能也起变化,劳动对象即生产过程上可被加工的材料,也因而变化。

这样,我们在人类社会对自然的斗争上,看到除人类自身之外,还有人类在社会的劳动过程上创造并运用的生产工具参加着,借这些要具的力量,人类对于一定的材料即劳动对象,施行加工,用以获得充足人类欲望的必要生产物。

如没有这一切的要素,就是说,如没有劳动力,生产工具及生产手段,劳动对象①,人类社会的生产活动,就不能想象。

要社会能和自然斗争,这些要素,便不能互相分离而无关系的存在着。它们非互相结合不可。在劳动力结合生产工具及生产手段而运用它的时候,生产过程才开始。

劳动力、生产工具及生产手段、劳动对象,结合为一而参加人类社会对自然的斗争,它们因以形成一定发展阶段上的社会生产力。

但是,为了把这一切要素在实际结合为一而开始发挥其机能,人类就不仅和自然结成关系,他们相互间也不能不结成关系。

---

① 劳动对象,就是广义的"生产手段"的概念之一构成部分。

马克思说:"人们在生产时,不仅对自然起作用,相互间也起作用。他们只有共同劳动,并互相交换其活动,才能生产。他们要生产,就要结成一定的关系,只有在这种社会关系的范围内,他们才能作用于自然,才能生产。"①

一切的生产过程,首先就要预想那分配于人们之间的生产工具及生产手段,即是要预想某种财产关系。例如资本主义社会,生产工具及生产手段,被资本家阶级所独占,劳动者的那些东西全被剥夺,仅仅只有自己的劳动力。手工业者,与劳动者不同,他不仅有自己的劳动力,还有自己的生产工具,至于封建社会的农民,虽有基本的生产工具,但他所视为最重要的劳动对象即土地,却被剥夺去了。这种土地,是领主占有着。

人类对于生产工具及生产手段的关系,决定他们在一定的生产体系上所占的位置,决定各个生产要素由此互相结合的形式。

例如被夺去了生产工具及生产手段的劳动者,就不得已地要卖自己的劳动力于资本家,资本家因为所有着这些手段,就把劳动者放在榨取之下,向他的劳动抽头。

这样,一方的生产工具和生产手段,他方的劳动力,在资本主义社会中,要在资本阶级与劳动阶级互相结合的特殊社会关系的基础上,才能结合起来。

人类社会的各发展阶段,以它们各自所特有的生产过程上人类的特殊社会关系为特征,以人类与生产工具及生产手段的特殊结合方式为特征。

在共同生产(及生产物分配)的基础上,人们之间在社会上发生的关系,即是所谓生产关系。

人类若不互相投入生产关系,生产力的各个要素,就只是散乱物的单纯堆积。

要达到了生产关系的框子里,劳动力、生产工具及生产手段,才从一个一个的东西,转变为劳动的社会的生产力。

生产力随着社会的发展而变化,这在前面已经说过。同时,人类的生产关系也发展、变化。

关于这一点,马克曾说:"社会的生产关系,和物质的生产手段,生产力的

---

① 马克思:《工钱劳动与资本》。

变化与发展,同时变化。"①

　　生产关系所以常因时间与场所而不同的原因,就在这里。例如手工业者有着自己所私有的器具、资本主义秩序下的劳动者,拿着资本家所有的器具劳动,这在前面已经说过,因之,两种情形下的生产工具的分配是不同的。人们把做成了的生产物分配于相互间的方式,正和这一样,有种种不同。例如原始社会,种族的手中所造的一切生产物,是直接充种族全体使用的。比如大家捕得的野兽,就在那里一起吃掉。在手工业者所构成的经济中,只有生产者(即手工业者自己)成为劳动生产物的所有主;在资本主义生产形式之下,生产物的所有主,并不是做出它来的劳动者而是资本家。农民通常吃着自己造出来的谷物,反之,劳动者是把领受的工钱,拿到市场去交换谷物与其他生活必需品的。

　　生产关系的特殊类型,特殊的社会经济的构造,是照应于生产力的各个发展阶段——某种阶段是显著的,某种阶段却不那样显著的。

　　离开此种经济的构造,就是说,假若没有一定的社会所特有的生产关系上人类间的关系,那就人类对自然的活动,总是不可能,社会生产力的发展,总是不可能,这是已经观察了的事实,生产力和生产关系,总不是能够散乱的存立的东西,两者在现实上,构成那具有单一的物质生产过程之内的关联的两个"要素"。这时候,生产力就是这种过程的内容,生产关系就是生产力在它的框子内发展的社会形式。

　　如后面所见,资本主义的生产关系(资本主义社会的"经济构造"),是已在封建社会的胎内发展着的生产力成长之结果的表现,但它既已一旦发生,就对于生产力往后的发展,构成必要的条件。资本主义社会现存的商品所有者间的竞争,阶级利害的诸矛盾使资本家不由得不发展社会生产力。

　　又如后面所见,资本主义社会的生产力,在资本主义的生产关系框子内发展着,一旦达到某种发展阶段,那么,今日以前曾经助长它发展的生产关系,现在却已经和它不相适应,而成为这些生产力往后发展的止轮机。生产力与其社会的发展形式,于是发生矛盾。这种矛盾的表现,就是阶级矛盾与阶级斗争

---

　　①　马克思:《工钱劳动与资本》。

的生长。成为阶级斗争的生长而表现的生产力和生产关系间所生的矛盾的激化,早晚必然招致社会革命,打破那不适应于生产力之新发展阶段的资本主义经济构造,同时产生新的社会主义经济的构造,构成生产力往后发展所很必要的诸条件。

生产关系的某种类型,基于生产力的某种发展阶段而发生,助长它往后的发展,但生产力一发展到旧生产关系的框子容不下的时候,就改装成别的类型。

生产关系的新类型,在生产力的发展,还没有到生产关系的框子容不下的当中,是助成生产力发展的。一旦容不下,最后此等生产关系便灭亡,由更发展的生产关系所代替。

所以,研究生产关系的经济学,是处理不绝的变化发展的对象的。它研究生产关系的"运动法则",生产关系的各个类型的发生与发展的原理,它们的不可避免地灭亡与转变为更高度形态的原理。

"把一定的历史所规定的社会生产关系,在其发生、发展,及没落上去研究"①,这就是伊里奇所规定的经济学的使命。

前面说过,一定的生产关系、它的经济的构造,就是社会生产力在其中发展的社会形式。由此便生出一个结论来:经济学,研究生产关系的发展法则,因而,研究生产力发展的社会形态。

经济学,定要指示如下的事实:在社会生产力的某种发展水准上发生的生产关系的一定类型,如何成为这些生产力往后的发展形态? 如何"物质的生产力,在其某种发展阶段上,与现存的生产关系相矛盾"? 如何"这些生产关系,由生产力的发展形态而变为它们的桎梏"②? 如何这种矛盾,必然招致社会革命,而至于一种经济构造归于灭亡,别的经济构造起而代替?

　　生产力与生产关系,在经济学上占何种地位? 关于这一点,最近在我们经济学界,酿成了非常激烈的争论,这种争论,发端于少数派的鲁宾著

---

① 伊里奇:《卡尔马克思》。
② 马克思:《经济学批判序说》。

作。他站在反马克思主义的有害于无产阶级的见地上，用他的唯心论的理论，努力于把马克思主义经济学者的理论的考察，从现在的紧急问题上去反对。他在所谓经济学对象的问题上，拜倒于资本家经济学者的石榴裙下，固守着所谓经济学只研究生产关系而应该"舍象"生产力的见地。

这时候，他把生产力，解做本质上被剥夺了一切社会的内容的某种物质的技术东西，把生产关系从物质的生产过程中分离出来，使他归着到交换与法律关系上。

他所以说及一些生产力与生产关系的"关联"的，只不过为了掩饰自己的唯心论的见地而已。因为他所说的"关联"，全是外的东西。

但是，他的见地，偏受着那些不能把握其反革命本质的一些马克思主义经济学者的拥护，殊堪浩叹！

就是本书著者的本身，从前也因为不能避免他的影响，在前几版中，不仅没有暴露他的见解的本质，而且重复了他的许多误谬。在从前第五版中，我们论经济学的对象时，曾提出了如下的问题，研究生产力，"不是经济学的目的，而是为了理解生产关系的一个手段"。这里，本质上便是重复鲁宾的误谬。何以见得？因为把生产关系的研究（经济学的目的），和生产力的研究（手段）对抗起来了，可是实际上，经济学是由于研究生产关系，便同时研究生产力的发展形态，把生产的内容与其社会的形式之间所生的矛盾，弄个明白。所以不能把生产力的发展法则，和生产关系的发展法则，对立起来。

对于鲁宾唯心论的驳难攻击，今日虽已平息，但是，当时参加这一工作的一些经济学者，却犯了许多粗暴的机械论的谬误，这是必须指摘出来的。鲁宾固然是把生产关系和生产力分开来了，而批评他们的同志们，确也没有理解生产关系与生产力的深刻的内的统一。他们向着鲁宾绕圈子，拿出所谓经济学在生产关系以外也研究生产力的那种命题来。他们也没有理解经济学因研究生产关系的发展法则也研究生产力的社会发展形态这一事实，他们也和鲁宾一样，把生产力看得和生产关系不同，他是某种技术的、物质的、离开人类自身的社会关系内各自独立存在的某种东西。

最后要说的是：能够指摘鲁宾的见解之少数的，普罗列塔罗亚的本质的更详细的具体分析，那只有等到卷床①论经济学的方法时去做。那时，我们把那在论战时攻击鲁宾的一些同志们所犯的机械论的误谬，和我们自己所犯的误谬，更绵密地研究一番。

第二节 广义经济学与狭义经济学（研究商品即资本主义经济的发生、发展及消灭的法则之狭义经济学）

上面说过，生产关系是不断地变化、发展的。某种经济的构造，始而发展，继而不可避免地消灭，终则为别的经济构造所代替。这时候，生产关系的各类型（各个经济构造），各有本质上不同于其他经济构造的独具的特征。例如资本主义社会，是依那完全与原始社会不同的法则发展的。恩格斯说："在使用弓矢与石斧、很少结成交易关系的野蛮人的国家，和使用几千马力的蒸汽机关、纺织机器、铁路及英格兰银行之类的交易机关的国家，中间隔着一条鸿沟。如果人既不知道大量生产，也不知道世界市场，也不知道空票据与交易所的恐慌。"②

所以，我们不能说经济学，是以发见对于任何经济构造都共通的某种法则为主眼的学问。恩格斯说："如果有人想把佛果岛的经济，和现代英国的经济，放在同一的法则之下，那就可以知道他是除了愚笨的庸俗的事情以外，什么都不会阐明的。"③

但是，资本家的经济学者，因为阶级的利害，以保持资本主义的秩序为有利，不想去认识各个经济构造的历史性（就是它们的发展、死亡以及推移到别的构造上去），而且也不能认识它，他们拼命地企图发见一切时代的生产关系所共通的一种永久法则，换句话说，他们实际上，抹杀各个构造间的差异，不能明白各个的特征。

---

① "卷床"疑为排印错误。——编者注
② 恩格斯：《反杜林论》。
③ 恩格斯：《反杜林论》。

唯一科学的经济学即马克思主义经济学,是以研究不同的经济构造之固有性为任务的。它首先就是把一定的构造所固有的特殊法则,弄个明白。照伊里奇的话说,就是规定"关于不同的社会的经济构造,及各构造的根本形相的基础概念"①,而且因为把各个经济构造的特征弄明白,不能不指示它们的互相关联及互相转变。

广义经济学,在研究各个经济构造的根本形相时,不是单限于某一个经济构造的,这是我们已经见到的事情。

经济学,决不抹杀各个构造的境界,也不蔑视差别,它的研究范围,包含着人类社会相异的发展阶级之生产关系的特殊法则性。就是说,它也把封建经济的生产关系的发展法则作研究对象,也把资本主义经济的、共产主义经济的生产关系的发展法则作研究对象。

研究一切经济构造的"根本形相",它们的发展、死亡及交互转变的诸法则的经济学,就是所谓的广义经济学。

照恩格斯的定义说:"广义经济学,就是关于人类诸社会的生产及生产物交换的诸条件与诸形式的学问。"②(这里所说的人类诸社会,就是诸经济构造的社会之意)

以研究社会诸发展阶段上人与人的生产关系之发展法则为任务的经济学,到最近,专门集中它的注意于一个经济构造,即是专门注意商品——资本主义的构造。

恩格斯当时写的话是:"今日经济学所给与我们的,殆只限于资本主义生产方法的发生及发展。"③

专只研究商品——资本主义经济的发生、发展、死亡的法则之经济学,就是狭义经济学。

这种狭义经济学,并不是完全离开广义经济学而存立的一种科学,乃是广义经济学的一个构成部分。

但是,这里要发生如下的疑问:为什么最近经济学,在一切社会构造中,主

---

① 《伊里奇全集》第二版第二卷。

② 恩格斯:《反杜林论》。

③ 恩格斯:《反杜林论》。

要的只研究商品——资本主义社会呢？

回答这一点，并不困难。

连经济学也包含在内的一切科学，都是在一定社会的诸条件之下发生的，而且是由于一定的阶级之实际的必要而发生的。

成为一种学问的经济学，在资本主义社会内产生而且发展了。马克思、伊里奇的普罗列达里亚经济学，是在那企图颠覆资本主义秩序的普罗列达里亚与布尔乔亚的斗争场里，生长起来的。

马克思——伊里奇主义，通常不把学术的理论，看作自己的目的，而把它看作"对行动的指导原理"。马克思、伊里奇的经济学，最先注意的一点，就是商品——资本主义社会的生产关系的发生、发展及死亡的诸法则。因为知道了这些法则，普罗列达里亚在颠覆资本主义秩序的斗争上，就握着有力的武器。

研究资本主义的诸法则，才确信社会主义的必然性，能够指示普罗列达里亚革命的进路。就是在筑成了社会主义经济基础的苏联，从事于商品——资本主义经济的诸法则的研究，对于普罗列达里亚，仍不失其伟大的实践意义。因为苏联一方在资本主义各国的包围之中，同时国内为了肃清资本主义的诸要素，把几百万小商品的农民经济，改造成社会主义的大生产，还要无产阶级完成很大的工作，如果不知道商品——资本主义经济的诸法则，那就这种任务的遂行将不可能，这是不言而喻的。

第三节　经济学与苏维埃经济的理论

关于人类诸社会的生产关系之发展法则的学问——广义经济学，不能单限于一个经济构造的范围，这是我们已经观察过了的。马克思主义经济学，所以至今主要的是悉心研究商品——资本主义经济的发生、发展及死亡的诸法则的，就是因为它是在资本主义社会的诸条件上，并且是在普罗列达里亚进行颠覆资本主义社会的斗争场里，产生与生长起来的。

在和布尔乔亚斗争中，普罗列达里亚建立了占地球 1/6 的国家，在这个国家内，已经很痛快地打倒了布尔乔亚的权力。已经争取了支配权的普罗列达里亚，在苏联国家内，进行着新社会即社会主义社会的建设。

　　既然苏维埃经济发生了,那就普罗列达里亚的经济学,再不能仅注意于商品——资本主义经济的诸法则,因为只有在我们的经济运动法则的深刻研究的基础上,普罗列达里亚才能把社会主义推到成功的道上。

　　苏维埃经济的特征,就在于它是资本主义经济到社会主义经济的过渡。虽说苏维埃经济中,结合着种种经济形态——自然经济,单纯商品及资本主义的诸关系、社会主义的诸关系①,但是其中处于指导地位的、如今成为统治者的东西,确是日益发展与巩固的社会主义的诸关系。

　　苏联国内的社会主义诸关系的生长,不可避免地要遇着资本主义要素的顽强抵抗,两者间经过激烈的斗争而资本主义要素灭亡。

　　现在我们的经济,因为社会主义要素的生长,已经进到新的高度发展的阶段,即社会主义的总攻击时期——社会主义时代。

　　日益增加与生长的社会主义诸关系如何比资本主义诸关系优越,这表现为社会主义的工业的显著发展、表现为对劳动的新刺激(社会主义竞赛、冲锋主义)。

　　工业上的社会主义要素战胜资本主义要素的问题,"根本上,已经对社会主义工业作了有利的解决"。农业方面,贫农与中农,在普罗列达里亚的指导下,完全走上集体化的道路,同时,成为一个阶级的富农,和这相关联的迅急走着消灭的道路。

　　社会主义的要素,已经十分成熟,社会主义的计划,正把全体国民经济,放在它的指导下。就是说:我们对于"社会主义的建设、阶级矛盾的消灭,前途虽还遥远……确已达到社会主义时期"。

　　对于我们的经济上所显现的一切复杂过程,若不考察它的特殊法则,是不能理解的。

　　这些法则的研究——苏维埃经济理论的研究,是有伟大的革命的实践之意义的,这就是我们为了社会主义建设而斗争的锐利武器。

　　史丹林说:"理论对于实践者给以指南针,给以明了的透察,给以运动的信念,给以胜利的确信"。

---

　　①　这些关系,互相不同之点,俟后详细考察。

所以,我们在经济学研究上,不是局限于商品——资本主义经济的发展法则的,对于苏维埃经济的理论也要研究。但是,苏维埃经济,是资本主义在苏联国内消灭的结果所产生的,所以我们先研究商品——资本主义经济,再移到苏维埃经济上去。

这里,有不能不说的一句话:至今大多数马克思主义经济学者(著者也曾是其中的一个),在主张用经济学研究商品——资本主义经济的必要当中,曾引出错误的结论,以为经济学一般的只能研究商品——资本主义经济,至于其余的社会构造,那不是他的研究对象。

一经站在否定广义经济学的必要的见地上,就要达到我们苏维埃经济不是经济学的研究对象的结论。因为我们的经济中占统治地位的,不是资本主义的关系,而是社会主义的关系。甚至于有种经济学者,简直力说苏维埃经济一般不是理论的研究对象。

这样否定苏维埃经济的理论研究的必要,不过挑起我们的阶级战而已。

要把我国的社会主义建设,展开到成功之上,那就要研究深深我们经济的特殊法则性,这刚才说过的。

马克思主义经济学者,把问题只限于资本广义经济的理论(并且是脱离实际生活的抽象问题),这就是史丹林在1929年12月马克思主义农业家会议上的演讲中,所述的理论与革命的实践之隔离的最主要的原因之一。

少数派的鲁宾,在其理论上,挑起阶级战,因而把马克思主义经济学者的注意,引起逃避现在的诸问题,同样,把经济学的范围,限在商品——资本主义经济上,这不是偶然的事。鲁宾在这种问题上,也和他在别的许多问题上一样,只是把他的前辈喜佛丁(德国社会法西斯的代表理论家)、鲍威(奥大利社会法西斯的理论家的指导者)之类的西欧社会法西斯的代表者们的意见,拿来重复一遍,加以发展而已。

同一重要的,就是布哈林在他的许多著作上,想替那些把经济学限于资本主义范围的见解,造成一个基础。这些见解,是与我们在后面所要考察批评的他的机械论的思想,有非常之深的关系的。

　　明白的论述广义经济学的马克思、恩格斯及伊里奇,曾说经济学的范围,决不仅限于商品——资本主义经济,像喜佛丁、鲍威、鲁宾(布哈林也是一样),在广狭二义的经济学问题上所站的立场,是想直接修正马克思、恩格斯及伊里奇之理论的见解的(布哈林关于这个问题的见解,伊里奇在布哈林著《转形期经济学》一书内所加的注释上,曾作激烈的批评。——《伊里奇全集》第十一卷)。

　　这种修正,在以树立正确的苏维埃经济理论为马克思主义经济学者的战斗任务的今日,是非常危险的、不可容许的现象。

第四节　商品经济与其特征

　　一不把经济一般单只限定于商品——资本主义经济范围的事,放在心头,就要先从商品——资本主义经济开始研究,即先研究狭义经济学。

　　在研究这种经济形态的发生、发展及死亡的诸法则之前,我们首先就要把它所由区别于其他一切经济形态的商品经济一般的特征及法则性,指示出来。

　　商品经济所固有的特征,到底是什么? 那就是:这个经济与别的不同,他是自然发生的、无政府的经济。

　　这里来把它的意义说明一下。

　　无论什么社会,人类要劳动,就要互相结成一定的生产关系。总之,当他们各自分任工作时,劳动力就要和劳动工具及生产手段结合,生产物就要分配。

　　假定有这样的社会:这一切都是由人们的意识的决定所施行的。例如拿前面捕野兽为生的一群原始种族来看。这里,谁委任指挥者? 如何决定谁看守住处,谁埋伏着,谁驱逐野兽的呢? 明明白白,这一切都是由人们的意识的意志所决定的。但是,若说他们的工作,全是照预定计划实行,那当然不是事实。人类方面,还有出乎意外的事情。有时他们选出的指挥者死了,有时他们的工作失败了。可是,若有选举新头目,或变更各人的任务的必要,那恐怕还是由意识的决定去实行的。即:此时,人们有意识地计算其必要,有意识地进行充足他们。就这种意义说,可以说他们的经济,是有计划的经济(我们说到原始经济的计划时,不能忘掉他的计划是极幼稚的事实)。

再看那在自己的家内,满足一切的必要,和别的经济完全不结交换关系的自然的农民经济,也完全是一样。这里,家属各员所应做的工作,家属在土地上所应播的种子,应该贮藏的生产物的数量及种类等等,都是家长有意识的决定的,经济指导者,计算了他的家属的必需后,就开始工作。

严格意义上的计划经济,我们正在苏联建筑它的基础,这恐怕就是未来的共产主义社会的经济吧!在共产主义社会,所有的人员,为了满足自己的必要,互相保持联络而服务于共同劳动;在这一经济团体的意志表现者——指导机关的指导下,依照一定的计划做工作。这种机关,预计共产主义社会的人员的必需,根据他来分配工作于各个经济部门及各个企业。同样,劳动工具和原料,也是计划的分配于各企业之间,既无所谓交换,也无所谓买卖。半制品——还没有完成的生产物——也是一样,把他们送到精制部门的企业中去。再就是既成品,运到公共店铺中,由那里直接应社会人员的必要而分配给他们。这里,必要与生产,也是由于计划的组织、意识的指导,完全相适应的。

在商品经济方面,式样就完全不同了。

在商品经济方面,人们不是直接为满足自己的必要而生产的,乃是为了到市场去交换他所必要的生产物而生产的。这里,农民的生产谷物,已不只是为了自己要吃,而是为了卖掉他们去买犁锄、布匹、针钉、蜡烛,等等。因此,劳动生产物变为商品,它的所有者,若不是拿它去交换别的商品,是不把它让与别人的。

在自然经济的时代,农民当其从事生产谷物而决定应该播种的种类与分量时,他是以自己和家属的消费为目标的,现在是以什么为目标来决定的呢?明明白白,他不能不计及将来拿到市场去,可以交换必要额的别种商品,照这样去生产。

但是,别人究竟能把自己的谷物买多少?能够拿谷物换得多少别的商品?别的农人生产多少谷物去卖?这都是不能预先计算到的。基于商品交换的社会,是从那属于个人所有的许多个别的经济成立的,它们各自追求自己一方面的利益,任意的行动,各自朝着自己随意的方向走,要把这些无数的所有者的行动,弄成一致,那完全是不可能的事。

卖手想尽可能的多的代价到手中来,买手又竭力地想便宜买到手。但是,一部分的商品所有者的行动,是受别的商品所有者抵抗的,结果(借恩格斯的话说),就产生"谁也没有欲求的某种东西",就是说,他们所生产的商品之间的交换比率,是在市场里成立的,与各个人的意志及愿望,没有关系。商品一生产之后,就渐渐在市场成立自然发生的交换比率,商品生产者,就适应这种交换比率,把劳动力向着社会生产的各种部门。

但是,整个商品经济的无政府性、自然发生性,正是从这里来的。

现在假定谷物在市场遇着其他商品的结果,对于谷物生产者的农民,是非常有利的交换比率。那么,看见生产谷物有利的农民,来年就要更多地播种一些,这是显然的事。可是,别的农民,也许同样下这种决心。结果,来年生产的谷物,该是过剩了吧! 然而知道过剩,是在谷物生产终结而到市场遇着别的商品之后。如果谷物的生产过剩,那就要廉价卖掉,于是再来年的谷物,显然又要减少了。然而就是在这种场合,也不能把谷物的减少,适宜的在各个经济部门间的正确比率所必要的境界线上停止着。这就是因为各商品生产者,在减少(或增加)某种商品生产上,在移向别的商品生产上,都是不得已地作盲目行动的。因为他们不知道别的社会人员,生产什么商品与什么数量。总之,农民要看见生产的谷物价格,已经低落到某种地步,以至谷物呈现不足时,然后才不减少谷物的生产。

因此,基于商品生产的经济,是表现不断的振动的,即是表现劳动不断地从一部门到别部门的流出与流入。在这里,自然力和无政府性支配着。

虽然商品经济是自然发生的、无政府的,却不能说它不受何等法则所支配。实际上,这种经济既已存立着,发展着,那还是表现得在这里也有用某种方法,统制人与人的劳动关系的某种法则存在着。

恩格斯说:"商品生产,也有它所固有而与他分离不开的独特法则。哪怕这种法则是无政府的,它也是在无政府状态之内,而且通过无政府状态来贯彻自己的。"[1]

---

① 　恩格斯:《反杜林格论》。

这里,各个经济部门间的必要的劳动分配之比例,通常不断地偏向与振动而保持着。即是无论如何,都统治着人与人的生产关系。但是,这不是由于意识的决定,而是自然发生的被统制着。

商品经济的诸法则,带着盲目的性质,以一个自然力而与人类的意志及意识无关系的起着作用,"正如那种自然法则,可不抗地、盲目地"①作用着。

商品经济的最大特征,正是商品经济的法则性所具有的如下的性质:人们在它的下面,"失掉对于自己所具有的社会关系的支配权"②,就是说,在它的下面,不能拿对于生产及分配过程的直接的意识的指导,来统制自己的诸关系。这种特征,就是把这种经济从其他一切的经济形态——原始共产主义的、封建的乃至未来的共产主义的形态中,划然分别出来的界线。

第五节 单纯商品经济与资本主义商品经济

前面我们在考察商品经济的法则性之特性中,对商品经济的一般,即是对那些基于商品的生产与交换的一切经济所固有的诸形相,已经论述过了。

但是,实际上,商品经济在其发展上,是经过几个阶段的,这一个一个的阶段,各有自己的特征。

商品经济发展的第一阶段,是单纯商品经济,它达到更发展更成熟的形态,就是资本主义的商品经济。

商品经济的这两种形态,究竟在哪一点上不同,这个问题且让以后详细研究。

这里单指出:在单纯商品经济方面,生产手段属于生产者自己,因之生产者就是他自己所生产的商品的主人。例如手工业者的鞋工,有自己的器具,自己的钉子和麻线,自己买皮革等等来做。他所制造的鞋子,在定货人没有给完鞋价以前,鞋子是他的。他的目的,在于把制造出来的鞋子,交换那满足他的欲望所必要的各种资料。当然,卖鞋来的钱,是拿一部分去买新的器具与材料

---

① 恩格斯:《反杜林格论》。

② 恩格斯:《反杜林格论》。

等等的。他为了满足自己的必要,仍要继续地生产。

在资本主义经济方面,事情就完全不同了。

商品经济这种形态所作为特征的,不仅是人们为了在市场交换而生产商品的一个事实,并且商品生产者的劳力分子,被剥夺了生产工具及生产手段,这些东西完全归资本家所有,那自己不能使用自己的劳动力的劳动者,为了不饿死起见,不能不出卖劳动力于资本家。这个事实,正是商品经济形态的特征。劳动者在资本家的企业中受榨取,勤苦的生产生产物——商品,然而它已经不归生产者的劳动者所有,而是归雇用他的"主人"——资本家所有了。

资本家把劳动者所生产的商品,在市场上去卖,他并不是为了维持自己的生活(像单纯商品经济上,商品生产者的行动一样),而是为了获得利润。

单纯商品经济及资本主义经济,与其他经济不同的特征的表征,就根本上说,就是上面讲的那些。

单纯商品经济,就和前面所说的一样,是商品经济一般的初期发展阶段,在这种阶段上,商品经济所特有的诸法则,还没有完全表现,即是还没有在展开的形式上表现,可说还在未熟的萌芽状态上。

资本主义社会,就是商品经济的更发展的"成熟"了的形态,因此,商品经济一般所特有的诸法则,正在资本主义经济中,以极度"成熟",极度完成的形式表现着。

今日苏联以外的国家,都是资本主义的经济形态,都成为商品经济的支配形态;在这种形态的胎内,正产生那促使商品经济灭亡,代以新的社会主义生产类型的种种力量。

惟其如此,所以狭义经济学正研究商品经济的诸法则时,以研究它的最成熟形态——资本主义形态为根本任务。

虽说这样,却不能说狭义经济学,是直接从资本主义经济开始的。问题恰恰相反。既然单纯商品经济,在人类社会的发展上,历史的事实证明它是资本主义的商品经济的先导,而且资本主义的生产关系,表现为单纯商品经济的诸关系的发展之成果,那么,经济学,也应该以单纯商品经济为始,然后移到资本主义的商品经济上去。

我们在研究商品——资本主义经济与继之而起的苏维埃经济的诸法则

时,所要放在前面说一下的,大概就是以上的话。

最后还要说一说的,就是:经济学,是触到近代社会诸阶级的极活的现实利害的,所以,在它的理论的结论及纲领上,阶级的见解表现得极充分。我们从劳动阶级的武器这种见地上,来研究经济学。然而这决不是想拿事实来迁就我们的愿望而曲解它的意义。

普罗列达里亚,在近代社会中,是要客观地观察社会发展法则的唯一阶级。

想保持自己占着支配地位的资本主义社会的布尔乔亚,为阶级的利益所左右,曲解资本主义的发展法则,辩护资本主义,同时,想把资本主义描写成唯一合理的社会秩序。普罗列达里亚是不赞扬资本主义的,因为他们不以保持资本主义为利益。他们又不和那些因为资本主义的成长,被夺去他的小财产的小布尔乔亚的代表者们一样,害怕资本主义的发展,因为他们看到后来,资本主义的发展,将不可避免地引起自己的灭亡与普罗列达里亚的抬头。

对于未来抱着胜利,为自己的利益而斗争,同时,拥护全人类利益的新兴阶级——普罗列达里亚,要求对现实诸法则作极完全的客观的认识。因为他们只有研究这些法则,才能树立自己的政策以及对支配阶级的革命斗争,用以缩短新社会的"临产的苦痛",而且促进新社会的出生。普罗列达里亚的利害,根本和贪婪无厌的资本家的利害不同,但是,和社会发展的客观进行以及正确的被理解的全人类的利害,确非常一致。

惟其如此,马克思、恩格斯所创造,伊里奇所发展的普罗列塔里亚经济学,正是唯一科学的经济学。

第 一 篇

价 值 论

第一章　商品经济的诸矛盾之一般的特征

第一节　商品经济的生产之社会的性质——生产的社会性质与占有的个人形式之矛盾

商品经济，由无数的小企业所形成。在商品经济中，人们因他们所选择的职业而生产种类繁多的商品。如果想到有一年上头专做鞋子的鞋铺，那就也有专缝衣服的缝工，也有专烤面包的面包店。制造某种生产物的各个企业，在这里，是成为个人的私有财产的；它的主人翁，拿自己的一种考察来左右这个企业。乍看起来，好似离开别的经济而独立着。其实，都是互相依存着的，他们因为某种方法，被包含于有统一体制的社会分业之中，确是社会生产的一个构成要素。惟其如此，它们才能成立。

这里，假定有一个做鞋子的企业。无论它的主人翁，如何自尊自大地认为这是独立的，然而也要先有别种企业的劳动，就是说，造鞋子原料的皮革劳动的生产物，制造做鞋所需用的各种器具、针钉等企业的劳动生产物，都是必要的。不仅这样。不管是鞋店的主人，或是在鞋店作事的别人，总没有吃鞋子来生活的道理，买面包的时候，还是要到面包店去，买衣服的时候，还是要到衣店去。衣店方面，同样的也必需器具、原料、食品，等等。

所以，各种企业，能够一年上头专做一种东西的，正是由于同时有制造别种东西的企业。归根就是各个企业之间，有一种分业存在。

在商品经济上生产出来的各种生产物，通常不单是体现一人的劳动，它体现参与生产的全系列的人类劳动。例如鞋铺所造的鞋子之中，往往不单是体现鞋铺自身的劳动，也体现精制皮革的皮工、造钉子的铁工等等的劳动。

由此说来，商品经济，虽说原是零乱的，是由许多独立的企业成立的，但生

225

产确是社会的。人们都为他人而劳动,而且各人的劳动,都构成一种社会劳动一部分。

但是,商品经济的生产,虽然带着社会的性质,同时却又为内部矛盾所分裂。

各个生产者,互为他人而劳动,互相关联着,同时,又和前面说过的一样,是独立的隔离的。何以见得? 因为他们是在一个一个的企业中劳动着,这些企业,都是各该主人的私有财产①。在商品经济中,生产带来的生产手段与劳动生产物,固然是满足社会必要的社会的劳动之成果,可是他们是为各个主人所占有,任主人们的意志去处理的。主人首先就追求自己个人的利益,他能够扩大或缩减商品的生产,能够停止某种商品的生产,去开始别种商品的生产。

因此,各个劳动者所造成的商品,既是私有财产(私的占有形态)的东西。所以成为"互相独立的私的劳动生产物"②。即,那本质上应该是社会的那种劳动,却采取的私的劳动形态。

虽然在任何商品生产者,都是在社会的内部为社会而劳动,但是,它们的主人,既然只追求自己个人的利益,不顾及社会全体,那就是这种商品经济上,显然各该主人的私的利益与生产的社会性质之间,存着深刻的矛盾。

鞋铺只有在社会有力量消费它的鞋子,与别个鞋铺的鞋子时,才能有规则地生产鞋子。而且为了有规则地生产鞋子,就和前面说过的一样,必要皮革与钉子及制鞋器具的生产,同时发达(但要保持某种比例),以及鞋铺能够保障一定分量的食物。食物的生产者,也不仅一定数量的鞋子是必要的,衣服和生产手段等,也是必要的。

马克思说:"各个商品生产者……必须满足一定的社会的必要。可是这些必要,在量上是分散的,这种分散的必要,内的方面相结合,构成一个自然的体系。"③

但是,各个商品生产者,各自随意的做着,因为抱着自己一人的利益,脱离

---

① 我们现在是就单纯商品经济说的,所以暂时自然要把所有着自己的企业的生产,放在念头。

② 马克思:《资本论》第一卷第一篇第一章。

③ 马克思:《资本论》第一卷第四篇第十二章。

别的商品生产者活动的缘故,他们既不能估计社会的必要,也不能测知别的商品生产者,生产什么商品与什么数量。已如前述,单注目于自己个人利益的他们,是蔑视社会的必要,随意扩大其生产,缩减其生产的。

以上是生产之社会的性质与占有的个人形式之矛盾,这就是商品经济的根本矛盾。

在述生产之社会的性质与占有的个人形式之矛盾时,我们越发要随着经济学的研究,去考察这种矛盾在商品经济的初期阶段之单纯商品经济中,表现出什么样子。但是,正如绪论中间曾经说过的一样,在单纯商品经济中,商品生产所特有的这些矛盾,是以萌芽形态存在着的。依马克思的话说:商品生产之成为"生产的一般形态",是在"工钱劳动所行的生产获得一般性质之后",即是入了资本主义以后。所以,商品经济所特有的诸矛盾,完全成就其发展,也是在资本主义之下的事。生产之社会的性质与占有的个人形式之矛盾,在资本主义下是发展了的形态,其采取阶级与阶级的矛盾形式,以及各个工场的生产组织与全社会的生产之无政府状态的对抗形式而出现的事实,往后就分明。

关于这一点,恩格斯曾说:"社会的生产与资本家的占有之矛盾,在普罗列达里亚与布尔乔亚的敌对上表现……",这种矛盾,"露骨的表现为各工场的生产之组织化和全社会的生产之无政府状态的对抗……资本主义的生产……在这两个矛盾现象形态中,干着逃走无路的无益运动"。①

我们把商品经济的诸矛盾,暂时在他们的萌芽形态上考察的时候,不能忘掉这一切的矛盾,要在资本主义生产之阶级的诸矛盾这形态上,才能达到完全的发展。

第二节　商品经济的交换之意义

如果在商品经济上,一方面生产商品的人们,各自为了他人而活动,并且互相依存着,另一方面的各个主人们,却自己随意举动,并且用他们的行动,不

---

① 恩格斯:《反杜林论》。

绝地搅乱各个经济部门间的呼应,那就当然发生如下的疑问:社会的生产和各个主人的利害,不因此弄成丝毫不能一致么? 我们所看到的生产之社会的性质,和占有的个人形式之矛盾,不因此弄成"不可解决"的矛盾么?

假若是这样,那就商品经济的一般,应该不能存立与发展了。然而我们知道,纵说商品经济,早晚是要灭亡的,而在某种期间内,却还是存在、成长、发展。这种发展,实际就是基于这种经济所特有的诸矛盾而显现的。这种发展,如何显现着呢?

我们已经看见:各个商品生产者,是在独立的私有企业中活动着,但是,他们深闭在自己的企业中,是不行的。商品生产者所生产的东西,不是这样的商品么? 即:不是以他自身的消费为目的的生产物,而是为了供其他企业中活动的别个生产者之用,可以拿到市场去交换别种商品的商品。总之,追求自己个人的利益与目的一个商品生产者的劳动,起首就预想到别的主人的存在,这就是他替他们生产商品,而且从他们那里去领受必要的商品的人们。一切商品生产者,生产商品成功以前,只会推想有人必需着我的商品吧! 会来买我的商品吧! 正和我们已经观察到的一样,他既然无从知道别的人们生产何种商品与数量,那就除了盲目的活动以外,别无方法。

然则这些商品,能否满足社会的必要,能否赚钱卖掉,能否较好地和别的商品交换,等等情形,最后是什么时候判明的呢? 正和我们已经知道的一样,这些商品,全是在做好以后搬到市场,在市场遇到别的商品时,才判明的。这样,迄今隐藏着的商品生产者的交互关联,在这个市场里,忽然现出姿容来。

马克思说:"商品生产者,由于交换自己的劳动生产物,才作社会的接触,所以,他们的私的劳动之特殊的社会性质,也在交换时才出现。"[1]

商品生产者的商品,能否在市场有利地卖掉,这件事,判明他的劳动,在其他一切社会人员的劳动中所占的地位。就是说,商品生产者根据交换的有利与无利,决定自己的劳动,今后应向何方去。

实际上,我们在绪论中已观察过:假若社会上偏向哪一种生产,例如许多劳动,都偏向谷物生产的方面去,那就谷物忽地超过需要,生产者就要以不利

---

[1]　马克思:《资本论》第一卷第一篇第三章。

的价钱卖掉,交换别的商品。因此,他们为守护自己的利益,又要不得已地减少谷物的生产。但是,就是在减少这种生产的时候,他们也不能预计出来:大概减到什么程度为好。因此,恰和我们已经观察了的一样,若不是谷物在市场宣告不足时,这种减少是不停止的。于是各个经济部门间的平衡,又被搅乱,结果,劳动又一时向某种部门进攻,一时从某种部门退出来。即是:宣告不足的谷物生产,一旦知其非常有利,一部分劳动,便丢弃别的部门而到谷物生产上去了。这里,是存着走向无意识的平衡之倾向的。但是,就是这里,也不能很适宜地取得比率。因为谷物在市场宣告过剩之先,是飞速的增加的。于是各个经济部门间的比率,再被搅乱。可是这又招致劳动从一部门到别部门的移动之结果,等等。

因此商品经济的各个生产部门,具着通过交换而相互保持比率去分配劳动的倾向。但是,商品经济,一向是自然发生的、无政府的,所以这个倾向,在比率不绝的搅乱之中出现。

马克思关于这个问题,像下面那样说:

> 各种生产部门,不绝地向着平衡走……但是,这种不绝的倾向,表现为平衡的不绝搅乱的反动。①

根据这种不断的比率搅乱,从一个部门到别个部门去的劳动的动摇与移动,便明白交换不是消灭商品经济的诸矛盾,而是创造这些矛盾的运动形态及发展形态的。

关于这一点,马克思说:"商品的交换过程,包含互相矛盾、互相排斥的诸关系。这种过程的发展,没有除去这些矛盾,反而创造这些矛盾的运动形态及发展形态。"②

只有在不绝搅乱之中发现的、走向无意识的倾向的过程上,商品经济才能存立,才能发展。

---

① 马克思:《资本论》第一卷第四篇第十二章。
② 马克思:《资本论》第一卷第一篇第三章。

构成这个发展的根基的,就是通过交换而出现的商品经济的深刻矛盾①。

但是,和我们已经观察到的一样,通过交换而出现的这种矛盾,不消说,不是在交换过程上产生,而是在生产过程上产生的。

第三节　商品经济的诸矛盾及其在商品上的表露为布尔乔亚社会之细胞的商品

商品经济的根本矛盾——生产之社会的性质和占有的个人形式之矛盾,很明了地在商品交换过程上出现,这是我们已经观察过了的。

然而通过交换而出现的这种矛盾,不消说,不是产生于交换过程,而是产生于生产过程。以市场为媒介的劳动生产物的交换,当然以人们生产商品为前提。就是说,既然社会原是分散的,而人们又互相为他人而活动,那么,他们一起首就不是生产自己使用的生产物,而是生产交换用的商品②的。

既然劳动生产物是以交换为目的的,是转化为商品的,那它起首就和我们刚观察了的一样,是含有出现于商品交换上的商品经济的诸矛盾的。

商品生产上所支出的劳动,借马克思的话说:"随着满足一定社会的欲望,因此实际上就成为社会的分业之自然发生的体系的肢体。"③

同时,因为商品起首就是一个人的私有物,也可从共产主义经济上的社会劳动之生产物中,区别出来。

马克思说:

> 种种使用对象物,所以都成为商品,不外于因为他们都是互相独立的经济的私的劳动生产物。④

① 促使商品经济发展的矛盾,在某种发展阶段上,又引起它的灭亡,这是我们往后要观察的。

② 这里是说的商品生产居支配地位的社会。我们当作问题的,不是那种生产物不为交换而生产而止于偶然交换的场合。那种场合,通常是交换关系不发达的时代。

③ 马克思:《资本论》第一卷第一篇第一章。

④ 马克思:《资本论》第一卷第一篇第一章。

因此,商品是把社会的劳动,用私的劳动形式表现出来,因而反映着商品经济的根本矛盾。

商品促使商品经济发展,自己也发展,因此就把引起这个经济破灭的诸矛盾,以最单纯的形态,包含于自身之中。照马克思的表现,商品就是资本主义的生产方法的"原基形态",因为它把那在单纯商品经济上既已发生、在资本主义经济上达到完全发展的商品经济的一切矛盾,在其萌芽形态上包含于自身之中。所谓商品,也可称商品——资本主义经济的"细胞",因为,恰如有机体全体的细胞,把该有机体全体所特有的新陈代谢的诸形态,在萌芽状态上包含于自身中一样,商品也是把商品——资本主义经济全体的特征,在一般形相上反映着。

经济学的任务,如我们所见,在于阐明商品——资本主义经济的发展及死亡的根本法则,指示那促使这种经济发展,随着又推动它死亡的诸矛盾(不消说,这要是就狭义经济学说的)。但是,要完成这个任务,就应首先把这些矛盾在其最一般的、单纯的形态上去考察。所以,我们的经济学研究,以商品经济的细胞——商品的研究为始。

第二章　商品的矛盾　价值的一般概念

第一节　商品　它的属性——使用价值与
价值　为价值基础的劳动

所谓商品的特征,究竟是什么?

第一明显的事,就是某种生产物所以能够成为商品的,即在于它的属性能够满足人类的某种欲望。

物品在满足人类的欲望上,如果有某种用处,那我们就说它有使用价值(在马克思的说明,"它就是使用价值")。例如谷物因为能够满足枵腹,布疋因为适于做衣服,所以具有使用价值,等等。

人因种种情形,能够把同样的物品,作种种的使用。就是说:"凡物都是许多属性的总和,因而在种种方面都能有用。"① 例如布疋,不单是供人做衣服,也能用作口袋与帆棚的材料,谷物不单是作食品,也被做酒精的材料,等等。

随着社会的发展,人类在物的中间,发见某种新的、至今没有被人知道的属性,因此,把这物利用到新的方面去。例如往时供作买醉的饮料之用的酒精,现在用它作溶解那些水所不能溶解的东西之溶解剂,使用于工业及化学研究上,用它作消毒剂,使用于医疗上,等等。

随着人类的社会生产及社会关系的发展,他们的欲望也变化。所以,马克思所说的"具体的使用价值",因人类的发展阶段而不同,即是:"它

---

① 《资本论》第一卷第一篇第一章。

完全依存于社会生产的阶段……"。①

但是,在人类社会的一定发展阶段上,无论各种物品,如何能够满足种种繁多的欲望,这物的使用价值,即满足人类的必要的可能性,是受这物所具的自然的(物理的、化学的、生物学的,等等)属性来规定的。马克思说:"它的应用的可能性之总和,因其当作具有一定属性的物看的那种本质所限制。"②

所谓谷物也用于食料,也用作酿酒材料的,就是因为谷物的性质上,在物理、化学方面,含有容易为人类有机体所同化及容易化为酒精的物质(淀粉)。布能够用来制衣服,就是因为它是由具有某种坚固性和不传热的性质之纤维成立的。

　　研究各种物品,能够满足人类欲望到何种程度,有种种科学存在。第一可举出来的,就是商品学。它指示如何区别商品的等级,如何决定商品的坚牢,如何在其中发见种种混合物,等等。至于卫生学,就要研究人类为了保持其健康到最高限度,必须使用什么物品。

无论什么生产物,如果不具有使用价值,就是说,如果它的性质上对于人类不是有用的,那就决不会成为商品。依马克思的话说:"所谓就是使用价值的这个事实,乃是成为商品的必要条件。"③

然则我们可以说凡是具有使用价值的物品,都不能不是商品么? 不对! 断乎不是这样!

农人当其为充自己家属的消费而生产的物品,虽然也具有使用价值,可是单只这样,还不成其为商品。

马克思说:"把自己的劳动生产物,充作自己消费的人们,单是生产使用价值,没有生产商品。他要生产商品,不是把单纯的使用价值生产出来而已,

---

① 《马克思恩格斯全集》第五册。
② 马克思:《经济学批判》第一篇第一章。
③ 马克思:《经济学批判》第一篇第五章。

还要生产供别人用的使用价值,即是生产社会的使用价值。"①要某人所生产的物品变成商品,那它就非具有别人去用的使用价值不可。但是,这个别人,也是生产别的商品,把它拿去交换他所必要的生产物的。

因此,一个物品成为商品,并不由于他的自然的属性,而是由于生产它的时候的一定的社会诸条件。生产物的成为商品,要在这种社会才行。这种社会,是这样的社会,就是生产物一方面具有社会的使用价值,同时他方面还盖上私有财产的印章,而且人们都为了他人而活动,把自己的劳动生产物,拿到市场去交换的社会。

各个商品,都有不同的使用价值。因为他们的自然的性质不同的结果,能在社会发展的一定阶段上,满足人类的种种不同的欲望。但是,无论各个商品的使用价值如何不同,它们却都在市场上被人相互交换着。这时候,一个商品,和别个商品的一定量相交换。这就是表示各个商品,尽管在商品经济上,自然的性质有差异,而在一定量的方面,是相等的。

假定一双鞋子,有时候交换一百启罗谷物,有时候交换一打袜子,有时候交换十启罗钉子,那就是指示这些商品,尽管性质复杂,却具有某种共通的,把它们结合起来的某种东西。

马克思说:"商品,与它的自然形态及其当作使用价值而满足欲望的特殊性质无关,在一定量上,等于其他的商品,在交换上,互相斟换,作为等价物而通用,并且尽管外表上是多样性,却体现着同一的实体。"②

但是,结合一切商品,使他们在一定的量上有交换的可能,这种共通的基础究竟是什么?

既然各个商品的不同的使用价值,不能成为这种共通的基础③,既然具有使用价值的物品,要在一定的社会诸条件下才成为商品,那就当然要在这些社会条件下,去求结合一切商品,且使商品在交换过程上能"互相掉换"的东西。

在商品经济上,种种商品都由各该主人生产出来,商品在这里,就是"互

---

① 马克思:《资本论》第一卷第一篇第一章。
② 马克思:《经济学批判》第一篇第一章。
③ "这种共通的东西,不会是商品之几何学的、物理学的、化学的以及其他自然的属性"(《资本论》第一卷第一篇第一章)。

相独立了的私的劳动生产物",这是我们已经知道的事实。然而正和我们已经说过的一样,此等各个"私的劳动",同时确是一个社会的劳动的一部分。因为各个私有者,一面为了他人而活动,一面却不绝地把自己的劳动,从一个部门移到别个部门,因此,尽管有独立性与单纯性,而本质上却形成一个商品经济。所以,一切商品,不问使用价值及创造它们的劳动之私有的形态不同,确是一个社会的劳动生产物。

马克思说:"如果把诸商品体的使用价值舍象出去,所残余的,就是他们是劳动生产物的事实了。"①他在别处又说:"一切商品,都在成为它们的统一的劳动之上表现出来。"②

在商品经济上,通常是可惊的大量的生产极多种类的商品。总体的社会,为了生产出一切的商品,支出一定量的劳动。社会的总劳动之一部分,分配到各种商品上。运到市场去的商品,可说就是各自体现着某种分量的社会劳动,它能和别的"体现社会劳动的相等部分"的分量之商品相交换。

所以,要说一双鞋子在市场里,能和一百启罗的谷物或一打袜子相交换,那归根就是一双鞋子,一百启罗谷物,一打袜子,都支出了相等分量的社会劳动。一定的商品在市场所"代表的"、体现于商品之中社会的劳动(对于使用价值)正是形成商品价值的③。

普通,对于一个商品的生产,不止一人而是若干人参与者。例如鞋铺做成的鞋子之中,不止是体现鞋铺自身的劳动,并且对于制造鞋料的皮革工的劳动、饲养那供给皮革作鞋料的动物之牲畜业者的劳动、制造做鞋器具(每生产一双鞋子都要部分的消耗它的人们的劳动,等等)都体现出来,所以,我们说"商品因为含有一定量的社会劳动,故有价值"的时候,就是说:商品不单含有把它做成功的那最后动手者的劳动,同样,还含有那为了把自然材料变为生产物、能够去满足有人类种种欲望的所必要的

---

① 马克思:《资本论》第一卷第一篇第一章。
② 马克思:《剩余价值诸学说》第三卷。
③ "价值究竟是什么"? 马克思这样自问之后,作如下的回答:"就是它的生产上所支出的社会劳动之对象的形象"(《资本论》第一卷第六篇第十七章)。

一列人们的劳动。

所以,一切商品同时具有使用价值与价值。

使用价值,正和我们已经说过的一样,为商品的自然性质所决定。马克思说:"无论使用价值怎样成为社会的欲望之对象,无论怎样的处在社会的关联之中,他们决不是表现社会的生产关系的。"①

至于给与商品以交换其他商品的可能性的价值,那是造成这个商品的当时社会诸条件的产物。

马克思说:"当作价值看的商品,就是与那些社会的、因而是当作'物'看的属性绝对有区别的某种大小,即,它们当作价值看,不过表现生产活动上的人类之关系。"

第二节　当做商品经济的一般矛盾之表现看的商品之内的矛盾

一切商品,是具有某种自然属性的物品,同时也是人类的社会劳动之体现。使用价值与价值,以同一商品的两面共存于商品之中,即是它们构成着某种统一。

但是,使用价值与价值的这种统一,是矛盾的统一,其中正如我们所已知道的一样,表现着生产的社会性质与占有的个人形式之一般的矛盾,即商品经济一般的根本矛盾。

实际,无论去看什么商品,在生产好了的时候,早已具有使它成为使用价值的某种自然的属性。但是,商品生产者,是不会自己去把它们消费掉的。他生产这个商品,不是以使用价值为目标,而是以价值为目标。就是说:他所以关心商品的,就是因为他在拿它去交换时,能够把别的商品弄到手。

"如果商品在它的所有者是使用价值,即,如果是充足它的欲望的简单手段,那就不是商品。简捷地说,它对于所有者不是使用价值,只是……单纯的

---

① 马克思:《经济学批判》第一篇第一章。

交换手段……所以,它对于别人,不能不是使用价值。"①

那么,商品成为使用价值的,究竟在什么时候? 它何时实际的变为满足人类欲望的物品?

那就是在商品被交换之时,在它落到把它当作必要的人的手中之时。

马克思说:"商品只在这样的时候——从当它作交换手段的手中,移到当它作消费资料的手中时,才成为使用价值。"②

但是,当商品从此手移到彼手时,即是当相互交换时,不仅现出使用价值,还现出价值。因为商品虽然各异其使用价值,但在交换之时,不是十分表现出他们是一个社会劳动的生产物么? 不表现出它们是有等质的价值的么?③

于是,便生出如下的结论:即,纵然商品在交换之前已体现社会劳动的一部分,在卖者的手中已具有使它成为使用价值的自然诸性质。但在它出卖以前,同一商品的价值与使用价值,就互相对立着而不能合一。就是说,某个私有者,以商品的价值为目标去生产它,把它看作"交换的手段",而这商品对于别的私有者,却不能不成为使用价值。

交换使用商品的价值与使用价值出现,"解决"两者的矛盾。

但是,我们已经知道:所谓交换"解决"商品经济的矛盾,并不是由此去消灭他,只不过创造它们运动上的形态罢了。

既然生产者与消费者常成为利害相反的所有者,那就价值与使用价值有矛盾,在商品经济上,是永久的附属物。

实际上,在商品经济方面,各个经济部门的平衡,要通过这种平衡的不绝搅乱,才有可能。以价值为目标而生产某种商品的人,不能恰恰生产出别的社会人员所能购买能消费的东西。所以,在商品经济上,一动就发生如下的情况:不可避免地找不着商品的销路,因之便不能实现它的价值,发挥它

---

① 《经济学批判》第一篇第一章。

② 马克思:《经济学批判》第一篇第一章。

③ 马克思说:"商品要成为使用价值,就要离开所有者的手中,走进交换过程之中,但是,在交换过程上,它们只是交换价值。因此,它们为要实现使用价值,同时也要实现交换价值。"(《经济学批判》第一篇第一章)

的使用价值①。

这是指示使用价值与价值的矛盾不能除去的事实。

不仅如此。在自然发生的商品经济方面，商品决不是恰恰按照价值出卖的，各商品的出卖，时而高于价值，时而低于价值。这是通例。假如某种商品，生产到各个经济部门间的劳动分配之比率以上，市场里的这种商品的供给，就超过需要，这时候，商品便低于价值而出卖；反之，一定的商品，生产得比较少，而需要超过供给时，商品就高于价值而出卖。

因此，各商品的交换比率，以价值为中心而不断地变动，不能和价值密切的一致。

交换比率，向着价值去接近的倾向，表现于不绝的背离价值一事之中。

所以，当我们说起劳动是一切商品的共通基础，而一切的商品都因此而能互相交换时，又说起各商品因为它们的价值相等故在一定比率上交换时——这时候，不能把这些话拿来了解一切的商品恰恰依照价值交换的事情。所谓价值，借马克思的话说，不过是商品的交换比率，"以它为中心而转动，并且那种不断的上下摆动因它而平衡的一个重心"②。

因为这样处于"重心"地位并调节各经济部门间的劳动分配的事实，价值就当作总体而决定商品经济的一般发展方向、运动法则以及这种经济所特有的诸矛盾的发展法则。所以价值就是商品生产的运动法则。

若把为总体的全社会，多少在其继续期间去考察，就懂得交换比率的"不绝变动及其上下移动互相抵销、互相平均"的事实。所以，当考察价值在商品经济上的作用时，可以暂时忽视这些背离而置之度外。这里，我们假定需要与供给相等，把商品作为照价值出卖的东西，去着手研究。因为如此研究，我们便容易找寻出现于各商品上的商品经济的诸矛盾，能够把握这个经济运动的法则。

---

① 如后面所能理解的一样，它在恐慌期的资本主义社会，即一方找不着销路的庞大商品，堆积如山。他方广大的劳苦群众，连必要的生活资料都被剥夺的时代，特别明白地表现出来。

② 马克思：《资本论》第三卷第二篇第十章。

第三章　产生价值的劳动之特性

第一节　抽象的劳动与具体的劳动

我们在商品经济上,已经观察过:各商品生产者,制造具有种种使用价值的种种商品,一切商品,虽各异其使用价值,却有共通的基础即价值。

所以,商品一方面是各与别的商品有区别,同时,却具有共通的基础。在这一点上,商品的二重性、内的矛盾性就出现。

商品的二重性与矛盾性,同时也证明生产这商品的劳动二重性与矛盾性。

在商品经济上,一切商品首先就采取私的劳动之生产物的形态出现。因为它是在与别的企业不同利害的私有企业中生产的。关于这一点,我们已经知道了。但是,要劳动能私有形态上存立,正需要各个私有企业生产不同的使用价值,因为只有在这种条件上,各个企业间的交换才可能。实际上,鞋子和鞋子交换,是无意义的。

但是,既然不同的商品生产者,生产不同的使用价值,那就私的劳动,应该各具特殊的形态,做鞋子的鞋店,做桌椅的木匠,不能不有不同的动作。前者拿锥子、锤子等来活动,后者拿刨子、锯子来活动。从使用的材料看,从动作看,完全不同。

各生产者的劳动,在其创造特殊的使用价值时,就叫作具体的劳动。

因此,各商品生产者的私的劳动,必然采取特殊的具体形态。

那么,各商品生产者的私的劳动,就单就特殊的具体劳动么?

当然不是如此。因为各个商品,正如我们已经观察过的一样,不仅具有不同的使用价值,还具有共通的价值。就是说,各商品生产者的"私的劳动",同时就是商品经济的全体社会的劳动之一部。

如果一只棹子和一双鞋子交换,那就是鞋铺的劳动和木匠的劳动,被看作相等了。在这种相等之际,木匠的劳动与鞋铺的劳动之具体的特征,隐藏起来,它们中间的共通物于是乎表现,这是明明白白的事情。

伊里奇对于这个问题,这样说着:"每天的经验,对我们提示:无数的交换过程,把一切多种多样不能互相比较的使用价值,不断地弄成相等的东西。在一定的社会制度下,不断地被弄得彼此相等的这些不同的物与物之间,究竟什么是共通物呢? 这就是劳动生产物! 由于交换生产物,人们把种种劳动弄得相等。所谓商品生产,就是各个生产者在那下面制造种种色色的生产物,……把这一切的生产物在交换上弄得彼此相等的社会关系的体系。因此,所谓一切商品中包含的共通物,那并不是一定生产部门的具体劳动——一种类的劳动,而是抽象的人类劳动,即人类劳动一般,在全商品的价值总体上表现出来的社会之全劳动力,就是同一的人类劳动力。"①各商品,各在自己的内部,体现一个社会的抽象劳动的一部分。

这样,商品的使用价值,是为特殊的具体劳动所创造,同时,商品的价值,是为劳动一般即抽象的劳动所创造。

商品经济上的各个具体劳动的统一,实际在什么地方出现? 什么是在自己的身上表现抽象的劳动? 我们更精密地观察一下。

首先把各个具体的劳动比较来看,例如比较一下鞋铺的劳动和木匠的劳动,我们虽然看出他们的劳动不同,所用的材料和器具不同,但是两者在劳动过程上,都是消耗自己筋肉和神经等,这是看得到的。

马克思说:"如果我们把生产活动的一定性质,因而把劳动的有用性质,置之度外,那么,剩下来的就是人类劳动力的支出这一件事了。裁缝劳动,织物劳动,虽然是不同质的生产活动,但两者却都是人类的头脑、筋肉、神经、手足等之生产的支出,而且在这种意义上,同是人类的劳动。"②

"生产不同商品的各商品生产者的劳动",只有当作"生理的意义上的人类劳动之支出",才"得成为一个社会的抽象劳动"。

但是,所谓各种劳动在生理上是平等的这句话,不限于商品经济如是,任拿何种经济来观察,也是一样。因为人们如果从事于种种劳动,那是消耗自己

---

① 伊里奇:《卡尔马克思》。
② 《资本论》第一卷第一篇第一章。

的筋肉、神经等等的力的。在自然的农民经济时代,农民夫耕妇织,这两者的劳动,生理上也具有许多共通点。但在这种生理的平等上,农民夫妇的劳动,还没有成为一个抽象的劳动。

实际上,在自然经济时代,社会的人员,仅以满足欲望为目的而生产,劳动生产物首先就表现为特殊的"使用价值"。所以,一切种类的劳动,虽然在这里也是生理的相等的东西,却首先是在具体的形态上出现的。在自然经济的农民家属中,每个活动的人,都是完成一定种类的劳动(耕种、收割、纺纱等),所以受尊重;在交换发生以前,榨取农民的领主,把农民的劳动,当作替"君王"制造一定的必要物品的具体劳动,农民劳动才重要起来。

关于这个问题,马克思说:"拿中世的赋役或现物纳税来看。各个人的自然形态的一定劳动,不是普遍的而是特殊的(即具体的——著者)劳动之性质,在这里构成社会的纽带"(《经济学批判》第一篇第一章)。

这样,在自然经济上,各个具体劳动形态的差异,构成人类的社会关联的基础。在商品经济方面(这里,各生产部门的劳动,具体上仍然不同),各生产部门的社会关联,虽然因一切种类的具体劳动所含的共通物而各个不同,却由于是"劳动力一般"的支出一件事而被保持着,据马克思的话说:商品经济的"独立的私的劳动之特殊的社会性质,就在于当作人类劳动一般看的它们的平等的这点上"(傍点①是我们加的——著者)。

商品经济这特殊的社会关系存在时,劳动的社会性质,才采取抽象劳动的特殊形态。

马克思说:"特定劳动的无差别,它所当作前提的是:谁也不是处于支配地位的各种现实劳动极发展的总和。……对于特定劳动采取不关心的态度,要在个人不费任何思索的从一个劳动移到别的劳动,并且特定劳动对于他们只是偶然因而简直不成问题的这种社会形态上才行。这里,劳动不仅在范畴(即人类的头脑所造成的概念——著者)上,就是在现实上,也成为创造财富一般的手段,而且和特定的个人绝缘。"②

---

① 原书为竖排版,"傍点"即着重号,下同。——编者注
② 《经济学批判》。

各商品生产者,一看到哪个具体劳动不赚钱,便会移到别的使用价值的生产方面去,即是移到别种劳动方面去,在这种事实之中,所谓商品经济的"特定劳动的无差别"的情形,就表现出来。

假使鞋铺的十二小时劳动的生产物,在市场上,比面包店的十二小时劳动的生产物还低廉,那就制鞋业不会不减少吧! 就是说,一部分的鞋铺,将要停业改成面包店,从此,想到何处去找徒弟做的少年们,至少是不选鞋铺而选面包店的。

马克思说:"因为对于劳动的需要方向变迁,某种分量的人类劳动就变迁,时而在裁纵劳动形态上供给,时而在谷物劳动形态上供给,这是日常的经验事实。劳动的这种形态变化,不消说,没有某种摩擦是不显现的,然而它一定要显现。"①

因此,同一人类的劳动,随着"对于劳动的需要的……变化",能采取种种形态。劳动力这样从某种劳动部门向别种劳动部门移动之际,正如马克思所说,不能不遇着某种困难。就拿鞋铺来看,若要很快地改业为面包店,是不行的。然而哪怕这样,那种倾向还是无条件地存在。

但是,同一劳动力,能以种种形态支出的这种事实,是这些形态只属于社会劳动的简单变形的确证。

这时候,商品经济上各个劳动的统一及转变为生产价值的单一的抽象劳动,不是在商品生产者的观念中,而是在实在的现实上显现的,即是全然离开他们的意志及观念,而在商品生产者间的生产关系之统治过程上显现的。——这是显然的事实。

所以,我们在商品经济上,对于社会的劳动采取抽象劳动的特殊形态之点,不能作如下的解释:人类在头脑中舍象各个劳动的差异,这种舍象的结果,人类对于劳动的一定形态就不关心,把一切的劳动,看作劳动力的支出一般。其实,抽象的劳动这观念,是客观的(完全脱离人类的观念)现存于商品经济的抽象劳动在人类头脑中的简单反映。所谓人们对于特定劳动的不关心,在商品经济上,只不过是马克思所说的,劳动"不仅在范畴上,就在现实上,也成为生产财富一般的手段,而且和特定的个人绝缘"的结果。

在商品经济上,各个劳动虽变为单一的抽象劳动,却仍是不同的具体劳动,

---

① 《资本论》第一卷第一篇第一章。

这是判明了的事实。我们已经知道：具体的劳动，生产商品的使用价值；抽象的劳动，生产商品的价值。至于没有使用价值与价值的商品，是一个也没有的。

生产商品的一切劳动，是抽象的，也是具体的。我们已经观察过：商品经济上的劳动，和这劳动所生产的商品一样，带着二重的矛盾性质。

所以，裁缝或鞋铺的劳动，在商品经济上，是抽象的，同时又是具体的，著作家、艺术家等的劳动，也可以同样说。

这种事情，非充分理解不可。因为初学者之中，多奇想天开以为只有造成一定的物质（例如鞋子）的劳动，是具体的劳动，而精神劳动，就是抽象的劳动。

第二节　个别的劳动与社会的必要劳动

在商品经济上，人类的社会劳动，采取抽象劳动的特殊形态而表现，这是我们已经观察过的事实。这种抽象的劳动，是生产商品的。

但是，如果在商品经济上，一切种类的劳动，一旦变为单一的抽象劳动，那就不能没有一个计算支出于商品生产的抽象劳动的尺度。成为这个尺度的，就是时间。

鞋铺的十二小时劳动的生产物，和面包店的十二小时劳动的生产物，价值相等。

生产一个商品所要的时间越多，它的价值就越高。

现在还要把这个结论，说明一番。

即令是同一商品，也因劳动者的能力与努力的如何，因他的劳动条件即机器与材料的好坏等等，生产上所要的时间，各不相同。

那么，纵是同一商品，如果劳动者生产它所费的时间不同，价值也就不同么？劳动者越懒惰，机器越恶劣，他所生产的商品，就越有高的价值么？

当然不是这样！市场对于同一商品的生产者，谁比谁做的时间多，谁比谁完成得早，是没有工夫去调查的。

在市场上，一个一个的商品，不是能够代表生产它所费的各个生产者的个别劳动的,而是代表全社会所费于该商品种类的全体生产上之单一的社会的劳动。

马克思说:"市场上的一切亚麻布,只具有为一个商品的资格,它的各片,只具有为其若干分之一的资格,实际上,各足的价值,都不外是等质的、社会上被规定的同一分量的、一样的人类劳动之体化物。"①

因此,同种商品中的每一个,在市场具有相等的价值。

一切商品所共通的价值,不由各企业所支出的个别劳动所决定,也不由最高或最低的个别劳动所决定,而是由平均的、社会的必要劳动所决定。

马克思说:"所谓社会的必要劳动时间(即拿它来秤量社会的必要劳动的时间——著者),就是拿当时社会上正当的生产诸条件与劳动熟练及强度之社会的平均程度去生产某种使用价值所要的劳动时间。"②

假设拿一双袜子的价值来看。

这里,假定在生产力的某种发展阶段上,即是在某种技术程度与劳动力的熟练程度上,某个做鞋子的企业,生产一双袜子要两小时,别一个企业要四小时,另一个企业要六小时。

一双袜子所共通的价值,果然由最优等企业的个别劳动所决定么? 就是说,用两小时来计算么?

那不行,理由是这样:我们既就袜子的价值说,那是以社会的全部制袜企业所造的袜子。恰恰保持供给与需要的平均为前提的。因为假如不是那样,袜子便不能按照它的价值卖出去。但是,这样一来,单是最优等企业的袜子,不能满足市场的需要,这是理所当然的。所以,袜子的价值,不是由最优先企业的个别劳动所决定,而是出乎其上的。

然而也不能因此就以为是由最劣等企业的个别劳动去决定的。

生产一双袜子所需的社会的必要时间,比最劣等企业的个别劳动的时间要少些,比最优等企业的个别劳动的时间又多些,这是一见即明的事。

那么,这时候,社会的必要时间,到底等于什么呢? 或者是"最优等企业"、"最劣等企业"、"中等企业",三者的个别劳动时间之简单的算术平均数

---

① 《资本论》第一卷第一篇第三章。
② 《资本论》第一卷第一篇第一章。

么？就上述的例子说,二与四与六的平均数,就是四小时,可以如此说么？

不是那样！因为一切的问题,不是单系于技术程度不同的诸企业的个别劳动,这源于技术程度差异的各个企业,在各产业部门所占的地位,比较的轻重(各企业的生产额,对于该产业部门的总生产额所占的成数)之如何。

假如这三种制袜企业,在社会上占同等的地位,就是说,假如三种企业,在袜子工业中,都占同等地位,生产同量的袜子,这时候,社会的必要时间,恐怕正是二、四、六的算术平均数,即是等于四小时了。

然而在其他状况下,即是全部非共同等轻重的时候,比如假定最优等企业,比别的两个企业生产的分量多些的时候,社会的必要时间,是比较多接近于最优等企业的个别时间的,即是比四小时要少些(即令比二小时多些),这是容易懂得的道理。

所以要这样说:平均的社会的必要时间,不是由技术程度差异的各个企业的个别时间之简单的算术平均数所决定,而是由一定的时代、一定的生产部门的生产力之一般的发达程度,即技术的一般状态、劳动条件、劳动程度、劳动习惯,等等所决定。不过这一般的程度,是依存于各种的技术进步,劳动者的习惯及其劳动条件,在一定的生产部门,普及到什么程度的这种情形的。

某种企业类型,在一定的生产部门,越占重要地位,全部门的社会的必要劳动,就越接近于这个企业类型的个别劳动。

同时,还不能不特别说的是:在商品经济上,各企业所占的地位。社会的必要时间的测定,都不是能够意识地去行的。

各个商品生产者,不能预知别的商品生产者有几人,不能预知和自己相同的商品在什么条件下被生产。他完全不知道自己所活动着的生产部门的社会生产性达到什么程度。

并且他们把自己的商品搬到市场时,也决不想按照价值出卖。如我们所知,他交换自己的商品时,总想尽所能的,弄点东西到手,因此,直到各个商品生产者互相冲突、互相竞争因而使得劳动自发的从某一部门移于别一部门时,各个商品的交换比率,才开始接近于价值,然而决没有和它恰恰一致的事情。因为这种倾向,是通过不绝的背离价值而表现的。

这样,就明了社会的必要劳动,也是和商品生产者的意图无关,它在市场的商品运动过程上,自发地被规定的。

第三节　社会的劳动之生产性与价值

我们已经观察过:社会的必要劳动、因而商品价值,是由社会生产力的一般水准所决定的。

但是,社会生产力这东西,如我们所知,它不停留在一个地方,而是向前发达的。就是说,生产工具及生产手段、劳动者的劳动条件、熟练、教育程度等,也都是变化的。因此,商品生产所必要的社会的——必要劳动时间也变化。

由以上所述,应当懂得进步的新机械之采用与劳动生产性(即一个劳动者在一定时间所生产的生产物之量)①之增大,要在它们或多或少被普及,以及新机械在全社会的劳动生产性上或多或少地发生显著的影响时,才能反作用于社会的——必要劳动时间。

无论是商品生产业中,有谁(说是袜子铺也好)采用新机械,提高劳动生产性,因而商品生产所必要的个别劳动减少;无论是新机械做一双袜子不过一小时;可是当这机械还只为一个袜子铺所采用的时候,它在社会的必要劳动上不发生什么影响。因为这个企业,在别的几百几千活动着的同业中所占的地位并不怎样大,因之他所得的剩余时间,若分配于其余的同业全体之间就简直等于零。但是,他的个别劳动,如比较市场上的袜子所用的社会的必要劳动减少,新机械的采用当然是较为有利。袜子的"个别的价值"和社会的价值的差额,完全到他的荷包中去。在一切商品经济(资本主义也包含在内)上,各个私有者所以竞相采用新机械,只想把自己所施的改良隐藏起来,而不让他们普及,其理由就在这里②。

---

① 从这种定义上,也了解我们暂时是把"劳动生产性"的用语,用于广泛的一般意义上的。至于狭义的"劳动生产性"的概念,非和"劳动的强度"这概念区别不可,往后(第二篇)就会了解。在不要那种区别的当中,我们对于"劳动生产性"的概念,把两种都包进去。

② 有优良技术的企业所以比较有利,与下面一点有关系。即是:商品比别人少花劳动的劳动生产者,用廉价出卖的手段打倒竞争者,同时,还能获得若干剩余的利益,关于技术改良的意义,且待后面详说。

但是,假如新机械忽然普及于许多商品生产者的手中,技术的改良,已经显著地反映于社会的劳动生产性上,这时候,便不但采用新机械的诸企业,减少个别的劳动,必然还减少社会的必要劳动,接着商品的价值也低落。

这样,便明白一切企业家,都要费尽心思地想得到更完全的机械。

新机械一到手,于是他的个别劳动,就比社会的必要劳动为少,造成某种额数的利益,然而这是在新机械普及之先的事,到了普及之后,便又希求更完全的机械了。

因此,社会的劳动生产性就不绝地向上,商品的价值,就不绝地低落。

我们现在虽是就单纯商品经济说的,但是以上的事实,可说恰合于资本主义经济方面,因为单纯商品经济方面,技术的进步和资本主义条件下的相较,非常迟缓。

推移到资本主义的生产方法后,社会的劳动生产性,才急速向上,商品的价值开始低落。

第四节　单纯劳动与复杂劳动

当价值形成时,劳动获得单一的抽象劳动的性质,各个企业的个别劳动的差异,在社会的必要劳动上被忽视,这是我们已经知道了的。

但是,在社会的生产过程上,我们不仅遇着劳动的具体形态的差异,劳动生产性的种种阶段,还遇着不需要任何预备教育的单纯劳动,与需要某种预备教育的复杂劳动(或熟练劳动)之间的差异。

这两种劳动,如何能够比较呢?

我们能够说这两者是用同等的时间活动,创造同等价值的么? 比方我们能够说苦力一小时的劳动,和旋盘工或者述家一小时的劳动所创造的价值是相等的么?

显然的,那样把单纯劳动与复杂劳动,拿来同一看待,是不可能的。

如果旋盘工一小时劳动的生产物价值,和苦力的相等,那就世上旋盘工的数目要减少,同时,谁都要选苦力做了。

为着做旋盘工,他在习熟那个职业以前,不是要费不少的时间与劳苦么?不单是受训练的方面要支出劳动,就是训练的方面,也不能不支出劳动。旋盘工的劳动,如果与那种没有任何素养而立即会做的苦力劳动,同一看待,那么,做盘旋工的必要在哪里?

如果两者的劳动生产物,被做同等的评价,那就简直无人愿做旋盘工了,这是人人知道的。如果那样,旋盘工的人数,就会减少。这无疑地影响金属工业的发展,因之和金属工业有关系的其他产业部门,也就困难起来。

显然的,不需任何素养的劳动者的生产物之价值,在商品经济上,比在同一时间由熟练劳动者所生产的生产物之价值,是便宜些的。

我们拿不需素养的单纯劳动的一种时间,来作测定的单位。现在我们来测量旋盘工的劳动。假设他从二十几到四十五岁,这 25 年间,以一个旋盘工人的脚色在活动。再假定他为着受预备教育花了四年光阴,而且这四年中,师傅为了训练他这年轻的徒弟,把自己劳动时间割爱了 1/4。这样,到训练完毕时,就该是花了徒弟四年、师傅一年,一共五年的光阴。因此,对于他的 25 年的劳动,就要附加受预备教育的五年劳动,对于他每年的劳动,都要加算受预备教育的 1/5 的劳动,所以,我们明白以下的事实:旋盘工的劳动,比苦力等时间的劳动生产物,多创造 1/5 的价值,就是说,他的一小时的复杂劳动,等于 $1\frac{1}{5}$ 小时的单纯劳动[①]。

从复杂劳动到单纯劳动的那种换算,即经济学上所说的还原,当然不是在企业内的事务所,或预先在什么地方显现的,不过通过市场,由于价值这东西而自发地显现出来罢了。

所以,在商品经济方面,复杂劳动的生产的,恰恰和它还原了的单纯劳动

---

① 我们要想到现在不是就资本主义经济说的,而是就单纯商品经济说的,当我们把旋盘工和苦力劳动拿来比较时,是以他们的劳动生产物的价值为问题,指出旋盘工的劳动是复杂劳动,苦力的劳动是单纯劳动,所以前者一小时的生产物价值,当后者的 $1\frac{1}{5}$ 倍。

在资本主义社会,旋盘工和苦力(如后所述),把自己的劳动力出卖给资本家,他们的劳动生产物,不是归自己所有而是归主人拿去。这里,不能不区别出来的,就是劳动者投到生产物上的劳动和他出卖于资本家的劳动力。旋盘工一天制造的车轴,具有苦力一天造成的物品之 $1\frac{1}{5}$ 倍的价值。但是,旋盘工所得的工钱,恐怕不是苦力的 $1\frac{1}{2}$ 倍乃至 2 倍。这种理由,往后论剩余价值及工钱时,再去观察。

量相交换的事实,殆未之见。通例上,复杂劳动的生产物,比起和它相当的单纯劳动量来,是或高或低的。

只有通过不断地背离,"还原"才显现。

第四章　价值形态与货币

第一节　价值的实体及其显现
价值形态的一般概念

我们在商品经济上，已经看见各商品表现一定量的抽象劳动而出现于市场的事实。为一定的商品所体化、所对象化了的抽象劳动，构成商品价值的基础，或所谓价值的实体。

所以，所谓价值，总不外是商品所对象化了的抽象劳动。

然则商品的价值，到底是用什么形式显出来的呢？

在无政府的商品经济中，像那种统制人与人的生产关系的机关，像那种能够计算商品生产所需的社会的必要劳动之支出的分量的机关，是没有的，而且也不会有。

就是各个商品生产者或商品的主人，也一样不能计算商品所对象化了的社会的必要的抽象劳动。

假定有一个农人，当其为卖钱而栽种裸麦时，即令知道每一启罗格兰姆支出了几何的劳动，却也不能解决问题。因为价值不是由这农人的个人劳动所决定，而是由社会的必要劳动所决定。社会的必要劳动，要知道在裸麦生产上，社会全体花费了多少劳动，才能计算出来。

但是，交换经济的特质，就是各个商品生产者，互相独立的，各把自己个人的利益作目标，来"构思""增加呢？缩减呢？"所以（第三章第二节中已经讲过），不能有意识地预知社会为了生产某种商品，总共要费几许的劳动。

商品，通常由几个劳动者的手中生产出来，他们各自具有自己在商品价值中的一分,因此,问题更复杂起来。

在这种情形,商品的价值,到底是如何算出来的呢?

商品经济,为许多私有企业所分散,这些企业,预先各把自己的行动不和别人协调而动作,这时候,商品价值,在一个企业的劳动生产物,到市场去遇着别个企业的劳动生产物以前,是不显现于表面的。因为要在这两个商品相遇时,表面上才显出造成它们的两个具体劳动。实际只是一个抽象劳动的不同形态。即是:要在商品与商品在市场遇着时,才决定社会的必要劳动,复杂劳动才还原为单纯劳动。

马克思说:"如果我们想到,商品只在它是同一社会单位的人类劳动的表现时才有价值对象性;因之,它的价值对象性,就是纯社会的东西;那么,商品的价值对象性,只在商品与商品的社会关系中才能出现,这也是自明的事情。"①

人如果没有遇着和自己貌似的人,没有对镜自照,就不能知道自己的颜貌;同样,任何商品,若不遇着别的商品,便不能决定自己所具有的价值。

因此,假定农人生产了小麦,那就这小麦要在农人拿到市场去交换一定量的别种商品——例如火柴时,才表现它的价值。因为裸麦遇着火柴,才表现农人的劳动在社会的总劳动上所占的地位。

当裸麦在市场遇着别的商品以后,当1启罗格兰姆裸麦在竞争中自己能够交换5箱火柴以后,裸麦才拿火柴作镜子,在其中发见自己的价值。即是说,5箱火柴和1启罗格兰姆裸麦中被对象化了的抽象的、社会的必要劳动相等的事实,才显现出来。

因此,商品经济,成为这样的结构:那种依存于它所对象化了的抽象劳动之分量的商品,其价值不能直接在它的生产上所费的时间之分量上,表现出来。换一句话,某种商品的价值,要在一定量的其他商品上,才能表现。

某种商品通过别种商品的价值表现,就是所谓的价值形态,或交换价值。

我们由是明白了以下的三件事情:第一,构成价值的抽象劳动;第二,商品所对象化了的抽象劳动——价值;第三,价值的现象形态,商品的相互关系。

---

① 《资本论》第一卷第一篇第一章。

价值和它的现象形态,不是一个东西,因为商品所对象化了的抽象劳动,和"商品与商品之间的关系",不是同一物。

但是,它们却是统一了的东西。因为它们构成着价值这同一现象的两面,其中一面的价值形态,只是别一面所已包含的东西的表现。

如果商品之中,没有一定量的抽象劳动被对象化,即是说,如果商品中没有价值这东西。商品就没有交换的道理,价值的现象形态也不存在。价值的现象形态若不存在,商品便不和别的商品在交换过程上结相互的关系,各个生产者的劳动,也就不会变为等质的抽象劳动,价值也就不存在。

所以,价值与其现象形态,形成统一。但是,这个统一却是矛盾的东西。因为被对象化了的劳动——价值,和劳动各是一物,即是通过不同的物与物之关系而表示自己的。正和往后去说的一样,无论什么商品,把所含的使用价值与价值的矛盾,在这点上,都是异常明显的表现着。

第二节　相对的价值形态与等价形态

我们在前面,已经说过:一个商品通过别个商品的价值表现,就是所谓"价值形态"。

把自己的价值映到别的商品上去的商品,构成所谓"相对的价值形态",作它的"镜子"的第二商品,构成"等价形态"。

就前述栽种裸麦的农人一个例子说,1启罗格兰姆裸麦,立于相对的价值形态上,5箱火柴(即1启罗格兰姆裸麦通过它决定自己的价值的),立于等价形态上。

一商品通过别商品的价值表现,可用以下的等式表示出来。

1启罗格兰姆裸麦＝5箱火柴

构成这个等式的商品,是两个不同的使用价值,它们具有满足人类的不同的欲望的全然个别的自然性质。

假若火柴所具的特殊使用价值,不和裸麦的不同,火柴就不能测量裸麦的价值,也不能表示裸麦的价值。实际上,假使我们通过与裸麦具有同一使用价值的商品来决定裸麦的价值,那就怎样呢? 这个,换一句话说,我们就是以同一裸麦来决定裸麦的价值。1 启罗格兰姆裸麦＝1 启罗格兰姆——这样的等式,是无意义的。明明白白,任何东西都不能由它表现出来。

一个商品要表现它的价值,终归不得不依赖其他商品的使用价值。

马克思关于这个问题说:"任何商品,都不对它自身做等价而发生关系,因为不能使它自身的自然形态,作它自身的价值表现,所以它不能不和做等价的其他商品,发生关系。换一句话说,它不能不使某种别的商品的自然外皮,作他自身的价值形态。"①

没有两个商品的差异,固然不能表现它们的价值,但是,一方面也不可忘掉:马克思所说的"商品的自然外皮"的差异,对于发见那存在于它们中间的某共通物一件事,却是必要的。实际上,我们已经知道:1 启罗格兰姆裸麦和 5 箱火柴,由于形成相对价值形态和等价形态的事实,而被弄得相等。但是,要把那没有具着这种共通物的两个物体,弄得相等,那是完全不可能的。我们所以能够拿顿、担、启罗格兰姆来表示麦利根粉的重量,就因为麦利根粉和称量它的重量的砝码,在具着重量的一点上,都是共通着的。正和这同样,麦利根粉的价值之能用火柴计算,就是因为麦利根粉与火柴同是有价值的,即是任凭生产那一种,都要支出等质的抽象的人类劳动。

但是,被称量的麦利根粉与砝码所共通的性质之重量,和被交换的麦利根粉与火柴所共通的性质之价值间,存有本质的差异。当考察价值形态时,最重要的要把这种差异放在念头。重量是物理的物体之麦利根粉与砝码所具的自然性质;反之,成为相对价值形态及等价形态的麦利根粉与火柴,它们所共通的东西,决不依存于这些商品的自然性质。"当作价值看的商品,是社会的大小,因而当作物看的它们的'诸属性',却是别的某种东西,当作价值看的它们,只不过是表现生产的活动上之人与人的关系的"②,这种事实是我们已经观察过了的。

商品的具有价值、能够交换的事实,就是它们在一定社会条件下被生产的

---

① 《资本论》第一卷第一篇第一章。
② 见马克思:《关于价值诸学说》第三卷。

一个证据。价值是商品经济上各个私的生产者之私的劳动,同时又是社会的劳动;就是劳动的社会性质,在这里要通过交换才能出现的一个表现。

所以,一切商品所具有的共通物,不在于具有一定的自然属性的物体本身中,而在于生产它们的人们之特殊的社会关系中。

但是,价值这东西,如我们所见,是通过那差别的自然的性质,差别的自然的外皮之诸商品的比较而被表现的。

因此,得到这样的结论:商品经济上的人与人的社会关联,由于各个商品的自然属性之差异,才表示得出来。

这里,我们又遇着前面曾经指摘过的各商品内部的矛盾。即,一切商品由于它既是价值,又是使用价值的事实,便成为一面是某种自然属性的担任者,同时又是社会劳动的一个小部分的体化之矛盾。

但是,如前面所见,使用价值与价值的矛盾,是存在于一个商品的内部的。现在我们又看到这种矛盾在商品与商品的关系中也表现出来的事实。

处在"相对形态"方面的商品,通过别的商品("等价形态")去决定它的价值。因此,后者就成为前者的价值之体化。商品在遇着自己的"等价物"以前,不仅不能表现它的价值,连使用价值也不能表现。为什么? 我们已经观察过,商品在卖者的手中时,不会成为使用价值。

一个商品依存于别个商品。但两者不同。主人不同,自然的形态也不同。

马克思说:"相对价值形态与等价形态,是有交互关系的,双方互相制约的、不可分离的契机。然而同时又是互相排斥、互相对抗的两极。"①

"包藏于商品中的使用价值与价值之内的对抗,照那样由于一个外的对抗……即是由两个商品的关系表示出来。"②

既然任何商品生产中都支出一定量的社会劳动,那就一个商品通过别个商品,在一定的量的比率上,表现其价值。1 启罗格兰姆裸麦和五箱火柴相交换的事实,就是指示 5 箱火柴上,有与 1 启罗格兰姆裸麦上相同的劳动被对象化了(当然,我们姑且把那使交换比率背离价值的需要供给的变动,置

---

① 《资本论》第一卷第一篇第一章。
② 《资本论》第一卷第一篇第一章。

于不顾）。

这时候，显然社会劳动的生产性之变动，能够招来它们的量的比率之变化，如果火柴工场的社会劳动的生产性，增加到两倍，那就 1 启罗格兰姆裸麦，不是和过去一样，拿 5 箱火柴来表现它的价值，而是在 10 箱火柴上表现。反之，如果裸麦的生产所需要的劳动，减少了一半，那就 1 启罗格兰姆裸麦的价值，只为二箱半的火柴所表现。当然，两种商品的价值，也有在相同程度上变化的时候，那时候，表现那种可称为价值与价值之比的东西的价值形态，依然不变化。

　　根据上面的所说，可知商品的价值表现，无论在"相对价值形态"的商品（裸麦）之价值起变化的场合，或在这个商品的价值照旧，而等价物的价值起了变化的场合，同样可以发生量的变化。在后一种场合，商品不变其价值，而变其价值表现，变其交换价值。如果一启罗格兰姆的裸麦，其价值虽不变化，但他今日等于 5 箱火柴，明日等于十箱火柴，那么，这就是最确切的证明价值的外的表现即商品的交换价值，同时是和这个价值有区别的东西。

第三节　价值形态的发展

前面，我们当作问题考察的，是各商品只用某一商品去表示它的价值时的价值表现，即如裸麦只用火柴表示它的价值的价值表现。我们把 1 启罗格兰姆的裸麦作相对的价值形态，把五箱火柴作等价形态，这可说是附条件的、一面的事情。如果裸麦的主人，把火柴看作单纯的"等价形态"，把它看作裸麦可在那上面测知自己的价值的"镜子"，那就他方的火柴主人，也要以五箱的火柴作相对的价值形态，把裸麦看作是火柴通过它来决定自己的价值的称量器——等价形态。这是当然的事。然而尽管那样，各商品在一定的情形下，它自身是只对峙于一个商品，在那上面表现自己的价值的。马克思把这种形态叫作单纯价值形态，或偶然的（又名个别的）价值形态。

在现实上，一商品和别商品相交换的那种交换形态，只在交换的初期发展阶段上存在过。这是起于为满足自己的欲望而生产的各原始共产体,它们的某种生产物偶然超过该共产体的欲望之时。

马克思说:"使用对象为要能够成为交换价值,它的第一个必要条件,就是要该使用对象失掉使用价值,即是现存着超过它的主人之欲望的分量。……商品交换的开始,就是在于那种共同团体的尽头处,它们和别的共同团体乃至别的共同团体的人员相接触之点。但是,物品一旦在与外部的交通上成为商品时,它就反作用的在内部的共同生活上,也成为商品。这些物品的量的交换比率,最初全是偶然的……在这样情形中,对于他人所有的使用对象之欲望,便渐渐确立起来。交换不断地反复,把它形成一个规则正确的社会过程。所以,随着时代的经过,生产物至少一部分,就以交换为目标而被生产……。"①

这样,随着共同团体间的交换繁荣,它就必然开始反映于一切内部的共同生活上去,就是说,共同团体,最初从那不以交换为目的的剩余生产物之偶然的交换,移到不是为了满足自己的欲望,而是以交换为目的之专门的商品生产上去。共同团体所生产出来的商品,早已和这团体外的生产出来的一些商品,有组织的交换起来。

"某一个劳动生产物,例如家畜,已经不是例外的,而是在一般的通则上,和许多别的商品相交换。"②

因为商品生产的发展,一个商品已经不是遇着一个商品,而是遇着别的许多商品。即如 1 启罗格兰姆的裸麦,今日和五箱火柴交换,或许明日又和 0.15 启罗格兰姆砂糖,明后日又和 0.43 启罗格兰姆煤油,乃至和 0.25 生的米突花布相交换。一商品与别一商品相接触,这商品就会映出自己的价值之"镜子"的行列,即是得到单纯价值形态的全系列。

1. 1 启罗格兰姆裸麦 = 0.15 格兰姆砂糖

2. 1 启罗格兰姆裸麦 = 0.43 启罗格兰姆煤油

---

① 《资本论》第一卷第一篇第一章。
② 《资本论》第一卷第一篇第一章。

3.1 启罗格兰姆裸麦＝0.25 生的米突花布①

1 启罗格兰姆裸麦所遇着而通过它去表现自己的价值的商品一经加多，那种形态也就增加。但是，因为一商品是在许多别的商品上，表现自己的价值的，所以结局得到如下的式子。

$$1 \text{ 启罗格兰姆裸麦} = \begin{cases} 0.15 \text{ 启罗格兰姆砂糖} \\ 0.43 \text{ 启罗格兰姆煤油} \\ 0.25 \text{ 生的米突花布} \end{cases}$$

这样，从简单的价值形态全系列，得到一个新的形态。这就是所说的总体的或扩大了的价值形态。

这个形态，虽然比最初的复杂些，虽然这里的一个相对价值形态，在许多等价形态上表现，但是，它的本质，仍和原来的形态——简单价值形态上的一样。就是说，哪怕在这里，相对形态与等价形态，也一面是统一的，同时又是矛盾的。两个形态在这里，也不能不有相异的使用价值，而且它们所以能够比较，正因进入方程式的一切商品中，社会的必要之抽象的人类劳动被对象化着。最后，哪怕在这里，一商品通过别商品的价值表现，也不过是人与人的某种生产关系之物的表现。

简单形态与总体形态的差异，就在这一点：后者方面，一切具体的劳动向着抽象劳动的转变，即向着创造价值而无差别的劳动的转变（作为交换经济之特征的）；和前者方面的比起来，更明了的表现。在这里，不仅种裸麦的农民劳动，和做火柴的木工或化学的劳动，放在一列之上，在这里，无数人们的劳动（农民、化学者、菜蔬栽培人、矿工等等）投到市场这"一个坩埚"之中，各个私的劳动之统一性和社会性通过交换而表现，这是明明白白的。

扩大的价值形态上的各个商品，接受它的价值表现的"无限系列"，关于这种事实，借马克思的话说，就是证明："商品价值，对于在自己可成为现象形态的使用价值之特殊形态，是不关心的。"②

---

① 以上的关系（本章以下之节所述的也同），和大战前最后五年间俄国市场所表现的交换比率相当（参照《经济概况》，1927 年 11 月，第 194 页）。

② 《资本论》第一卷第一篇第一章。

因此,我们在总体形态上所看到的东西,不外就是已经在简单形态上看到的诸矛盾的一般发展。

但是,价值表现,不只限于这个总体的或扩大的价值形态。随着商品生产及商品交换的发展,这种形态也发展,移向更高的新形态即移向一般的价值形态。

实际,在总体的形态上,那种把社会的劳动之一切私的形态,弄到某种统一上去的倾向,特别明了地表现出来,这是我们已经见到的。然而这里还不是完全的统一。各商品在其他商品的全系列上,表现自己的价值。1启罗格兰姆的裸麦,和一定量的火柴、砂糖、煤油等等相比较。其他一切的商品,例如小麦的价值,也一样能在别商品的全系列上表现。因此,我们得到表现总体的价值形态的等式:

$$第一个等式:1\ 启罗格兰姆裸麦 = \begin{cases} 5\ 箱火柴 \\ 0.25\ 米突花布 \\ 0.15\ 启罗格兰姆砂糖 \end{cases}$$

$$第二个等式:1\ 启罗格兰姆小麦 = \begin{cases} 0.33\ 启罗格兰姆钉子 \\ 0.54\ 启罗格兰姆煤油 \\ 0.31\ 米突花布等等 \end{cases}$$

这些等式,何以没有完全地统一呢? 这是很简单的,各商品(例如裸麦)对于自己的价值表现,无论多少都找得出来,但裸麦的价值表现,和小麦的价值表现,是完全各别的东西,这可以立即看得出来。

例如那个农人把自己的裸麦,今日直接交换花布,明日直接交换火柴,这中间究竟哪方面于自己的看头好些呢? 他如何能由总体的价值形态来决定呢? 而且价值这东西,不是依照交换不合算就缩小生产、交换而赚钱就扩张生产那种样式而自发的决定的么? 把小麦的价值在煤油上表现,把裸麦的价值在花布上表现时,他怎能决定究竟是裸麦赚钱或小麦赚钱呢?

我们已经明了了如下的事实:在两个价值形态上看到的一切种类劳动的"等置"以及向着他们的等质的社会的抽象劳动去的还原过程,是随着商品生产的发展而更加推进的。可是,这是由于从总体的价值形态上发展起来的第三价值形态,即所谓一般的价值形态来完成的。

在这种第三形态上,一切商品无论如何繁复,都用一个商品来表现自己的价值。这里,小麦、裸麦以及别的许多商品,都通过一种商品例如火柴来决定自己的价值。即:

$$\left.\begin{array}{l} 1\ 启罗格兰姆裸麦 \\ 1.31\ 启罗格兰姆小麦 \\ 0.15\ 启罗格兰姆砂糖 \\ 0.43\ 启罗格兰姆煤油 \\ 0.25\ 启罗格兰姆钉子 \\ 0.25\ 米突花布 \end{array}\right\} = 5\ 箱火柴$$

马克思说:"那种形态的必要,随着进入交换过程的商品数与多样性的增大而加甚。问题,是与解决的手段同时发生的。商品所有者们,把他们自己的物品,和种种别的物品相交换,相比较,这种交易,假若没有种种商品所有者们的种种商品,在交易的内部,和一个同一的第三商品相交换的事实,那就决然不能显现。……那种第三商品,因其成为别的种种商品的等价物,就构成直接具有社会的一般的等价形态。"①

这种新的第三价值形态,是从总体的价值形态产生的,乍看起来,甚至以为两者的差异,只是两边颠倒着。其实,再把五箱火柴朝左边,其余的一切朝右边移去,就得到总体的价值形态,但问题不单是在于等式的颠倒上。两者的差异上,还有更深的意义。即:在扩大的价值形态上,一个商品有着无数的"镜子",能够为了决定自己的价值去"照"他们。因此,相对的价值形态,只是一个,等价物是多数。各商品,用各种的方法,表现一个同一商品的价值。然而在一般的价值形态上,一般的等价物就只一个。即是:一切的商品所照的唯一的(镜子),就是一个商品,拿现在的例子说,就是火柴。在前者,各商品能采无数的"形态",在后者,一切的商品采取一个同一的形态。即是它们都在火柴的中间,表现自己底价值。交换经济的一切分散部分的统一,在这里,采取极鲜明的表现。无论你们生产什么东西,无论你们的劳动如何"高尚"或如何"卑贱",只要该生产物是以交换为目标的,那么,这商品就和别的投到市场

---

① 《资本论》第一卷第一篇第一章。

去的许多商品一样,由一个一般的等价物表现自己的价值,而失其本来面目,成为别的许多价值中的一个价值,支出在该生产上的劳动,最后就变成等质的社会劳动的一部分。

同时,成为一般的等价,成为价值的一般尺度的商品,简直开始尽它的完全特殊的任务。当我想决定 1 启罗格兰姆裸麦在市场上值得几何的时候,那就得到 5 箱火柴的回答。再打听 1 米突花布值得几何,也是得到 20 箱火柴的回答。这时候,并不是我特别要火柴,而只是因为火柴是其他一切商品之价值表现的手段。

火柴的使用价值本身,在这种场合,在人人的眼中,都看作有意义的东西,以为那能用作等价物的事实,或许就是火柴的新的特殊性质。

站在相对价值形态上,以火柴为媒介而表现自己的价值的一切别的商品,尖锐的和当作一般等价的火柴相对抗。火柴能和任何商品直接交换,反之,其余一切商品却已经不能互相交换。例如想把裸麦和钉子交换时,先就要把裸麦和火柴交换,然后把火柴和钉子交换。一切商品的价值,通过一般的等价而表现,离开这种等价物,诸商品的自身,就只有单纯的使用价值。因此,我们在一般的价值形态中,看见"互相规定"同时又"互相排斥的两极"。即是:一极站在有种种使用价值的全体商品上,另一极站在表示这些商品的一般等价上。

使用价值与价值的矛盾,我们在简单的价值形态上看见的相对价值形态与等价形态的矛盾,在这里最鲜明的表现出来。

第三节　货币及价值的货币形态

我们在说明一切商品都通过它而决定自己的价值的一般等价时,曾取火柴为例。我们所以那样做,为的是要指示在本质上任何商品只要具有价值就能成为一般的等价物。

事实上,在交换还比较的未发展的阶段,因时间与场所不同,种种商品,都尽过一般等价形态的任务。"随着商品交换的发展,这个任务,就当作一定的商品种类的担任而固定。"(马克思)即:叫作货币的特定商品,离开别的商品中而成为一般等价物。所以,一般的等价形态,叫作货币形态。现在,谁也知道,金子成了基本的货币商品。

然而不是任何世代都如此的。

古时交换没有现在这样发展而带有地方性的时代,各地方是最利于通用的商品,尽了货币的作用。在渔猎是最主要职业的地方,皮鞋或毛皮,被当作那样的一般的商品,在牲畜流行的地方,家畜被当作那样的一般的商品。

> 例如非洲土人的社会,据安特勒说(脱拉夫丁堡著《货币》),成为价值的一般尺度的,就是……敌人的俘虏。"这种场合,眉目秀美的少年,如花似玉的美女,是最贵重的通货"。

从通用的商品中,逐渐分出贵金属,就中主要的是金子,来尽一般等价的任务。最初是以种种大小的金块形式,其后就以具有一定大小与轻重的"片金"(译音"奥普卢布克")之形式(从这里生出卢布的名词来)。具有一定形式的铸货,是最后才有的。

然则金子及其他的贵金属,所以成为货币而驱逐其他商品,是依存于什么呢?第一,贵金属无论放到什么时候,都没有腐烂之虞,简直不磨灭,这一点是便利的。像家畜那样的货币商品,不单腐烂——害病与死亡,并且还要特别喂养它。第二,金子容易分割。用金子,就不管高价的或低价的,种种的商品都可购买。可是,某种贵重的毛皮或牛羊,至少除了和它的价值相等的商品,或是具有货币单位的整倍的价值之商品以外,就不能购买,因为毛皮一分割,就不值钱。至于牛羊,是完全不能分割的。再则金属货币不笨重,这是极贵重的一点。它有大的"劳动容量",即是能在小的容积之中,体现大的价值,所以携带或保存,都非常简便。最后,金和银,在色与音上,容易与别的东西相区别。

这种优越,就是金子做基本的货币材料的由来。

但是,单只具有一定的物理化学的性质——放着不生锈,不容易分割,这还不足说明金子能够成为一切商品的一般等价物的根本理由。因为商品的物理化学性质,我们已经知道,不过规定它的使用价值而已,而这使用价值,我们曾经再三申述,不过是某种物品能够成为商品的条件。

金属的货币所以能够成为其他商品的价值尺度,如前所述,正因它的中间体化着社会的必要劳动,即是有一定价值的商品。就是说,有价值的金属货币,当然要和别的商品结成关系,才能表现自己本身的价值。

马克思说:"金子也同其他一切商品一样,只能用其他诸商品相对的表示自己本身的价值之大小。它自身的价值,由它的生产所需要的劳动时间来决定,并且由相等的劳动时间所凝结于其中的一切商品的重量来表现。"①

金子在现代社会所以能尽它的任务,就是因为这个社会的一切机构,结局站在价值法则的不可抗的支配之下,于是惟有货币成为这个价值的一般表现者。

① 《资本论》第一卷第一篇第二章。

第五章　商品的物神性　由价值表现的社会关系之历史的性质

第一节　社会关系与其物的表现　关于商品物神性的一般概念

由于考察从最初最简单的形态到最发展的一般形态及货币形态的价值形态,知道各商品所具有的价值,在商品经济上,是通过种种商品间的相互关系而表现的。

一切商品由于具有价值,就把社会的劳动一部分,体现于其中,因此,立即把生产者的社会关系,反映于其中。同时,一切商品,不单是某种社会关系的"担任者",并且是具有一定的自然属性,一定的自然形态的东西。相对立的两个属性即"社会的形态"与"自然的形态",在一切的商品上被统一着。因为商品同时地具有价值与使用价值。

但是,从一商品的价值移到价值形态,即移到它的价值表现时,我们看到当作一切商品之担任者的社会性质,要通过具有其他性质的别的商品,才能表现。

试取最初最简单的价值形态看看,1 启罗格兰姆裸麦,通过 5 箱火柴而表现其价值。假若火柴的自然形态和裸麦的自然形态没有差异,它就不能表现裸麦的价值。等价物的特殊自然形态,成为相对形态的价值之体化。这时候,必然容易认为火柴之能表现裸麦的价值,正是它具有特殊的自然属性。因之,火柴之能成为等价物,正是它本来具有成为等价的性质。

这种印象,到了从简单的价值形态,移到总体的,特别是一般的价值形态时,更加强大起来。实际上,在简单的价值形态上,火柴对于裸麦虽是等价,然而从火柴的卖手看来,裸麦又是等价,火柴却立于相对的价值形态。在一般的价值形态及为其最发展形态的货币形态上,一切商品都通过一种类的等价而测量其价值。作为商品的金子,不仅用于其他商品价值的称量上,也用于装饰,也用于镶牙,来发挥其特殊的使用价值。但是,到了一切商品,长期拿金子表现其价值而处于相对价值形态的一切商品,和它的一般等价之金子,尖锐地对立起来的时候,金子就被认为不止供作手镯、指环、镶牙,等等之用,并且具有称量一切商品价值的特殊性质。成为价值的共通"尺度"之货币的那种能力,因而被认为货币的新的特殊之本性。就是说,货币可说已经获得一个新的使用价值①。

实际上,我们已经看到:作为等价而供用的金属货币之特殊性质,和其他诸商品一样,不是由商品的当作使用价值的性质来说明,而是由用价值去表现的人与人的社会关系来说明。我们已经看到,金子所以能成为一般等价,和其他众商品一样,不外于它体化着社会的劳动的缘故。

因此,在人们把商品的能被交换以及成为等价的能力,看作商品之特殊的内的性质时,我们在那里看出"错觉"即错误的表象来。

但是,问题不单是在于人类的迷妄。错觉这件事,不可避免的,是从商品经济所特有的各个商品的使用价值与价值的矛盾发生的;从某种商品的价值非为其他商品的使用价值所体化就不能表现的事实发生的;从人类相互的诸关系,在商品经济上,非通过具有一定属性的物与物的关系就不能表现的事实发生的。

马克思说:"社会的生产关系,对人类表现为外在的一个对象,这些人们在其社会生活的生产过程上所结的一定关系,表现为物的特殊性质,这种颠倒及神秘化——不是想象的东西,简直是散文的现实的——给生产交换价值的一切社会的劳动形态以特征。"②

在商品经济上,"使用对象所以都成为商品,就因为它们是互相独立的私的劳动生产物",这在上面已经再三力说过了。在商品生产者不相互结成交

---

① 马克思把它们变成货币时所承受的金子的这种新"使用价值",叫作形式的使用价值。
② 《经济学批判》第一篇第一章。

换关系之时,他们是互相独立着的,他们的劳动之社会的性质,也被遮蔽着。

于是人们不能相互直接地结合。这种关联,要通过交换才实现。要结成交换关系,通过被交换的劳动生产物,人们在商品经济上,才现出"他们的私的劳动之特殊的社会的性质"。

那样,物与物的关系,缠绕到人类关系的连锁上。"人类的相互独立,为全面的物的依存之一体系所补足。"①

商品经济上,一切人在其他人们间所占的位置,由他所生产的商品在其他诸商品间所占的地位来决定。就是说,人们生产什么。把自己的劳动转向什么生产部门,这一切都系于商品在市场的命运如何。人类的运动,表现为依存于物的运动的东西。

这时候,人们表现为不能有意识地统制市场的物的运动的东西。因为我们已经看到,市场的法则是自然力的、蔑视人类的意志而常起作用的。

商品的交换比率,是离开"交换者当时的意志、预见及行为独立而不断变动的。是生产者们自身之社会的运动,采取物的运动之形态,这种物的运动形态,对于他们,不是他们制止它,而是他们受它所制御"②。

人类所生产的物品,由于投入于他们的社会关系,自然地开始支配人类。在商品关系所支配的社会中,与其说人的地位依存于他的人类性,还不如说依存于他所有的财富。这财富,实在就是人手的创造物!

人们间的关系的那种"体化","类运动"对于物的运动的那种依存,正是商品生产者自身的脑海中发生关于诸商品的神秘性的错觉的东西。即是:由此,"人类自身的一定的社会关系……采取物与物的关系之幻影的形态"③。

人们往往看不见在商品关系背后的人与人的关系。由于给物以特殊性质,人类便忘掉商品,结局只是"反映人类劳动的社会性给人看的镜子"④的那种事实。

物与物的关系,"遮蔽"并抹杀人类自身的关系。

---

① 《资本论》第一卷第一篇第三章。
② 《资本论》第一卷第一篇第三章。
③ 《资本论》第一卷第一篇第三章。
④ 《资本论》第一卷第一篇第一章。

因此,我们知道:一般的关系商品的某种特殊的内的性质、特殊的关于货币的某种特殊的内的性质而在人类头脑中产生的主观的错觉,就是从物在客观上(即离开人类的意识及意志而独立的)制御商品经济的社会关系一件事实中产生出来的。

商品经济的诸特性所生的人类的错觉,跪拜于那种玉石、镜子、木片等之前,把它们神格化起来;而且它们虽是人类自己的两手所造成的物品,却和赋予神秘之力于它们的原始野蛮人的观察,是一脉相承的。

人类把自己所造成的各个物品使其神格化的事实,叫作物神崇拜。

马克思比拟于野蛮人的物种崇拜,把人在商品经济上依存于自己所造成的商品这一层命名为商品的物神崇拜性或商品物神性。"把人靠物才能制御自己们的关系的商品经济,叫作商品——物神性的经济。"

马克思关于这个问题说:

> 在宗教的世界中,人类头脑的生产物,采取赋予它自身的生命的,相互的而且与人类结成关系的自存的姿态。在商品的世界中,人类的两手的生产物,也是如此。我把它了取名物神崇拜,这就是劳动生产物,一旦作为商品而生产,便要缠绕于其上的东西,因之,是和商品生产不可分离的东西。①

这里,显然的,马克思把商品的物神性一语,不单解作人类之幻影的主观的表象,并且解作离开人类的意识独立而在客观上存在的、不可避地生出关于商品的神秘性的表象的商品经济上人与人的特殊关系及关系之"物的"统制方法。

第二节　商品物神性之一种即货币物神性

在一切商品交换上,人与人的关系,采取物的形态时,一切商品,在成为

---

① 《资本论》第一卷第一篇第三章。

"反映人们自身的劳动的社会性给人看的"的"镜子"时,商品经济的物神性,对于任何商品,都应已映上去。

但是,在货币即价值货币形态上,我们已经在一部分上看到,人的关系之物的表现,特别采取复杂错综的姿态。

马克思给与着如下的注意:"正是商品世界那种已成的形态——货币形态,对于私的劳动之社会的性质,并且因而对于私的劳动者之社会的关系,不去暴露它,而是在物的形态上去隐蔽它。"①

一切商品都用金子表现其价值,而金子又成为一般的等价而与其余一切商品尖锐的相对立,——从这里使人想到测量价值的货币之能力,如我们所见,好像是金子的特殊性质。

同时,又使人想到种种商品由货币来的价值表现,好像它们的重量与体积一样,是它们的自然属性。实际上,在说起买手有时在店铺里 1 角钱谷米,有时买两角钱谷米的场合,或许想到所买的谷米之价格即其价值的货币表现,不外是一定量谷米之限额的记号。那样的错觉,由于依据货币而行的商品评价在其和现金交换以前显现的事实,基础更巩固起来。我不买服物,却可以把它评价为 60 元,把帽子评价为 10 元。因此,人们便以为商品的价值,不依存于现实的交换行为——即交换上表现出来的人与人的关系。可是从实际说来,在现实上,那与其他诸商品一同具有自己的现实的价值、因而具有自己所表现的一定社会关系的货币既不存在,那么,人们要在头脑中用货币预先在"观念上"估量商品的价值,这是不可能的。没有具着现实价值的货币,商品之"观念的"评价,当不可能。恰如离开人类的头脑,而 1 米突不具着一定的长度,人就不能用米突来表象房子的长短一样。

在交换社会中,既然一切商品都与货币相交换,只要有相当的货币,通常无论什么都买得到,所以货币在社会中获得特殊的权力。

"随着商品流通的扩张,货币的权力——任何时候都整齐战斗准备,无条件地具着社会形态的财富的权力,增大起来。金子是可警可叹的东西。有金子的

---

① 《资本论》第一卷第一篇第三章。

人,就能支配他所希望的一切。人靠金子还能把灵魂送到天国去。"①货币的这种权力,如我们所知,由于市场中货币及商品的运动离开人类之意识的意志而独立的、自然力的显现出来的事实,也得到在人类表象中的某种神秘性质。

对于金子在现代社会中所有的这种支配的意义而表示惊叹的许多人们,都要矜重地讨厌那"可鄙的金属"。

他们在金子中,看出一切罪恶的根本原因。古代希腊某"贤明的立法者",曾经企图废止金货币,斩绝人们从对于金子的欲望发生的罪恶以及相互间的憎恶与斗争。

但是,问题并不在这有一定的色与音色这黄色光辉的小圆盘之中,这是明白的事情。它们的权力,我们已经再三说过,是支配商品经济的无政府的、自然力的人与人之社会的关系。

货币,它自身不是具有给它以特殊权力的某种神秘力的东西。货币的权力,终不过是商品经济所特有的商品物神性的,物对人的权力之简单的表现。

像古代希腊的贤人禁止货币等举动,是愚笨之极的事。无论怎样去禁止货币,只要除了通过市场去互相交易以外无别法的私有经济,仍就如故,它们也就非用何种形式表现出来了不可的。如果社会立脚于"私有财产不存在,市场无必要"的原则上而再建设了,那时候,它们这些光辉的小圆盘之物对人的权力,也就自然消灭。

如果这样,人们所造的物品,已不支配他们,而是人来合理地有计划地支配物了。

货币的物神性,只不过是商品的物神性一般的明了表现,这是我们已经说过的。马克思说:"货币物神性的谜子,是商品物神性一般的谜子,它们只不过更强烈地刺激眼帘,眩惑眼帘而已。"②

往后还要观察:商品的物神性与人的关系之"物化",采取最鲜明形式的,是在商品生产成为"普通的生产形态"之时,即是在资本主义之下

---

① 《资本论》第一篇第三章。
② 《资本论》第一篇第三章。

的事,这里,生产工具及生产手段,为资本家所独占,在他们的手中成为榨取劳动者的手段。由于这样的转变为资本的事实,生产工具及生产手段,就成为资本家与劳动者的生产关系的"担任者"。这时候,生产工具及生产手段,被想象为具有替它自身的所有者生利的神秘性的东西。

我们对于这些更复杂形态的物神崇拜,在由单纯商品经济移到资本主义时,当更加详细地论述一番。

第三节　价值中间所显现的生产的生产关系之历史的性质

我们已经看到:商品的物神性,把商品生产者间的诸关系,弄得异常错杂,并且"隐蔽"起来。人们因为交换商品,并且隶属于商品,所以在商品经济上,往往为"物的幕纱"所遮蔽,看不见他自身的诸关系。

商品,尤其是货币,其在外表上采取的特殊神秘性,对于人们变成困难的谜子;布尔乔亚学者为解决这个谜子,论难辩驳,为时已久。

但布尔乔亚经济学,到底不能解决这谜子。

某种经济学者,在进行交换诸法则的说明上,把一切注意集中于商品的自然形态,因此,连商品经济上物的关系背后潜伏人的关系的事实,也没有想到。所以,他们到达于所谓商品的价值为自然所创造的那种结论。其结果,动辄"看不见作为货币的金与银之中的社会的生产关系的表现,单只看见具有极不可思议的社会性质之自然物的形态"①。

因此,这些布尔乔亚的经济学者们,全为商品的物神性所眩惑,一步都不能向着问题的解决路上前进。

另一部分少许乖巧的布尔午亚经济学者们(马克思所说的布尔乔亚科学的"最良代表者"——所谓"古典派"经济学代表者),进到了这样的考察:对商品交换上所看见的诸现象之根源,不去求之于商品中,而求之于人类的劳动。但是,他们一方面虽进到了这种考察,同时却仍不能解释商品物神性的秘密,

---

① 《资本论》第一篇第一章。

不能说明价值及价值形态。

他们虽然到达了价值在人类劳动过程上，是由人类所创始的这种考察；然而他们的说明，却不能理解下面一件事。即是说，他们不能理解这个价值不会是任凭什么劳动都能创造的，而是要由那单为商品经济所特有的社会劳动之特殊形态才能创造的。

马克思所说的"最良的"经济学者，当其研究商品和商品的价值时，也是从如下的前提出发的，即是说价值无论在什么社会都能存立，就是离开他人而完全孤立的孤独的猎人与渔夫的劳动，也能创造价值。

因此，这些经济学者们，把价值及形成价值的劳动，看作"超历史的"即离开社会的发展和经济构造的变革而独立的某种东西。

这种见解，是布尔乔亚经济学者的最显著的特征。因为绪论上已经指摘过，他们把商品经济所特有的诸关系，看作人类社会的一切发展阶段所通用的"自然的"、"合理的"东西。

因为要保守自己阶级的利益，就否定商品生产是历史的东西，所以布尔乔亚的经济学者们，不会暴露商品的物神性，并且不能暴露它。

如果像他们所想的一样，住在无人岛上的孤独的人也能创造价值，那么，为何一个商品的价值，要通过别个商品的使用价值才表现呢？为何人类的劳动，不能不用物与物的关系来表现呢？为何人类隶属于自己所造的物品，给它以特殊的神秘性质呢？这是不了解的。

能够美满地解决这一切问题的人，只有马克思。因为他站在普罗列塔里亚的见地上，把握商品的历史性，指明了只有社会的一个历史阶段所特有的商品经济的特殊诸形相。对于商品经济上的人类劳动，给以为价值所表现，而且必然生出商品及货币的物神性的种种特性。

马克思说："当作商品看的生产物之交换，是劳动交换的一定方法，是某种劳动依存于其他劳动的一定形式，是社会的劳动或社会的生产的一定种类。"①

---

① 《关于剩余价值诸学说》第三卷。

在劳动"立脚于私的交换",各个私的劳动通过交换而转变为单一的无差别的劳动,劳动的社会性在抽象的劳动形态上表现的处所——只有这种处所,价值货币及商品的物神性存立。

布尔乔亚经济学者所谓创造价值的某种完全孤独的人类的那种考察,当然是一个幻想。因为完全离开别人而独立生产的人类,实际上总不存在。

假定真有完全离开社会而生产的孤独人类,那么,他的劳动生产物果有价值么? 断乎不然! 因为他的劳动,不是社会的劳动之私的形态,不当作无差别的抽象劳动之一部去与其他劳动形态对立。假若这种假想人物,把种种物品的生产上所支出的劳动比较一下,那在他就丝毫没有求之于物的"自然形态"比较之必要,而单只计算生产某种物品,需要几何时间,生产别的商品需要几何时间了,这种人和"他所手制而构成财富的物品之一切关系",丝毫不含有"商品物神性",是"单纯的,是透明的"。

试就在社会上生产的——不是在商品的、无政府的生产所支配的社会上生产,而是在有计划的、有意识的、有组织的自然经济所支配的社会上生产的——一个人来看看。这里,价值与商品的物神性,是存在的么? 当然不存在! 因为既然没有商品生产之自然发生的关系,劳动也就没有"把劳动变为抽象劳动",并给劳动生产物以价值的那种特征的形相。

例如把前面我们已经考察过的农民家庭的自然经济,拿来看看。

这个家庭,"为了自家的消费,生产谷物、家畜、丝、麻布、衣服,等等。这种种物品,对于该家庭,是当作该家庭的劳动之种种生产物而对立的,但它们相互间,却不是当作商品而对立的。制造这些生产物的种种劳动——耕作,牲畜、纺织、机械、裁缝,等等,在其自然形态上,是社会的机能。这因为它们也和商品生产一样,是具有它自身的自然发生的分业的家庭诸机能。随着性别及年龄别以及季节的变动而变动的劳动,自然条件,规定家庭的内部的劳动之分配与各个人员的劳动时间。但是,在这里,所谓个人的劳动之支出为时间的连续所测定的这种事实,从最初就表现为劳动自身之社会的规定。因为个人的劳动力,从最初只作为家庭的共同劳动力的器官,发生作用"。①

----

① 《资本论》第一卷第一篇第一章。

照那样,封锁的农民家庭的各个分子,虽和商品经济下的人们一样,各尽"社会的机能",但人们的任务,在这里,没有物的媒介而被分配着。即是:他在着手生产之前,由于性别、年龄别以及季节之如何,预知自己的劳动,在总劳动体系上应占的地位。这里,各人的劳动之社会的性质,是"透彻明了"更没有生产关系的"物化"或"价值"的余地。

最后,就代替无政府的商品经济诸关系的社会诸关系,即社会主义经济来看看。

这里,"自由生产者团体的总生产物,是社会的生产物。那种生产物的一部分,再充用为生产手段。它依然是社会的东西。但是,别的部分,是被作为团体人员的生活资料而消费的。所以,这个部分,不能不分配于他们之间……我们单为了把它和商品生产来对比,假定生活资料对各生产者的分配,是依他的劳动时间来规定的。那么,劳动时间,便是二重的任务,其社会的、计划的分配,使种种劳动机能与种种必要之间,保持正当的比率。

"在另一方面,劳动时间,同时用作两种尺度,即是生产者个人的参与总劳动的尺度,因此,又是各生产者对于共同生产物中之个人可得即消费的部分,自己所应得到的一分的尺度。人类对于他们的劳动和他们的劳动生产物的社会关系。就在这里,也依然无论生产上分配上,都是透彻明了的。"①

照那样,在社会主义社会也是一样,人们规定自己们的关系,无须使那些关系"物化"。如果在一个社会中,各人要领取与生产时所费的劳动时间②相当的生产物,在这种场合,要预先决定人们在生产各个生产物上、在满足社会必要上,应该花费多少时间,也不困难。因为他们的各种生产物,从最初就是社会的生产物,社会当生产之际,是有计划地分配人们的工作的,由于那种计划的方法,那里就发生分业。

因此,就在这里,人们也没有"被物化了的幕纱"与价值,而能规律自己们的诸关系。

---

① 《资本论》第一篇第一章。

② 劳动生产物所以用那样方法分配,只在社会主义的初期阶段如此,这件事,往后便了解。一进到更发展的社会即共产主义社会,人们便不依据他们所支出的劳动时间去领生产物,都因他们的必要去领取。这时候,人们的社会关系,更成为"透明的","明了的"东西,这是显然的。

因此,我们理解了这一点:马克思所以能够美满地阐发交换的法则,说明商品的诸矛盾,就是由于指示了抽象的劳动与价值之历史的性质,即由于指示了抽象的劳动与价值,只在人类之社会的生产带着自然发生的、无政府性质的社会发展阶段上,才反映人与人的关系的那种事实。

　　"社会的劳动"之关联,依马克思的表现,就明了如下的事实:在"以个人的劳动生产物之私的交换形态的存在"的任何社会中,一切种类的劳动,既然都转变为无差别的抽象劳动。人与人的生产关系既然都被"物化",那就不管是单纯商品经济,抑是资本主义经济,凡属商品的生产方法支配着的地方,任在何处价值到处发生作用。

　　但是,如我们已经再三说过的一样,现在暂就单纯商品经济上的价值来叙述。商品经济的诸法则,也皆屡次说过,它在资本主义经济上,是以十分成熟的极发展的形态出现的。所以,价值法则的作用,在我们往后移到资本主义经济方面,指示价值所采的复杂诸形态时,终究也要采取最完全发展的形式而出现。

由于暴露价值的历史性、指出商品经济上的人类生产关系之特征包含在何处的事实,马克思正如我们所已观察过的一样,美满地说明了商品的物神性。

因此,他暴露了人们关于商品的某种内的性质之错觉。

但是,当然不会由于这种暴露,就完全断绝了商品的物神性。

即是说,被断绝了的东西,只是人们对自己隶属于其下的商品之某种神秘性质的主观的错觉。但是,人类隶属于物的这种事实,只要商品经济存续着,它是客观的(离开人类意识而独立的)、实在的。在这种意义上,商品的物神性之终极的灭绝,是要在商品生产基于社会主义而绝根时,要在人们到了不依赖市场的自然力,而由自己之意识的意志去规律时,才是可能的。

第六章　货币的机能

第一节　为价值尺度的货币　价值与价格

我们由于考察价值形态,寻求它们的发展,知道了商品经济上如何发生货币的事实。

所以,这番要更详细地研究货币在商品经济上所尽的种种机能。

由于寻求价值的货币形态从其他更简单形态发生的事实,我们已经明白货币的根本机能,即是能成为一般的等价、一般的价值尺度之能力。

在商品经济上,商品的价值,如我们所见,不是用社会的必要时间之单位,时、分等来表示的,而是用货币来表示的。这种商品价值的货币表现,形成商品的价格。

商品所以各能用货币表示自己的价值,正因为货币本身具有价值。我们出卖自己的商品所领收的货币之分量,同样依存于商品所体化的劳动,依存于货币所体化的劳动。假定1启罗格兰姆裸麦,代表55钟的社会的必要劳动,1分金币把5分钟的劳动体化于其中,那就1启罗格兰姆裸麦的劳动,当是1角金币。假如农业技术改良的结果,1启罗格兰姆裸麦,平均用25分钟的社会的必要劳动生产出来,其价值就变动而为5分金币了。但是,裸麦的生产所需要的劳动虽依然如故,而其价格却变动的时候也是有的。那就是采金所需的劳动变动了的时候,如果社会上技术进步之结果,采金容易了,那只要别的条件不变,商品的价格就要腾贵起来。这就是因为一分金币所含的社会的必要劳动减少了的缘故。

所以,因为金子生产的技术改良,价格也就会相当的腾贵起来。但是，因此而起的物价腾贵，通常不是很大的。这就是因为每年的金子生产，比起过去生产出来的既存的 Stock 来，不是很大的东西，它上面的社会的必要劳动，本是由再生产现在流通于市场的同种商品之总数量所必要的劳动，来决定的。加之，采金技术，比较地不显示十分进步。然而却不能因此就说金子的价值（及价格），对于商品价格，不生何等影响。16世纪所起的那种"价格的革命"上，尽主要任务的，实在就是美洲发见后的金生产增大。在美洲发见极丰富的金矿之结果，容易获得金子，这马上就引起金价格的低落，而至于物价腾贵。

商品的价格，当然也有同时从货币价值的变动与商品价值的变动发生的时候。这时候，商品价格，由于这两个原因之组成如何，时而上升，时而下降。任在一定的各时期、一定的社会技术状态之下，一定量的商品，都用一定量的货币表示其价值。价值的货币表现，就是所谓商品价格。

我们刚才论价值的时候，是从商品价格与商品价值一致的假定出发的。那种假定之与现实相一致，只在对于商品的需要供给相一致之时，这是我们已经知道的事实。

我们还要一度回想到无政府的商品经济上，那种一致是绝无的（假如有之，也是一瞬间的例外）。

因此，在现实上，通常，商品的价格，和它的价值不一致，时而在价值以上，时而在价值以下。然而这种情形，丝毫也不是驳论价值理论的东西。因为无论价格如何随着需要供给的变动而变动，而价值依然是价格不断变动的重心。

第二节　为价格本位的货币

货币作为一般的等价而为一切商品价值的尺度，同时又尽马克思所说的价格本位的职能。

当称量之际，一定的单位，成为必要。例如量长短时，米突、尺、寸等被选为单位，量重轻时，启罗格兰姆、担、斤等被选为单位。那种单位，在量价格时，也是必要的。

表现商品价格的货币单位,因国家而不同。在制定铸货以前,以重量单位表现价格。随着铸货制度的颁布,各国依存于许多历史的条件,制定种种铸货为单位。例如在英国,古昔因为 1 磅司塔令格,与银 1 磅含量有同样的价值,所以这一磅司塔令格成为单位。在法国,大革命以来,把含纯银 0.9 格兰姆的法郎作单位。俄国的"货币计算单位"的卢布,约含纯金 0.75 格兰姆。

称量种种商品价格的一定的货币单位,就是价值的本位。

因各种本位制定的不同,价格的外观也变化。即,同一商品的价格,我们把它或用金子的分量来表现,或用格兰姆来表现,或用金卢币来表现,或用金元来表现,因之呈现不同的外观。称量的商品价值的金子之总量,或用分两来量,或用卢布来量,固然是一样的,可是表示价格的数却不同。

由于采金技术的如何而起的金价值之变动,决不是影响于作价格本位的货币之任务的,假令 1 元所含的金价值,成了半分,也不因此而作一定的货币本位的 1 元,不和从前一样是金 10 元的 1/10。

马克思说:"金子的价值变动,决不妨害作价格本位的金子机能。这是很明白的事。无论金子的价值如何变动。一定量的金子,常常互相保持同一价值的比率。纵然金子的价值,低下了 1000%,而 12 翁司的金子,确依然具有一翁司金子的 12 倍价值。关于价值,单只不同的各种金量相互间的比率,或为问题。另一方面,1 翁司的金子,决不随其价值的增减而变动其重量,所以它的若干分之一的重量,也一样的不变动。因此,金子一作确定的价格本位,就无论它自身的价值如何变动,却常尽同一的任务。"①

金货币单位虽因国家而不同,但把一国的铸货所表现的价格,拿来和别国的换算,并不十分麻烦。只把各种铸货所含的金量,计算一下就行,由此便决定所谓金货市场。把一国的金货,和别国的金货兑换之际,除铸货的重量之外,还要顾及在一国到别国去的输送费,或改铸别国的铸货所需的费用(如果改铸比输送花钱少)。

---

① 《资本论》第一卷第一篇第三章。

第三节　为流通手段的货币　流通所要的货币量

货币在交换经济上的机能,就单是它们作价值的一般的尺度,与价格本位的这种用处么?[1]

断乎不然!在商品经济上,货币不单因为表示商品的价值是必要的,并且因为通过它去行交换,也是必要的。

在交换显著发达的社会中,商品所有者拿自己生产出来的商品,去直接交换自己所必要的商品,是稀有的事。

假若农民为出卖而生产裸麦或牛乳,而自家的经济又需要煤油时,如果没有货币这东西,怕要遇着许多困难。煤油的卖手,完全不需谷物或牛乳而需要别的东西,例如要绒布,也不可知。这里,需要煤油的农民,但不能在市场找寻需要他的牛乳的绒布店,好容易从煤油行与绒布交换上,收受了自己所必要的煤油。假若绒布店对于牛乳、谷物,都不需要而需要别的某种商品,那就交换更成为复杂的东西。农民为了得到他所必要的煤油,便不能不从这到那的奔驰于全系列的媒介东西之间。

在比较未发展的原始民之间,看见交换的那样状态。某一非洲探险家曾把他雇船时的情形,叙述如下:"我是用什么形式给付船租的呢?看起来很有趣……山德的代理人说,拿象牙来给我。但是,偏偏凑巧,我没有带那个东西。一个叫作马霍麦脱——伊本——萨利勃的男子,拿着象牙,想去换绒布,我听见了他这样说。然而还是无法,因为我没有绒布。最后,又有一个叫作马霍麦脱——伊本——哈利勃的男子,拿着绒布,我听见他说只要是铜丝,随时都拿来交换。幸而我的手头有铜丝,赶快照他所要的长短给他,他也把相当额的绒布,手交马霍麦脱——伊本——山德了。于是后者又给山德的代理人以他所要求的象牙。这样的工作,完全结束之后,我才能从山德的代理人获得船的使用权。"[2]

---

[1]　作价格本位来供用的事实,不成为货币尽何种新的独立机能的事实,即是:作价格本位的货币,不过尽一种特殊任务,发挥自己作价值尺度之机能。

[2]　据脱拉夫登堡:《纸币》。

现在假若把这个旅行家所执的商品（铜丝）作为 W_1，把他所必要的商品（船）作为 W_2，那么，这个旅行家所希望的，就是 W_1——W_2 的交换了。

他虽然不能直接行这种交换，但是，经过如次的一系列中间的各环，终于达到了自己的目的，即：

W_1（铜丝）——W_2（绒布）——W_3（象牙）——W_4（船）

旅行家是注目于绒布或象牙的使用价值的么？决不是那样！那么，为何他买它们呢？显然的，他是要通过它们而最后把自己所必要的商品（船）弄到手。在发达了的交换经济中，虽因场合而不同，然有时达到了可惊数字的一联偶然的媒介商品，常为唯一媒介物即货币的制定所替代。

卖谷物的农民，已经不需要寻求必要谷物的煤油行了。只要有货币在手的人，无论对于谁，都可卖给他。于是农民拿他获得的货币，能买煤油，煤油行也能用这种货币，向他人去买自己所必要的东西。

这样，这个农民所参与的商品流通，就采取如次的形态：

W_1（谷物）——G（货币）——W_2（煤油）

这时候，货币尽两个商品的媒介物之任务，使那些没有它便无相互接近之道，即令有接近之道也含着极大困难的商品，互相接近。

当作商品交换的一般媒介物或马克思所谓商品流通手段看的货币的第二机能，略加上述。

货币作为流通手段，而发挥其与别的一切商品相峻别的一个根本的属性。

任何商品一买到手，就只为满足必要而消费它。

谷物买到手就吃掉，衣服买到手就穿上。但是，我卖谷物买货币，货币从此究竟怎样呢？我们简直同样地把它消费掉，可是，货币的消费，即不是单纯金块的消费而是货币的消费，究竟是怎么样呢？那就是拿它，去买任何商品，例如去买煤油。这时候，货币又是怎样的呢？它既不会被吃掉，也不会被消灭。只是从他人的手中，移到煤油行的手中而已。但是，煤油行由于买商品例如绒布，又要把这个货币"再行消费"。同一个货币，再尽新的商品流通的媒介物之任务。即：

W_2（煤油）——G（货币）——W_3（绒布）

这时候，货币移到绒布主人的手中，于是，当又进行新的商品流通，等等。

因此,货币因为是流通手段,便从此手交到彼手,就在一天的中间,也能遂行几次的流通,即参与几次 $W \longrightarrow G \longrightarrow W$ 的过程。

马克思说:"任何商品,当其在流通的第一步之际,当其第一形态变化之际,就从流通过程中脱离出来,改由其他商品进入于流通过程中。反之,货币当作流通手段看,便常住于流通界,不绝地徘徊于其中。于是就发生流通界经常吸收多少货币的问题。"①

换句话说,就是发生这种问题:在一定的各瞬间,多少货币存在于流通界呢?

货币流通是帮助商品流通的,没有后者,货币便是不能思考的东西,所以最先判明的,就是货币依存于流通上的商品量,依存于商品的价值及照应于价值的价格。

但是,假定现在市场只有千元的商品存在,要保持它们的经常流通,就非恰是千元的货币不可么? 断乎不然! 因为一元的金钱,在一日之中,有许多次从这手到那手,因之,它是供用于一元以上的诸商品的。假定农民把谷物卖了一元,当时又买一元的煤油。煤油商人把这一元又拿去买绒布,也不可知。绒布店又拿这一元去买兽毛,也不可知。这样,就说拿一元来完成了一日间的流通,也行。结果如何呢? 就是同一元的金钱,一日之间,如次的供诸商品之用。即:

谷物	1元
煤油	1元
绒布	1元
兽毛	1元
合计	4元

这就是一元金钱,四次转到人手中的结果。货币的流通越早,它就越供多数商品之用。市场里,不会是任何一元都以同一的速度流通的,但是,如果算定元货(或称铸货)在市场流通的平均速度,那就流通所必要的货币量,等于用一单位的货币之平均的周转速度除流通界的全商品价格总额的东西。假定

① 《资本论》第一卷第一篇第三章。

1 元在 1 天之中,平均周转 5 次,那在前述的例子上,市场所需要的不是千元而是它的 $\frac{1}{5}$,即 200 元。

往后说明货币的某种新机能之际,对于上述的事实,还有些地方须得附加几句。

第四节　为价值符标的货币

货币,通常和我们已经知道的一样,以具有一定的重量与形式的铸货,流通于市场。

但是,在流通的领域,从此手到彼手之中,铸货不能不受某种消耗。即是,它逐渐被磨损而消失其重量的一部分。这时候,它们自然失掉其中所体化的一部分。

然而那并不是说,铸货由于消耗了它的价值之一部。就从流通界脱离出来的,在重量的减少非常微小的当中,在它所含的金量,没有低于一定的最小限度(法律所规定的限度)以下的当中,虽是磨损了,它却和新的没有磨损的铸货,并行流通。

这样,弄成什么结果呢? 磨损了的铸货 5 元,和没有磨损或磨损得很少的铸货,同等通用。铸货的名目,与基于这个名目(俗称名目价值)把它拿到市场去交换而得到的商品数量,是和这磨损了的铸货所体化的实在的价值相背离的。

> 金子的称呼与金子的实体,名目上的内容与实在的内容,开始其背离过程。额面相等的金货,因为重量不同,成为价值不相等的东西。为流通手段的金子,与为价格本位的金子相背离,因此,尽管诸商品的价格,为它所实现着,它却已经不是那些商品的现实等价物。①

流通界内所残余的磨损了的铸货,于是停止其为商品的"现实等价物"、

---

① 《资本论》第一卷第一篇第三章。

停止其为价值现实尺度。即，它由于供商品流通之用，依然是价值符标，是完全价值货币的时代理者。

特别要力说出来的事情，就是：不完全的价值符标所以能够一时代理完全货币，就是由于它的充作流通手段的机能。

既然货币只暂时的停滞在一个商品所有者手中而很快地从这手移到别手（即如农民之收受货币，是为了立即支付于煤油商人；煤油商人之收受货币，又是为了拿去支付煤油制造业者，等等），那就无论是谁，在这暂时的期间，手中所拿的货币，不管是完全价值的货币或是它的代用物，自然不会成大问题。

既然已经磨灭到价值以下的金货，在流通上还代理原价值的货币，那就不是金子而是用别的金属造成的不完全价值的货币乃至纸币也都能尽这种任务，这不是怎样可惊的事了。

"如果货币的流通本身，把铸货的实在内容，从它的名目上分离出来，把那当作金属看的实在，从它的机能上的定在（即当在流通手段看的定在——著者）分离出来，那就拿其他材料所造成的名目货币或象征来代替铸货的机能之金属货币的那种可能性，应该潜在地被包含于货币流通中。"[1]

银货、铜货、白铜货及其他在所含的金属的性质上是补助货币的铸货，比起和它们的名目相当的金货之量来，只有很小的价值。至于能够代理完全价值的货币之纸币，它自身简直没有何等价值，不过是单纯的象征、限额的记号。

"纸币是金子的符标或货币的符标……它和其他一切商品量一样，只在代理价值量的金量时，才是价值符标。"[2]

价值以下的货币及纸币，只不过暂时能在流通过程上，代理原价值的货币，所以，要它们始终能和金货并行的完成其机能，那就必需一个极大的条件，这就是它们的数量，不能超过那时流通上所必要的货币之分量。

货币的那种分量，根本上是依存于什么的，我们已经观察过。

不遵守这个条件，其原价值货币的"代理者"之购买力就降落到金子的购买以下。

---

[1] 《资本论》第一卷第一篇第三章。
[2] 《资本论》第一卷第一篇第三章。

为了不破坏这个根本条件,该如何办呢?纸币购买力的降落,给国民经济以什么影响?这种问题,往后(第七篇)研究纸币时再去考察。

第五节　为贮藏物的货币及为支付手段的货币

货币在流通过程上尽如何的任务,这个任务的进行,生出货币的什么特征,我们已经观察过了。但是不要以为货币是常住于流通领域而在商品流通上负着应该尽"永远放浪者"的任务的运命。

我们看到,流通所必要的货币之分量,为商品价格的总额与货币流通的速度所决定。但是,市场中的商品之分量,不是一成不变的。到明天,某种商品的生产所必要的"社会的必要劳动"有变动,它们的价值、它们的价格有变动,也不可知。到明天,市场的商品数减少,或是通货的流通速度加大,一部分的货币剩余下来,也不可知。但是,这剩余的货币,怎样办?一部分或许毁铸成耳圈、镶牙、指环,其他一部分,或许贮在保险库、金箱、床底下。货币在这里潜伏时,它就是从流通手段变成了贮藏物。

在贮藏货币而把它变成贮藏物的本人说来,W_1——G——W_2的过程,是被中断了,被埋没在W_1——G的阶段上了,贮藏物的价值,即体化于其中的劳动,虽说是眠伏着,然而它会马上睁开眼睛,再尽它的统制交换经济之社会关系的任务。

货币之被贮藏,不一定限于在流通上多余下来的场合,有时因为商品的性质,或市场的诸条件,W_1——G——W_2的过程,一时不能不中断。例如农民不能不买新连枷的时候,他或许把自己卖农产物所得的金钱,慢慢贮到必要的金额,也有时把自己卖商品的金钱,暂且搁着等待一下,比马上拿去买商品的好。在商品的交易上,也有买手先拿货后付钱的时候,信用卖货就是如此。假定农民拿秋天的收积物作抵押,在夏天向商人拿货物,那就商品的流通,或为如下的"变则"形式。

(一)W_2(农民在夏天以信用向商人买花布);

(二)W_1——G(农民到秋天卖自己的谷物);

(三)G(农民还他所欠的商人的债务)。

通常,这两个过程,是从如下的两阶段成立的,这件事谁也懂得。

1. W_1 —— G

2. G —— W_2

农民到秋天给付花布的代价时,这种货币已经不是流通手段,这是明白的。因为商品在支付这货币以前,是早已"流通"着的。支付,简直是填补以信用买货而在 W_1 —— G —— W_2 过程中发生的空隙。这时候,可说货币已不是尽流通手段的机能,而是尽支付手段的机能。

在考虑商品的信用卖货与负债的支付时,我们对于第二十四节所述的流通上的必要货币量,必须还要添加一些话,这是要注意的。

我们在那里,指出流通上所必要的货币量,首先依存于流通商品的价格总额。但是,今日一部分的商品,不用现金而用信用出卖时,那就对这商品支付的货币在今日不是必要的,因此,今日以信用卖出去的商品之价格,不能不从现在的流通上所要的货币量中扣出来。

然而不仅如此。也有不是在今日卖出去的,例如在昨日,在一星期前在一个月前以信用卖出去的商品之支付期限,迫近于今日的场合;即是说:也有那些商品早已离去流通界面为了偿还那个负债,在今日必要现金的场合;也有为了支付其他全系列的义务(纳税、偿还借款等等)而在今日需要现金的场合。因此,还要在今日的流通所必要的货币量上,加上今日成为支付日的各种支付所必要的(即到期支付所必要的)货币量,这是很明显的。

但是,到期支付的一部分,也许由于借方的计算而消灭。例如 A 在今日定要支付 B 一百元,而 B 又非支付 C 一百元不可,结局,因为相互间的抵拨,A 就直接交 C 一百元。于是应该每次一百元的二次支付,一回就清结了。

所以,互相抵销的支付总额,要从流通上所必要的货币量中扣出来,这是很明显的。

因此,我们看到:流通所要的货币量,(一)市场中流通着的诸商品的价值及价格越高,它就越少;(二)今日以信用卖出去的商品越多,它就越少;(三)到期支付的总额越多,它也越多;(四)互相抵销的支付额越大,它就越少;(五)单位货币在市场的流通越快,它就越少。

把以上各项综合起来,可用如次的公式表示出来。

$$流通所要的货币量 = \frac{A - B + C + D}{E}$$

A 表示今日流通着的商品价格总额，B 表示以信用卖出去的商品价格，C 表示到期支付的总额，D 表示互相抵销的支付额，E 表示通货的流通速度。

第六节　货币的其他诸机能　从单纯商品经济到资本主义经济

若把货币的流通过程，更详晰地研究，那就对上揭的公式，还可作某种的追加。但是，在我们目的上，照上面那样说明也就够了。

为了完结关于货币机能的问题，对于货币在世界市场的任务，有说几句的必要。

货币不只是在一国内流通的，也能从甲国到乙国去。

这时候，它们失掉在甲国的范围内所受的一切特性，是不言自明的。

第一，一国的铸货，在国内用作价格本位，具有规定的形体与重量，一经越过这国的国境，它就停止价格本位的作用。

在国际商业方面，各国的货币单位（已在第二十三节说过），是拿它们中间所含的金子的重量相比较的。所以，各种铸货，不过以某种重量的金块来出现。

磨损了的金货以及不如原价值的辅助货币，在国际贸易上，不能作为原价值货币的代理者来出现，不能作为价值的符标来出现，即：磨损了的金货、银货、铜货，是用它们的重量，并由它们所体化的实在价值来评价的。

"货币脱出国内的流通领域时，它又脱离当作价格本位看的地方的诸形态，即铸货、辅助货币、价值符标的诸形态，回到原来的贵金属的金块形态上①……（中略）……那种金块的世界货币，以一般的支付手段，一般的购买手段（即购买商品的手段——著者）及财富一般的绝对的社会的体化场（即被蓄

---

① 纸币，通例不在国际贸易上流通。至关于所谓信用货币（不可把它和纸币混同），到第七篇去叙述它的任务。

积的劳动之极一般的体化物)而发挥机能。"①。

我们到这里止,在叙述货币及其诸机能时,当作问题的东西,是单纯商品经济。但是,在具体的现实上,货币的任务,不限于以上所考察的诸机能。除以上所述的诸机能之外,货币还成为榨取利润或利得的手段。这时候,货币已经是承受新的任务——作资本的任务来登场的。要阐明货币的这种新机能,我们不能不从单纯商品经济移到资本主义经济的研究上去。

---

① 货币以支付手段在国际贸易上尽什么任务,在叙述信用的那章去说。《资本论》第一卷第一篇第三章。

关于第一篇的研究资料

关于第一、二、三章的质疑及课题

1.在原始共产时代,人类社会分为许多各自独立经营自己的经济的氏族,商品经济也分为许多小独立经济。究竟原始社会内的各氏族间的诸关系,与商品经济阁企业间的诸关系之差异如何?

2.商品经济的基本矛盾在哪里? 为什么这种矛盾,没有交换的媒介,就不能解决?

3.我们可以把商品看作商品经济的"细胞"?

4.一切商品以及生产它们的劳动之二重性,存于哪一点?

5.商品的二面之中,生产者关心哪一面? 买手呢?

6.没有交换价值而有使用价值的东西,是有的么?

7.和那相反的情形是有的么?（即物品没有使用价值而有交换价值的情形,是有的么?）

8.在共产主义社会,能说抽象的劳动么?

9.为家庭作饮食的主妇劳动,能够看作是具体的,同时又是抽象的劳动么?

10.劳动不成为具体的,能够成为抽象的么?

11.要两种类的劳动,能够变成等质的抽象劳动,只要它们生理的平等就足够了么?

12.所谓一切种类的劳动在生理上是平等的一件事,能说具有历史的性质么? 对于抽象的劳动,能那样说么?

13.有人以为个别的劳动,就是为了自己造某物的各个人的劳动;社会的必要劳动,就是为其他社会人员造必要物的劳动。试指出这个见解的误谬!

14.同一生产部门(例如袜子的制造)的一切企业的劳动生产性都相等的时候,这个生产部门内,社会的必要劳动与个别劳动的分离能够发生么?

15.何以通常个别的劳动,与社会的必要劳动不一致,或比它高,或比它低呢?

16.在某种生产部门,一个企业简直把全部门的生产物的大部分,生产出来的时候,这企业的个别的劳动与全部门的社会的必要劳动之间,有什么交互关系存在?

17.当还原之际,被比较的两种类劳动是什么?

18.一切劳动者为了习熟自己的职业,都不是费同一时间的,例如某排字工人,因为自己个人的能力,费二年的时间,别个排字工人费三年的时间。当复杂劳动还原之际,要考虑什么准备期间呢?

关于第四、五章的质疑及课题

19.商品的价值及其交换价值的差异如何?

20.为何价值的实体,没有它的形态就不能成立? 反之,没有实体,形态是不能存立的么?

21.为何我们当研究交换经济上的货币任务之先,考察了价值形态的发展呢? 知道价值的三形态的发展,对于阐明与暴露货币的物神性,有贡献么?

22.试把种种价值形态上表现出来的一般东西,及比先行形态较新的各形态所表现的特殊东西,检讨一下!

23.把商品经济叫作物神的,其理由如何?

24.为何商品的物神崇拜与宗教的物神崇拜相当?

25.商品的物神性,只是种根于人类的迷梦么? 所谓商品的价值,不过是社会的关系之单纯的反映的事实,如果为一切私有者所了解,商品的物神性就消灭么? 关于这点,如何去考察?

26.为何在价值的货币形态上,比在别的任何形态上,商品经济的物神性质,都明了的表现呢?

27.在商品生产上,社会必要劳动不变时,这商品的价值能变动么? 这时候它的价格能变动么?

28.试把货币的基本诸机能之性质,简单的记入研究手册上!

29.假如货币不是价值的尺度,果能成为价格的本位么?

30.纸币若成为价值的符标,同时能成为价值的尺度么?

31.一国内的铸货,为何在国际市场不能作价值本位呢?

32.在某种社会中,今日一日,市场里流通了100元的商品。其中40万元以信用卖出,纳税费了10万元,除开两抵的余额,20万元对负债去支付,并且各铸货一日平均有三次流通。试问今日一日的流通,需要若干货币?

33.流通上所需要的货币量,在苏联为何半年入秋则增,入夏则减?

34.流通上所要的货币公式,在理解纸币上,有如何意义?

35.磨损了的铸货与没有磨损的铸货,同等流通的事实,为何在说明纸币的存在上有帮助?

36.假如商品的信用卖出,今后忽视停止,流通上所必要的货币量如何?

37.货币若不是流通手段,它果然能作价值的符标么?

读书资料

(A)商品与其属性。使用价值与交换价值。

《资本论》第一卷第一章。

从冒头到"现在必须首先离开这种形态,独立的价值的性质看看"的几行,精读一下。

关于读书的练习问题

38.马克思的这种文章,比本书教了一些什么新的东西给你? 把这些新的考察写下来! 对于不懂的表现与思想,一一请教师去说明!

39."商品的使用价值,对特殊的一个科学即商品学供给材料",马克思想借此说明什么呢? 经济学为何不特别研究使用价值呢?

40."说商品所内在的固有的交换价值,像是一个名词的矛盾"这一句话,应如何解释?

(B)抽象的劳动与具体的劳动。复杂劳动与单纯劳动。

《资本论》第一卷,第一章,从"依我们的假定"到该节完毕。

(C)个别的劳动与社会的必要劳动。

《资本论》第一卷,第一章,从"要之,一个使用价值,即财",到次页的"等于对后者的生产所必要的劳动时间而具有的比例"。

(D)商品价值与社会的劳动之生产性。

《资本论》第一卷,第一章,从"所以商品的价值……不会有变化……"到"反比例于其生产力而起变化"止。

(E)商品的内容与形态。

马克思《关于剩余价值诸学说》第三卷,第二章。

对(E)的练习问题。

41.为拥护"价值的内容与形态,与它的统一及其相互依存无关,在某种程度上互相区别"这个命题,马克思作了如何的论证?

(F)商品的物神性。

(a)《资本论》第一卷,第一章,从"商品的物神性及其秘密"(第四项)、"商品,一见",到"商品界的这种物神的性质,由前述的分析,也知道起因于生产的劳动所独得之社会的性质"。

(b)加尔·考茨基著《加尔·马克思经济学说》中,从"取陶工与农民为例吧"到"马克思学说的拥挤者,犹且……"。

关于(F)的练习问题。

42.商品的物神性,在货币上比什么都鲜明表现,何故?

(G)货币的诸机能。作价值尺度及价格本位的货币。

《资本论》第一卷,第三章,从冒头到同页的"把一商品的价值,用金子来表现……"之项。

从"商品之货币形态的价格……"到"货币作价值尺度所尽的机能,作价格标准所尽的机能……"之项。

(H)为流通手段的货币。

《资本论》第一卷,第三章,第二节,从冒头到 W——G——W 这公式,及从 "G——W(商品的第二转型式最终转型,即购买)"到"商品流通,不单形式上……"以下。

(I)铸货及价值符标。纸币的发生。

《资本论》第一卷,第三章,第二节,(C 项)(铸货。价值表现之项),从同项的冒头到"这里,只就强制的使其通用的国家纸币说"以下。

关于(I)的练习问题。

43.作价值符标的铸货之任务,与作价值尺度的货币之机能的差异如何?

第 二 篇

剩余价值的生产

第七章　剩余价值与资本的一般概念

第一节　资本家的利润不是从交换发生

当研究商品资本主义经济的诸法则时,我们先从小商品生产者所构成的单纯商品经济开始,这种小商品生产者是占有生产手段并且出卖自己的劳动生产物而生活的。

由于这个研究,我们可以了解那包括资本主义经济的一切商品经济之最一般的法则,即价值法则。

现在我们要指示出来的,就是:在商品诸关系以后的发展过程中,形成资本主义经济——已经不是一般的商品经济——之特殊性的法则及范畴,是怎样在这个法则即价值法则基础上发生的呢?

这是我们所知道的,在单纯商品经济中,小商品生产者出卖自己所生产的商品,为的是可以换来自己所必需的其他商品。

假若我们研究资本主义经济的交换情形,就可以看到和上述的单纯商品经济显然不同的现象。资本家,与手工业者同样地参加商品——货币的交换。可是,如上面所说,手工业者在市场上出卖他的商品,不过是为要换得满足他自己底欲望所必要的其他商品。反之,资本家在商品——货币底交换中,为个人的消费而购买生产物,不过是占在比较不重要的位置。资本家卖买商品的目的,是想要得到某种利得或利润。就是他参加这个商品——货币的流通,是想要在以一定金额买入商品,再卖出它的时候,可以得到比较最初支出时更多的金额。

当人们只是以商品的使用价值为目标而交换的商品的单纯商品经济的时候,商品——货币的交换是成为商品 1——货币——商品 2(W_1 —— G —— W_2)的公式,反之,在近代资本主义经济中,交换过程已经是用其他的公式来表示了。就是有了 $G \longrightarrow W \longrightarrow G$ 的特征,换言之,此时的交换是以货币开始,以货币终结。并且必定要资本家能够得到比较支出时更多的金额,这个交换才是有意义的。所以在资本家的商品流通中,特有的商品——货币流通的公式,如下: $G \longrightarrow W \longrightarrow G + g$

这里就发生这样的疑问:这个剩余量底 g 是从什么地方来的呢?

最初想到的解答是:这个剩余量的货币,或资本家所说的利润,是由抬高商品价格而来的。

现在来研究这个解答,到底正确到什么程度呢?

当考察价值法则的时候,我们已经知道商品的价格是不断地趋向于它的价值的,也就是趋向于生产它所需要的抽象的劳动之社会的必要的分量。若是某种商品的价格超过它的价值以上,那么,被这个高价所吸引来的商品生产者,就要开始比现在更多的生产这种商品。那么,不久这个商品的价格就要低落到它的价值以下。这时候,这个商品的生产者们,就要反过来,从这个部门跑到别的部门去了。在价格的这样变动之中,表现它接近于它的价值的倾向。这是很明显的事情,一个商品所有者可以乘着价格的变动,牺牲它的竞争者而得到利益。然而可以用这个方法来说明整个资本家阶级的利润么?

即使有一个资本家,在商品的交换中,借着价格的变动,牺牲了其他资本家而得到利益,但这决不能增大全体资本家所有的价值总额。为什么呢? 因为分配所能做的事情,仅限于已经生产了的东西。可是资本家必须牺牲他人才能存在。并且他们又不能不以自己所有的价值,来满足自己的需要? 假若资本家的利润仅仅由于以价值为中心的一时的价格变动而得到,就是说,假若各个资本家,仅仅由于牺牲其他资本家以得到利益,那么,可分配的东西,将很快地就要用尽。为什么呢? 因为他们所有的价值都为满足他们的需要而消费尽了。同时新的价值又没有来源。所以,不断的利润,流入于资本家钱袋的利润,必定有它的源泉存在着。只有在这个条件之下,资本家社会才有存在的可能。

总之,需要与供给的变动,只能拿来说明各个资本家间由利润的分配而发生的偶然的变动,不能够拿来说明资本家阶级所得的利润。

马克思说过:"这是很明显的事情,流通价值的总额,是不能因分配上的任何变化而增加的;这就好像,虽然犹太人用安氏女王时代制造的一个'法尔亭'去兑换一个'席尼亚',而对于一个国家内部的贵金属的分量,是丝毫也不能增加的。在一个国家里面,整个的资本家阶级,并不是从他自己本身得到利润的。"①

然而也许利润是因为卖者握有不可思议的特权,可以按着高于价值的价格来出卖他的商品而获得的。不过世界上没有一个资本家,单只出卖而不购买,且拿一个产业资本家(即握有产业的企业的资本家)来看,他在卖出所生产的商品以后,把所得的货币去购买他个人的消费品,还要购买大批为继续生产过程所必要的商品。商业资本家也是一样,他自己不生产,只是买卖现成的商品,卖出以前买来的商品,再买进新的商品。所以商品所有者不断地在变更他的地位。昨天是出卖人,今天就是收买人,今天是出卖人,昨天就是收买人。因此,做贩卖者虽赚钱,做购买者就损失。

想要从已成商品的流通过程出发来说明利润的来源,那实在是徒劳无功的事情。商品流通不能成为资本家利润的源泉。用抬高商品价格一事来解释利润,一看好像是明白自然而真实的,可是更进而研究这问题,就知道这是不对的。资本家阶级得到利润的秘密,仍然不能解决。于是横在我们面前的问题是:"……货币所有者照价购买商品并照价出卖商品,而这个过程终了时,他不能不抽取比最初投下的部分较多的价值。"②

第二节　当作商品看的劳动力　劳动力的价值

我们所提出来的问题,只有当我们在市场上找到一种能够创造价值的商品时,才能解决。形成价值的东西是劳动。在资本主义市场上出现的一切商品中,具有劳动能力的东西只有一种,就是劳动力。因此只有这一种商品可以成为价值的源泉。

---

① 《资本论》第一卷第二篇第四章。
② 《资本论》第一卷第二篇第四章。

"我们解释劳动力为肉体的及精神的能力的总和,这种能力包含着具体的有机体即人类之活的人格所具有的,并且是产生使用价值时所必须发动的东西。"(马克思)

必须有某种预备条件或前提条件存在,货币所有者即资本家,才能在市场上找到可以用货币来买卖的特殊商品的劳动力。劳动力并非在一切社会关系的组织之下都是商品。试拿奴隶所有制度、封建制度,或者我们所讨论过的单纯商品经济来看,——无论在其中哪一个经济形态之下,劳动都不是商品。要劳动力成为商品,须要两个条件。第一,劳动者在人格上必须是自由的,即是他们要有自由处置自己的劳动力的权利,奴隶与农奴都没有这种权利。因为他们的人格是隶属于奴隶所有主及地主的。第二个条件是:劳动者与生产工具及生活资料相隔离,所以他非出卖劳动力不可。这一点就是劳动者所以与手工业者、农民,或一般小商品生产者不同的所在。因为后者还握有生产手段——工作机、农具、工作场等——,所以他们所出卖的不是劳动力而是自己的劳动生产物。

劳动力成为商品所必要的诸条件,已经在上面说过。而形成这些条件的东西实在是资本主义。

在资本主义社会里,劳动者因为可以应用自己的劳动力的生产工具及生产手段,都被他人夺去,所以不能够使用自己的劳动力。不过把自己的劳动力卖给独占生产手段及生产工具的资本家,这样程度上的自由倒是有的。①

马克思说:"资本主义时代的特征是:劳动力对于劳动者自身,采取属于他所有的商品的形态。换言之,他的劳动力,得到工钱劳动的形态。另一方面,劳动生产物的商品形态之逐渐一般化,也是从这一瞬间来的。"②

总之,只有在资本主义社会之中,才出现从所未见的劳动力这种商品,这种商品,是与其他诸商品并存的。

假若劳动力在资本主义经济的诸条件之下,变成商品,那么,它就和其他

---

① 若要真正实现这个"自由",劳动者必须仅仅在一定的时间内出卖他的劳动力。若是他把全生命的,或者非常长久的期间之内的自己的劳动力,一次就完全卖掉,那就成了被隐蔽着的奴隶形态。

② 《资本论》第一卷第二篇第四章。

一切商品一样,不能不含有两种价值。就是说,它必定一方面有使用价值,他方面又有价值。

先考察劳动力的使用价值。

商品的使用价值是什么? 如我们所知,它是某种满足人类欲望的能力。如果真是这样,那么对于所谓劳动力这个商品,能够说起使用价值吗? 能够的。资本家怎样使用这个商品——劳动力——呢? 资本家是强迫劳动者使用他自己的劳动力的,也就是强制他劳动。所以所谓劳动力这个商品的使用价值,是在于劳动者为资本家而劳动的能力一点。

商品的第二个价值,即它价值是怎样的呢? 商品的价值,是由生产它所支出的抽象的劳动之社会的必要的分量来决定的。这个规定,也可以应用于劳动力吗? 劳动力不是不能在工场中产生的么? 诚然有些空想的小说,描写着用工场的方法制造人类的事情,但这只是空想。现实上,人类并不是在工场生产的过程中发生的,而是在生活过程中发生的。在这个场合,价值法则,怎么可以适用呢? 虽然在现实上劳动力不是在生产过程中发生而是在生活过程中发生,可是为要维持并再生产这劳动的能力,一定的消费资料却是必要的。而且这个消费资料,在商业资本主义经济的条件之下,是表现为含有一定的价值的商品,即表现为生产它的时候需要一定劳动的商品。劳动为要使劳动者维持劳动能力而被支出于必要的生活资料的生产上的劳动,同时是被支出于这劳动力本身的再生产的劳动。由于这种劳动,劳动力的价值才被决定。

所以劳动力的价值,是由劳动者的生活资料的价值所决定的。

第三节　决定劳动力价值的诸要因

我们再详细考察一下,为使劳动者维持劳动能力,以及这能力的再生产所很必要的生活资料之分量,是由什么来决定呢?

劳动者,由于劳动,即由于作用于外界的自然,他就消费自己的筋肉、神经、脑髓,等等。要在能够劳动的状态上维持自己的劳动力,劳动者每天不能不补足劳动力的支出。这样一来,他不能不使用一定量的生活资料就是说要有居住、衣服、食物,等等。

然而劳动者以及他的劳动力，并不是永久生存着的。为了不断地再生产劳动力，就必须在死亡、隐退之后，使新的劳动者有出现的可能性。此外，为要扩张生产，就不得不有追加的劳动力。为了这一切，劳动者之自然的繁殖是必要的。所以劳动者必须有足够维持家族的资料。假若他所得的生活资料，不能够保障他维持家族，结果不但是资本失掉了新的劳动力的源泉，就是劳动者也不能够恢复他足够替资本家作工的能力。为什么呢？因为假若一个有妻子的劳动者，他所得的生活资料只够恢复他一个人所支出的劳动力，那么，他因为把这个生活资料分给全体家族。结果，就必定不能够补充自己的劳动力。所以至少一个平均数家族的维持费，是必须加在劳动力的价值之中的。

在刚够维持劳动者的生命的、劳动阶级的某种肉体的最低限度的需要以外，还有最低限度的文化的需要。这最低的文化水准，是要看他是怎样的劳动阶级而且形成于怎样的历史的条件之下来决定的。所以因为国家不同，劳动阶级所必要的文化水准也就不同。例如在美国的水准与在沙皇时代的俄国及中国是不同的。

美国的劳动者把大部分的生活资料用于居住、服装等项。他们还有每日看报、看戏等等的欲望。这一类事情，在革命前的俄国劳动者之中是很少的，至于在中国的劳动者之中，那就更少。

在革命以前的俄国劳动者中，具有硬领与领事等的上等服装以及戏剧等，都不在必需品之列；至于报纸，不过是少数最进步的劳动者所需要的。

说到中国劳动者，文化程度比这还要低。大部分中国劳动者，他们所穿的衣服，恐怕是做梦也想不到的。仅仅足够裹身的破烂衣服，就可以满足他们的最低限度的欲望。他们的食物，往往只是稀粥。至于睡眠，只是在工场内机械旁边假寐一下就满足了；供夜间睡眠的宿舍，在他们已经是奢侈的事情。

一定的历史的诸条件结果，在各个国家内所形成的文化的习惯，也加在劳动力的价值里面。

实际上，假若美国劳动者，得不到做上等衣服、购买报纸等的费用，他们就会宁愿省下饭费来购买衣服。这样，他们就不能完全补足自己在一劳动日所支出的劳动力，而立刻就要反影响于他们的劳动能率。

最后，劳动者的技能，也应当算在影响劳动力的价值的诸要因里面。劳动者在没有成为熟练劳动者以前,必须经过一定的修养期间,在此期间,他因为修养支出了一定量的劳动。这个劳动,不用说不能不提高熟练劳动者的劳动力的价值。此外,熟练劳动者常常是站在较高的文化水准之上,而维持这个文化的水准,在保持他的技能上,当是必要的事情。

所以,劳动者的不同的熟练程度,也影响于劳动力的价值。

劳动者在劳动过程中,补足支出的劳动力,给养平均数的家庭,以及维持某种文化水准所必要的一切消费资料,都有一定的价值;这个价值,和其他一切商品的价值一样,是按着生产所必要的社会的必要时间来决定的。这全部生活资料的价值,就是劳动力的价值。

资本家真是有意识对劳动担负着保障劳动者得到上述生活资料的义务吗? 恰巧相反,他是尽可能地缩减这个价值。然而,因为使商品价格适合于其价值的市场的不可抗的自然法则的作用,资本家所付与劳动者的货币底总额,通常虽然没有达到这个程度,却也接近于这个水准。

假若社会上,对于劳动力的需要与供给是一致的,那么,无论资本家愿意与否,他都会不得不支付劳动力的全部价值给劳动者。实际上,资本家若是不付足劳动力的价值,劳动者就不能恢复他的劳动力。同时在需要供给一致的以外,并没有其他的劳动者,资本家不久就会感到劳动力的不足。于是资本家都不得不支付劳动力的价值给劳动者。

然而在实际上,如后面所要说的一样,在资本主义的诸条件之下,劳动力的供给时常是超过需要,所以劳动力的价格,普通都比它的价值低些。

我们暂时不讨论需要与供给的背离,即劳动力的价格与价值的背离。

因此,我们达到了以下的结论,就是:劳动力也和其他一切商品一样是有价值的。而这个价值,是按照劳动力的再生产、修业、普通家族的抚养、某种文化水准的保持等所需要的生活资料的价值来决定的。

第四节　剩余价值的形成

假如资本家不能不支付劳动力(在需要与供给相一致的时候)的全部价值,那么,在这个场合,资本家所得的利润是从什么地方来的呢?

我们已经说过,劳动力这商品,与其他一切商品有共同的诸性质。现在为要解答以上的问题,必须考察劳动力这商品与其他一切商品不同的诸性质。

劳动者与资本家相见于市场时,他们在形式上表现同等的商品所有者,即劳动者表现为劳动力这商品的所有者,资本家表现为一定量货币的所有者。资本家用适合于劳动力的价值的一定量的货币,来购买劳动力,例如5角钱1天。资本家既然购买了商品的劳动力,他就可以利用它的使用价值。劳动力的使用价值,就是形成价值的劳动。资本家得到了对于劳动力的使用价值的权利以后,就要开始利用它。即,强制劳动者提供出他自己的劳动。我们假定资本家购买劳动力的价格是1天5角,而这五角钱是五小时劳动之货币的表现,那么,劳动者以5小时的劳动,偿还资本家收买劳动力这商品时所支出的货币。然而劳动力是具有特殊性质的商品,因为在生产力及劳动生产性之某种发展阶段上,劳动力能够供给大于维持其自身所要的劳动量。换句话说,能够创造比它本身更大的价值。资本家知道了劳动力这商品之"不可思议"的性质以后,就不限于只产生与劳动力底价值相等的5小时劳动,而要劳动者做得更长久些,例如10小时的劳动。这样一来,劳动者在后一部分的劳动时间内,因劳动而产生的价值,就成为资本家所得的纯利益了。劳动者所产生的在他的劳动力的价值以外的超过价值,就是所谓剩余价值。劳动者为生产自己劳动力的价值而劳动的时间,马克思叫它做必要的劳动时间;为资本家生产剩余价值而劳动的时间,叫作剩余的劳动时间。

资本家的榨取之特征,就在于剩余价值的形成。榨取这件事情在奴隶制度或封建制度之下,本已存在过,可是劳动力成为商品,因而剩余生产物也成为剩余价值的事情,都是没有的。劳动者在剩余的劳动时间内所创造的剩余价值,才真正是资本家利润的源泉。

资本主义社会中,在支配的一般的平等的外形之后,隐藏着本质上与奴隶经济及农奴经济诸条件下所有的完全一样的榨取。两者的差异仅仅在于这点上,就是:在奴隶经济及农奴经济中,榨取是公开地带着残酷的强迫的性质,在资本主义社会却不然,它是在自由平等的旗帜下面,以交换契约的形式来进行的,而这契约是两个在形式上独立的而且平等的商品所有者——一个是货币所有者,另一个是劳动力这商品的所有者——所订立的。

即令不像驱使奴隶或农奴那样用鞭子去强迫劳动,但是劳动者与资本家所订的契约,在本质上对于劳动者一点自由也不会有的。这种无形的鞭子,比较驱使奴隶或农奴的有形的鞭子或法律的强制更要厉害,它——把劳动者赶到工场里使他做资本家的奴隶。这无形的鞭子是什么呢? 这就是劳动者贫穷,就是他没有生产手段及生活资料。

在这里,我们看到:生产之社会的性质与资本家占有之私的性质间的矛盾,变成资本主义的生产方法之根本的矛盾,由此采取布尔乔亚与普罗列达利亚之颉颃的形式。

第五节　资　本

我们已经知道,剩余价值是在资本家使用了劳动力的使用价值之后,才产生出来的。

但单只劳动力是不能创造剩余价值的,劳动力之所以能成为商品并成为剩余价值的源泉,不是因为劳动者没有可以注入自己的劳动力的生产工具及生产手段么? 资本家之所以能够使用劳动力,不是因为他握有为劳动者所没有的生产工具及生产手段么?

所以,虽说劳动者的劳动是剩余价值之自然的源泉,而生产工具及生产手段为资本之独占的财产一件事,却是形成剩余价值的必要条件。

资本家所收买的劳动力,以及他所占有的生产手段与生产工具,换言之,资本家手中所有的、成为榨取并占有剩余价值的手段之一切价值,总称为资本。

从这个定义可以知道,人类不费任何劳动就可以从自然取得的一切东西,例如空气,是不能加入于资本的概念的。空气虽然是形成任何剩余价值时所必要的条件(因为没有它,劳动者就不能工作),但是它没有价值,它也不能成为一部分的资本。

在另一方面,有价值的生产工具及生产手段(机械、建筑物、原料,等等),也不必一定是资本,它只有在一定的条件之下,才能成为资本。例如机械,若是完全离开了使用它的人类的生产关系,它还不是资本。即如手工业者用来工作的器具、农夫用来耕种的他自己的锄锹,都不是资本,然而,若是把这个器具拿到资本家的工场里,把这个锄锹拿到资本家的农场或富农经济中,就立刻成为资本。因为资本家——工场主或农业资本家——将要利用这些东西来榨取剩余价值。

马克思说:"所谓资本……是一切种类的原料、劳动工具及生活资料,资本的这一切组成部分,是劳动的创造物,是劳动的生产物,是被积蓄的劳动。成为新生产的手段的,被积蓄了的劳动,就是资本",这是经济学者说的。黑奴是什么? 是黑色人种的人类。经济学者的说明,与这个说明,没有什么不同。黑人是黑人。在一定关系上,开始成为奴隶。纺织机械是为纺织用的机械。只有在一定关系上,它才成为资本。一旦离开了这关系,就好像金子自身并不是货币、砂糖不是砂糖的价格一样,它并不成为资本。……

资本也同样的是社会的生产关系。它是布尔乔亚的生产关系。……

在过去被支出被对象化、被积蓄的劳动,只有在它支配直接的生产的劳动时,被积蓄的劳动,才成为资本。……

所以资本以工钱劳动为前提,"工钱劳动以资本为前提。两个是互相制约,互相生产的"①。

所以物品之成为资本,并不是由于它的自然性质,而是由于一定社会的关系,即由于资本家榨取工钱的劳动力。因此,所谓资本,就是一方面占有生产手段的资本家,与另一方面因为生产手段及生活资料被剥夺而不得不出卖自己的劳动力给资本家并替他创造剩余价值的劳动力这两者之间对象化了的(即表现于某种物体中的)社会的关系。

总之,资本是历史的范畴。这个范畴,并不是可以适用于一切经济、一切生产方法的,而只能适用于其中的一个形态,即资本主义的形态。

第六节　不变资本与可变资本

我们已经下过这样的定义:凡是资本家手中所有的、成为剩余价值之榨取

---

① 《工钱劳动与资本》。

机关的一切价值,都是资本。

然而构成资本的一切要素,在价值及剩余价值的生产过程中,其所有的作用,并非一致。

首先试拿一种生产工具如一架机器来看。一架机器,在参加在全系列的劳动过程中,总可以支持比较长久的时期,机器在这时候,纵然是渐渐消耗,而在它全部存在的时期中,并没有改变它原有的形态。假定这机器的平均"使用年限"是十年。在这十年之间,机器每年都消耗其价值的 1/10,这消耗部分,转入到借这机器生产出来的商品价值中。假定再生产这部机器所支出的社会的劳动是一万个劳动日,而这机器每年能够生产五百件商品。那么,很明显的每一件商品所包含的机器的价值是等于 $10000÷(500×10) = 2$ 劳动日。机器虽是逐渐消耗它的价值,然而如我们所说,当他还不到十年期满全部机器完全无用以前,总是全部参加到劳动过程中去的。这一切情形,不但对于这个机器,就是对于发动机、传送机、建筑物,等等,都一样可以通用。

总之,由生产手段而成的一部分资本,是按它消耗的程度,将自己的价值一部分一部分的转移到新商品中去。

至于原料及补助材料,例如燃料等,就不是这样了。他们只要一次参加了生产,同时就完全变更了自己的物质形态。如原料完全被劳动加以制造,燃料完全变成发动机底能力等等。因此他们的价值,就完全移到新商品的价值中去。

这里我们应该特别记明:在机械及建筑物等与原料及补助材料等两者之间,从它们把价值转移到商品的见地看来,虽有不同的地方,可是这两者却有共同的同时也是最重要的形相,就是,两者都不能创造任何新的价值,都不过将那消费在它们身上的社会必要劳动所创造的价值转移到新商品的价值中去。

马克思说:"生产手段所能转移到生产物中的价值,绝不能比它在生产过程中所消灭的所丧失的使用价值更多些。"[1]

如果生产手段能给资本家以超过的价值,那只限于他在价值以下买进生

---

[1] 《资本论》第一卷第三篇第五章。

产手段，而它的价值完全移转到由它生产的商品中的场合。然而如上面所考察，这是一个资本家牺牲另一资本家而赚钱的场合，就是说，在利润的源泉的问题上，这是不会对我们说明什么事情的场合。

然则机械与原料等等的价值是怎样被转入于新商品的价值的呢？这是由于劳动而被转入的。举例来说。假设这里有两个工场，一个是开工的，另一个是停工的，这两个工场都备有机器、机械等等的生产手段。开工的工场中的劳动手段是被劳动以及与劳动无关的其他各种条件（例如空气）的作用等等所消耗的。停工的工场中的劳动手段，也是要因为空气及其他诸条件的影响而被消耗的，不过程度要轻微些，即如铁生锈、墙壁剥落，等等，要使劳动手段不受损伤，就要妥慎保存。在第一种情形，因为劳动以及与劳动无关的事情所消耗的价值，都加入在新生产的商品的价值中，到商品售出时，再回到资本家的手里。在第二种情形，被消耗的价值，不能转入于商品的价值（因为没有商品），所以没有补偿，在资本家完全是损失。从这个例子，我们可以知道，劳动不但能够创造新的价值，并且能够把包含在生产工具及生产手段中的价值转移到新生产的商品中去。

然而不要以为劳动者为了把劳动要具、原料等等的价值转入于商品，便在消费于创造新的价值以外，还要支出某种追加的劳动。创造新价值的劳动者，在消费生产手段时，并不要任何多余的劳力，就能够把这些价值移转到新商品去。

这是发生于劳动的二重性，就是我们在价值论中曾经说明过的。我们在那里，已经指示过抽象的劳动与具体的劳动之分别。具体的劳动形成使用价值，抽象的劳动形成价值。同样，在这里，抽象的劳动产生新的价值，具体的劳动把生产手段的价值转入到新生产的生产物中。

马克思说："假若劳动者之特殊的生产的劳动不是纺织，他就不会把棉花转化为棉纱，因而也就不会把棉花及纺锭的价值转于棉纱。然而即使这个劳动者变更他的职业，去做小木匠，他将仍旧因着一天的劳动把价值附加在材料里面。因此，他之所以能够由劳动而附加价值，并非这个劳动是纺织劳动或木匠劳动的结果，而是抽象的一般的社会的劳动的结果。……

　　总之,纺织工人的劳动本身,当着用抽象的一般的资格,即作为人类劳动的支出而发生作用时,就把新价值添加于棉花及纺锭之中;当着用纺织过程的具体的特殊的并且有用的资格而发生作用时,就把那些生产手段的价值转入于生产物,因而就把这个价值保存于生产物质之中。"①

　　劳动的后一种性质,好像与自然力一样是天赋的东西,对于劳动者,除了形成新的价值所消费的以外,一点也不须要其他追加的努力,而对于资本家却有很大的意义。

　　一方面附加价值同时也就保存价值,这是自然授与于自己的实现中的劳动力,即活的劳动的恩物,在劳动者一方面不要任何的费用,而对于资本家却有保存既存资本价值之极大的利益。②

　　总之,劳动工具及生产手段的价值,是由劳动转入于生产物的。但这价值虽转入于生产物,而当它从前被体化于生产工具及生产手段时,在分量上毫无变化,即,被机械对象化了的价值,当这机械被用尽之时,是不多也不少的完全被转入于生产物之中的。

　　至于劳动力就不是这样了。它不但把生产工具及生产手段的价值转入于商品,还创造新的价值。这新的价值又分为两部分。一部分用以再生产被资本家所支付的劳动力;另一部分,如我们所知,形成了资本家的纯利润,即剩余价值。

　　这里明白地表现着,两部分资本,即生产工具及生产手段,与劳动力两方面的区别。

　　马克思说:"要之,被转化于为生产手段的原料、补助材料及劳动手段的资本部分,在生产过程中,其价值的大小并不发生变化,所以我叫它作不变的资本部分,或简称不变资本。反之,被转化于劳动力的资本部分,在生产过程中,转化它的价值。它除了再生产与自己相等的价值以外,还生产多余的剩余

————————

① 《资本论》第一卷第一篇第五章。
② 《资本论》第一卷第三篇第六章。

价值。这剩余价值本身,也是可变的,可以变多也可以变少。这部分的资本,不断地从不变量转化为可变量。所以我把它叫作可变的资本部分,或简称可变资本。"①

第七节　榨取率

因为劳动力必须与生产手段结合,才能发生作用,所以没有不变资本,就不能够形成剩余价值。然而,不变资本虽是形成剩余价值之必要的条件,而它自身却不能够形成剩余价值。能够形成剩余价值的,只有劳动。所以无论不变资本额怎样巨大,它对于剩余价值额却不能有一点增减。我们在决定资本家榨取劳动者的程度时,可以完全不管资本家所投下的不变资本的数量。我们只要知道劳动者为了补充劳动力价值于生产物价值之中所得到的究有多少,知道资本家所得到的剩余价值究有多少就可以了。

劳动者被榨取的程度,可以用这两种数量的比率表现出来,即是用剩余价值与为劳动力价值的可变资本两者的比率(换句话说,也可以说是剩余时间与必要时间的比率),把它表现出来。

用百分率表现的这个比率,叫作剩余价值率或榨取率。

我们举个例子来说明,同时想趁这机会想起马克思经济学上所应用的很方便的记号。

假设在某资本家的企业中,机械及建筑物的价值是5000元,原料及补助材料是1000元,劳动力价值是2000元,剩余价值是1000元。用C表示不变资本,V表示可变资本,M表示剩余价值。那么,我们可以得到以下的公式,即:

C＝5000元＋1000元＝6000元

V＝200元

M＝1000元

---

① 《资本论》第一卷第三篇第六章。

榨取率是以 M/V 来表示的。所以上面这个例子,榨取率是 $\frac{1000}{2000}$,若是用百分率来表示,就是 $\frac{1000 \times 100\%}{2000} = 50\%$ 。

这个意思,就是说劳动者为补偿自己劳动力价值而工作的每一小时中,都要另外加上半小时劳动,替资本家生产剩余价值。这是很明显的,只要 M 与 V 不变,无论资本家生产手段的价值之高低、榨取率是依然不变。

第八章　绝对剩余价值与相对剩余价值
资本主义的技术之发达与对于
劳动阶级榨取之增大

第一节　绝对剩余价值与相对剩余价值的一般概念

剩余价值是资本家的生产方法之目的。要增加剩余价值,可有什么办法呢?我们知道,劳动日可以分为两部分。一部分是劳动者为再生产自己的劳动力所要的必要时间,一部分是他为资本家创造剩余价值的剩余时间。这可以用图式表示如下:

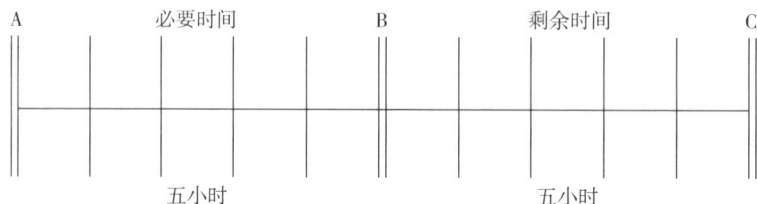

A	必要时间	B	剩余时间	C
	五小时		五小时	

在这个场合,剩余价值率是 5/5,就是 100%。

然则要增大剩余价值率,有什么方法呢? 第一是用延长劳动日的法子,来达到这个目的。如上例,可以在 10 小时劳动以后,再加上两小时。用图来表示,就是(见下页图):

这样一来,剩余时间就变成 7 小时,剩余价值率就变为 7/5,即 140%。

用延长劳动日的法子来增大剩余价值,在资本家方面,关于企业的设备、新的机器、机械的设备,等等。并不需要增加费用。

马克思说:"资本是死的劳动。它完全和吸血鬼一样,靠吸取活的劳动才

```
A          必要时间           B          剩余时间           C          D
│  │   │   │   │   │   │  │  │   │   │   │   │  │   │   │   │
├──────────────────────┼──────────────────────┼──────────────┤
       五小时                     五小时              二小时

                                  七小时
```

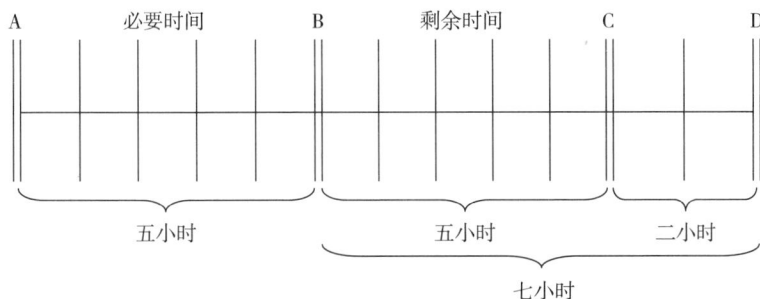

能生存。而且它吸取活的劳动愈多，就愈加活跃起来。"①因此，无论如何，只要能够采取延长劳动日的方法，资本就向着这条路上前进。

延长劳动日这种方法，是资本主义曙光期中增加剩余价值的常用手段。现在，不但是在落后的国家，就是在最先进国家，也还屡次应用这个方法。

延长劳动日的资本家，是由于劳动者在一整天中支出的劳动量之总体的、绝对的增大——与劳动力的价值量无关——，来增大他所得的剩余价值。例如在上面的图式中，剩余价值之所以增大，是因为全体的长度增大，它的必要时间（A—B）仍然没有变动。

由于劳动日之绝对的延长而得到的剩余价值，马克思叫它作绝对的剩余价值。

除了延长劳动日之外，就是资本家因劳动的强度化而增大的剩余价值，也必须加入于绝对的剩余价值之中。

我们所说的劳动的强度化，是指劳动者在一个单位时间内所支出的劳动量之增大。

这个方法，与由于延长劳动日而增大榨取率的方法不同，它是以劳动日不变为前提，可是在这个场合，因为劳动者支出了比从前更多的劳动，所以与它的劳动力的价值无关，只是绝对地增大了他自己所产生的价值及剩余价值。

所以，这个方法所产生的剩余价值，也要加入于绝对剩余价值的生产之中。

资本家用尽一切方法来提高劳动的强度。在劳动者上面设置监督，为了极小的事情，也要课取罚金。假若用威吓的手段不能成功，他就要用奸诈的方

---

① 《资本论》第一卷第三篇第八章。

法来欺骗劳动者,如后面所讲的,用种种赏金及种种支付工资的方法等。再则,资本家还企图设置一种生产组织,使得劳动者们无论愿意与否,都要把全身紧张起来去动作。新式的机械,非常迅速地不断地转变着,使劳动者连喘气的时间都没有。因为若是稍微怠慢一点,就要受全机构的威胁,发生事变,甚至于还有生命的危险。

前面说过,提高劳动强度的方法,来增大剩余价值,是与劳动力的价值量无关的。可是,也必须附带说明,提高劳动的强度,同时也必然要增大劳动力的价值。实际上无论什么样的劳动,总要支出劳动者之一定量的筋肉及神经,劳动愈紧张,它所消耗的能力也愈多。筋肉、神经等的消耗既然增加,那么,为再生产劳动力所需要的生活资料,也就不能不增加。

然而这并不是说,提高劳动者劳动的强度,是于资本家不利的。首先我们要知道,在一定范围以内,劳动的强度比起劳动力的价值能够迅速的增大。

就是假定劳动强度的增加与劳动力价值的增加,是一样的速度,对于资本家也仍然是有利的。

假设从前劳动者是生产一块钱的必要生产物和一块钱的剩余生产物。现在劳动的强度是从前的两倍,劳动力的价值也增加为从前的两倍。所以现在劳动者生产两块钱的必要生产物和两块钱的剩余生产物。那么,榨取率虽然和从前一样,仍旧是100%,但现在资本家却可以从每个劳动者身上得到两倍的剩余价值。

假设我们注意到这时机械与建筑物所需要的费用,并没有增大的话,那么,资本家的利益就更加明显了。

然而无论是延长劳动日或提高劳动的强度,都有一定的界限。

无论资本家怎样想无限制地延长劳动日,而一昼夜总是24小时。就是"万能"的资本家,也没有法子把它延长到24小时以上。况且这24小时还不能完全用在榨取剩余价值的上面,劳动者为要保持他唯一的商品即劳动力的出卖的可能性,为要维持劳动的能力,就不能不有数小时用在睡眠、休息、饮食上面。为恢复能力所绝对必要的最小时间——生理上的最小限度,就是劳动日的第一个限制。

然而劳动日的延长,除了这个物理的(及生理的)界限以外,还有道德的界限〔所谓道德的,并不是正义人道的意思,而是风俗习惯的意思〕。如我们在上面所说过的一样,这是由于一定国家中,资本主义发展之历史的诸条件,及劳动阶级的抵抗力所决定的一定的文化水准。一方面由于恢复体力所绝对必要的最小限度所决定,他方面由于文化的水准所决定。在这两者所决定的界限的范围以内,劳动日的长短,还有种种的变动。

提高劳动的强度,也和延长劳动日一样,是和由劳动者的体力及其神经系组织所决定的生理的界限,以及文化的界限相冲突的。所以资本家的榨取,在实际上,极相对的表示着这些界限。

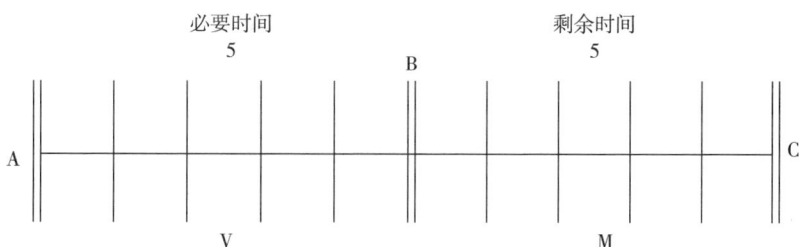

必要时间 5　　　　　　剩余时间 5

A ──────── V ──── B ──────── M ──────── C

剩余价值率是 $\dfrac{M}{V}$,即 $\dfrac{5}{5}$,也就是100%。

这些事实,使资本家又要寻求其他的方法,以增大他从劳动者所得到的剩余价值量。然而除掉延长劳动日与提高劳动的强度以外,还有什么可能的方法呢? 现在先回到图解上去看一看。

要增大这个剩余价值率,不但可以用延长劳动者的剩余时间于 C 点的界限以外的方法,还可以用其他的方法,就是缩短构成必要劳动时间的 A——B 部分的方法。假如资本家能把 A——B 缩短为 4 小时,那么情形如下:

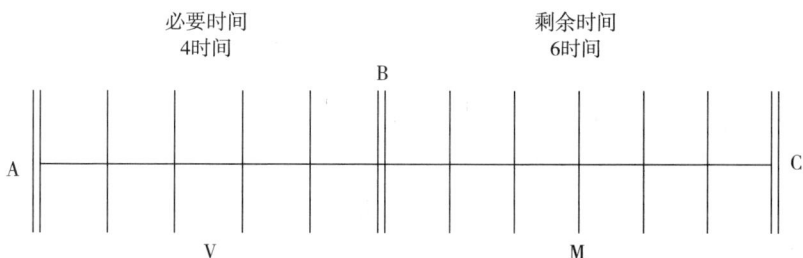

必要时间 4时间　　　　　　剩余时间 6时间

A ──────── V ──── B ──────── M ──────── C

在这个场合,很明显的,虽然全体的长度 A——C(即全劳动日)没有变动,但是剩余时间却增加为 6 小时。这就是说,因为必要时间缩短,剩余时间及剩余价值率就自然地要增大起来。所以榨取率 M/V 就增大为 $6/4$,即 150%。由此我们可以知道,这种情形是和第一种情形一样地诱惑资本家。

马克思说:"用延长劳动日的方法所产生的剩余价值,我叫它作绝对的剩余价值。另一方面,由于缩短必要的劳动时间,由于变更构成劳动力的两个部分的长度而产生的剩余价值,我叫它为相对的剩余价值。"①

第二节 相对剩余价值之形成

然则资本家用什么方法去增大相对的剩余价值,缩短必要的劳动时间呢?

我们应当记着:我们是暂时假定资本家是按照价值偿付劳动力,即按照再生产劳动力所必要的消费资料的价值偿付工资,借以进行我们的研究的。所以我们现在暂时完全不考虑到那把工资减低到劳动力价值之下借以缩短必要劳动时间的事情。在那样条件之下,要缩短必要劳动时间,必须减低劳动力的价值本身,才有可能。那样的减低,可以由减低劳动者的消费资料。如食料、衣服、鞋等等的价值去达到目的。要减低消费资料的价值,只有在减少生产它们所支出的劳动量的场合,才有可能,并且它又只有由于增大劳动生产率才有可能。

增大劳动生产率,与增大劳动的强度不同,它并不是由于支出更多的劳动者的劳动,而是由于变更劳动的条件,才达到目的的。如采用新机器,改良机械的装置,除去不必要的动作,改良光线与通风等等。在实行了这一切改良以后,支出同样的劳动量,可以产生比较多量的商品。

要增大相对的剩余价值,就要在生产劳动者所需要的生活资料的部门中,以及生产这些部门所需要的生产手段的部门中,提高劳动生产率。

照那样,生产资料价值的降低,劳动力价值的降低,即是剩余价值的增大。

这是很明显的事情,要用这种方法来增大相对的剩余价值,必须在下述的

---

① 《资本论》第一卷第三篇第十章。

场合才有可能。这场合就是：劳动条件的改良（采用新机械等等）已经不是个别的性质，而且它普及的程度，已经影响到该产业部门之社会的必要劳动。

然而能够增大相对剩余价值的，并不限于技术的改良（一般的劳动条件的改良）已经一般的普遍了的时候。当这种改良还没有普遍实行时，就是当一定的企业之个别的劳动生产率，超过了该生产部门的生产率之社会的必要水准时，劳动生产率的增大，更是有利的事情。[①]

在一定的企业中，由于那样的增大了劳动生产率，那企业的生产物之个别的价值，就降低到它的社会价值以下。然而资本家在市场出卖他的生产物时，并不是按照个别的价值出卖的，而是按照社会的价值（这已经在讨论关于个别的劳动与社会的必要劳动的问题中说过）出卖的。这商品的社会的价值与个别的价值之间的差额，就形成了所谓企业所有主即资本家的额外剩余价值。

可是在这里发生了如下的问题：即，这种情形是否应当加在相对剩余价值的生产里面？

仔细考察起来，就可以明白，在这个场合增大了的剩余价值之生产，也是由于缩短必要的劳动时间以及和它相当的延长剩余劳动的时间而来的。假设举一个企业做例子，这个企业的劳动日照下面那样分为必要时间与剩余时间两部分。如图：

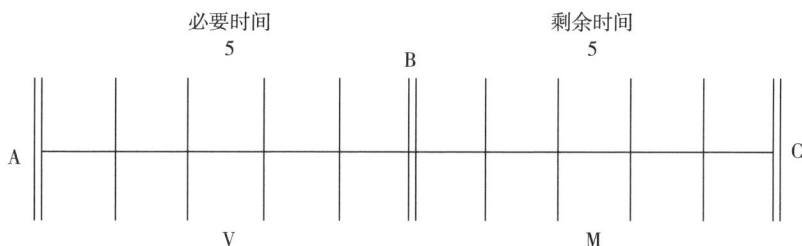

再假定在这个企业中，劳动的生产率，是适应于平均的社会的生产条件的。它生产一个单位的商品，例如1米突棉布，所支出的平均的社会的必要时间是30分钟，那么，在这个条件之下，10小时劳动日之间，可以生产20米突棉布。再假定每1小时之货币的表现是1元，那么，1米突棉布，就相当于5

---

① 在这个场合，并不问这个生产部门是否生产劳动者的生活资料。

角;20 米突棉布就相当于 10 元。在这 10 元之中,5 元用来支付工资,其余 5
元就形成了资本家的剩余价值。①

再假设因为某种技术改良的结果,这企业的劳动生产率,增加为从前的两
倍,那么,因为劳动者在 10 小时的劳动中,支出了更多的劳动,所以能生产两
倍的棉布,就是说不是生产 20 米突,而是生产 40 米突的棉布。于是这个企
业,生产 1 米突棉布所消费的时间,不是 30 分钟,而是 15 分钟。因而它的价
格也就从 5 角降低为 2.5 角。在这个场合,劳动率的增大,仅仅限于一个企
业,而社会的必要时间仍然没有变动。如我们所知,在市场上出卖这商品时,
并不是按照个别的时间,而是按照社会的必要时间的。所以这企业的所有者
即资本家,出卖 1 米突棉布时,并不是按照与他的个别的价值相当的 2.5 角出
卖,而是按照 5 角钱出卖。那么,40 米突棉布,就可以有 20 元收入。在技术
没有改良以前,资本家榨取 10 小时劳动,只能够得到 10 元,现在却可以得到
20 元。虽然这样,而支付给劳动者的工钱,还和从前一样,仍旧是 5 元。因为
劳动力的价值没有变动。现在劳动者为补偿自己劳动力的价值,所消费的已
经不是半劳动日,而仅仅是 1/4 的劳动日(20 元:5 元=4),即在 10 小时之
中,仅仅费掉 2.5 小时,用图式表示如下:

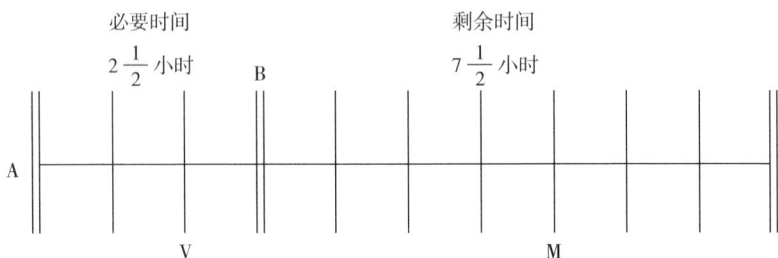

剩余价值率是 $\dfrac{M}{V}$,即 $\dfrac{7.5}{2.5}$,为 300%。

在这里,剩余价值虽是增大了,而劳动日全体的长度与劳动的强度全都照
旧,它是由必要时间与剩余时间比率的变动而得到的,所以这里的问题,很明

---

① 在这个场合(在以下的考察中,也是同样的),我们为简单起见,在生产物之中,并不加
入劳动手段、原料、补助材料等等的价值。

显的是相对剩余价值的问题。

不用说,资本家所以能够得到这样大的额外的剩余价值,是因为在大部分的工场里都还没有达到和它同样的劳动生产率。

我们已经知道资本家用种种方法提高对于劳动阶级的榨取率,有绝对剩余价值的方法,有相对剩余价值的方法。可是若以为有这样两种不同的剩余价值存在着,那就错误了。实际上,一切剩余价值是绝对的,同时也是相对的。绝对剩余价值是延长劳动日及提高劳动的强度的结果;相对剩余价值是劳动生产率向上的结果。我们要是再深刻地考察剩余价值的形成过程,就会知道以下的事实。就是:一切剩余价值,一方面是延长劳动日的结果,即把劳动日延长到为补偿劳动者的劳动力的价值所需要的必要时间以上,在这种意义上,正是绝对的剩余价值,同时,另一方面,一切剩余价值又是劳动生产率向上的结果。因为必须劳动生产率升高到相当程度,使劳动者能够靠自己的劳动创造出比较再生产他自己的劳动力所需要的消费资料的价值更多的价值,这时候才有榨取的可能。因此,在这种意义上,一切剩余价值是相对的。

照那样说,我们那样的力说绝对剩余价值与相对剩余价值的区别,好像似很奇怪的。但是虽然没有两种不同的剩余价值存在,而增大对于劳动阶级的榨取率的方法,却有两种,这是不能不考虑的。这就是绝对剩余价值的方法与相对剩余价值的方法,这两者虽常常同时并用,而其中却有大的差别。

如我们所见,绝对剩余价值的方法,用延长劳动日或提高劳动强度的方法,来增大榨取率;相对剩余价值的方法,通过劳动生产率的向上,来增大榨取率。根据这两种使榨取率向上的方法的定义,当然可以明了以下的事实。即,第一种方法是更加强制劳动者的劳动力,更加多量耗费他的筋肉、神经,等等;反之,第二种方法,意味着技术的进步到了某种程度,从人类的筋肉把劳动的重心移到"机械中的钢铁的肩上"。

在真正资本主义的现实上,如我们所见,这两种方法,互相补足。生产率的向上同时就伴随着劳动的强度化。所以最困难的工作的完成,并不是依靠劳动者的筋肉的紧张,而是依靠机械的钢铁的力量,可是劳动者因为这个事实当然可以得到的利益,在事实上,却归着于劳动的更大的强度了。这一层,往后就可以明了。

第三节 绝对剩余价值对于劳动阶级状态的影响

各种形成剩余价值的方法,对于劳动阶级的状态,发生怎样的影响,我们现在来考察一番。

我们知道,增大绝对剩余价值,有两个方法,即延长劳动日与提高劳动的强度。现在先考察第一个方法,即延长劳动日的方法。

资本主义所产生的压迫使得劳动者与资本家之间,为了劳动日的缘故,进行过激烈的斗争。长期间的劳动日,就是强夺劳动者的全部力量,劳动者为要启发自己,提高自己的文化水准,而参加社会运动及社会革命,简直没有一点余暇。并且这种方法,还抑制着资本主义社会自身之技术的发展。资本家在不改良技术而可以从劳动者身上榨取高度的剩余价值率之时,他就不大注意到改良技术的事情。所以在资本主义的曙光期,在劳动生产率还处于很低的阶段时,差不多到处都实行长期的劳动日,现在的最落后的国家还是这样。在一切地方,必然与长时间劳动相伴随的东西,就是廉价的工资、矮小的房屋、破烂的衣服、粗糙的食料等等非常野蛮的生活方法。其结果,劳动阶级的政治的及文化的水准,非常低微,并且有早衰及夭折等等的现象。

马克思在《资本论》第一卷中,很详细地描写着因劳动之过度的延长而引起的种种结果。例如当他叙述 1863 年,即资本主义曙光期的英国制陶器工人的状态时,他引用一个医生的话。他说:

> 当作一个阶级看的制陶工人,无论男女,在肉体上或精神上,都代表着退化的人口的一部分。往往可以看到他们大概都是发育不全,形体丑恶,而且胸部畸形。他们早老而且短命,他们都犯着迟钝、贫血、虚弱、消化不良、肝脏病及肾脏病以及偻麻窒斯等等的症状。他们最容易害肺炎、肺结核、气管支炎、喘息等呼吸器官的疾病。他们特殊的病症,就是有名的制陶工喘息、制陶工肺结核等等特殊的喘息。制陶工人的 2/3 以上,都

患有腺、骨及身体其他部分的瘰疬症。①

他又描写着当时英国毛绒生产界榨取少年劳动者的情形。

　　……从事于毛绒制造业的都市劳动者们,是别的文明世界所无的苦痛与穷困的牺牲者。……九岁到十岁的小孩子们,为要得到刚够糊口的生活费,在早晨二时、三时或四时,就要从极污秽的床上起身,一直劳动到夜间十时、十一时,甚至十二时。因此,他们的手足瘦削,形体短小,相貌表现得非常迟钝,全身硬化得和哑子一样没有感觉,使人一看就要战栗起来。我们虽喧嚣地攻击瓦西利亚及加洛莱拉的棉花栽培者,而他们的黑奴市场,他们的竹鞭子、他们的人肉买卖,都是以资本家的利润为目的。为了制造男女的领结,每天实行着缓慢的人类的……。②

当时英国裁缝女工的时态,也是一样的恶劣。

　　她们被强迫着每日平均要作 16 小时半的工作,在资本家财运亨通的时候,还要连续地作 30 小时的工作。在这个期间,他们的"劳动力"若不够用,有时就给以果子酒、葡萄酒及咖啡等,加以刺激。

"他们每 30 人一组分为二班,在一个几乎还没有供给 1/3 的必要空气的小屋子里"工作。"到了夜里,在一间用板壁隔成的,连呼吸都窒塞的寝室中,两个人睡在一床。"③可是这还是××职工场,即伦敦所有的最好的近代的职工场之一哩。

这些事实,和我们说过的一样,都是发生于 19 世纪的后半期,即资本主义的曙光期。但是,现在我们还看到资本家想要利用绝对剩余价值的方法,及过

---

① 《资本论》第一卷第四篇第八章。

② 《资本论》第一卷第四篇第八章。马克思在这里所描写的瓦西利亚及加洛莱拉的棉花栽培业者,是采用奴隶劳动的。

③ 《资本论》第一卷第四篇第八章。

度延长劳动日的方法，来更加提高榨取率的倾向。

最显明的证据，就是近代中国劳动者的状态。

> 在中国，劳动日是"从太阳到太阳"，即从日出起到日没止。在有组织的企业里，大家一同上工，一同散工，平均劳动日是 14 小时，不过因为产业部门及企业的好坏的不同，也有些差别，矿工每日是 10 小时至 12 小时，铁道工是 10 小时。可是在某一落后的职物工业中，每一个劳动日是 18 小时，也不算什么稀奇的事情。

> ……但是，我们必须知道，在其余的诸生产形态中，吃饭的时间仅仅够吃饭而已。监督官在旁边追逐着劳动者，使他除了吃饭以外，一点余暇也没有。所以吃饭的时间只有 15 分钟，乃至 20 分钟，此后立刻就被追到工作场里去。在外国的企业至少在英国的企业中，根据领事馆调查的报告，中餐时间规定为 1 小时。在这 1 小时后，立刻就要开始工作，不能再休息。这种囚人式的劳动，实在是没有间断地继续着。中国劳动者并没有休息日，劳动周是七天。[1]

> 中国的苦力处在特别残酷的状态之下。所谓"苦力"就是中国的劳动家畜。他们的人数，不知有多少，散布于中国各大小都市，来代替牛马们做工，在"苦力"的名义之下，他们就是文明的外国人及富裕的中国人的最下层垫脚的东西。他们用一个轮车运输和山一样高的货物，从事于大汽船的货物之堆积及起卸；如起重机及其他欧洲式的港湾的诸设施，几乎完全没有用处。他们从事于一切污秽的工作。每天从上海及其他的镇市，把污秽的东西运输出去，借着这种劳动来完成除秽的工作。他们从事于真正非人类的劳动，不过是为的得到刚够避免饿毙的金钱。[2]

> 自己的小孩，八岁还没有到，就要从事于某种工作。而且中国劳动者

---

① 亚其亚洛夫：《近代中国的阶级与党》，1926 年版。
② 斯姆尔基斯：《中国及其劳动运动》，1922 年版。

的妻子就是怀了孕,也是不论劳动条件及劳动种类如何,仍旧"从早到晚"一直工作到分娩那一天为止,这种情形,在中国并不是稀奇的事情。

其他各种类企业家,不论中国人的企业家或文明的"白色"绅士的企业家,都一般地利用这种状态,上海是中国最工业化的地方,是文化的中心,是"最欧洲化的都市",可是与其他任何地方比较起来,其劳动力的大众形态,多是儿童劳动及妇女劳动。

1924 年,为要调查上海的外国诸企业中的儿童劳动情形,全市的工部局创设了一个特别委员会,那是由欧美日本诸团体的代表组织的;根据这个委员会的调查,在这些企业中,未满 12 岁的儿童劳动者的数目,实际到了 22500 人之多。……

儿童的劳动日,加上白天吃饭的时间,共总是 12 小时以上。他们常连续着工作 11 小时。他们在充满了尘埃的腐臭的空气之中工作着。①

由以下的记述,就可以想象出中国劳动者是住在怎样的屋子里。

他们的家庭,普通是五个人——父母及三个小孩子——所住的面积 10—14 平方尺。屋顶是用竹子及叶子做成的,已经是腐烂而且倾斜了,上面盖着煤与蜘蛛底网子,到了下雨的时候就扑哧扑哧地漏水,墙壁全部是洞孔,寒气暴风都不能够防御,从外面一望就可以看清内部的情形。无论男女都是在凹凸不平的土台上,咕噜咕噜地睡着。没有流出污水的洞孔。也没有厕所。屋子的周围都是臭水坑及尘土堆成的小山。普通去访问他们的人,只要经过十分钟,就要觉得窒息。若是继续着下雨,尘土及粪便就要浮在水面,流到屋子里去,甚至于涨到两三寸高。②

马克思说:"资本现在被无涯际的盲目的冲动、被对于剩余劳动之人狼的贪婪所驱使,劳动日之道德的最高限度,固然是踏过了纯肉体的最高限度;并

① 亚其亚洛夫:《近代中国劳动阶级与党》。
② 亚其亚洛夫:《近代中国劳动阶级与党》。

且强夺了劳动者为保存身体的生长发达及健全所必要的时间,劳动者被夺去呼吸新鲜空气及晒日光所必要的时间,被劫去吃饭的时间。资本把这些掠夺来的时间,都尽可能地合并到生产过程中。所以给与于劳动者的食物,和给与于生产手段的东西一样,如供给汽罐以石炭、供给机械以脂肪与油。为搜集、恢复及更新生活力所必要的睡眠,被缩减到复活精力消耗了的身体组织所绝对不可缺的某时间的朦胧状态。

"像这样,在本质上生产剩余价值与吸收剩余劳动的资本主义的生产,由于延长劳动日一事,夺去人类劳动力的精神上及肉体上自然的发达及活动所必要的条件,使得劳动力萎缩下去,并且造成劳动力自身之早期的消耗与死亡。"①

第四节　相对剩余价值及资本主义的技术之发达

资本家要无限制地延长劳动日的这种欲求,在物理的(一昼夜的长度,及最少限度之休息的必要),在道德上,都要碰到某种界限——劳动阶级的文化水准(这是最重要的)、抵抗力(组织力、劳动组合及党等等的存在),这是我们在上面已经说明过的。

一旦碰到这些障碍,资本又想到了其他可以提高榨取率的方法,即相对剩余价值的方法。

所谓相对剩余价值的方法,如我们所知,是提高劳动生产率的方法,刺激资本家努力于提高劳动生产率的方法有两种:第一种,如我们所知,是与此相结合的劳动力价值之降低及榨取率之增大;第二种是某资本家的企业之技术超出平均技术以上时得到额外的剩余价值。在资本主义社会之生产力的发展的问题上,具有特别重大的作用的事情,就是任何个人的资本家,都可以凭借技术的进步以攫到额外的剩余价值。资本家为要得到这额外的剩余价值,就彼此互相斗争。因为这个斗争,技术就不断地进步。在这个斗争中,假若有一个资本家,采用了某种技术上的发明,以得到额外的剩余价值,那么,他立刻就

---

① 《资本论》第一卷第三篇第八章。

焦虑别的资本家们感受这个刺激，也要在他自己的企业里采用这个发明。这个发明一旦普及于全体时，于是最初在自己工场中采用了这种发明的资本家，就要因此失掉他采用这种新发明而得到的额外的剩余价值。并且这个事情更要驱使他倾向于新的发明。于是他所雇用的一些学者们——技手、技师、教授等等——就要开始为了新的发明而绞脑思索。新的发明在还没有一般的普及以前，暂时又为资本家形成额外的剩余价值。照这样，资本家为了追逐额外的剩余价值，就推进了技术的发展。

资本主义的技术之发展，用各种不同的速度，把一切前资本主义的生产方法推进到前方。

资本主义技术之特征是什么呢？

若要明了这个特征，就必须把它和本来的技术之工场手工业的技术比较一下。

工场手工业的技术之第一特征，就是"手的劳动"。无论在手工业方面或工场手工业方面，使劳动手段动作的，都不是无灵的机械，而是活的人类的手；借着这手的作用来进行工作。工场手工业的技术之第二特征，就是那纯粹经验的、非科学的性质。即是说，各个手工业所用的方法与样式，都是从无数的前代的人们所体验的结果而形成而改良的。所谓技术的科学，在这里是完全没有的。因为先人的经验并没有任何记载，也未经分析与研究，所以后辈想要得到这个体验，除了直接受教于有经验的前辈师傅以外，没有其他的办法，从此发生了当时最发展的最普及的徒弟制度的必要。在工场手工业的技术这个条件之下，有经验的前辈师傅，即活的生产经验的担负者，是怎样含有莫大的意义，可以从以下的事实窥见一斑。就是，假若最有经验的师傅或一群手工业者，从一个都市迁移到另一个都市，那么，这地方的生产就要完全衰微下来；反之，他所迁移到的地方，立刻就要呈现一种发展兴旺的现象。例如，迁移到荷兰及英国的手工业老者犹格诺（所谓犹格诺就是第十六七世纪法国基督新教徒）的事情，就是这种情形。

手工业的及工场手工业的技术，虽有上述的共同的特征，而同时也有很大的区别。

手工业的生产是小规模的生产，它是以领有生产手段的小生产者之个人劳动为基础的。工场手工业已经是资本家的大生产，它是以工钱劳动为基础，集合大部队手工业者于一间大工场里面。

把这些手工业者结合在一个地方，并且把手工业的生产工具很简单地归属于一个企业，这两件事实，已给工场、工业以很大的优越点。

马克思说："一个骑兵中队的攻击力，或一个步兵联队的防御力，与由一个个骑兵及步兵所能个别地展开的攻击力及防御力之总和，在本质上是不同的。和这完全同样，个别的各劳动者所发挥的力之机械的总和，与多数劳动者在同一个整个的作业中，同时共同劳动的场合，例如举起一个很重的东西，或是转动辘轳，或是除去道路上的障碍物等等的场合，所展开的社会的能力是不同的……总之，协业不但可以增进个别的生产力，而且它自身还产生一种可以成为新集合力的生产力。这是我们所要讨论的问题。"①

然而工场手工业比手工业优越的地方，还不止这一些，伊里奇说"所谓工场手工业，就是以分业为基础的协业"。所以，工场手工业曾经使得分业非常的发展。

在手工业者方面，商品的生产过程，始终都集中在一个人、最多在两三个手工业者手里。在工场手工业方面，正和这相反，它收容许多劳动者；因为这个关系，就有详细分业的可能。而且还能够使一个劳动者的全生涯，束缚于一种的部分的作业。

马克思说："总之，工场手工业，一方面把分业引入在一个生产过程之中，然后再使它发展起来；在另一方面，它把从前独立的诸种手工业结合起来。可是无论它特殊的起点如何，在最后的形态上是没有什么不同的。就是说，无论在那一个场合，都是以人类为手段的生产机构……。

"工场手工业，把社会内部所预先存在的原生的分业，在工场内部再现出来，而且使用它有系统地推进到极端。因此，在事实上，就造成部分劳动者的熟练……虽说这样，而劳动的生产力本身，不但是关系于劳动者的熟练程度，并且关系于他的工具的进步程度。……

"在工场手工业时期，劳动工具是使其适合于部分劳动者所专有的特殊

① 《资本论》第一卷第四篇第十一章。

技能的。所以劳动器具就被单纯化,被改良,而且种类也加多了。同时,由于单纯的诸器具的结合所产生的机械之物质的前提条件,也是在这个时期造出来的。"①

工场手工业把劳动过程细分为一串的诸作业,因为使得对于诸作业所用的器具的发明与改良都容易些。只要把这些器具的使用,从人类的手转移到机械就行了。发展了的资本主义的技术(从工场手工业分生出来的)的特征,就是用机械代替手的劳动。

任何机械,都是由动力机、传力机及作业三部分而成的。

动力机给与机械全体以动力的能力。传力机是媒介调带、齿车等等中间物调节及变换动力并且把它传送于作业机。作业机通过传力机收到必要的动力,再经过各种的工具,来实行一切的作业,这种作业,与以前劳动者以同样的工具与机器所做的一样。

马克思说:"我们试考察那用以制造机械的机械中之成为严密意义上的作业机部分,就看到手工器具在这里是在极大规模上再现着。例如凿孔机这个作业机部分,是巨大的锥子,用蒸汽机开来运转它。若是没有这个凿孔机,就会不能生产这种蒸汽机关及水压机的汽筒。机械旋盘就是通常的脚踏旋盘之大规模的再生。机械刨就是以木匠加工于木材时所使用的同一的工具而加工于铁的铁制工匠。在伦敦埠头上切断'被板'所用的工具,是巨大的剃刀。和拿剪刀剪布一样,截断铁的铁截机,就是奇伟的剪刀。又汽槌自身,也就是以通常的槌头来作业的东西。不过这个槌头持有雷神托尔所不能振动的重量。……用这种汽槌来粉碎一块花岗岩,完全类于儿戏;又继续着轻轻打几下,就把铁钉钉入柔软的木材里去,这也是一样容易的事情。"②

担负动力的工作的,最初是人类,其次是动物,再后就是风力及水力。人类与动物都不能展开充分的能力,风力也是不可靠的,要利用水力,就要把生产限于一定的地方。

一直到了蒸汽动力发达的时候,生产才从这些限制解放出来。蒸汽动力

---

① 《资本论》第一卷第四篇第十二章。
② 《资本论》第一卷第四篇第十三章。

的强度是可以按照自己意思来加减的。蒸汽动力并不把生产限于一定的地域,也不把它拘束于一定的地方,例如水源丰富的地方。而且它的作用,并不像利用风力时那样是偶然的漫无一定,它是有组织的经常的。

机械的职能,就是它能使生产从人体组织之身心的限制中解放出来。

马克思说:"劳动者同时所能使用的劳动器具的数目,是受他的自然的生产器具,即他自身的身体器官的数目所限制的。……同时能纺两根纱的这种熟练的纺纱工人,就和有两个头的人那样的稀奇。"①

"手工纺纱工人,只能使用一个纺锭,而纺纱机械却能够带几十个、几百个,甚至几千个的纺锭。现在已经使用带着 13000 个纺锭的机械了。"②

弱女工手里所使用的巨大的起重机,能够毫不费力地举起巨大的铁块及其他一切材料或移置他处。工场内的铁路及其他进步的机械,所做的工作,比手腕最灵活的最正确的劳动者所做的还要正确些。

机械已经使得不但是劳动者的劳力,就是手的作用、眼的敏锐、精确及多年的修炼,都成为无用的东西。各种测量机具所做的精巧的工作,是手工业及工场手工业的生产方法所梦想不到的。

劳动者现在的任务,不过是机械的监督者和调理者,并且单只这点任务,也越发为机械所夺去。机械愈是成为自动的,就愈能够监督调理自己的运动。

所以技术上的进步,同时也可以使机械的使用愈加盛行。机械一方面把横在自己前面的一切前资本主义的技术,扫荡尽净,同时,就挨次地获得资本主义经济的部门。大规模的工场与机械的机构之增殖,像说话一样地迅速。现在各工场中都有复杂的协业,而且同时这个协业之发生,就是以表现技术的统一之诸机械间的细微的分业为基础的。

"由于传力机的媒介,从中心自动机得到运动的各种作业机的组织体系,就是机械经营之最发达的形态。在这里,机械的怪物,代替各个的机械出现,这怪物以它自己的体驱,充满了工场建筑的全部。它的魔力,最初被巨大的四肢的、庄重缓慢的运动所蒙蔽,可是一旦勃发以后,无数的作业器官,就和文字

---

① 《资本论》第一卷第四篇第十三章。
② 伊瓦洛夫:《关于技术的要论》,《共产主义研究院通报》1926 年第 14 号。

上所描写的一样,全部狂舞乱蹈起来。"①

这一切东西之所以成为可能、所以被实现,是因为机械的技术,已经不是在所谓"秘传"的名义之下由代代手工业者所传承的个人的体验,而是生产过程之科学的研究与调查的结果,实验变成了一切技术的发明及进步之中心。

在最近资本主义技术的发展中,可以看出许多新的倾向。其中最重要的是大量生产的倾向,就是诸企业大量的制造同样生产品的倾向。

和这事连着就发生了生产标准化的问题;在最近美国的产业界里面,可以看出它的特别的发展。它的实质,就是要减少制造品的形态。所以生产并不是从想要满足消费者个人的趣味的那种欲求出发的;反之,它是从想要供给大众以一种可能的最实用的合式的廉价物品的那种欲求出发的。

对于制品形态的限制,引起了生产的(?)规则化。就是,例如不但同种类的止螺旋、锥子等等,就是异种类的这些东西,在制品的各个部分的形态都被限制,因而同一形态的止螺旋,就可以应用于各种的机械。

这一切,使得机械、机器、工具等等在特殊作业上的应用成为必要,使它们的专门化成为必要。

鲁平休丹说:"劳动器具发达的主要倾向,是它的专门化;从充用于很多种劳动的一般的工具,转化为完全有一定的被限制的任务的工具。由于劳动过程分得非常细微,所以需要使用与它正相当的工具。

"……劳动器具的专门化与劳动器具的统一,是一同显现的。同时或继续着进行极复杂的生产行为的、各种各样的劳动器具的诸作用,都被近代技术适当地统一于一个机械的范围之中。"

例如,在金属的冷加工上,"它是由于在所谓回转台上迅速地变更劳动机械而做成的"。

从这一切事情说来,"劳动者几乎从生产过程中被驱逐出来了。他不过是监督着差不多能够独立动作的机器的基本作业,往往一次监督几架机器"。

"把人类的劳动驱逐于作业机的使用范围以外,这件事情就可以说明生产过程的速度之长足的进步,尤其旋盘及作业机的运动的进步,是与近代机械

---

① 《资本论》第四篇第十三章。

之惊人的柔顺及适合性有密切的关系的。"①

生产过程自身,愈加合理化。如机器的配置、机具及材料的供给、透光的设备等等,使得劳动者非常紧张,就是一分钟也不作不生产的消耗,并且无须去拿机具和取材料,就可以工作。

在这种关系上,有特别重大作用的,就是所谓传送组织的工厂内部的输送组织。从一个作业场到其他作业场之间,张着无数的连带,以分配工作的材料(如铁)于劳动者。已经做好的东西(例如车轴),放在连带上面,运到其他作业场,在那里另行加工(例如在车轴的上面,配上车轮)等等。不断地动作着的传送带,分送材料,并且要求很精确地在一定时间之内把它加工。这种传送带,使得劳动者的机能,变成非常简单的、几乎不要任何熟练的动作。

这一切结果,使生产费可惊的低落,而劳动生产率却向上增进。

电气技术,在资本主义社会生产力的发展上,展开了新的局面。电化的作用,(一)使能力能够传达到非常远的距离;(二)使极低廉的燃料即泥炭、下等石炭等等,都有使用的可能;(三)因为送电的容易,使得工业可以与动力的存在地点毫无关系地更加合理的配置起来;(四)因为设立发电所于燃料丰富的地方,就不必输送燃料,又能够送电到远处,所以非常节省;(五)为劳动造出更卫生的状态;(六)因为送电及细分都很容易,所以电气力非但使用于巨大的产业企业,就是最小的企业及家庭经济的日常工作——例如电气熨斗及电气火炉等等——也有使用电气的。

然而电气技术的意义,并不限于以上所说的。它非常可惊地助长了生产的集中,即生产集中于少数巨大的企业。

"电气能力可以被送达到很远的地方,这并不是很早的事情,而只是最近1891 年的事情。但是它已经有很大的发展,现在能够把能力送达到 400 基罗米突的距离。一个发电所发挥到最大能力时,能够供给 50 万启罗平方的面积,即供给德国或法国全国以电力。"②

根据中央大发电所比一切小发电所在节俭的意义上所有的优越点,就发

---

① 鲁平休丹:《近代资本主义及劳动的组织化》,1923 年。

② 伊瓦洛夫:《技术要论》。

见了能从几个中央发电所供给任何国家以充分电气能力的可能性。这种情势，使得今后的空前的生产集中有可能。

因此，就发生了为要创造一国或数国之单一的技术的有机体所需要的前提条件，而这一个或数国是具有用大发电所的能力做代理的唯一的强力中心地以及可以散布电气能力于各国的无数电气网的那样伟大的神经系统的。

使劳动的一切重担从人类移到机械的"铁肩"的事情，因为技术之长足的进步，很容易达到目的。技术的这样的长足的进步，一看好像大可以使人类快乐似的。根据法利克涅尔的调查，就美国现在的产业水准来说，现代世界的总生产物，只要两小时的劳动日就能够生产出来。

然而现在大部分资本主义诸国的劳动者，所梦想的还不过是 8 小时劳动日。

这是为什么呢？因为在资本主义社会里，从技术的进步所得到的一切利益，都被资本家阶级所垄断了。

第五节　资本家的技术之发达　各个企业中生产之组织化与全社会生产之无政府状态间的矛盾

形成商品经济的基础的是社会的分业。社会的分业之本质在什么地方呢？根据伊里奇的话，是在下面这一点上，他说："精工业与粗工业分离，它们各自又分为种及亚种，在商品形态生产各种各样的特殊生产物，再把它与其他一切产业相交换。

"商品经济的发展，像那样的使各个独立的生产部门增加起来。这个发展的倾向，就在于它不但使各个生产物的生产，还使一种生产物的各个部分的生产，并且不但使一种生产物的生产，还使关于生产物的制造及消费的各个作业，都转化为一种特殊的产业部门。"①

我们必须把社会的分业与在企业内部的分业严加区别。

---

① 伊里基：《俄国资本主义的发展》。

我们已经知道,工场手工业的生产是其后资本主义技术发展的出发点。这种生产,与一切先行的生产形态的分别,就在于它是以企业内部的极复杂的分业为基础的。

工场手工业中所发生的企业内部的分业,在以后更生长发达起来了。

所以近代资本家的企业,形成了包括各个作业场及工作场间的分业、包括这企业中工作着的劳动者与职工及技手之间的分业等等的非常复杂的组织之非常复杂的体制。

然则这两种分业的差异究竟在什么地方呢?

马克思规定企业内部的分业与社会内部的分业的差异如次,他说:

"使饲蓄业者、鞣皮业者及制靴业者这几个各自独立的劳动互相联系起来的东西是什么呢? 这就是他们各个的生产物都是当作商品而存在着的事实。至于工场手工业的分业之特征是什么呢? 说起来,这就是单靠部分劳动者不能生产任何商品的事实。因为部分劳动者的生产物,要在综合为整个的东西之时,才能成为商品。社会内部的分业,是以不同的劳动部门的生产物的买卖为媒介的;工场手工业的部分劳动者相互间的关联。是以各种劳动力都贩卖于把它们当作结合的劳动力来使用的资本家一事实为媒介的。工场手工业的分业,以生产手段集积于一个资本家手里为前提;社会的分业,以生产手段分散于互相独立的多数商品生产者之间为前提。在工场手工业中,由于比例的铁则,使一定人数的劳动者从事于一定的职业;但在把商品生产者及其生产手段分配于各种社会的劳动部门间的场合,'偶然'与'专擅'两点却有种种作用……在作业场内部的分业中,最初是有计划地被遵守的规律的东西,在社会的分业中,就当作通过市场价格的调验器的变动而得知道的、可以统制商品生产者无规律的专擅的、成为内部的并且盲目的自然力,只是后发的起作用。工场手工业的分业,是以资本家对于那只成为他所有的机构的单纯构成分之劳动者具有绝对权力一事实为前提的,而社会的分业,却使各个独立的商品生产者互相对立。这些商品生产者,除掉竞争的权力以外,除掉相互间的利害的压迫所给与的强制以外,不承认任何权力。"①

----

① 《资本论》第一卷第四篇第十二章。

所以,资本主义的生产方法之特征,是"社会的分业之无政府状态,与工场手工业分业的专制"。

两者在本质上虽然不同而且正相反对,但在资本主义的社会里,是互相补足、互相约束而同时存在的。

随着资本主义的发展,企业内部的工场手工业的分业越是生长,全社会中生产的无政府状态也越是厉害。

恩格斯关于这个问题,这样说:"社会的生产之无政府状态,在表面上愈加显得是大规模的了。可是资本主义用以强化社会的生产之无政府状态的最主要武器,是与无政府状态正相反对,即是各个企业中生产之社会的组织化。"①

因此,商品资本主义经济所特有的、生产之社会的性质与占有之私的形式之矛盾,"在表面上,显现为各个工场中生产的组织化,与全社会中生产的无政府状态之矛盾"②。

这个矛盾的生长与激化,随着资本主义的发展,表现为阶级的矛盾之尖锐及社会主义之生长。

第六节　资本主义下技术发展的界限

使资本家想尽可能地多得剩余价值的欲求及他们相互间的竞争,——这是驱使资本家努力改良企业的技术的原因。

资本家采用新机械或改良的目的,不在于减轻人们的劳动,而在于个人的利益。

正因为那样,所以资本主义社会中技术的进步,常有一定界限,资本家是不会立即采用任何改良的技术的。

假若某种新机械的价值,比它所能代替的劳动者的劳动力的价值更高些,那么,无论这种机械是怎样好,怎样能减轻人们的劳动,资本家是不会采用

---

① 恩格斯:《反杜林论》。
② 恩格斯:《反杜林论》。

它的。

马克思说：

> 只在使生产物低廉的手段的意义上解释了的机械使用,是在机械本身生产所需要的劳动比应用它所能换置的劳动更小的一点上,被设置界限的。但是从资本家的立场说,这个界限,被表现为更受限制的东西。因为资本家所支付的,不是充用劳动的代价,而是充用劳动力的代价,所以从他的立场看来,使用机械的界限,当存在于机械的价值与它所能代替的劳动力的价值的差异上。①

我们举例来说明。假设新发明的机械,值 1000 小时的劳动日,它所能代用的劳动量是 1200 小时,那么,在这里所能省下的 200 小时。但这并不是说,机械对于资本家有利,他会使用它。资本家所支付于劳动者的东西,不是劳动者在一定时间内给与于资本家的劳动,而只是劳动力的价值。两者之间的差额是非常之大的。劳动者在一个劳动日中,给与资本家的劳动量,比较工资要大得多。假若劳动的价值,即资本家所支付的劳动,是 600 小时,那么,采用这种机械对于资本家并不是有利的事情。因为这种机械虽然能够代替比较生产它自身所需要的更多的劳动量,但是资本家所支付劳动者的价值,却比收买那机械还要少些。在实际上,虽然价值 1000 小时的机械,能够代替 1200 小时的劳动,而资本家是以 600 小时的代价,向劳动者收买 1200 小时的劳动的。所以必须资本家收买机械的价值比工资还要便宜的时候,例如 500 小时,就是说它所节省的不是 200 小时而是 700 小时的时候。他才采用这种机械。因此,从古以来,不知埋没了多少可以减轻人类劳动的贵重的发明！

马克思说：

> 美国人已经发明了碎石的机器。可是英国却不曾采用这种机器。因为做这种劳动的"贫穷者"(Wretch——这是英国经济学中,指农业劳动

---

① 《资本论》第一卷第四篇第十二章。

者的术语）所得到的工资,只相当于他的劳动之极少的一部分。若是采用这种机器,对于资本家生产费的负担,倒要贵些。

英国运河中拖曳船舶的工作,现在还是不用马匹而用妇女。因为生产马匹或机械所必要的劳动,是数学上的一定的分量;反之,维持过剩人口的一部分妇女的生存所必要的劳动,却无论怎样都能够计算出来。在为着可鄙的目的而浪费人力一点上,所以没有比机械发达国家的英国更为无耻,其原因就在这里。①

以上是关于马克思在世时的英国的情形,可是我们现在可以看到更多的这种的例子。

我们知道,中国"苦力"的劳动非常便宜,所以起重机及其他欧洲式港湾上所必要的大洋航路汽船起运货物的一切设备,都成了不利的东西。这不但在中国这样落后的国家,就是在最先进的资本主义诸国,许多极贵重的发明,都因为只想榨取剩余价值的资本家的贪婪,而被秘密地保存起来,这是我们在后面还要说明的。

第七节　榨取的增大

资本主义社会中,技术虽然发展得很快,但是他并不能使人类从劳动中解放出来,也不能使他们不为"每日的面包"而忧愁,更不能创造各种条件,使大部分人可以脱离半人半兽的状态。

任何技术的发达,都使劳动者更加革命化使它们的斗争更强化。

机械技术的发达之最初的出现,就是普遍的采用儿童劳动及妇女劳动。因为机械使得人类的筋力变成无用。

妇女与儿童加入于生产的结果,劳动力的价值下降,而榨取率增大。现在先就有一妻三子的某一劳动者来说。根据劳动力的价值法则,他的工资必须足够养活他自己和他的家族。假定他的妻子和一个儿子,都加入于生产,能够

---

① 《资本论》第一卷第四篇第十二章。

独立地由工作得到自己的生活资料。结果,这个劳动者从前为养活妻子和这个儿子所必须取得的生活资料的一部分,就要被截取去了。全家所得的工资总额,也许增加到从前一人作工的劳动者——家长——所得的工资的两倍。但是这劳动者本身工资却是比从前低落了。同时,不用说,他的妻子及小孩所得的工资比他还要少些。

不但如此,因为有妇女及儿童的劳动者的竞争的结果,劳动者对于资本家的斗争就要困难起来,甚至使他们的地位更为不利。

资本主义的技术发达之第二个结果,就是大大地增大了劳动的强度。

采用机械,最初是使劳动日延长。前面说过,机械不但在使用时,就是在停止时,也是不断地消耗着。然而只有在动作时,它才能把自己的价值转移到生产物。不但这样,我们必须还想到所谓机械之"道德的"消耗。就是说,有时机械自己的一定的寿命还没有终时,就被其他更完全的机械所代替,而成为无用的东西。

这一切变成冲动,使劳动日无限地被延长,不分昼夜的,在 24 小时间,布置着生产的数次换班制。这种对于榨取劳动力的急性的欲求,如我们所知,是遇到劳动者的绝望的抵抗的,所以资本家不得不于某一个期间,缩短或限制劳动日。

然而,同时资本家就倾注其全力于增加劳动的强度,以代替延长劳动日的办法。

增大劳动的强度一件事,是由于现代机械之迅速的速度而达成的。随着技术的发达,劳动者愈加成为机械的附属物,所以他自己的劳动的速度,就不能不和机械的速度相吻合。劳动者的注意力,紧张到最高的程度。

现今极快地普及于全资本主义世界的"传送带组织",使劳动者"不歇气地"在全劳动日中,只是不断地重复着几种单调的机械的动作,俨然变成一种自动的机械。他自己已经不能决定劳动的速度。他必须在所与的几分钟甚至几秒钟之间。完成一切的事情。对于他最悲痛的事情,就是他一旦疲劳过度而手足不能按照他自己的愿望动作时,就要障碍整个的劳动过程,从这天起,工场就辞退他了。

使劳动的强度特别激进的,就是所谓"劳动之科学的组织化"与"产业合理化"这两者不但是在其发源地美国,就是在欧洲也非常风行。其本质是生产的组织化,即是使劳动日的一分钟,甚至一秒钟也要用在生产剩余价值上面。

还有一点不能不说明的,就是,这个制度包含着一串的要因,它不但能增大劳动的强度,还能增大其生产率。它除去了机械及工具上的一切缺陷,适宜的配置机械及工具的位置,所以劳动者不必再拿着工具到远处去弯着腰搜集材料,而且透光通风等等设备都很完全。因此采用这种制度,即令不能增加劳动的强度,也可以增大制造额。

然而资本家常是希求着以最少的支出而增大其生产的。

资本家不单以生产率向上为满足,所以他要用尽可能的奸智,以鞭策劳动者,提高劳动的强度。

在这一点上有最大作用的东西,就是各种各样的支付工资的方法。这层到后面论工资篇中再说。

实际上,技术的发达,怎样使劳动阶级的生活条件更加恶劣,怎样助长劳动的强度化,这只要看看关于劳动者的寿命及其劳动能力的统计,就可以知道。这种统计,告诉我们现代劳动者的肉体遭受了极大的损失。

神经非常紧张的结果,使得劳动阶级间的神经病症非常普遍。劳动者,尤其是"先进"资本主义诸国的劳动者,为要维持自己的体力,尽可能地寻求刺激物,像这样为了资本家的利益,而毁灭自己的身体! 在近代资本主义社会里,大部分劳动者,到了35—40 岁的光景,就已经丧失了他的劳动能力。在美国,谁也不肯雇用头发斑白的劳动者。因为这种劳动者,普遍已经不能作工了。可是在有产阶级的人们,到了35—40 岁,正是立足的时候,大多数学者或资产阶级政治家,正是从这时候起才开始他的事业呢。

在资本主义先进诸国中,劳动阶级努力奋斗得来的"战利品",就是德国某作家(荷利次丘尔)所描写的如下的生活,美国劳动者以幸而夭死为幸福。因为乞食、自杀、发狂或不得已犯罪等的命运,在等待着他们。谁想要知道人类悲伤死亡的情境,可以看看康萨斯城的"下等客店"或支哥加城南的克拉克街。或者可以去看看那些在散发面包和汤的"救世军"传道馆的大食堂门口排列的人众。那绵延数条街的二三千男子,都静默地忍耐着等待顺序分给自己食物。

这是1913年大战以前所写的话。

然而最近数年间,我们在资本主义诸国中,可以看出他们有使资本主义的最初发生时的状态再恢复的倾向,就是又有要延长劳动日的倾向。如前面所说,伴随着异常的、超人的劳动强度之增大的资本主义产业的合理化,最初一想,它应该是缩短劳动日的。可是实际上,却正相反。许多国家——如意国、英国、德国,等等——,都激烈地攻击着劳动者由斗争得来的8小时劳动制。结果,最有价值的劳动运动的胜利品,劳动阶级长期的坚决的斗争与莫大的牺牲的代价,差不多完全取消了。许多国家里面,劳动日已经达到了10小时,20小时,甚至15小时了。

以下在论一般的资本主义的蓄积中,我们可以看到与这延长劳动日的倾向,相连带的还有减低工资的倾向。

把远的过去延长劳动日之最野蛮的榨取方法,与现在使劳动强度非常增大之最委曲婉转的榨取方法,结合起来,这件事,使我们很容易想象到劳动力是怎样极快地就被消耗的情形。这些事实告诉我们,谋劳动阶级的解放,并不在于为各种些少的改良状态而斗争,而是在于消灭资本主义生产方法的本身,同时,也就是消灭一切的剥削关系。

关于第二篇的研究资料

问题及课题

1.我们已经论证剩余价值并不是由交换中提高商品价格而产生的。每天的经验,都在告诉我们商人以低价买入商品,以高价卖出商品的事实,那么,我们能够承认上面的论证么?

2.剩余价值不能由交换价值产生,这一层若是正确的,那么,下面所写的马克思的话,应当怎么解释呢?

"像那样,资本是不能从流通的内部发生的东西,也是不能从流通以外的处所发生的东西。必须在流通的内部发生,同时也是不能在流通内部发生。"(《资本论》第一卷第二篇第四章)(参照后面的"读者资料"A项)

3.在怎样的条件之下,劳动力才是商品? 又,资本主义下的劳动者,在哪一点上与奴隶、农奴及手工业者不同?

4.试述商品——劳动力的价值的定义。

5.实际上,我们并没有看见过哪一个资本家给与有家属的劳动者以比较独身劳动者更多的工资,以及留心于劳动者的文化水准的事情。那么,所谓把家庭的维持费与劳动者文化水准的维持费,都加入于劳动力价值中一件事,究竟能够主张么?

6.劳动力与劳动的差别如何? 资本主义榨取的本质在哪一点?

7.假若把劳动力的价值全部给与于劳动者,资本家还能得到剩余价值么?

8.金斯布克在他所著的《苏联产业中的资本问题》里面,所下的资本的定义是:"所谓资本,要不外是充用于将来的生产的目的的、被积蓄了的劳动"。你以为这是正确的么? 若认为是不正确的,那么,你看出它的误谬在哪里?

9.鲁平休丹在他所著的《近代资本主义与劳动组织》(第二版)里面,关于技术对于劳动生产率的影响,举了如下的实例。他说:"假若手织的生产率是一(10小时内15000针),那么,手动织机的生产率是95,普通机械的生产率是2000,自动机械的生产率是3000"。

从这点看来,能够断定产生剩余价值的不是机械,而只是劳动者的劳动么?

10.课题

现在有 A、B、C 三种企业如下:

	可变资本	不变资本	剩余价值
企业 A……	1000	500	1000
企业 B……	2000	1000	500
企业 C……	3000	1000	1000

在以上各企业中,榨取率如何?

11.资本家用什么方法,提高劳动者的榨取率?

12.我们根据什么理由,把由提高劳动强度所增大的榨取率,结合于绝对的剩余价值?

13.假若资本家在自己的企业中,实行某种技术的改良,结果,得到了额外的剩余价值,在这个场合,资本家对于劳动者的榨取增大了没有? 举出理由来答复。

14.绝对剩余价值与相对剩余价值,对于劳动阶级的状态及技术的发达有什么影响?

15.资本主义技术的发达,怎样表现在劳动阶级的状态之中?

读书资料

A.剩余价值的生产。资本。
《资本论》,第一卷,第五章,从"更深刻地考察起来……"以下。

B.不变资本及可变资本。

《资本论》,第一卷,第六章,从"劳动过程之主观的因子……"以下,到"被区别为不变资本与可变资本"止。

C.剩余价值率。

《资本论》,第一卷,第七章,从"劳动者在劳动过程的一部分之中……"起,到"总之,剩余价值这东西,把由资本而行的劳动力榨取的程度……"止。

D.绝对剩余价值与相对剩余价值。

《资本论》,第一卷,第十章。

第 三 篇

工　资

第九章　工资的一般概念　工资的形态及其对劳动阶级的地位的影响

第一节　当作劳动价值的变形看的工资

若是对一个没有经济学素养的外行人问道:工资是什么？我们大概可以得到这样的回答:即是说,工资是工人对于自己的劳动所受的支付。

刚刚一想,似乎是除此以外没有什么别的答复。固然,劳动者如果用 10 小时的劳动换得 2.5 元,而这 2.5 元也无非是他支出一整天的全劳动的代价。但是这样的答案真是正确的么？要答复这个问题,首先就有严格地区别劳动和劳动力的必要。

我们已经说过,劳动力是人的肉体和精神的能力之总和,劳动,是人类这种能力的发动,而使自然适合充足人类欲望的人类的合目的的活动。

> 譬如劳动的结果,纵然可以创造出来新的价值,但是劳动本身,并不是有价值的东西。若是假定劳动是有价值的,那么,商品的价值便成为不可说明的了。实际上,商品的价值是由什么决定的呢？是由对于它所支出的劳动。那么,劳动的价值是由什么决定的？若是说劳动的价值也是由劳动决定,那就陷于没有出口的循环逻辑了。但是,在现实中是没有这样错误的循环的。

资本家在市场上买进的不是劳动而是劳动力;他给与工人的报酬不是它的劳动价值,而是劳动力的价值。这劳动力的价值是由于它的再生产时所需要的消费资料的价值来决定的。

自然，资本家收买劳动力，不是以这劳动力的本身为目标，而是以因它而得到的剩余劳动为目标的，但是无论怎样说，他买的是劳动力而不是劳动。那恰同他在市场买葡萄酒所支付的钱是葡萄酒的代价，不是由于饮酒所生出来的醉的代价一样。若是资本家完全支付工人的全劳动日间所支出的劳动的价值，那么，便会没有任何剩余价值，因而也简直没有任何资本主义存在的余地。

所以在前例中，纵然工人支出了 10 小时的劳动换得了 2.5 元，但是，若把这 2.5 元钱认为是他在 10 小时劳动日内资本家对于全部劳动所给与的支付，是不行的。我们只可认为那些仅仅是对劳动力的价值的支付。若是按照上面的假定，假定工人支出劳动日之一半的 5 小时，是为着补偿自己的劳动力的价值，那么，他用劳动日的后半的 5 小时所创造出来的价值，便是为资本家形成的剩余价值。

因此，资本家用工资的形态支付给工人的，不是劳动的价值而是劳动力的价值。

在资本主义的诸条件下，存在着抹杀或混乱人类了解这个事实的无数的原因。

假设拿奴隶所有制和农奴制来观察，那么，榨取的事实，谁都能很清楚地看见。因为他是采取着感性的形态表现着，只要是没有先入之见的人，谁都能容易地了解。

马克思说，"在赋役劳动中，工人为自己的劳动和被领主所强制的劳动，无论在空间上或时间上，都有显明的感性的区别①。在奴隶劳动中，……他连为自己工作的劳动日的部分，都成了为主人的劳动。他的劳动完全表现为没有报酬的劳动。但是在工资劳动中，连剩余劳动，即不支付的劳动，都表现为支付的劳动"②。

实际上，把资本家考察一下，"他尽可能地出很少的货币，要尽可能

---

① 谁都知道，农奴是以一部分时间为领主劳动，剩下来的时间为自己劳动的。为地主的劳动是在地主的土地上或对地主的谷物实行的；为自己的工作是在分得的土地上实行的。马克思所说的在时间或空间上，就是这个意思。——著者

② 《资本论》第一卷第六篇第十七章。

地换得最大量的劳动,这是事实。在这里,对于他有利害关系的,只是劳动力的价格和由劳动力的机能所造出来的价值间的差额。但他是尽可能地用廉价买进任何商品的,他把他的利润,作为是由于价值以下的买进而在价值以上的卖出的单纯欺骗而来的东西。所以假定像劳动价值这样东西,现实存在着,而资本家实在的支付这个价值,那么,在这种场合,任何资本都不存在,他的货币也不资本化的这种见解,在他是得不到的"①。

关于劳动的本质,支持着工资是对于劳动的支付一类错误的见解的人们,不仅是和这个有迫切利害的资本家,就是工人也陷于这样的迷妄。站在工人的立场上看来,在前面的例子里,工人给与资本家的 10 小时的劳动是什么呢? 那无非是为了得到维持他自己和他的家族的生活所必要的 2.5 元的手段。若是因为什么理由而工资发生变动,比如由 2.5 元变成 3 元或 1.5 元,他无论如何也只以为不是他的劳动力的价值或价格的变动,而是 10 小时劳动的价值或劳动的变动。

关于工资的本质的这样的错误思想,所以特别强固的盘旋在工人的意识中的原因,是由于他不是在出卖自己的劳动力给资本家之先,而是在把自己的劳动力送给资本家以后才能拿到工资的缘故。这种就从工资的许多形态的本身发生出这种错觉:工资不是对于劳动力的支付,乃是对于劳动的支付。

因此我们得到了如次的结论:

在资本主义的诸条件之下,劳动力是一种商品,这种商品,具有由其再生产时所需要的消费资料的价值所决定的价值。用货币表现了的劳动力的价值是劳动力的价格。工资无非是劳动力的价值或价格的变形。这个变形的本质,主要的是在下述的一点:因为劳动力的价值和价格采取着工资的形态,所以表面上好像工人所领受的支付是他给与于资本家的全部劳动的支付,而不是对于单纯劳动力的价值的支付(实在是那样的)。

———————————

① 《资本论》第一卷第六篇第十七章。

第二节　工资的诸形态　期间工资

工资有期间工资和产额工资（包工工资）的两个基本形态。

期间工资是对于一定期间即每日、每周或每月等的工作的支付，产额工资是对于生产出来的商品的个数、件数或总计起来的一定量的支付。

让我们先考察一下期间工资。

马克思说，"……劳动力常是一定期间被贩卖的。所以直接表现劳动力的每日价值或每周价值等等的、被转化了的形态，就是像日工工资，周间工资等的'期间工资'的形态……"。

他还继续着说，随着劳动日的长短，因而按着工人一日所供给的劳动量的大小，同样的日工工资和周间工资等，也能代表不同的劳动价格，换句话说，即代表对于同一量的劳动所应支给的不同的货币额，这是明显的事实。于是，在期间工资中，关于日工工资、周间工资等的总额和劳动的价格之区别，也是必要的。那么，这个价格（就是一定劳动量的货币价值）是怎样被发见的呢？劳动的平均价格，是用平均劳动日的时数除劳动力的平均日价值得到的……

"这样得来的一劳动时间的价格，才正是充用为衡量劳动价格的单位尺度的东西。"①

这样说的意义，就是工资的总额自身不给与关于劳动力的真正价格的正确概念。要得到关于劳动力的真正价格的正确概念，就要采取劳动力的平均日价值和劳动日的时间，用后者（劳动日的时间数）去除前者的总额，即除劳动力的价值，就可以算出所谓一个劳动时间的价格。就前面的例子来说，一劳动时间的价格，即马克思所说的"衡量劳动价格的单位尺度"，是把劳动力的价值两元五角用十劳动时间去除的，就是等于

---

① 《资本论》第一卷第六篇第十八章。要记着：这里所用的"劳动的价格"、"劳动的货币价值"的表现，若依据马克思的话，只可当作劳动力的价值和价格的歪曲的表现，就是像在前节所阐明的意义上，只可有条件的去解释。——著者

$$\frac{2\ 元\ 5\ 角}{10\ 小时} = 12\ 角\ 5\ 分。$$

为什么以知道它为重要呢？因为"和名目的日工工资或名目的周间工资的减低没有关系的，另外存在着减少劳动的价格的许多方法"。例如，日工工资虽然依然是 2 元 5 角，但是劳动时间可从 10 小时延长到了 12.5 小时。这样一来，一时间的价格就不是 2 角 5 分，而是 $\frac{2\ 元\ 5\ 角}{12.5\ 小时}$ = 2 角了。

上面我们已经讨论过，在日工工资不变而劳动时间增加的场合，劳动力的价格，因而工人的生活状态，受到了某种的影响。但是，工人不但苦于工作时间的过度延长，他们还苦于不能在全部时间内继续工作下去。这是在通常以时间为标准支付工资的时候所发生的问题，再回到前面的例子里去！在那里把劳动日分为二等分，工人用前 5 小时补偿自己的劳动力的价值，用后 5 小时为资本家形成剩余价值。可是现在若把我们的计算法适用到按时间支付工资上去，各 1 小时也必同样地要分成两分。就是工人会用前半小时补偿自己的劳动力的价值，用后半小时为资本家形成剩余价值。在这种情况下，工人若不把他的劳动时间至少延长到 10 小时，便不能赚得相当于他的劳动力的每日价值的工资。到了资本家需要缩短劳动日，对工人只支付以相当于完全劳动的时间的工资的时候，他"不必延长工人维持生活所必要的劳动时间，反而从工人身上夺取一定量的剩余劳动"。

从这儿，马克思得到了这样的结论："假定劳动的价格是一定的，日工工资周间工资的大小，便以供劳动量的多寡为前提"——从上记的法则出发，首先生出这样的结论：劳动的价格愈小，工人为要确保给其贫弱的平均工资的劳动量就愈大，而劳动时间必愈益延长。劳动价格的低廉致命劳动时间的延长。

反之，劳动时间的延长，也能令劳动价格低降因而又能令日工工资，周间工资的低降①。

---

① 《资本论》第一卷第六篇第十八章。

期间工资的特征是:工人在一定期间的劳动中所领得的工资,无关于他的劳动强度的如何。假定工人一天作 10 小时的工作,得到了 2.5 元,这 2.5 元,和他用怎样的强度工作、在一定期间内做过多少动作、生产了多少生产品、把一个机械运转了几个钟头等等,都完全没有关系。因此,期间工资对于工人不能刺激其提高自己的劳动生产率的欲求。从愿意无限地增加剩余价值的资本家的立场上看来,期间工资的这种性质是最大的缺点。

为了务必除去这个不能给工人以增加劳动强度的刺激的期间工资的不利,资本家请求种种的手段,本是当然的事。他设置监督工人的劳动的专员,以达到这目的。他抱着这个目的,设置专门的监督、职工长等干部,使他们成做资本家的忠仆,像"不给工人以喘息的余暇"那样的,监视工人的一举一动。在最近竟形成了惊人的正确的统制着机械的一切运转顺序的专门的统制装置。

第三节　产额工资

其次,考察产额工资(或包工工资)的问题。我们已经说过,产额工资不是按照一定期间而是按照商品的单位计算的。工人生产出来的商品单位愈多,他所得的工资也愈多,生产的商品单位愈少,工资也愈少。

马克思说,"在期间工资的场合中,也有多少的例外,而对于同一种类的工作,总支给以等额的工资。但是在产额工资中,劳动时间的价格可用一定量的生产物来衡量,这是事实。但是日工工资或周间工资随着工人之个人的差异而发生变化,有工人在一定时间内提供最低限量的生产物,有的工人提供平均的产量,有的工人还可以提供平均产量以上的生产物。所以从实际收入上说,随着每个工人的熟练、使力、精力、持久力等的不同,有很大的区别。"[①]

这就是说,在产额工资中,得到了这样的结论,工资额只由工人的能力或努力所决定,和刚才考察过的时间的计算方法没有任何的关系。工人已经消费的时间量,在这个场合的计算中,似乎完全没有加入。

---

① 《资本论》第一卷第六篇第十八章。

但是事实果然怎样呢？"事实上，正和期间工资是劳动力的价值或价格的转化形态一样，产额工资无非是这个期间工资的转化形态"（马克思）。实际上，他自己生产出来的每个商品所得到的工资，是由什么决定的呢？假设把需要供给的不均衡置诸度外，认为工资是维持工人生活，是应该给他以社会上所必要的生活资料的价值的，那么，产额工资便必要以能在一日间得到恢复普通工人的明天的劳动力所需要的为基准去计算，这是能够容易判断的。

马克思说："至少在工资的支付形式上的种种差异，它本身不会变更任何工资的本质，这是显然的。"①

"在期间工资中，劳动用直接的时间去衡量，在产额工资中，由一定时间的劳动所凝结而成的生产物量去衡量，劳动时间本身的价格，结局是由日劳动的价值＝劳动力的日价值的方程式来决定的，产额工资只不过是时间工资的变态"②。

例如，一个女裁缝每日平均作5件衬衣，假定她的劳动力的日价值，就是她一整天内所需要的生活资料的价值，是2.5元。在这样情形下，很明显的是每个女工每做"一件衬衣"要得五角钱。假设资本家定下了这样的工资。各个女工每天就只做5件么？不是，她为使自己的生活更充裕些，她要再稍微多做一些，例如每天做6件，而得到3元钱。继续这个勤苦的女工，其他的女工也一定要仿效她。于是发生了竞争，结果恐怕是大多数的女工已经不止做6件，这样一来，她们的工资也必然增加。这些事实，恰能使人认为产额工资是对工人有利的，是提高工资，改善他们的物质条件的。当然最初本是那样的。工人因按照出产额领受工资，务努力多多制造。资本家为提高一般劳动的能率，就如前面的例来说，大多数的女工都想做到一天做6件衬衣的事，资本家给她以提高那种工资的可能性。但是一旦达到了这个程度时，就是到了大部分的工人的劳动能率已提高时，资本家立刻就提高生产额中的标准，减低对于商品的各单位的估价——报酬，借以努力降低和劳动力的价值相应的日工工资。

---

① 《资本论》第一卷第六篇第十九章。
② 《资本论》第一卷第六篇第十九章。

若是劳动力的一日的价值是像我们所假定的 2.5 元,那么,在每天平均不是生产 5 件而是能生产 6 件衬衣的这种时候,资本家早已不肯一件给 5 角,而是一件给 4 角 2 分钱,即 2.5 元:6 了。①

这样,工人从产额工资得到的"利益",使我们无端地想起了梅特林克的"青鸟"。小孩子们总以为是看见了青鸟,可是他们想把它抓到手的时候,那青鸟便变成灰色的鸟了。

从产额工资制度发生出来的不易相信的劳动的强度化的事实,给与工人阶级以悲惨的影响,并且像我们已看见过的,促成慢性疲劳、神经病、人体的早衰的结果。包工制废除下减少工资以外,还能惹起工人的竞争、妒忌与不和。而且在这个制度下,工人热心所得到的酬报是失掉工作。因为工人若是努力劳动,这个工作便可由少数人来完成。最后,产额工资因为省去了监督的工作,给家内劳动的发展以绝好的机会。

马克思说:"产额工资,一方造成介乎资本家和工人间的寄生者,使劳动的转嫁容易实行……归于这个中介者的利润,是完全由资本家所支付的劳动价格和中介者自己现实的支付于工人的价格部分之差额产生出来的……另一方面,资本家和工头(手工工场中的组长)、矿山里的煤炭及其他物品的采掘工、工场中的严密意义的机械工之间,订立每一个支付几何的契约;根据这个价格,使后者自身包任募集工徒和支付工资的方法,也可以在产额工资制度下进行。资本的榨取劳动,在这个场合里,经过工人榨取工人的形式而实现出来。"②

这种榨取形态特别普及的是中国。

阿吉亚洛夫在他所著的《近代中国的阶级》一书里说:"工场主的残酷的榨取和失业,姑且不说;中国的工人呻吟于特殊的压迫,就是在所谓

---

① 我们暂时不论劳动能率若是增加,劳动的价值——必要的生活资料的分量——也要增加的事实。但是像我们已经看过了的(第二篇,第八章,第二十五节),在这个场合里,也是资本家在包工工资制上——由于劳动的强度化的补偿——一点儿也没有受到损失,相反的,倒更赚钱了。

② 《资本论》第一卷第三篇第十九章。

工头的半工人的压迫之下。顺便说一句,中国的包工是供给人力于企业的包工头使工人工作。那常是一个当监工的工人,介绍人兼监工,往往当一种工头指导工人的。愈用有利的条件抱住工人,这些包工头愈赚得多。他关心使工人很容易的劳动,使工场主感到满足,使工人充分屈服,成为蠢物,以使永远隶属于他,这是即将在工人身上不可分离的小寄生虫"。

这就是资本主义国家内有组织的工人所以为改变产额工资制为时间工资而斗争过的原因。

资本家面对于产额工资的估价,和这个不同。从资本家的观点看来,在提高劳动能率到最大限度,不需要专门的监督和统率者的一点上,产额工资制度是很彰明较著的有利的制度。

但是同时,产额工资制度资本家的观点者,也包含着某个不利之点。那主要的一点,是工人只注意于商品的量而不顾到商品的质。为使劳动强度化不与恶影响于商品的质,资本家关于生产出来的商品的采用与否特别设立了严密的条件,刚看出一点儿缺点时,那商品就被落选了。

因此,在比较了计算工资的两个方法,按时间计算的和按产额计算的方法,我们得到了这样的结论:产额工资制是最适于资本主义的榨取精神的支付方法,因而工人所以那样常常爆发了反对这个支付方法的斗争,就被说明了。

但是若因而就以为:"在任何条件下工人都以时间工资制是有利的,资本家以产额工资制是有利的"的结论,便是错误的。资本主义发展的特征的表现是,在前篇已经叙述过的,是愈使工人变成机械之单纯的附属品的技术的急速的发达。资本家由于促进机械的步骤,很多的时候在时间工资制度下也是可以和在产额工资制度下一样的使劳动强度增加的,而且在这种场合里,产额工资甚至还给资本家以某种不便。这种不便主要的是在下述的一点:

"在时间工资制度下,工人不注意于一个劳动日生产多少生产的事情。但是,工场主可以在人所不知的状况中,用机械的运转加速及其他的手段增加生产量,加强劳动力的消费。但在产额工资制度下,要想强度化劳动过程,便除了采取降低估价,即向工人公开进攻的方法别无其他的道路。因此,在这种场合中,不管有怎样的变化,工人也立刻就能感觉出来。"[1]

第四节　工资的赏与形态

在资本主义社会里,工资的形态,除了上述的两种基本形态以外,还有在资本主义的实践中表演着很大任务的许多滋生出来的形态。

这些形态,虽然样式复杂,但它们的特征,都是以掩蔽资本主义社会的阶级性、蒙蔽榨取的事实、用欺骗诱惑的手段使劳动者不受外部强制而提高劳动能率为目的的。

其中最引人注目的是工资的赏与形态。这个制度总括说来是这样的,首先规定工人每日应该生产的一定标准(就前面的裁缝匠的例子说,假定每天做 5 件衬衣),他们的每日工资(假定是 2.5 元)也是一定的时候;如果他一天的生产超过了这个规定的标准以上,他便可以领到基本工资以外一个多少的附加的"赏钱"。

这样的制度,本质上是包工制度最坏的一种。总之,这是资本家把标准以上的生产额的报酬,看作不是给工人的普通的报酬,而是一种"津贴",不过对他所认为的额外生产额给以微细的报酬罢了。比如,一个女裁缝匠额外多做了两件衬衣,资本家为了奖赏她的"辛苦",给她 5 角钱——所以实际上是对她在额外生产出来的每件褂衣,只给 2.5 角钱——虽然是若在标准额内每件应给 5 角钱。

在这个通常的赏金制度以外,还有差额赏与制度,这两种制度的差异是这样的:在单纯的赏金制度下,工人在标准额以上生产了某种商品时,

---

① 波格达诺夫、斯推巴诺夫共:《经济学教程》。

得到赏与金,但是在这个标准内,每一个生产品都支给平等的报酬。在差额赏金制度下,工人生产越接近标准,对于每个生产品的估价也越增大(例如,第二个生产品比最初的生产品多赏,第三个比第二个多赏等)。

在资本主义世界中,最广泛地被适用着的最得拉式的差额工资制。

得拉制度中的根本要素,是规定日课和赏金。

得拉的日课,是以最优秀的工人在最大限度的强度下的生产额为基准来决定,约束工资的追加,使这个最优秀的工人极度紧张的劳动,把他的一举一动所费的时间记入时间测定簿。所以规定了对这个工人要求的特别高度的紧张标准的资本家,把这个当作全体工人的责任标准。

那么,在得拉制度下,赏与金是怎样被决定的呢?

赏与金是以日课为前提的。即工人对于他所规定了的增大的日课。若不完成时,赏金是不能领到的。若是他不完成他的加工,不一气呵成地做完责任额,那么,他不但不能领到全部赏金,而且他的全部赏金还要被全部取消,不仅这样,连他的基本的产额工资都要减少,以示惩罚。这种制度是强制工人把自己的全力紧张起来去劳动的,这是很容易看穿的道理。

第五节　额外劳动

额外劳动的使用,也产生和赏金支付同样的结果。

额外劳动的本质,是在以一定时限,例如 10 小时,为正当的劳动日,对于超过这个时限的劳动时间可以支付一定的工资。但是事实上,劳动日有时也被延长到这个限度以上。工人以自己的标准而劳动的时间,即 10 小时以上的时间,当做额外时间,对于这额外时间,用标准以上的比率,支给工钱。资本家用这个高价的比率,拼命要使完全精疲力竭的工人在劳动日的终了的刹那用出最后的马力。

乍看起来,工人在额外劳动上所得到的工资,似乎是劳动力的价值以上的超过价格;然而实际并不是那样。资本家对于标准以上的额外劳动按时间支付的事实,是丝毫也不能弥补工人在那时所支出的增大了的力量;那不过是只有这种补偿的假象罢了。并且,资本家通常只是对额外时间规定着很好的支付比率,但是他把对于标准劳动的各时间的报酬降低,作为补偿。这时,工人在总额上虽然得到和在通常的时间工资上完全相等的工资,但劳动时间很多,因而是支出多量的劳动。

额外劳动,不消说,给与工人以很坏的影响。第一点,额外劳动的通用,不外是掩蔽了的劳动日的延长。其次,额外劳动的适用致使劳动人数的减少,因而至于使失业者增加,不过,这种失业者,像以后所能看到的,不仅对于失业工人的地位,就是对于幸而就业的工人的地位,也给与不利的影响。所以各地工人阶级都对额外劳动制作坚决的斗争。

第六节 其他的工资形态

当结束各种工资形态的问题时,还有考察分红制度和物价工资制度的必要。

分红制度,是工人除了基本工资以外,在每年年底,从他的主人那里领到一看好像是资本家的利润之一部分的少许津贴的制度。

在这个"分红"制度之下,隐藏着些什么?这是不难知道的。这就是资本家要使工人关心于企业的利润,使他们以为仿佛他们的利害和资本家的利害完全一致,而更加努力。

很明显的。这种分红制度只是一种欺骗,是对于工人有百害而无一利的。资本家所特别留给工人的部分不过是微乎其微的小钱,而且这又是事前从"基本"工资中所克扣下来的呢?还有,因为资本家不在一定期间后不给"红利"所以工人往往长期的被羁系于这个企业之内。

不过,因为工人多能觉悟到这种制度的害处,所以这种制度终于不见有普遍的流行。

在物质工资制度下,工资是随着商品的贩卖价格变动的。这种制度的害处,在把工人的工资委诸市场的变动。比如,当资本家为和竞争者斗争而减低自己的商品价格时;由这价格降低而来的大部分危险,是要使工人负担的。这种制度中所包含着的蒙蔽和骗局,现在不想更赘述了。

第七节　现物工资和货币工资

工资可以用现物形态和货币形态支付。工资用生产物支付时，是现物工资；用货币支付时，是货币工资。

用现物形态支付工资的制度，在资本主义制度的曙光期中，曾一时极流行过。当时的资本家，或用自己企业的生产品（例如，在纺织工业中用纺织品，在皮革工业中用皮鞋等），或用他为自己工场的劳动从市场买来的消费资料支付工资。这种工资形式对工人是极不利的。资本家努力用种种方法榨取工人，要减少他的工资。例如，在用自己工场的生产品支给工人时，他把在市场上卖不出去的脚货强给工人，在从工场附属商店里供给消费资料时，他把粗杂的物品用高价出售，要从消费者的工人身上剥夺利益。

> 就是俄国在前世纪的 80 年代里，不是从产业经济而是从对自己的工人的买卖上得到的利益，构成很多工场主的利益的大部分。工人单只有自己购买食品，固是事实，但是一到了要用其他的一切必需品时，他们便不得不向工场主购求了。工人的一切的必要都是工场主的收入项目，灯油费、沐浴费、医药费等（这些就是在工人完全不用的场合），都被不断地从工资中克扣下来。连梅利坚面粉、碾割麦、油这一类东西，都要在工场主的商店购买。而且这种商店，还把所有的一切粗杂物品——洋布以及纱棉布等强制的卖给工人。工场主公开主张，若是工场主知道了他的工人在别的商店买了东西，他有马上把已支付的工资索回的权利，或者更赤裸裸的，还有用只通用于自己的工场商店的商品券支付工资的。①

这一切事实，都必然使工人不得不对工资的现物形态作坚决的斗争。因此，现在除了最落后的国家或资本主义经济的最落后的部门，几乎无处不用货币形态支付工资了。

---

① 波格达诺夫、斯推巴诺夫共：《经济学教程》第二卷。

用货币形态支付工资的制度的最大优点,就是在这个形态上,资本家和工人的关系有更明了的公开的性质。若是工资太少,不能保障工人的习惯的最低限度的生活,他便要为增加工资而斗争起来了。这种斗争就只以工资的水准为中心而进行着的。但是,以前的工人,却不得不注意无数的琐事,为着分量上的被骗,为着要来改善从资本家领到的消费资料的质而斗争过。

还有,在货币工资制下,工人可以按照自己的意志使用金钱;但是在现物工资制下,他在这一点上,只能限于使用从资本家手里领到的物品。

第八节　名目工资和实质工资

在流行着货币工资制度的情况下,工人的物质条件的实质水准不一定是容易决定的。

实际上,比如一个工人每月可以拿到 25 元,我们能够仅仅凭这个数字而立刻说他赚钱多么? 这是不能的! 我们还更有知道工人的消费资料的市价是多少,这 25 元钱能买多少生产品的必要。这样,我们才能确定工资的实质的水准。但是消费资料价格是因地而异的。例如,拿一个在资本主义国内的一个农产物丰富的地方的企业来观察,在那儿,占工人的预算是最大部分的伙食费,比在其他一个商工业大中心地的更便宜得很多。所以虽是同样领 25 元的工人,但是前者在这 25 元内用以充当饭费的部分,可以用得比后者的少。因此,虽然两人所领到的金额,从货币的名目上说,正是相等,然而在实质上,在农业地方做工的工人,因为饭费便宜,算是得到较高的工资。

工人领得的货币额和用这金额在市场上购得的生产品的数量间的更显明的隔离,可以在因滥发纸币产生出来价格奔腾的时候看出来。

所以,我们要把实质工资和名目工资严加区别。我们把名目工资解做工人领到的货币的总额,把实质工资解作用这货币在市场上买得的消费资料的分量。

把名目工资与实质工资拿来和货币工资与现物工资混同起来的人非常之多。并且把名目工资比拟为货币工资,把实质工资比拟为现物工资,这样的混同完全是错误。我们说货币工资和现物工资时,是把工资的不同的支付方法(用货币的场合和用现物的场合)放在意想中的,说到名目工资和实质工资时,是从货币工资的形态之存在出发,并且由比较在不同的地方或不同的时代中的工人的货币工资,按照消费资料的价格高低决定这工资的实质额数的。总之,名目工资和实质工资的概念是:不是表示着工资支付的不同形态,而是代表一种决定工资的实质水准的方法。

第九节 工资之国民的差异

在各国资本主义国家间,工资的水平上有很显著的差异。

"当比较国民的工资时,考察决定劳动力价值的大小上的变化的一切要件——自然的历史的发达起来的第一次生活必需品的价格及范围、工人的教育费、妇女劳动和儿童劳动的任务、劳动的生产力、劳动的外延(时间)的及内包(能率)的大小等等,就成为必要。"①

现在,当比较资本主义诸国的国民的工资时,先要考察工人的"自然的和历史的发达起来的第二次的生活必需品的价格及范围",换句话说,就是工人阶级的文化的水平。这些差异是有很大的意义的,我们已经指出过了。要了解这些差异的重要性,比较一下美国和革命前的俄国就已经够了。这是有极严重的意义的东西,是这两国的资本主义在其下面发展了的、因而这个国家的工人阶级在其下面形成了和构成了的历史的诸条件。革命前的俄国工人阶级,在封建——农奴的诸关系的胎内形成了。从这些情形出发,在俄国便长期地流行了落后的工人的榨取方法——过度的长劳动日、低廉的工资及表示其结果的低度的文化程度。

在美国我们看到另一种光景。美国完全没有封建——农奴关系,在初期中,并且连独占的土地所有者都没有,在这样的条件下,美国的人口,主要的是从西欧移植到美洲的人们所形成的。这些条件,给与提高美国工人的文化水平以很大的贡献。关于工人的熟练的问题,也和文化水平有密切的关系。随

---

① 《资本论》第一卷第六篇第二十章。

着一国的技术的发达程度及其他许多条件的不同,各国工人平均的熟练程度也非常的不同。因此,一定的熟练程度,我们已经看过的不同,各国工人平均的熟练程度也非常不同。因此,一定的熟练程度,我们已经看过,也需要适应于他的文化水平,因而也需要适应于他的工资水平。

劳动的能率,在国民之工资的差异的问题上,也是重要的一个要因。

马克思说:"在各国有一定的平均劳动能率;当耗费于商品生产上的劳动能率,若是在这个水准以下的时候,这个商品就需要社会的必要劳动时间以上(的劳动),所以不能当作标准的品质的劳动,列入计算之中。"[①]

在愈发达的国家里,工人的文化水平愈高,劳动的能率和生产性也高,因而名目工资也高。

在这里应该注意的是:技术发达的国内的名目工资的增加。几乎不能促进实质工资的增加,即几乎不能促进在工人所管理的生活资料的增加。

"日工工资或周期工资,在资本家生产方法发达了的国民一方面,比较不发达的国民的方面要多些;反之,在相对的劳动价格(换句话说,即剩余价值与生产品的价值相比较的劳动价格)上,后者的国民的方面比较前者的国民的方面要多些;这种事实,是常见的。"[②]——这是必须考察的。

这就是说,虽然连名目工资和实质工资都是在高度的资本主义国里比在落后的国里的高,但是相对的工资,即和剩余价值与生产品价值比较的工资,必定经常是低的。

在前面,当我们叙述剩余价值和工资的理论时,我们是设想了劳动力是由资本家按照价值完全支付的。

但是,在实际的资本主义的现实中,存在着一串的使工资绝对的和相对的降低,使在资本主义国家的国民的所得中,工人的部分减少的许多要因。

但是研究资本家的生产方法下的工资发展倾向的问题时,必得知道资本主义的诸关系的再生产的问题,特别是一般的资本主义蓄积的法则。现在要进而考察这些问题。

① 《资本论》第一卷第六篇第二十章。
② 《资本论》第一卷第六篇第二十章。

关于第三篇的研究资料

质问及习题

1.试述劳动力的价值和工资的定义,并说明"工资是对于劳动的支付"这个定义不当的理由!

2.在资本主义之下,怎样的事实妨碍对于工资的社会性质的了解?

3.货币工资与现物工资以及名目工资与实质工资的差异在哪里?

4.下表表示着莫斯科、彼得堡和伦敦的各种职业劳动者战前的每日工资(引自巴其特诺夫:《俄国工人阶级的状态》第三卷)。莫斯科、列宁格勒(彼得格勒)和伦敦的工人的工资中的差异,可用什么说明?

职业	莫斯科	彼得格勒	伦敦
雕刻匠	—	2元5角	2元7角
锁钥匠	—	1元9角5分	2元7角
水匠	1元5角2分	1元8角7分	3元5角
石匠(日工)	1元1角9分	1元3角6分	3元1角5分
苦力	9角	9角6分	2元3角

5.假定1913年英国工人的货币工资为100,今年的其他各国的工人的货币工资,可用下列的数字表示。

美国 ·· 240

德国 ·· 75

法国 ·· 64

比利时 ·· 52

俄国 ·· 约45①

试说明上边的工资差额！（根据从地理书中得到的关于这些国家状态的知识，试具体说明构成各国工资的诸要因！）

6.（这是根据加保鲁宾著《国民经济》的问题，因为它的内容不得而知，省略去了——译者）。

7.对照工资的各种计算方法——时间工资、产额工资、分红工资等，试答复这些方法给与工人阶级以怎样的影响。

8.课题。注意看揭载在后面的黑利西的分红制度表，然后注意下面的几点！（a）对于整个日工及日工的每一小时规定着怎样的支付制度？（看第二、第三栏！）（b）在日工劳动中，对于每一时间的工作怎样支付的？（看第二、第三栏！）日工完了后，一小时的劳动怎样用分红的形式支付？（看第四栏！）。比较随着日工需要的时间的减少，工人的工资怎样增加（看第二、第六及第七栏！）。之后，在黑利西制度中，工资怎样适应着劳动能率的向上而增加？（看第七栏！）。比较这个工资在单纯的包工制度中劳动的同一能率下怎样的增加。更还要注意在黑利西制度下怎样减低对劳动力的支付（看第五栏！）。

把这个完全答完了以后，试答复下面的问题！黑利西的分红制度的本质是什么？并且它将对于工人状态给与怎样的影响？

墨利西的分红制度②

作日工作需要的时间数（百分率）		全日工的标准工资	对于规定时间内的日工工作的比例	工人的总价值	工人一小时的工资	在分红制度下的每百小时工资	在单纯的包办制度下的每百小时的工资
规定	支出						
100	100	60.00	0.00	60.00	0.60	60.00	60.00

---

① 假定食粮品、居住所需要的费用在英国为100，则上列物品（除了俄国的）可用下列的数字表示出来（统计完全依爱思马克内尔著的《西欧的工资的变动》）。

② 引自爱尔曼斯基：《劳动及生产的科学的组织和太拉制度》。

续表

作日工作需要的时间数（百分率）		全日工的标准工资	对于规定时间内的日工工作的比例	工人的总价值	工人一小时的工资	在分红制度下的每百小时的工资	在单纯的包办制度下的每百小时的工资
规定	支出						
100	90	54.00	2.00	56.00	0.63	62.20	66.67
100	80	48.00	4.00	52.00	0.65	65.00	75.0
100	70	42.00	6.00	48.00	0.686	68.60	85.74
100	60	36.00	8.00	44.00	0.733	73.30	100.00
100	50	30.00	10.00	40.00	0.80	80.00	120.00
100	40	24.00	22.00	36.00	0.90	90.00	150.00
100	30	18.00	14.00	30.00	10.66	106.60	200.00
100	20	12.00	16.00	28.00	1.40	140.00	300.00
100	10	6.00	18.00	24.00	2.40	240.00	600.00
100	1	0.00	19.00	20.40	20.40	2040.00	6000.00

读书资料

更要深入地研究工资理论的人，当熟读马克思。《资本论》，第一卷，第十七、十八、十九各章。

第 四 篇

资本的再生产与积蓄

第十章　再生产及积蓄之一般概念

第一节　再生产之概念

由于剩余价值及工资诸法则的考察,我们知道了资本主义的生产关系。

但是资本主义的生产,也和其他一切生产一样,不是一回就终了的,而是不断地更新着。实际上,生产之终极的目的,是以满足人类的欲望为主。可是一次生产出来的生产物,只能在某一期间满足人类的需要。所以为要周期的满足社会的需要,生产过程之周期的"更新"与"反复"就成为必要的条件。如我们所知,消费资料的生产本身,在生产过程中是要使用被消耗的劳动手段的。与消费资料的生产相并行的劳动手段以及一切生产手段的生产若不更新,那么,生产过程之不断地反复,不用说是不可能的。

无论是在生产手段的领域或消费资料的领域,生产过程之更新与反复,是一切社会继续它或长或短地存在所必要的东西,这就叫作再生产。

马克思说:"不同社会的形态如何,生产必须是连续的,换言之,必须是周期地不断地通过同一的各阶段。一个社会之不能停止生产,正如它之不能停止消费一样。

"所以,一切社会的生产过程。从其不断的关联与更新的不断的流动的方面观察起来,同时,也就是'再生产'的过程。"①

谁都知道,在生产过程中,不仅生产出一定分量的生产工具、生产手段及消费资料,并且发生人与人的某种生产关系。因此,在生产过程的更新与反复之时,伴随着物的再生产,在生产过程中发生的人与人的生产关系也被再生

---

① 《资本论》第一卷第七篇第二十一章。

产,这是明显的事情。

例如农奴经济,不但每年再生产一定量的谷物、木材及劳动手段同时也发生如下的情形。就是,对于生产者的农奴,在他的劳动生产物中不过给与仅够维繁他的生命的分量;而给与领主的分量,不但够他维持豪奢的生活,并且还够豢养家臣、军队,以确立将来自己对于农奴的权力。

由于生产过程中人与人的关系,就发生这样的生产物的分配:即对于支配阶级处处保障着将来的支配地位,对于被压迫阶级不过勉强维持着奴隶地位。直到旧社会制度消灭新社会制度代兴之时为止,绵延不断的生产关系之再生产的本质,就在于这种处所。

新制度一出现,同时,再生产过程也就成了新生产关系的生产。

第二节　资本主义再生产的特征

以上,对于一般的注意,已经说完了,现在要考察我们直接的课题,即资本主义诸条件下的再生产。

和前资本主义的经济形态相比较,即是和奴隶的、农奴的、单纯商品的经济之再生产相比较,资本主义再生产的特殊性在哪一点呢? 这个特殊性,当然是从上述经济诸形态所特有的生产关系本身之差异中发生的。在资本主义的生产方法之下:(1)生产手段是资本家的私有财产;(2)劳动者和奴隶农奴不同,在法律上是自由的,可是他和手工业者也不相同,他没有生产手段,因此他不能不把自己的劳动力卖给资本家;(3)资本家对于劳动者的榨取,采取剩余价值的榨取的形态,这剩余价值成为资本家的生产方法的目的。

由于前资本主义的即封建的手工业的经济形态的解体所生出来的一切特殊的资本主义的诸关系,必然是不断地再被生产者。

可是,这资本主义诸关系的再生产,是怎样实行的呢? 就劳动者方面说来,被夺掉生产工具的劳动力贩卖者的他的地位,是根据以下的事实在生产过程之后再被生产,即从新被确立的那种事实,就是他们的工资不过刚够替收买者维持自己的劳动力,即维持一种劳动可能的状态及扶养一个普通的家庭。若是长期的工资额是在劳动力的价值以上,而超过保障资本家榨取之必要的界限,那么,劳动者就有了积蓄的可能,而且会脱掉对于资本家的经济隶属。可是这种事情,是绝对没有的。就是在资本家完全照着劳动力的价值付给工资的时候,劳动者也是不断地把自己的劳动力卖给资本家,任凭资本家去榨取。

从资本家方面说来,在生产过程中的他的支配地位之再生产,因下述的事实而成为可能。就是:他在生产过程之后收到制造品,而其价值,除掉补偿消耗了的资本部分的价值外,还给他以剩余价值。资本家卖出这商品收到货币从这里而扣除他个人的费用之外,其余都用以买进新生产手段与新劳动力。这样,他不断地重新成为生产手段的占有者,以后再继续收买劳动力这种商品,由这种商品再得到榨取剩余价值的可能性。

马克思说:

> 要之,资本主义的生产过程本身,由其自身进行,再生产出劳动力与劳动条件的分离,由这种情形,又再生产而且扩大榨取劳动者的条件。在资本主义的生产过程之下,劳动者为了生活不得不继续贩卖劳动力,资本家为要富有也不断地站在购买劳动力的位置。资本家与劳动者之以买者与卖者的资格而在市场上树立,并不是偶然发生的事情。依照生产过程自身的进行,劳动者以劳动力的贩卖者的资格而不断地出现于市场,并且他的生产物不断地被转化为资本家的购买要具……因此,资本家的生产方法本身,在一般的关联上,把它作为再生产的过程来考察时,不仅是生产商品,生产剩余价值,又生产单再生产资本关系自身,以及一方面的资本家和他方面是工资劳动者的双方。①

第三节　资本主义的单纯再生产

我们知道,当资本家贩卖所生产的商品时,除收回他自己的资本价值之外,还实现了剩余价值。

---

① 《资本论》第一卷第七篇第二十章。

资本主义可以任意把出卖自己商品所得的剩余价值,供给自己个人的需要,或是投资于生产的扩大。

资本主义的单纯再生产,就是资本家把榨取劳动者得所的全部剩余价值都消费在供给自己的需要上的那样的再生产。

单纯再生产,不外是同一规模中的生产过程之反复。可是在资本主义的诸条件下,单只生产过程之反复一件事,就会发生许多资本主义的新姿态,并且使劳资间的关系显明起来。

马克思说:

> 若果收入对于资本家只被叫作消费基金,就是说,若把所取得的东西都周期地消费了,那么在其他事件无变化的范围内,这就是行着单纯的再生产。这单纯的再生产虽只是同一规模中的生产过程之单纯的反复,但由于这个反复和连续的单纯事实,就发生了生产过程中的新姿态,或者,把生产过程只当作一次的东西去看时,就消除了好像是它的性质的某种外观的姿态。①

若是忽略生产过程之不间断地更新,把资本主义的生产完全当作一次的东西去观察,那就会得到这样的印象,即资本家在出卖劳动者所生产的商品于市场之前面支付工资,就好像是预先把自己财产的一部分借给劳动者似的。可是若从再生产的见地来看这个问题,便得以完全不同的印象。

资本家所付给劳动者的工资,绝不是从其他的源泉来的,而是由于劳动者在前生产过程生产了的价值的换货从资本家所得的手段生出来的。

马克思说:

> 今天或这半年间当作他的劳动的代价而支付的东西,是前周或前半年的他的劳动。由于货币形态而生的错觉,如不考察各个资本家或各个劳动者,而考察资本家阶级或劳动者阶级时,便立刻消灭了。当付出为劳

---

① 《资本论》第一卷第一篇第二十一章。

动者阶级所生产,为资本家阶级所占有的一部分生产物之时,后者是不断地以货币形态将支票交给前者。而且劳动者也不断地将这个支票还给资本家阶级,从资本家阶级得到可以养活他自己的生产物部分,生产物的商品形态与商品的货币形态,隐蔽了这个交易的真性质。……

不用说,只有把资本主义的生产过程,从它的更新之不断的流动这一点来考察时,才能说可变资本失掉了它是从资本家自身的基金中预先贷出的价值的意义。①

资本主义的生产本身,当然是在一个时候开始了的。在资本家开始榨取工资劳动者以前,必在一个未来的资本家手里积蓄每种手段。

很多资产阶级经济学者——资本主义制度的辩护人——说,投于生产的最初的资本带有劳动的赐物的标志,而现在的所谓资本家是血"汗"积蓄成功的。从这里出发,便产生了这样的结论,这个资本部分是永远保持其清洁并和榨取没有任何关系。

关于资本主义究竟是怎样发生出来的问题,以后我们将在研究原始的资本积蓄时考察,那时我们将看到这个过程是在极残酷的榨取、小生产者的破产及对殖民地民族的掠夺形式中进行的。

但是我们暂时许可这个投入生产的最初的资本实际是他们的血汗和脂膏的结晶的假定。

假定资本家投入不变资本 800 元,可变资本 2000 元,共计把 10000 元的最初的资本投入生产了。再假定剩余价值率为 100%,那么,这 2000 元的可变资本将同样可以产生 2000 元的剩余价值。这里,在单纯的再生产的条件之下,我们可以看到这样的情形:资本家每年投 10000 元于一个生产,这 10000元将产生 2000 元的剩余价值。但是资本家为了充当自己的需要,把这 2000元完全用尽了。这时,我们将这样设想,仿佛资本家实际上在月最初投下的10000 元不断地进行生产似的。

但是那只是乍看似乎是这样。我们知道,工人用他的劳动的二重性,一方

---

① 《资本论》第一卷第七篇第二十一章。

面使费到生产上去的不变资本的价值,重新移转于生产出来的商品,同时,在另一方面,又形成了分为工资和剩余价值的新价值(第七章第四节)!

可变资本和不变资本的价值,在资本家方面,是不会消灭的;它在生产物上复活,生产过程终了之后,又回到他的手里。至于剩余价值,若被资本家个人消费了的时候,那已经不能当作新生产物的价值归还给他,而变成纯粹的支出了。总之,只要我们以单纯再生产为问题,资本家最初投资下来的10000元,在每次生产过程终了时,都各自长2000元,把这2000元换成被榨取的工人的劳动①,到了第五次的生产过程终了时,纵令最初的资本是资本家的"辛苦"的成果,但是现在这投下的资本已经没有剩下一文了,现在的资本完全是榨取劳动者的成果。

因此,我们知道,纵然资本家用他的"真正赚得的资本"开始经营事业,而在这种场合,认为他的资本能够在整个资本主义的生产的全时期中,保持其"真实"和"清白",是再愚蠢不过的。这个事实是很明显的;只要我们不把各个生产期间一个一个地分开,而在连续和反复的关联上,就是从再生产的观点去考察。

关于这层,马克思说道:

> 总之,积蓄一层,暂时不论,单就生产过程的反复说,换言之,单就单纯再生产的进行说,也可断定在大的或小的期间之后,任何资本也会转化为蓄积了的资本,或资本化了的剩余价值。②

最后,由于单纯再生产的考察,我们就得到关于劳动力的再生产的结论。

如我们所知,生产过程同时就是劳动力的消费过程。这种消费的进行有两种形式。当劳动者在生产过程中,用自己的劳动而消费机器、原料、补助材料等生产手段时,这样的消费叫作生产的消费,这是在不属于劳动者而属于资本家的工场之内举行的。这种场合,在生产的消费过程中,劳动者显然是替资

---

① 自然我们是假定生产品是当场就要换货的。
② 《资本论》第一卷第七篇第二十一章。

本家服役的。这是与劳动力的再生产完全不同的事情。劳动力的再生产,毕竟是劳动者满足自己的需要,即如饮食、穿衣、休息、阅读报纸、抚养家族,等等。他们这种个人的消费,大部分是离开生产过程而举行的,一看好像只是劳动者自己的私事。但是,实际上却大不然。

柯茨基说:"假若我们把资本主义的生产过程,在其总体的关系及总体的范围上去考察,即是把它当作再生产过程去考察之时,那么,我们就不研究单个的劳动者与单个的资本家,而不能不研究资本家阶级与劳动者阶级。资本家的再生产过程,须要劳动阶级永远地继续下去。为什么呢? 因为要不断地更新生产过程,劳动者就必须不断地恢复其消费了的劳动力,并且还要顾虑到以年轻的劳动者来代替老朽的劳动者的事情。资本虽然宽大,而还是把这种重大的责任,即个体之自己保存及种族的继续的责任,交与劳动者自身。"

一看好像劳动者在劳动时间以外,完全是为自己而生活的。但是在实际上,完全不是这样,他们就是在"什么也不做"的时候,也还是为了资本家而生活着。因为当他们趁着劳动终了而饮食而睡眠之时,他们是借此以维持并更新工资劳动者阶级,同时也就是维持并更新资本主义的生产。资本家——即家长制时代所谓扶养者,德国经济学教授们所尊称为工作给予者(Arbeitsgeber)——,给与劳动者的以工资,就是给与他,为资本家而维持劳动阶级所必要的手段。

劳动者借着消费工资所买来的生活资料,使自己能够出卖新的劳动力。

从再生产过程的见地看来,劳动者不但是在劳动时间,就是在"自由的"时间,也是为资本家而工作的。他们饮食物,都不是为了他们自身,而是为了替资本家保持其自身的劳动力,所以资本家对于劳动者的饮食物,也不是毫不关心的。假若劳动者在星期日或忌日休息时,不去恢复自己的劳动力,反而去醉酒,并且星期一又被酒所诱惑,那么,资本家是不把这种事情看作劳动者自身受了害处,而是把它看作对于资本的罪恶、劳动力对于资本的叛逆。①

---

① 柯茨基:《马克思经济学》。

第四节　资本主义的扩大再生产

我们已经知道，在资本主义的诸条件之下，单纯再生产是怎样进行的。但是事实上、在现实的资本主义中，单纯再生产之存在，并不是经常的现象，而只是偶然的事象。实际上，在资本主义之下，生产扩大的倾向，在原则上是支配的东西。

在资本主义的经济的条件之下，扩大的再生产，只有依靠剩余价值，才能办到。

只有在以下的场合，才能实现扩大再生产，即，资本家并不把他的剩余价值的全部，都用在自己个人的必要上（在单纯再生产之下，就是这种情形），而把它的一部分转化为追加资本，以扩大将来的生产。就是用来购买追加的机器、原料、补助材料及劳动力，以生产新的剩余价值。

这样剩余价值之转化为于资本，就是所谓资本的积蓄。马克思说："剩余价值之当作资本使用，或剩余价值之反而转化于资本，就是资本的积蓄。"①

然则这种资本的积蓄，在怎样的条件之下，才有可能呢？

生产过程终了以后，不论是从不变资本转移来的最初价值，或新产生的必要价值及剩余价值，都同样采取商品的形态而存在，这商品在市场上被交换，就从商品形态转化为货币形态。

资本家为要能在扩大的规模中开始生产过程，他就不得不在市场上寻找在将来生产上所必要的一切商品。

但是，既然以扩大再生产为问题，这些商品就有更多量的现存于市场的必要。

这里必须特别申明，扩大生产的可能性，不但与资本家手中所现存的货币形态上一定量的资本有关系，还要看他是否能够在市场上找着为扩大生产所必要的物质，以及是否能够找到这物质之必要的分量。

---

① 《资本论》第一卷第七篇第二十一章。

一年的生产物,首先必须供给一切的对象(使用价值)去恢复一年中所消费的资本之物的部分。除掉这部分的东西以外,剩余的就是成为剩余价值之存在形式的纯生产物,或剩余生产物。那么,这剩余生产物是由什么形成的呢? 无疑的,剩余生产物之中,包含着可以满足资本家阶级的欲望或愿望的各种东西。这些东西,是属于资本家阶级的消费基金。可是,假若剩余生产物中只有这些东西,那么,剩余生产物将要消费净尽。结果,不过是形成了单纯再生产。①

总之,为要进行积蓄的过程,就不得不把全体剩余劳动的一部分,拿来生产追加的生产手段及生活资料。

马克思说:"剩余价值本身,如果那把它作为价值的生产物不预先包含新资本之物的要素,是不能被转化于资本的。"②

可是,除了追加的生产手段及追加的生活资料以外,还有追加的劳动力,也是扩大生产所必要的条件。

"这件事,也由资本主义的生产自身的机构所处理。即,由于这个机构,劳动阶级就被当作隶属于工资的阶级而再生产,他们的通常的工资,不但够维持他们的生活,还够繁殖他们的子孙。劳动阶级每年供给大小年龄的追加劳动力,资本只要使一年生产中所包含的追加的生产手段,与这些劳动力结合起来就行了。这样,剩余价值的转化就告完成。"③

资本主义的积蓄,与在其下面所实现的诸条件,约如上述。

在这个场合,生产的扩大由剩余价值而显现,所以扩大生产中所包含的追加资本之"榨取的"起源,就可以完全明白。

这资本发生过程,我们已经完全正确地知道了,这资本就是资本化了的剩余价值,除了他人的未受报酬的劳动以外而从别处得来的价值,从最初就是一个微分子也不被包含着,与追加的劳动相结合的生产手段,以及

① 《资本论》第一卷第七篇第二十一章。
② 《资本论》第一卷第七篇第二十一章。
③ 《资本论》第一卷第七篇第二十一章。

这些劳动力赖以维持的生活资料,两者都只是剩余生产物的组成部分,即资本家阶级每年从劳动阶级强夺得来的实物的组成部分,虽说资本家阶级以这实物的一部分,用充分的价格,从劳动者阶级购买的被追加的劳动力,即以等价与等价上相交换,而这种事情,也与征服者用那从被征服者夺来的货币,再向同一征服者购买商品的那种旧方法无别。①

研究资本家生产方法时,表现在我们眼前的是两种的商品所有者。第一是生产手段及生活资料的所有者,即资本家;第二是自己的劳动力这唯一的商品的所有者,即劳动者。这两者之间缔结一种交换契约,根据这个契约,劳动者把自己的劳动力依照价值卖给资本家,在这里,一切都是按着商品流通的诸法则进行的。这个法则在互相交换自己的商品时,是以商品所有者之间的平等为基础的。然而结果我们却看出不平等。

当作根本的原来的交易而显现的等价物相互间的交换,现在一变而成为仅仅表面上的假象。在实际上,与劳动力交换了的资本部分:第一,它自身不过是显现生产物当中未支付等价而占有了的他人的劳动生产物;第二,它不但要由生产了它的劳动者去补充,还要由某种新剩余生产物去补充……

最初我们以为所有权是以劳动为基础。现在,财产,在资本家方面,就是占有他人的未受报酬的劳动及其生产物的权力;在劳动者方面,就是自己占有自己的生产物之不可能性。这已经是很明显的事情。……

然而商品生产的根本法则与资本家的占有方法之矛盾,无论是怎样大,而后者的产生,绝不能违反前者的诸法则。反之,却是正规地依照着前者的法则而产生的。②

单纯商品经济——小商品生产者经济——随着它的发达,必然要转变为

---

① 《资本论》第一卷第七篇第二十二章。
② 《资本论》第一卷第七篇第二十二章。

资本主义经济。而且可以说,自从劳动力本身成为商品的瞬间起,商品经济就变成了全般的支配的经济形态。

马克思说:

> 因为商品生产按照它的内在的法则发展着,同时转化为资本主义的生产,所以商品生产的所有律,也转化为资本家的占有的法则。①

我们所指摘的资本积蓄之本质的特征,就是表示着,它与在没有资本主义诸关系的其他经济的构造中所看见的扩大再生产,是决然不能混同的。

同时,还要特别注意,资本的积蓄,与只是想要在自然形态或货币形态上去保存手中的价值物的贮蓄,也决不可以看作是同一的东西。这种的积蓄形态,只有在商品关系的初期发展期,才能看见,因为在这个时代,经济在根本上还只是以私的消费为目的,转化于货币的不过是过剩的使用价值。从资本主义的见地看来,使货币离开流通界,或将商品在现物形态上蓄藏起来,那是完全没有意义的事情。资本家不断地把货币从新投入于商品流通,投入于生产,借以产生货币而增殖起来。是资本家活动的根本动机,并不是使用价值,也不是将交换价值仍旧不变地蓄藏起来,而是不断地增大价值。

> 资本家是对于价值之自己繁殖的狂热地渴望着。他不顾一切地强迫人类为生产而生产。
>
> 他在这种资格上,与守财奴有共同的绝对的致富的冲动。可是在守财奴表现为个人的狂想的东西,在资本家却变为把它当作一个推进车而包含的社会的机构的作用。而且,随着资本家的生产的发展,就必须把投入于产业中的一企业的资本,不断地扩大起来,还有竞争……使资本家为要保存其资本,就不得不继续增大它。可是资本的扩大,除了累进的积蓄以外,没有其他的方法。
>
> 所以,资本家的一举手一投足之劳,都不过是通过他而被赋与意志与

---

① 《资本论》第一卷第七篇第二十二章。

意识的资本的机能,在这个限度内,他自己的私消费,对于他的资本的积蓄,也成了掠夺的行为,……所谓积蓄,就是征服社会的财富的世界,它增大被榨取的人间材料,同时又扩大资本家之直接间接的支配。①

当资本家扩大他的生产时,虽然他不能把全部剩余价值都消费在满足自己的欲望上,而必须把剩余价值的一部分投在扩大生产的事业上,但是,这对于他并不要求什么特别的牺牲。

剩余价值的增大,不与资本家之个人的抑制成正比例,而是与被榨取的劳动力分量及榨取的强度成正比例的。对于劳动阶级的榨取愈是强化,结果,资本家无论怎样过奢侈的生活,也赶不上利润的增大。所以他自己的利润中充当私人消费的部分,愈加减少。因而资本主义的发展过程本身,使资本家可以从对于财富的消费的诱惑及对于保存与繁殖财富的欲望两者之精神的斗争中解放出来。

总括以上的话,我们可以得到以下的结论。

资本主义的扩大再生产或资本积蓄,当资本家不私自消费所占有的剩余价值的全部,而以其一部投入于生产而作为追加资本的场合,是可能的事情。

资本积蓄的结果,资本就被增大,剩余价值的生产也被扩大。

资本家并不关心一切生产的扩大,而只是关心保障剩余价值的增大。这种事情,构成着资本主义的积蓄之根本的特征。

从这个见地上看来,使用价值的扩大再生产,若不伴随着剩余价值量的增大,那就不是在资本主义的意义上的扩大再生产。

---

① 《资本论》第一卷第七篇第二十二章。

第十一章　资本积蓄与大生产的长成

第一节　资本的集积与集中

我们既然说明了资本积蓄的进行的一般条件,现在就要进一步考察这个积蓄将要发生什么结果,它在资本主义经济的全发展中,如何表现?

如我们所见,资本主义的诸法则,使得资本家必须设法去积蓄,资本家,无论他是怎样"性质"的男子,——即使他对于现在的生活状态完全满足,或在个人方面想过更好的生活而要成为富翁——只要他做了资本家,他必定要在仅仅保持已有的幸福的名义上,不断地进行积蓄。

桑巴特在他著的《资产阶级》一书中,说:

> 近代的人自己企业中的革带所卷住,与革带一同旋转,他的人格的价值,没有存在的余地。为什么呢? 因为他对于自己的企业,是处在一种隶属的地位。他是以企业的速度决定他自身的速度,换句话说,他和不知疲倦地在机械旁边工作的劳动者一样,差不多没有松懈的时候。企业征服它的主人的力量,就是要无限制地扩大企业的竞争。"在事业"的发展上,如"这已经够了"这种顶点是没有的。所以,不是发展扩大,就是退却消灭,两者必居其一。

"这样也好,那样也好,尽管积蓄吧"——这是资本家的标语。为要保障这积蓄,他们是完全不择手段的。剩余价值及利润的增大,不但是独立的目的,也是将来积蓄的手段。

但是为什么,积蓄把竞争上的优胜的可能性给与资本家呢? 其根本的原因,就是积蓄能使他扩大企业的规模。

企业越大越坚实,越有利,这是通例。

大企业对于小企业的优越点,是在什么地方呢?

商品的低廉,在资本家彼此间的激烈的竞争战中,是主要的武器之一。马克思也说过,廉价是资本家所有的重炮,这并不是偶然的事情。

想要降低价格,就必须讲究一切技术的进步,可是在这点上,大生产比较小生产要容易些。它能够利用科学及技术之最新的发明,建设附属的研究所,招聘最好的有能力的技师或发明家。如我们所知,假设某企业持有比较其他企业更高度的技术,那么,它就能够拿社会的必要以下的劳动时间,生产商品;结果,虽然这商品是以市场价格以下的价格出卖,还是能够得到差额(超过)的利润。

此外,大生产因为能够支配庞大的劳动力,所以能使劳动更加专门化,种类更分得详细,因此又可以减低原价。

还有许多的经费,即维持建筑、保持温度、透光、保管、管理等等所需要的费用,并不是与生产的增大或企业运转的增大,成比例地增加的,而是在比较更低的程度上增加的。所以随着生产规模的扩大、企业运转的加速,则对于所产生的每一单位的商品所分担的费用就减少了。

同时,大生产在市场的行动上,即无论出卖它的生产物,或收买原料、补助材料等等的场合,它所占的地位,比较小生产所占的要优越得多。这是因为它大批的贩卖——这样一定要便宜些——可以不用中间人,又可以压迫其他贩卖者等等。

此外,大生产在商业界享受着极好的信用,它能以很快很有利的条件,得到长期的信用交易。

大生产因为所得的利润大,所以它扩张起来比较小生产要快得多。并且一旦遇到因沉滞、灾害、恐慌等等而发生的打击时,大生产也比小生产容易保持些。

根据以上所说的一切理由,随着资本主义的发展,大企业当然生长起来,并且必定产生生产的集积与集中，以及资本的集积与集中。

这两个概念含有什么意义呢？两个之中有什么区别呢？

马克思说："一切单个的资本，都是生产手段之或大或小的集积，并且适应这集积的大小，支配相当的劳动军。任何积蓄都是新的积蓄的手段。任何积蓄，都使当作资本而作用的财富的总量扩大，同时还使各个资本家的财富的集积扩大，因此，把大规模的生产，尤其资本主义的生产方法的基础扩大。社会资本的增大，是由许多个别资本的增大而显现的……同时，最初资本的各部分分离出来，当作新的独立的资本开始其机能。这时特别演着重要作用的事情，就是资本家家属内部之财产的分割。所以随着资本的积蓄，而资本家的数目，也或多或少地增加起来……。"①

"一方面虽然有社会的总资本这样被分裂为许多单个资本的事实"以及社会的资本这些断片互相排斥的事实，但是另一方面，却有资本间互相吸引的事实，对它起反作用。所谓资本间互相吸引这件事，已不是与资本的积蓄含有同样意义的生产手段及劳动支配之简单的集积；它的意义是：已成的资本再集合起来，扬弃其个别的独立性，并且资本家的收夺实行起来，多数的小资本家，转化为少数的大资本家。这种过程，与积蓄过程不同的地方，就在于它只是以变化已存的机能资本的分配为前提，所以它的作用范围，并不限于社会的财富之绝对的增加，即积蓄之绝对的界限。一方面多数人丧失了资本，另一方面，集中在一部分人手中的资本，却庞大起来。这是与积蓄及集积不同的严密意义上的集中。②

从上面马克思的话看来，集积与集中的差别，可以很明显地归纳如下：所谓集积，就是企业的增大，是剩余价值的资本化，即由于剩余价值转化为追加资本而来的企业的扩大。在这个意味上，集积的概念，与我们在前面所规定的、缔结剩余价值的一部分转化为追加资本而充用于将来的生产扩大一点的资本蓄积的概念，是一致的。

这就是资本家把一部分剩余价值转化为资本而实行的各个企业的扩大。

---

① 《资本论》第一卷第七篇第二十三章。
② 《资本论》第一卷第七篇第二十三章。

所谓集积,就是把更多的劳动力与生产手段集注在一个资本家手里的意思。

如马克思所说:这个过程的特征是,在这个场合,"社会资本的增大,是经过许多单个资本的增大而显现的"。

然而在资本主义社会中,与这并行的是,集积过程到了某种程度,既成资本的分立过程也就进到相当的程度。这个分立过程,如马克思所说,是由"资本家家属之财产"的分配而显现的。

一方面有分立的倾向,另一方面又有马克思所谓与集积不同的资本集中的倾向,对它起反作用。

资本集中的本质在什么地方呢? 所谓资本集中,并不是由于剩余价值资本化而来的,个别的企业的扩大,它是由于大企业合并小企业的方法,或由于相互间竞争战的结果加在大企业间缔成的协调而显现的现有资本的结合。

资本的集中,是以减少个别资本的数目,来增大大资本的。

资本的集积与集中,都是资本主义的积蓄之结果,同时,它们又非常助长了积蓄的发展。

新企业的创立与已有企业的扩大,都要求巨大资本家所有的大资本的投资。可是资本主义愈加发展,创立新企业所需要的最低限度的资本,也愈加增大。

若没有资本的集积与集中,在资本主义的条件之下,就不要想到发达技术的事情。

资本的集中,把分散的资本,统合在一个强大的力量之下,因此才能实现各个资本家所不能实现的巨大企业,同时它非常地增大了资本的威力,进而又能助长积蓄的强化。

第二节　资本主义条件下的小产业的地位

资本主义愈加发展,大生产也愈加生长起来。但是不要以为随着资本主义的发展,小生产就完全消灭。就是在资本主义之最高发展期,小生产还是与大生产同时存在的。

然则在资本主义之下,小生产究竟站在怎样的地位呢?

小生产之最一般的形态,是手工业及家庭工业。

手工业,通常被解释为供给定购货物的小生产者的劳动。在资本主义之下,随着大生产的生长,手工业被家庭工业及工场手工业所驱逐,比较迅速地衰微下去了。在都市比在农村衰微得更快。住在都市里的人更喜欢买现成的东西,不愿意向手工业者定做。大部分手工业之所以还能保存的,都是能够满足买客个人的趣味的部门,例如裁缝、奢侈品或某种精密器具的生产,等等。

在农村中,手工业生产所占的地位,比较要好得多,因为在农村里,工钱非常便宜,而且农民经济中有许多原料都须要手工业者替它加工。因此手工业生产者在资本主义之下虽然过着悲惨的生活,而在耕地少的农村中,却是很发达的。

手工业生产的特征,是在它是供给定做货物的劳动;反之,家庭工业的特征,是在它是以广泛的市场为对象的劳动。从这点就发生了两者在本质上的差异。为供给定货而劳动的手工业的生产者,是直接与顾客实行交易;反之,家庭手工业者,却需要收买他的制造品去到市场交换其他货物的中间人。

家庭工业通常采取如下的形态。就是中间人统制生产,使在家庭内工作的几十、几百、几千的家庭工业者都隶属于自己,供给他们以原料及材料,还收买他们的生产物。可是有许多支配家庭手工业者的劳动的大中间人,并不能够直接供给他们材料,收买他们的劳动生产物。于是在这两者之间,就加入了一串的中间人。这些中间人,用尽一切可能的方法,来剥削家庭手工业者的骨髓。于是,形成了非常苦苦的条件。在通常家庭工业中,还实行着资本主义生产的舞台上早已没有了的现物交换制。所以家庭工业者,不但是被当作生产者,还被当作消费者来榨取。劳动日是无理由地延长着,同时工资却是格外地便宜。家庭工业者为什么承认这样便宜的工资呢? 因为这种工资并不是他全家属人员全部的工资,而只是一部分的工资,不用说妇人,就是极小的小孩,也从事生产。他们的工作,是在非常不卫生的家庭里面做的。家庭工业者的分散性,使他们对于自己的榨取者,不能做任何有组织的对抗。工场法对于家庭工业,并不发生任何效力。因为,第一,他们的生产是分散的,所以家庭工业者的意识浅薄,劳动条件的监督非常困难;第二,资产阶级国家自身,不愿费一点气力来和家庭工业的奴隶的榨取斗争。

此外,还必须指摘的,就是家庭工业的生产组织的形态对于企业家,是非常有利的。为什么呢?因为在这个形态之下,企业家可以省下一切机械或建筑物的费用。在恐慌的时候,他可以不成问题地使家庭手工业者极快地缩小生产;反之,在景况好的时候,又可以极快地扩大生产。

如此,我们可以达到以下的结论,就是:在资本主义之下,家庭工业之所以能够维持,是因为家庭工业者被榨取到连饭都吃不饱的程度。在大工场生产还没有发展的企业部门,家庭工业仍旧保持着。可是家庭工业者必须忍受着和临死一般的痛苦。

在小农业方面,也完全和这一样。在农业中,因为许多条件,生产的集积比工业进行得缓慢。结果,小农业的苦痛,也是达到了极点。

在农业中,生产集积的特征,与地租有密切的关系。所以我们在地租篇再说。

第三节　资本的有机构成及与资本主义的
发展相伴随的资本的高度化

我们已经知道,资本主义的发展,经过资本的集积与集中,使各个资本家的企业扩大起来。同时企业的扩大与确立,是与技术的发达相伴随的。

技术的装置的变更,必然要反映于企业的全资本构成,这个意义,以后还要说明。

在任何资本主义的生产中,我们必须分别清楚,活的劳动力与生产手段,即为先行劳动的结果之各种材料。企业的技术到了某种程度,每单位的活的劳动力就能够承受并且加工在与这种程度相当的某种分量的原料上。"所使用的生产手段的分量,对于使用它的时候所须要的劳动量之比"[1],就表现着所谓企业资本之技术的构成。

可是,一切的资本,都表示着某种价值量。谁都知道,从价值及剩余价值的形成的见地看来,为先行的("死了的")劳动的结果之生产手段,是不变资本;活的劳动力是可变资本。因此资本之技术的构成,若要用这各部分的价值

————————————

① 《资本论》第一卷第二篇第四章。

来表示,就必须拿不变资本与可变资本之比来看看。

这不变资本与可变资本的比率,在它只是以价值的形态表现资本之技术的构成的范围以内叫作资本的有机构成。

马克思说:"资本的构成可以在两重意义上解释。从价值方面来讲,这是由资本所分成的不变资本,即生产手段的价值,与可变资本,即劳动力的价值(工资的总额)两者的比率来决定的。从生产过程中有机能的材料方面来讲,一切资本都被分为生产手段与活的劳动力。那么,这个构成,就是由被使用的生产手段与使用这手段时所须要的劳动量的比率,来决定的。我叫前者为资本之价值的构成,叫后者为资本之技术的构成。在这两种构成之间,含有密切的交互关系。我因为要用一种名词来表示他,所以把由资本的技术构成所决定的,而且这个技术构成将要反映在它上面的这种交互关系,叫作资本之有机的构成。"①

这里必须注意,资本的有机构成,虽然反映着它的技术构成,但这两种构成并不完全一致。

例如在某企业中在同一技术的装置之下,假如现在使用比以前价高的原料,那么,这个企业的技术虽然仍旧没有变动,可是因为可变资本的价值没有变动而不变资本的价值却变动了,所以资本的有机构成(C:V)也变动了。

然而,资本的技术构成与有机构成虽然有这部分的背离,但是两者还是结合得非常密切。

根据以上所述,在各个企业中,虽然他们的不变资本或可变资本的总额不同,但是他们的资本的有机构成,是可以一样的。因为重要点只是在两者的比率(C：V)相等。

例如在某企业中,不变资本是100,可变资本是50,在另一企业中,不变资本是1500,可变资本是750,那么,虽然这两者的资本的绝对量是不同的,但是他们有同一的有机构成。为什么呢? 因为不变资本与可变资本的比率,在这两者是一样的,都是2：1。

----

① 《资本论》第一卷第七篇第二十三章。

又，假若一个企业的不变资本是100，可变资本是50；另一个企业的不变资本是150，可变资本也是50，那么，虽然这两者的可变资本是一样的，可是有机构成，后者却要高些(3∶1)。

资本的构成对于技术进步有什么作用呢？

今有一个企业，能够采用复杂的高价的机械，并且它的各劳动者能够承受较多的不变资本；这样的企业，在技术上是比较完备的；又如另外一个企业，它的各劳动者只能授受较少的机械、建筑物、与原料，就是不变资本比较少，在技术的时代上比较落后。这两者比较起来，前者之有机的资本构成当然要比后者高些。

所以，在资本主义社会里，技术的进步必然要提高企业之有机的资本构成，而劳动力的价值愈加追不上不变资本的价值。

这样，在社会的总资本中，可变资本的部分，愈加缩小了。

但是，这绝不是说，在资本主义之下，劳动者的绝对数是时常减少。在绝对上，不变资本与可变资本，都是增大的。不过前者增大的迅速，是后者所不能与它比较的。

例如，生产扩张为两倍，而劳动者的数目，在技术进步的庇护之下，不过刚是增加了一倍半。

马克思说：

在积蓄的累进中，不变资本部分对于可变资本部分的比率，不断地变更着。假设这个比率在最初是1∶1，渐渐的改为2∶1，3∶1，4∶1，5∶1，6∶1，7∶1，等等。所以资本增大了，转化为劳动力的资本部分，就渐渐由资本总价值的半数减低为它的1/3，1/4，1/5，1/6，1/7，1/8。反过来，转化为生产手段的资本部分，却累进为2/3、3/4、4/5、5/6、6/7、7/8等等。劳动的需要，并不是由总资本的大小决定的，是由总资本中可变资本部分的大小决定的。所以这种需要，并不和从前所假定的一样，因总资本的增殖，按比例的增大起来，却因总资本的增殖而累进的减少。①

---

① 《资本论》第一卷第七篇第二十三章。

　　总之,资本主义发展了、技术进步了。同时,就提高了资本的有机构成。但是这有机构成愈加提高,愈加能够以相对的渐渐减少的可变资本部分,来推动渐渐增加的生产手段。技术前进一步,就解放出来一部分的劳动力。

　　如我们所知,一切技术的改良,都使商品的价值及价格低落,所以事实上就扩大了它的贩路。另一方面,在某种企业部门或企业中,因为技术的向上与贩路的扩大,结果,就扩大了供给它们以原料、补助资料等等的其他部门的生产。而且若是这种扩大,是以本来的技术为基础而完成的,那么,使用劳动力的分量,也必然要增大起来。然而,从事于生产的劳动力之量,对于不变资本的增加,是愈加相对地减少的。

　　　　在战后的近代资本主义之下,我们可以看到,技术与资本的有机构成的生长,不但使劳动者受到相对的驱逐,还受到绝对的驱逐,即,资本家一方面使自己的企业"合理化",提高它的技术,并且扩大生长,可是,同时却不断地减少劳动者。

第十二章　资本的积蓄与劳动者阶级的地位
资本主义积蓄之一般法则

第一节　在以不变的技术为基础的积蓄中，
劳动的工资如何

与资本的积蓄及集中相伴随的资本积蓄，在劳动阶级的地位上，尤其在他们的工资上，有怎样的反映？我们现在来考察一下。

我们当讨论工资时，是从劳动力由资本家照价支付的假定出发的。我们所以设立这个假定，其必要的理由，是为要详细阐明资本家的榨取的本质；为要证明一切资本家虽然照价支付劳动力，也还是榨取了劳动者，还是从劳动者得到剩余价值。

然而这个假定，与实际上资本主义的现实，是不一样的。

我们知道，劳动力价值，是由再生产它的时候所需要的消费资料的价值来决定的。然而劳动力的价值，以其他商品为媒介，才被表现出来而采取价格的形态。换言之，就是采取工资的形态。可是任何商品的价格，都因为需要与供给的影响，而与它的价值相背离。就是说，需要超过供给时，其价格就在价值以上；供给超过需要时，就在价值以下。所以为要具体答复资本积蓄的条件下的工资在现实上是怎样变动的问题，就必须阐明这时劳动市场上劳动力的需要与供给的关系如何。

首先要检察一下：当资本积蓄的进行，是在资本之不变的有机构成下，以不变的技术与不变的劳动生产率为基础的时候，劳动的情形怎样。

在这个条件之下，资本家为要从劳动者榨取最大限度的剩余价值，它最希望能够最大限度地使用已有的基本的装置，即机械与建筑物。

因此,他最初是想用延长劳动日的方法来达到这个目的。但是,我们知道,这种方法是与一定的生理的限界及劳动者之有组织的抵抗相抵触的。所以资本家就用产业"合理化"的方法,来提高劳动的能率。资本家为了榨取的缘故,努力使他所有的时间与装置,就是一分钟也不要浪费,劳动者的一举一动都要很有利地去利用。

把这种制度表现到最高度的,是福特主义(取自汽车大王的名字)。根据福特自己的话,在他的诸企业中的机械,都配置着一定的、仅仅是各个劳动者及各个机械所必要的时间。"在这个标准以外,不用说一尺,就是一寸的时间也是没有的"。

福特又拿和上面所说的同样的精确程度,来规定劳动者的制作速度。"所给劳动者的时间,除掉绝对需要的以外,一秒钟也没有多余的"。劳动者的动作精确到以秒为界限,像这样的制度,怎样消费劳动者整个的能力,怎样使劳动者的神经紧张得可怕,就可想而知了。

所以资本家不但在以旧的装置为基础的时候,就是在常常缩减劳动日的时候,也还能够增大剩余价值。

这时候,榨取愈强化,剩余价值的数量愈大,转化为资本的部分也愈多。就是,扩大了的生产,又给与更多的剩余价值量。像这样和雪一样的,没有止境的,增加剩余价值,扩大积蓄。

这个扩大,若是在不变的技术之下进行,资本家就要不断地要求新的劳动力。

结果,在劳动市场上,需要与供给的关系,就要暂时呈现一种对于劳动者有利的状态,因此,工资也就腾贵起来。但是,这种以不变的技术为基础的资本积蓄的强化,虽然可以使劳动力暂时腾高价格,但这种腾高决不能排除劳资间之资本主义的关系。按着马克思的话,这不过是能够使工资劳动者稍微减轻束缚他自己的黄金的锁链。

劳动力的价格腾贵与无偿劳动的减少,不能达到威胁资本主义制度的程度。资本主义经济的机构本身,就"悬念"着要抑止工资腾贵的东西。

资本主义的积蓄之唯一的刺激,就是剩余价值的增大。劳动力的价格腾贵,同时剩余价值量就要速减。使资本家对于积蓄的刺激及速度因此衰微,结果,劳动力的价格较往年又低落,再恢复到对于资本主义积蓄有利的状态。

总之,在资本的构成不变的场合,积蓄若是显现,劳动力的需给关系就要达到对于劳动者有利的程度,因而工资就增大起来。但是,这样增大是暂时的,它到了某种程度,就立刻使积蓄衰微,因而工资也就开始低落。

第二节 技术的成长与劳动阶级的地位 产业 预备军与资本主义的人口法则

资本家通常是用其他的方法,来摆脱由工资的腾贵所发生的困难。就是,他不但提高劳动的强度,同时,还采用进步的技术,以提高它的生产率。

除掉高贵的工资以外,其他刺激资本家,使他倾向于技术的向上的,就是我们所知道的竞争,与想要得到追加利润的欲求(新技术的采用,能够暂时使这企业中之个别的劳动,降低到在这商品在市场出卖的社会的必要劳动以下)。

技术与劳动生产率的成长,由许多方法助长着积蓄过程。它使资本家的消费资料低廉,因此,剩余价值之中,充作资本家个人消费的部分减少,而充作以后扩张生产的部分增大。它使劳动者的消费资料低廉,因此,把必要时间缩短,把剩余时间增大,借以此助长剩余价值的增大,助长了积蓄。

然则技术的发达,对于劳动阶级的地位有什么影响呢?

我们知道,技术的发达,与资本的有机构成的高度化,是相伴随的。这时候,可变资本的增大比不变资本的增大,要迟缓得多。所以很明显的,劳动力的需要,虽不能说常是绝对的减少,但至少也可以说是相对的减少。

在不变的技术的再生产中所感到的暂时劳动力不足的情形,现在更加稀少了。

生产技术不断进步的结果,为要给与现在生产中所有的劳动者以工作,就须要更多的资本,更多的生产手段,因此,寻找新的工作,更加困难。

但是,还不止是这样。

资本主义的发展,使劳动者被机械驱逐于工厂以外,还产生了许多形成产业预备军的原因。这种预备军是等待资本家去使用的。

首先,因为资本家间的竞争及生产的集积与集中的结果,使中小资本家破产而成为失业者之一。因此,在资本主义之下,无论是在生产力的发达追不上人口增殖的,与工业方面同样而各阶级间利润分配得不均衡的农业中,都由零落的被榨取阶级——贫农及佃农——形成了莫大的没有工作的过剩劳动力。

其次,资本主义技术的发达,不但使劳动力的需要相对地减少,还更加把妇女及儿童都引入于生产里面。而这些妇女及儿童又与成年男子劳动者相竞争,使劳动力的一部分又相对地变成过剩的东西。

最后,资本主义,如我们在后面所说的一样,是飞跃地发展着,遇到景气好的时期,商品的需要,一时激剧地增长起来,结果,旧企业被扩大起来,新工场和铁道等也被建筑起来。

可是通常在好景况的时期以后,必定跟着惨淡的恐慌及不景气的时期,于是显现商品的生产过剩即贩路杜绝、企业闭锁,在这个时间,劳动者大批地被抛在街头。

以上就是失业之所以成为资本主义发展的附属物的根本原因。

　　马克思把产业预备军的存在形式,分为流动的、停滞的及潜伏的过剩人口的三种。

　　过剩人口之流动的形态,是在一部分劳动者暂时失业的时候出现的。这是因为各个资本主义的经济部门不能平均发展的结果。各个生产部门中技术的进步,使各个劳动者集团成为暂时的过剩的人口。

　　假若这些劳动者的减少,或是使商品价值低落之技术向上的结果,这部门的贩路就扩大,生产一扩大,就需要追加劳动力。所以大部分失业劳动者,在暂时失业以后,又可以仍旧回到从前因为技术发达而被驱逐出来的部门里去。

　　虽然这样,可是失业的劳动者们,很难回到他所习惯的原来的工作里去。因为资本主义经济的各个部门间有不同的技术的进步之结果,劳动必须重新被分配于各个生产部门。在这个意义上,大部分劳动者就不能不在新的部门中找工作。这新的部门,比他原来工作的部门,其运转的速度更快。

在资本主义下,任何职业中都有很多暂时的失业者。可是他们的集团之构成分子,因为他们的失业带着暂时的性质,所以是很变动的、流动的。有些劳动者找着了工作,就离开失业军;又有些劳动者刚刚从生产部门中被抛弃出来,就从新加入于预备军。因为失业者的这种变化的流动的构成,所以把相对的过剩人口的这种形态,叫作流动的形态。

过剩人口,除了流动的形态以外,还有所谓停滞的形态。这种失业形态的主要成分,是失掉了工作以后,既不能回到自己原来的专门的工作里去,又不能加入新的生产部门的劳动者。这些失业者集团,渐渐失掉了自己的熟练。一部分从事于不规则的暂时工作,例如扫除道路、劈柴苦力,及码头苦力等等,以维持生活,一部分……

失掉了自己的劳动力的劳动废兵,就多半变成这种样子。……总称这个集团为卢边普罗列塔里亚(卢边是褴褛的意思),或浮浪普罗列塔里亚。

在这些队伍里面,蓄藏着资本主义社会之一切污秽的东西!资本主义社会所产生的社会诸条件的牺牲品、醉汉、强盗、卖淫,等等。

这部分的预备军,不是到了劳动力非常缺乏、与产业的成长非常强化的时候,是没有加入生产的可能的。

资本家当着与劳动者实行激烈斗争的场合,即当着劳动者同盟罢工的场合,资本家就求助于他们,使他们做破坏罢工的工作。

相对的过剩人口,除了这两种显明的形态以外,还有潜伏的形态。资本主义发展的特征,就是农业比较工业落后,这种落后的结果,使农业不能够容纳由农村人口之自然的增殖所形成的追加劳动力的某种分量。在农村中,这些过剩劳动力,使农业劳动者的劳动无理由地贱价。他们无论怎样节俭,那一点极少的收入是不够维持的。所以这些过剩的农业人口,一部分到工场上去找职业,一部分仍旧留在农村里,没有相当的工作,苦苦等待着任何贱价工作的机会。

这种过剩人口的形态,叫作潜伏的形态。为什么呢? 因为,他们并不是由生产中解压出来失业者。他们是半就业的、半失业的农民。这个集团的构成分子，都是自己多少还有一点极微小的财产的。但是在他希求工资的方面，与从生产中被驱逐出来的劳动是没有什么分别的。因此，资本仍旧是想趁着机会，去吸收这些劳动力的新贩卖者、新无产阶级的队伍。

预备军对于资本主义的发展，是有很大的意义的。有了他们以后，在产业兴旺期所看到的迅速的扩大生产，才有可能。假若没有期待着资本家雇用的预备军，那么，要扩张生产，除了等待着劳动人口之自然的增殖以外，没有其他的方法。所以，为榨取所必要的追加劳动力，若要等待因自然的增殖而产生，那就必须经过一个世代的（30年）期间，然而在产业的兴旺期。一举就必要莫大的劳动力——这是非目前就有不可的。资本家对于新的追加的劳动力，是不能够很耐心地等待着它成长起来。因为在这个期间，资本主义恐怕要反复着好几次的好市面、好景气、恐慌及不景气了。

因此，资本主义形成了与自然的增殖没有关系的独特的人口法则。

马克思说："资本主义的积蓄，宁有不断地生产着无用的过剩的劳动者的人口，这种过剩人口，与资本主义积蓄的力量及范围比较起来，是相对的，与资本之平均的利用要求比较起来，是过多的。"①

"所以，劳动者人口自身，一方面产生资本的积蓄，同时，他方面又不断地生产使他自己相对的过剩的手段。这就是资本主义生产方法所特有的人口法则。在实际上，任何特殊的历史的生产方法，都有它自己特殊的、含有历史意义的人口法则。抽象的人口法则，只有在历史上不受人类干涉的动植物之中，才能存在。

"劳动者的过剩人口，是积蓄之必然的产生，或资本主义基础上的财富的发展之必然的产物；同时，又是资本主义积蓄的杠杆，并且，又是资本主义的生产方法生存条件之一。这种劳动者的过剩人口，形成着资本可以自由利用的

① 《资本论》第一卷第七篇第二十三章。

产业预备军,它绝对隶属于资本之下,好像是资本以他自己的费用养成了的一样。"①

第三节　失业者对于工资与劳动阶级的一般地位之影响

预备军的存在,怎样影响于工资与劳动阶级的一般地位,是容易明白的。

我们已经指摘了:在资本主义积蓄的过程中,也有劳动力的需给关系对于劳动者方面有利的瞬间,这就是积蓄在以不变的技术为基础的场合,是资本主义经济经过产业振兴的阶段的场合。

我们可以说,那种时期,正是增高工资的绝好机会。然而预备军的存在对于增高工资却是极端妨害的。

到了沈滞期及恐慌期,几十万挨饿的人们,都在敲打工场门扇的时候,这些预备军的存在,可以使享受着就业的幸福的劳动者之地位恶化起来。

虽然劳动者因为工资的低落,不能再生产他的劳动力,而对于资本家更不成什么问题。他可以随便辞掉劳动者——因为在他们的后面,还有失业者的大预备军在等待着。这些预备军,都伸着头期望着资本家赐给自己以劳动的可能性,即供给资本家榨取的可能性。

不但如此,资本主义之飞跃的发展,不断地使劳动力需要变动起来,因此,使得劳动者的地位非常浮动,谁也不能保障,今天为工资而工作着的劳动者,明天是否还能为工资而工作。

从破产的手工业者之中,尤其是从没有教育的、生活程度低的与资本家斗争时没有一定目标的贫农之中,不断地流出新的劳动力。这事情对于劳动者的工资给以不断的威胁。

庞大的劳动者大众,不单在他们所居住的地方供给劳动。在交通发达的现在,他们若是找着工作,无论在什么地方都赶紧跑去。在各国,我

---

① 《资本论》第七篇第二十三章。

们可以看见劳动者不断地从农业地、农村向着工业地移动。谁都知道,在革命前的俄国,农民不断地从农村向莫斯科(及一般工业中心地)或必切尔移动过。当巴克石油工业发达的时候,农民大众从中部及伐尔加诸县向巴克殖民的事情,也是很有名的。

劳动力的移动,并不限于一国以内。从经济落后的,具有悲惨的农民及破产的小资产阶级大众的国家,失业者大众,和雪崩一般流入到劳动力不足的、一般的工资高贵的工业国家里去。例如,在帝制时代的俄国,波国,和意大利,都供给本来工业就很发达的美国以劳动力,最近二十年间,世界资本主义从新发现了劳动力之丰富的贮水池。这就是东方诸国,尤其是中国及朝鲜之汪洋的人类的沧海。

在经济落后的国家中所形成的预备军的洪流,超越国境而流到产业高度发展的国家里,同时到处对于劳动阶级的地位给与了恶影响。

所以,我们知道,在市场上相会的两个商品所有者——一个是生产手段与生活资料的所有者即资本家,一个是劳动力的唯一的商品的所有者即劳动者——,一看好像是平等的,可是在事实上,绝对不在平等的地位。许多的条件——尤其是庞大的无尽藏的失业军的存在——,都可以发生使工资即劳动力价格降低到价值以下的倾向。

第四节　劳动组合及其在为工资
水准而斗争时的作用

劳动阶级对于这个倾向,是用自己的团结力及组织力而与它对立的。结合几百、几千劳动者于一个企业中的资本主义的生产方法的诸条件,大大地资助了劳动者的结合及对于自己的利益的自觉。

劳动者开始组织劳动组合。劳动组合的任务,就是以打倒资本主义为目标的劳动运动的根本任务,它在于把劳动大众组织化;以便在资本主义社会中,首先为改善劳动阶级的经济地位的部分利益而斗争。但是劳动阶级为部分利益而行的斗争,即为改良经济地位而行的斗争,与打倒资本主义的根本任务,有极密切的联系。劳动组合必须使劳动者理解他们的经济的要求,即他们为工资及提高生活而行的进攻,是与资产阶级独裁的全机构有密切关系的;同时,还要指示他们经济斗争的界限,最后,必须使无产阶级完全成为劳动阶级的根本利益之有意识的战士。

在劳动阶级为部分的利益而行的斗争中,劳动组织的根本任务之一,就是提高工资的斗争。在这一点上,劳动组合的意义非常重大。被组织在劳动组合里的劳动者,已经不是一个一个赤手空拳去与雇主资本家相对抗,而是以非常坚固的团结力量来与雇主资本家相对抗。不用说,资本家是知道对付单个劳动者比较对付有组织的劳动者大众,容易得多。资本家对于各个劳动者,可以比较容易地随便设立劳动条件。而对于劳动组织是不能随随便便的。

用劳动组合名义与其他团体缔结契约时,劳动组合之间,互相交换关于劳动条件、工资率、劳动日的规定等等的意见。一旦发生争议,劳动组合可以用同盟罢工的手段来恐吓资本家。其他劳动组合要援助在争议中的劳动组合。他们用自己的基金来补助争议中的组合以金钱、食料等等。必要的时候,同情罢工也是在所不辞。有时候,这个同情横溢起来,就变成革命的,甚至在暂时之间爆发革命的事情也是有的。

劳动者在与资本家斗争时所得的许多战利品,可以拿来在立法上确立起来。于是产生了规定劳动日长短及劳动的卫生条件等等的劳动法。

资本家也有自己的组织,一样的对劳动者布置着统一的战线。他们也有自己的基金,以补偿遭遇罢工的资本家的损失。对于劳动者的战术,有所谓"锁工厂"即以大批解雇劳动者的手段,来坏破罢工劳动者的团结——也就是他们所谓雇佣破坏同盟罢工(在罢工中,代替罢工劳动工作的人们)的方法。

然而资本家对于劳动者斗争的手段,还不限于这点。他们仰仗着国家机关的援助,利用他们御用的言论机关、教育,等等。一旦劳资之间斗争激化,资本主义世界的全力,由这些货币统帅者的一道命令,就立刻结束起来,共同对付敌方的劳动阶级。

在与劳动者斗争中,给资产阶级以莫大的援助的人们,就是以特权的高额工资劳动者层(劳动贵族)与以时代最落后的要素为基础的改良主义的劳动组合。

改良主义的劳动组合,使劳动阶级的力量衰减,终至于背叛革命。

"在一切罢工及经济斗争中,劳动阶级及革命的劳动运动,是与资产阶级政府、企业家及改良主义的劳动组合等等之坚固的统一战线,相对抗的。而且,它们这一切,以不同的行动(分工的),来达到同一的目的——使罢工不致发生,万一发生了,就尽可能地使它早些崩溃。一切力量对于罢工运动的斗争,在近数年间,成了特别严重的问题。最主要的破坏罢工的东西,就是'劳动党'政府的组织,如英国。"(下略)①

虽然有这一切事实,我们还是看到劳动阶级的斗争,得到了某种的成果。例如,在资本主义的某发展阶段。

第五节 在国民所得中劳动者份额的低减 劳动阶级状态之绝对恶化倾向

我们知道,资本主义的发展,不论劳动阶级的抵抗如何,必然使工资降低到劳动力的价值以下,但是,问题还不止如此。

随着技术的发达与资本的有机构成的高度化,同时,工资的总体与资本家利润的增大比较起来,却表示着低落的倾向。

资本主义愈加发展,劳动者的生产物之中,被资本家以剩余价值形态而占领的部分愈多,劳动者所占的部分愈少。

所以,劳动者虽然用他的劳动生产更多的剩余价值,但是他所得到的工资形态上的生产的部分却更加减少了。从这点上,可以得到如下的结论,即:在资本主义之下,工资发展的根本倾向,是在社会的"国民"所得总额中,劳动者所占的部分愈加缩小。

这不仅是理论上的想象,事实上也是如此。以下关于英国"国民"所

---

① 罗佐夫斯基:《世界恐慌、经济的斗争与我们的任务》。

得(即资本家,劳动者之总所得额)的变动的表解,就是这事实的实证(从梭伦鸠夫著《工资》中分出)。

年度	国民所得总额,单位百万英磅	支付的工资,单位百万英磅
1843	515	235
1860	832	392
1884	1214	521
1903	1710	655
1908	1844	703

在 1843 年,国民所得的总额五亿一千五百万元。斯大林克之中,劳动者得到二亿三千五百万,就是,大约 45.6%,但是 65 年以后,他们所得到的不过是全国民所得额中之 38% 强。在这个期间,工资的总额,增加到 3 倍。可是劳动者的数目也同样增加了,所以每一个人的工资增加得太少了(约 2 倍)。因此很容易明白,在这个期间,各个资本家的资本,增加到 2 倍以上。

关于其他各国的统计,可以确实地证明,在资本主义诸国之社会的所得中,劳动者所占的部分,有同样低落的倾向。

可是,在资本主义的发展中,不但可以看到在"国民"所得中劳动阶级所得的部分之相对的递减,还可以看到他们的状态之绝对的恶化。马克思说:"资本正在积蓄的时候,劳动阶级的状态,无论他的工资的高低如何,一定是恶化的。"①事实上也有各个劳动者的工资增大的场合,而且也有不但是在名目上、有时在实质上,即在劳动者以他的工资购买来的生产物量的意味上,也增大的场合。

可是,根据这点,不能立刻断定劳动阶级的一般状态已经改良。要评价劳动阶级的一般的生活水准,不但要把他们所得的工资,与现在在业的劳动者数目相比较,并且还要拿来与包含失业军全劳动者大众的数目相比较。此外,不

① 《资本论》第一卷第七篇第二十三章。

但要顾到劳动者从资本者得到的工资形态上的东西,还要想到他所给与于资本家的东西,即他的劳动的强度。

可是我们知道,一般资本主义的成长,决不能减少失业者,反而产生新的失业者部队;并且在资本主义的某发展阶段上可以看到的工资的腾贵,总是比劳动强度的增高要迟缓得多。

从此可以明白,在资本主义发展中劳动者之现实的生活水准,不但是相对的并且绝对的低落。

正因为如此,不拘劳动者之绝对的工资虽有时增高,可是我们还是看得出来在资本主义发展之下,劳动者阶级的状态是绝对的恶化。

这个恶化,在战后,特别是现在资本主义恐慌期,表现得尖锐。

第一,我们先看看失业者的数目之可惊的增大。

"失业最多的,是北美合众国,660 万;其次是德国,大约 400 万,英国 200 余万,日本 200 万,意国 80 万,波兰国 10 万,奥大利 40 万,拉丁美洲 150 万等等。

中国、印度、印度支那,印度内西亚等的失业者,总在几百万以上。我们手边虽然没有任何资料,单就已经知道的国家来看,失业者的数目已经在 2000 万以上。

现在大约有七千万人及其家庭,遭遇到乞食、饥饿、因饥饿而死亡的运命!"①

失业者的增多,与工资的低落及劳动者生活水准之一般的低落相伴随。

例如"1929 年 5 月到 1930 年 5 月,德国劳动阶级年生活水准,降低到 13%,在英国的石炭工业中,1929 年度第二期的工资比 1924 年第一期的,要降低 19%,劳动的生产率增大 29%。在纺织工业中,1930 年 6 月的平均周工资,比较 1924 年 10 月的,要减少 19%。在同期间中,绒毛工业工资的减少是 11%。1929 年度,纺织工业之 50 万纺工的工资减少

---

① 罗佐大斯基:《世界恐慌经济的斗争与我们的任务》。

6.5%,1930 年绒毛工业的工资减少 9%。制□业从 1924 年 10 月到 1928 年 10 月,工资减少了 5.2%。可是在同期间,劳动生产率却增大了 58%。在合众国,从 1929 年 6 月到 1930 年 6 月,在 54 个最主要部门中,所支付的每周工资基金,缩少了 18.2%,从业劳动者缩少了 13.8%。在汽车工业中,一年间工资的低落,在 1830 年度达到 35.4%,从业劳动者的数目缩小了 7.6%。又纺织工业中,工资基金的低落,在一年之间,达到 17.3%,而且从业织工的数目削减了 10.1%(1930 年 4 月的统计),钢铁托辣斯企业中,所支付的工资额,低落了 20%。法国劳动者的实质工资,在 1929 年下半期,减低战前水准的 20%。意大利,在 1920 年下半期,工资之一般的低落,达到了 20%。日本东京 1930 年 5 月的工资指数与 1924 年 9 月的比较起来,减低了 10.4%,各种企业中,工资低落率达到了 40%。所知道的,工资低落得最厉害的,是殖民地及半殖民地的中国、印度、拉丁美洲(1928 年至 1929 年间,在白拉齐尔,因为恐慌的关系,工资低落了 35%—50%,在古巴制糖地,工资低落了 35%)。失业者及半失业者增多,同时,还延长劳动日。就是根据国际劳动局的统计——这是有名的吹嘘的统计——每日的劳动在 8 小时以上的,在德国是 27%,波兰 30%,意大利 29%,就所调查的 16 国来看,每周劳动在 48 小时以上的有 24%。这个调查,并不包含法国、英国、北美合众国及日本;而且没有一句话说到中国、印度、及其他殖民地。

在北合美众国等地,现在印有关于这个问题添加了新的色彩的某种报告。有两个前波斯顿大学生,受教育联盟协议会(Federal council of churches)的嘱咐,调查铸铁工业的劳动时间,关于铸铁工厂之 20 万的现役工人,发表了以下的事情:

每日工作 12 小时者 ⋯⋯⋯⋯⋯⋯⋯⋯⋯⋯⋯⋯ 16000 人

每周工作 7 日者 ⋯⋯⋯⋯⋯⋯⋯⋯⋯⋯⋯⋯ 66000 人

每日工作 10 小时以上者 ⋯⋯⋯⋯⋯⋯⋯⋯⋯⋯ 53000 人

甚至还有每日工作 14 小时者,及深夜替换工作者"(罗佐夫斯基:《世界恐慌,经济斗争与我们的任务》)。

这一切事实,使我们确信,劳动者在资本主义的范围以内,要根本改良自己的状态是不可能的。这只有当无产阶级把资本主义社会推翻,实现经济的及政治的改造而建立社会主义的社会才有可能。

第六节　资本主义的积蓄之一般法则

我们知道,随着资本主义发展,集中于少数资本家手中的财富愈加增多;在劳动者以他自己的手生产出来的财富之中的他自己所得到的部分,却是递减;失业军增多;生活水准又是绝对地或相对地都降低;劳动者的贫困增进;阶级对立尖锐化;劳资间的斗争白热化,这种一端是富与权力的结集,反面一端是贫困化的倾向,马克思用资本主义积蓄的一般法则来表现它。

"社会的财富、机能资本、这资本增大的范围及力度、因而无产阶级的绝对数及其劳动生产力,等等,这一切东西越是增大,那成为产业预备军之相对的过剩人口也越是增大。由于使资本的伸张力发展的同一原因,能使可以利用的劳动力发展起来。于是产业预备军的相对量,因财富的潜势力的增进,愈加增大。但与现役劳动军比较起来,这预备军越是增大,那处于与劳动者成了反比例的穷乏之下的过剩人口也愈加增多。最后,劳动阶级中赤贫的部分与产业预备军越来越是增大,官许的被救恤的穷乏也越是增多。这就是资本制度积蓄之决定的普遍法则。"①

所谓资本主义的积蓄对于劳动阶级状态的影响,还不止此。

生产的集积与集中,一方面,因为小生产的破产,愈加增大了无产阶级的部队,另一方面因为把广泛的无产阶级大众集合在巨大的企业之中,因此,就如我们所知道的一样,形成了许多越发助长劳动者的结合与他们对于阶级利害的自觉。

由资产阶级而引起的技术上的不断的革命,一方面使资本主义恐慌起伏不定,同时因为时而把这个劳动者集团,时而把那个劳动者集团,迸除在生产以外,使劳动的地位不安,没有保障,连明天的生活都要担心。

技术的发达,消灭了熟练劳动与单纯劳动的差别,因此,劳动者的地位愈

---

① 《资本论》第一卷第七篇第二十三章。

加平等助长了他们走向单一阶级的结合。

资本主义因着时常变动的兴旺与恐慌，就发生了人口之极端的可动性，使劳动者往往因为追逐工资而超越国境。这使他们越发自觉到没有领土、民族、宗教及其他差异的、整个劳动阶级之利害的一致。

马克思说："以资产阶级为不自由的、受动的担当者之产业的进步，并不因竞争而使劳动者分离，却因联合而使劳动者革命的结合了。因此，大产业的发展，同时就根本推翻资产阶级以产生并占有生产物的根据，他们最初就产生了自己的掘墓人。他们没有落与无产阶级的兴起，同是必然的。"

第七节　资本之原始的积蓄

我们已经知道，因剩余价值的资本化，不断地产生新的剩余价值量，这新剩余价值量又被投入于新资本主义生产的循环，同时不断地使生产手段与劳动力动作着，以再扩大剩余价值量，开始新的更扩大的资本循环。

不断地扩大规模的资本积蓄与资本主义生产关系的再生产之全部过程，当然是从生产关系之前资本主义形态，而以某种时机，某种形式发生出来的。

然则，他是怎样发生的呢？

资本主义的生产方法是以怎样的方法而发生发展的呢？诸关系的新类型的发生，其必要的前提条件，是在所谓原始的资本积蓄的时代形成的。于是我们必须说明，资产阶级的经济学者之间，所有关系资本主义的生产方法之如下的牧歌的观念。他们说："远古以前，一方面是勤勉的、贤明的、富于贮蓄心的、被选拔了的人们；另一方面是怠惰的、无力的、所有的东西都使用了的、低级的人们……结果，前者贮蓄了财富，后者除了自己的身体以外，没有任何可以出卖的东西。从这时候起，就存在着两类人：一种是虽然汗流浃背的劳动而仍然除了一身以外别无东西可以出卖的广汛的贫民大众；另一种是虽然已停止劳动而日益增加其财富的少数的富豪。"①

然而在实际上，资本主义的生产方法的发生过程，决不像资产阶级经济学

---

① 《资本论》第一卷第七篇第二十四章。

者所想的那样是牧歌式的。封建的诸关系之崩毁与新资本主义的诸关系之发生，是充满了非常苦恼的过程。封建制度，在根本上是自然经济的类型。诸领主与其无数家臣、军队以及隶属于他的农民，在根本上，都是靠着他们的封建的自家经济所生产的生产物而生活的。实行交换的东西，多半是领主所喜欢的奢侈品，对于第一必需品是不交换的。用自然经济的封建诸关系的这种类型，可以充分说明领主的豪奢生活，封建武士、无数家臣的存在，以及传说的"有待宾客"，对于"守财奴"的侮辱态度等等。当交换在根本上多少已经侵入到封建的诸关系以前，在生产的目的不在交换价值而在使用价值的期间，封建阶级对于农民的榨取，多少是被限制在狭窄的范围以内。马克思说："在古代，自从交换价值成了人问题以来，劳动就可惊地过激化了。在这时候，劳动者之杀人的生产的劳动，是表现为过激劳动之公然的形态的。"

商业发达，使农村中封建的诸关系之自然经济的性质解体，残酷地切断了"人们累代祖先所缔结的十重二十重的封建纽带"，在人与人之间，除了赤裸裸的利害，冷酷的"现钱计算"以外，什么纽带也没有留下。生产的目的，已不是使用价值而是交换价值。"黄金万能"已经代替了所谓"宾客优待"，无数的家臣及使用人已经解职了，现物使用税及现物贡纳，都用货币来实行，封建阶级对于农民的榨取增大了从所未有的程度。

原始积蓄的过程特别采取了疾病的充满苦痛的形态的处所，就是英国。在英国，因为绒毛制造业已经发达，对于绒毛的需要，特别增进，结果，产生了领主要把耕地改为牧场之不可抵抗的趋势。领主用尽他所操纵的一切的手段，露骨的强力、法律的强制、经济的压迫，等等，把农民及小农都驱逐出去，而以无数的羊来代替他们。

这样的封建的诸关系的解体——对于农民之威胁的榨取、封建的家臣及无数使用人的解职、小农的被诈取及他们的被驱逐——，形成了"自由的"无产阶级之庞大的部队。

在另一方面，手工业的崩毁过程也完成了。因为大手工业者，依靠着组合组织，不顾一切地限制，滔滔不绝地增加徒弟和职工的数目。手工业者——头目与徒弟及职工之间许多矛盾愈加增大起来，组合组织愈加变为头目的组织。交换关系发展了，市场扩大了。在交换关系中，就有中间人的必要。因为市场显著扩大的结果，手工业者完全失掉了与顾客直接交结的机会。商业资本侵入于手工业的结果，使后者依存于前者，其次，渐渐地隶属于前者。商业关系发展，手工业生产品的市场愈加扩大；而手工业因为他技术的落后，不能满足这愈加增大的需要，所以渐渐地商业资本必定愈加干涉手工业生产。商业资本对于手工业的榨取增大，许多手工业者都破产了，同样的转化为自由的无产阶级。

同时，还有几乎与强盗的掠夺一样的殖民地商业及奴隶交易等等。

马克思说："美洲金银矿山的发现，土著人民的剿灭、奴隶化、活埋在矿山中，东印度的占领及第一步的掠夺、美洲之成为黑奴狩猎场，——像这一切，就是生产之资本主义的曙光期。"

这一切现实的结果，就是封建的农村、都市手工业及殖民地的小生产之被掠夺。

在这样生产者与生产手段的分离之中，包含着资本之原始的积蓄的本质。

这样历史的发展过程，准备了前代所未闻的商品劳动力，之市场上出现。另一方面同样的过程，准备了大产业资本家的出现。从破产的小生产者手中分离出来的生产手段，集中在商业资本家的手里。由于这一切事实，大资本就被集中于商业资本家手里。

这样就形成了大资本家的生产的发生所必要的诸条件。

关于第四篇的研究资料

质问及课题

1.试述生产及再生产的概念。

2.对于前资本主义的经济形态的再生产,单纯资本主义的再生产的特殊性在什么地方?

3.诸君中大部分都知道普希金的《吝啬的骑士》吧。他的积蓄观,表现在当他在深夜把货币抛入充满黄金的条子里面时所念如次的语句中。他说:"进去! 为满足人类的欲望与必要,而驰骋于世界中,这已经很够了。健康的安稳的巡着梦路前进好了。如同神在天顶睡觉一样。"在这个《吝啬的骑士》中,所看到的货币的使用,可以说是资本主义的意义的积蓄吗? 你以为资本主义的积蓄的本质在什么地方?

4.资本主义的扩大再生产,与前资本主义的经济形态的扩大再生产,什么地方不同?

5.试下资本集积的定义,说明它与资本集中的差别。

6.根据宽恩著的《金融资本》中的统计,在北美台众国的一个企业的情形如下:

年度	1869	1879	1889	1899	1909	1914	1919
劳动者	81	10.6	13.8	22.6	24.1	25.4	3.3
资本(千元)	6.7	2.0	19.0	43.1	68.7	82.6	154.1
生产物(千元)	13.4	22.1	6.1	54.8	77.2	87.7	216.9

质问：

这表上所表现的统计，表示着在资本主义发展中，有怎样的倾向？

7.不变资本（C）100、可变资本（V）75 的企业，与不变资本 200、可变资本 100 的企业，其资本的有机构成，哪一个算是高些？

8.试举出不变资本相同而资本的有机构成不同的两个企业的例子（用数字），及资本相同而有机构成不同的两个企业的例子。

9.制造工业品的工场与资本家的农场，其资本的有机构成以哪一个为高？

10.试举出技术的水准相同，而资本的有机构成不同的两企业的例子。

11.预备军是怎样形成的，它在资本主义之下有什么作用？

12.为什么在战后的时代，预备军特别增大？

13.为什么美国劳动者的某部分的高贵工资，不能够说是资本主义之下，劳动阶级生活水准的向上？

14.为什么在资本主义之下，工资有低落到劳动力价值以下的倾向？

15.试问在抬高工资的斗争中，劳动组合的意义如何？

16.试问在资本主义之下，工资变动的根本倾向如何？

17.在站后资本主义的时期，我们在变动中，看出什么倾向？

18.原始的、资本主义积蓄的法则之本质在什么地方？

读书资料

A.在检讨本书所引用的资料以后，想更深刻研究的读者，可以读《资本论》中说明单纯及扩大再生产的各章，即《资本论》，第一卷，第七篇，第二十一、二十二两章。

19.问题：试评节欲说及工资基金说。

B.关于资本主义积蓄之一般的法则，可读《资本论》，第一卷，第二十三章（到第五节）。

从第五节起，关于资本主义的积蓄之一般的法则的例解，就是跳过去也没有什么妨碍。

C.当时论资本主义下面的小生产者的地位时，学生们最好能对于本文所说的一般命题,举出若干例解来。

D.关于资本的有机构成与技术构成的问题,可读《资本论》如下的几章。

(1)第一卷第二十三章,从(一)"资本的构成,可以有两重意义的解释",到这段的终了。

(2)第三卷,第一册,第八章。

从"所谓资本的构成……"以下,到"我们称它为资本的有机构成"止。

第 五 篇

利润及生产价格论

第十三章 资本的循环与利润率

第一节 关于资本循环的一般概念

我们在以前诸篇,已经知道,劳动者在资本主义的工场上从新形成的生产物的价值,可分为(一)再生产他的劳动力价值的价值,(二)剩余价值。

劳动力的再生产所要的价值,如我们所见,是采取劳动力的价格的形态,即采取隐蔽或抹杀资本家的剥削本质的所谓工资的特殊形态。即在工资形态特殊性的庇护之下,应区分为必要时间和剩余时间的劳动时间本身,被隐藏起来。于是发生这一错觉,就好像资本家对于劳动者支付的,不是劳动力的价值,而是劳动的价值一样。

劳动力的价值,在资本主义社会所起的变形,即如上所述。但是劳动者在资本家的工场所形成的剩余价值,也采取所谓利润的特殊转化的形态。而这个利润形态,对资本家的剥削的本质,尤其隐藏得厉害。

这个剩余价值被转化了的形态,即利润,正是我们所要考察的。

因此,我们首先就要考察资本在资本主义经济上所行的运动、循环,以及资本在这个运动(循环)的过程上所生的诸变态。

在资本家开始资本家的生产之前,就不可不有一定的货币手段,即货币形态的资本(货币资本)。

他必须以货币买进生产工具、生产手段及劳动力,即生产所要的一切。换句话说,最初采取货币形态的资本,不得不采纳生产资本的形态。

劳动者和生产工具及生产手段相结合,要到运动它们时,资本家的生产过程才开始,剩余价值才形成。生产过程的结果,新的商品才出现。在这个商品当中,不仅体现了各个资本部分被移转的价值,并且被分为劳动力价值再生产所要的部分和形成剩余价值的其他部分的、由劳动者新形成的价值,也被体现出来。

这样,生产过程一终了,生产资本便转化为商品资本。但是,资本的转形就这样终止了么? 断然不是。资本家□资本生产商品的全部,不是为自己消费,而是为在市场上贩卖。所以,他必须作为商品贩卖者再出现于市场,从这时期(商品贩卖的时期)开始,采取商品形态的资本,又成为货币形态。

要之,资本在其运动上,须经过以下的三个阶段,即(一)货币资本转化为生产资本;(二)生产资本经过生产过程,转化为商品资本;(三)商品资本再转化为货币资本。

资本经过这三个阶段,称为资本的循环。

这三个阶段的循环,完全是必要的。在资本主义社会中,一般的生产过程得以恒常的显现,只限于从一形态到他形态的转化,无滞碍地显现着的场合。即货币资本到生产资本,生产资本到商品资本,商品资本再到货币资本,必须是无滞碍地转化着,这样,周期的资本循环,才能重新做不断的反复。

资本循环之不断的反复,即是所谓资本的回转,一回转时间,是决定于某种资本形态回到原来形态的期间。例如货币资本,先转化为生产资本,次转化为商品资本,随后再回到原来的货币形态,从起首回到原来的货币形态的时间,就是一回转期间。

依据马克思,就可将这个全过程,由以下公式,表现出来。

$$G—W <^{A}_{PM}······P······W_1—G_1(但\ G_1 = G + g)$$

G,表现为循环过程始点的货币形态的资本。这个 G 转化为 W,即转化为资本家为组织生产所买的一定量的商品。这个 W,是成于(一)生产工具及生产手段 PM,和(二)劳动力 A。

然后进到以……P……表示的生产过程。

生产过程一终了,于是制成品 W_1 便出现。但是这个 W1,是连生产过程上所形成的剩余价值,都体化出来的,所以其价值较之最初的 W 还要大。

在商品卖出时,行着 W_1 到 G_1 的转化,即商品转化为一定量的货币。而这一定量的货币,除包含最初的 G 的价值之外,尚包含若干剩余分(g),即还包含被实现出来的剩余价值。

如果资本家不能实现这个剩余价值,即商品卖出的结果,如果不能获得一定量的追加货币(g)——最初消费的货币 G 和商品卖出的结果的 G_1 的差额,那他对于劳动者的剥削及剩余价值的剥削,便完全失其意义了。

拥有产业企业的资本家,却不一定能够全部获得他的企业劳动者所形成的剩余价值。从许多情形看来,产业资本家,第一,就不得不把剩余价值之一部,分配于他自己的伴侣 ——商业资本家及金融资本家、地主等等;第二,剩余价值,在它实现的过程中,也得分配于各产业资本家。

我们的任务,是在阐明剩余价值在资本的循环过程及它到各资本家的分配过程中,采取的什么形态。这除了挨次追寻之外,没有别的方法。首先,为期简单起见,我们假定着:社会当中,只有产业企业,因之参与资本循环全阶段的,只有产业资本家存在,这些资本家,都是完全获得由他的劳动者所形成的剩余价值的。

研究了这个最简单的场合之后,我们随移到剩余价值对于产业资本家间,是怎样分配的一问题,但是仍与前一样,商业资本家、金融资本家、地主等都是撇开不提的。随后,我们在以下各篇上,才考察剩余价值如何分配于商人、银行家及地主等。

第二节　利润及利润率

我们已经晓得,当资本家组织他的企业时,为要获得生产上必要的生产工具及生产手段(不变资本)和劳动力(可变劳动),必须消费某种数量的货币资本 G。生产过程终了之后,资本家便获得了商品,随以之出卖,这时候,对资本家不仅偿还了最初消费的资本 G,且还给以被实现了的剩余价值的某种剩余部分(g)。

剩余价值的真正的源泉是劳动;该价值是发生于资本家对工钱劳动力的剥削过程中;至于资本家所买的生产工具及生产手段,即不变资本,不能形成剩余价值,只是形成它的条件;这些,我们都已知道了。

然则对于不变资本投下多少货币的情形,在资本家方面,一般的是无论怎样都行的么? 断乎不行。剩余价值固然专靠劳动者造成的,然如果没有生产工具及生产手段,资本家也无由获得剩余价值,即如劳动者之被佣于资本家,不是因为资本家独有生产工具及生产手段而劳动者地通被夺去了的缘故么?

我们已经看见,不变资本,它本身不形成剩余价值,不过是助成它的形成罢了。形成剩余价值的,乃是可变资本。不过,剩余价值之被分配于各个资本家及各布尔乔亚集团之间倒不是比例于可变资本,而是比例于支出总资本(不变资本+可变资本)而实行的。

因此,当资本家计算自己的企业的赚头时,不仅关心于他所得的剩余价值的绝对量,即他以(g)的形式所得的货币额的总数,并且关心于该剩余价值对总资本的比率。

试假定着有两个各以某种数额的资本,可引起等量的剩余价值,例如年额 3 万元的企业家。

假定其中一人(例如火柴工场的所有主)对于自己的事业,投资 15 万元,其他一人(例如织布工场的所有主)则投资 30 万元。

在剩余价值量相等的场合,两人果然都是把自己的企业看作有利的么?明明没有那种道理。前者对于投下的资本每元 $\frac{30000}{150000}$,可有两角钱的利润,后者对于自己的企业,就只获得 10% ($\frac{30000}{300000}=0.1$ 即 10%) 的利润,前者比之后者,明明是较为有利的企业。

要之,当资本家决算自己的企业的赚头时,不仅把剩余价值(犹之我们决定劳动者的剥削率一样)单和可变资本比较,且是和自己的总资本比较着的。

由是,资本家的剥削之真正源泉,便被遮蔽,因为剩余价值一和总资本作对比,就好像不变资本,也和可变资本是同等的剩余价值的源泉似的,于是剩余价值均由劳动者所形成的事实,遂被遮蔽,遂被涂消。

在这种被遮蔽的形态上所理解的剩余价值,就被转化为利润。

马克思说:"剩余价值,如果当作前贷总资本的这种观念的产儿去看时,就接受了转化为利润的形态。……于是这里所表现的利润,是与剩余价值同一的东西,不过它具有必然从资本家的生产方法成长的一个神秘化的形态罢了。"①

此外,还要极力申述的,就是剩余价值到利润的这种转化,并不是人类的

① 《资本论》第三卷第一篇第一章。

主观的表象的产物,而是□资本家的生产方法带□客观的必然性而发生的。问题并不在于资本家将他所得的剩余价值和支出总资本对比的一点。资本家的表象及愿望,无论是怎样,要之在资本主义的诸关系支配之下,那获得等额的利润的两企业中,投资额较小的一方是有利的一事实却是不能动摇的。正是根于这种事实,它反映到人类的头脑时,就浮着这样观念,好像全资本部分,都以同等的资格,参与了剩余价值的形成似的。

由于资本主义经济之物神的性质发生的这种欺瞒的表象,是从阶级的利害上以隐蔽资本家的剥削的真源泉为有利的布尔乔亚经济学者所支持的。

马克思主义经济学,不仅暴露了资本主义的真性质,并指摘了剩余价值由劳动所形成的情形,说明了资本主义社会的生产关系为什么采取带有客观的必然性而被物神化、被歪曲的形态。

要之,对比于总资本的剩余价值,是采利润形态的。对于资本家决定他的企业的利益的、对总资本的剩余价值的比率自身,被呼为利润率,通常用百分率来说明。

马克思用"P"这个字表现着利润率,如果资本家对剩余价值的全部,是由利润的形式转成货币的,利润率就可以表示如下。

$$P^1(利润率) = \frac{M(剩余价值)}{C + V(总资本)}$$

此外还要注意的,就是,当资本家决定利润率时,是处理在一定期间(普通为一年)所得的利润的。所以我们所引用的事例,关于两资本家在同一期间获得同额利润的场合,是正当的。

尽量地获得大的利润率——总是资本家所希求的。

现在在两个企业中,同类的劳动者在同一程度上被剥削,而一方的企业,如果较之他方企业的利润率更高,那方便看作有利了。但在资本家看来,他想把自己的资本投于何处——或投于钉的制造工业,或投于杠房——那都是完全无问题的,只要是利润率高的区处他就投下资本。

第十四章　决定利润率高度的诸要因

第一节　资本有机构成与利润率

利润率依存于什么条件?

为要回答这一问题,先假定在它的出发点上,各个资本家是把劳动者形成的剩余价值全部实现的。

如我们所知,利润率是形成于对总资本的剩余价值(即该当于它的利润)的比率,所以在其他条件无变化时,利润额越多,就越高,这是明白的。利润额依存于可变资本和剥削率的大小,自不待言。

但是除利润额外,利润率还可从两个重要的原因发动。那就是(一)资本的有机构成,和(二)资本的回转速度。

资本的有机构成是什么,我们已经知道了(参照第十一章第三节)。

那就是将资本的技术构成所表现在价值形态上的不变资本和可变资本之比。

资本的有机构成,在利润率上有什么影响?

资本的有机的构成越是高度,即不变资本比之可变资本越大,在其他条件无变化时,则利润率越低。

试再回到织物工场和火柴工场的例子去看。假定两企业,资本的回转速度都是相等的,剥削率也相等,例如是百分之百。此外,还要举出两企业的利润问题来①,所以可变资本,两者亦相等,各都是 3 万元,然而两企业的利润率不同,这究竟是什么缘故(前者为 20%,后者为 10%)?

---

① 因为已如我们再三所说,这个企业的剩余价值,假定系由该企业主全部实现的。

原因正是潜伏在两企业的资本的有机构成之中。

火柴工场的总资本是 15 万元,如果其中可变资本为 3 万元,则不变资本等于 12 万元,如果织物工场的总资本 30 万元是成于 3 万元的可变资本,和 27 万元的不变资本——

这种场合,前者的资本的有机构成为 $\frac{C}{V} = \frac{12000}{30000}$ 即 4:1,后者为 2700:30V=9:1。

后者的利润率(10%)比前者的利润率(20%)所以较低,这与利润相等(两者都是 3 万元)、可变资本相等(两者亦都是 3 万元)[①]无关,而是因为后者方面的不变资本大,其总资本的有机构成的高的缘故。

试再取其他的例子来看。

现在假定有"C"(不变资本)7 万元、"V"(可变资本)3 万元的企业 A,和"C"14 万元、"V"6 万元的企业 B,为期简单起见,剥削率假定两者都相等,为 100%[②]。那时,A 的利率年额是 3 万元,B 是 6 万元(我们现在也是假定各企业,都是全部实现它的剩余价值的)。

那么,利润率如何?

A 的资本,即是 C+V = 70000+30000 即 100000,所以利润率是 $\frac{30}{100}$,即 30%;在 B,它的利润率($P' = \frac{M}{C+V}$),是 $\frac{60}{140+60} = \frac{30}{100}$,即也是 30%。那么,资本及利润额虽然不同,而利润率在 AB 都是相等的。这种场合,其原因,是在于两者在相等剥削率上有相等的资本的有机构成。实际上,企业 A 的"C"与"V"之比,是以 70 对 30,或 7 对 3 而表现的,企业 B 的"C"与"V"之比,是以 140 对 60,即以 7 对 3 而表现的。

如我们所见,企业的资本的有机构成,是把企业的技术的水准,在价值的形态上说明了的。

企业的技术的水准越高,其资本的有机构成也高,这是通则。

但如我们所说,资本的有机构成一增高,利润率就随之低下,那么,当然要提高企业的技术,但是这件事,对于资本家就会发生这一结论,即因为减低了

---

① 资本的回转速度也相等。

② 资本的回转速度,也作为是相等的。

他的企业的利润率,于他是很不利的。

但在现实上,不限定有这样厉害。

在某种进步的技术。单由一个资本家所采用的场合,最初他的利润率,休说是低下,反而是提高的。这是什么缘故？因为技术上的进步,还没有一般的普及时,对于该资本家的利润率,除他的资本的有机构成的高度化的那个作用之外,还有很强的要因作用着。那就是该商品的生产所要的社会的必要劳动,和该企业的个别的劳动的背离。我们已经晓得,商品的社会的价值,系由社会的必要时间所称量。由于各资本家采用进步的技术,缩短自己的企业的个别的劳动时间,故在市场贩卖商品时,便以所谓差额利润的形式,获得社会的必要价值和个别价值的差额。

要之,技术的进步,在它还没有一般的普及时,资本的有机构成虽经高度化,而资本家的利润率,不但不减低,反而是提高的。

随着技术的进步成为一般的、因为这生产部门全体的有机构成,都被提高时,差额利润就消失,利润率和资本的有机构成的关联就一定①。

这样,随着资本的有机构成的高度化而利润率下落的这一命题,是不适合于个别的企业的资本的有机构成的,这件事,我们已经明白地知道了。

如果撇开各个生产部门间的交互关系不提,而规定总生产部门的利润率和它的资本的有机构成的关联时,我们可达到以下的结论:即,一定生产部门之一般的、有机的资本构成这高度化,会引起贯通于同部门全体的一般的利润率之低落。

以后检讨剩余价值到各个部门的配分时,我们当可看到,一定的生产部门的利润率,如果单依据该部门的资本的有机构成,仍然是得不到完全的说明的;在那个场合,还要考量社会总资本的有机构成。但是,暂时为避免问题的纠纷,只就一生产部门的全体来说好了。

---

① 实际上,到了差额利润逐渐消灭时,各个资本家,又开始采用新的进步的技术。然而那又不过暂且提高他们的个别的利润率罢了。因为这种新的进步一被普及,差额利润便不得不消失。而且到了以后,将成为较前更低的利润率。于是资本家将又招致新的改良。

第二节　总资本的回转与利润率

我们考察了利润率和资本的有机构成的关联之后,应常考察资本的回转影响于利润率的问题。

资本的一回转时期,就是由某形态上的资本通过三个阶段回到原来形态所要的期间所决定的,这件事,我们已经说过(第十三章第一节)。

资本的回转越快(因之总资本的回转时间越少),利润率就越高。

假定某资本家对于自己的事业,投资了10万元,又假定先从货币形态的资本转化为生产资本,次则转化为商品资本,最后又回到原来的货币形态,其期间通同为一年。为期简单起见,在这个场合,我们是把全资本部分的回转速度看作同一的,所以结局,资本家便是每年一次买进机械、建筑物、原料,并支付工钱的。

但是假定这资本家能以某种方法(例如由于赶快卖出商品的情形)缩短资本的回转时间,结果不要一年,只半年间就把自己的资本在货币形态上收回了。在这种事情之下,资本家照从前10万元的资本,就可于一年中生产二倍的商品,而体化于商品中的,便有从前二倍的剩余价值,这是容易知道的。实际上,从前对于各劳动者,如果是每年一次支付400元,所雇佣的为500人,那么,现在以同额的可变资本20万元,一下子就雇佣1000人,每半年每人支付200元就行了。机械和原料,也是一样。

资本的回转越快,资本家对于等额的资本在同期间内所获得的利润便越多,利润率便越高。

所以资本的回转稍现阻塞,资本家便认为是自己的损失。在自然经济的诸条件之下,贪欲深的领主,即令是贮藏于地下室的东西,却都把它交换得来;但在目前的资本家,就不会糊里糊涂地干那种买进许多用不完的原料的“奢侈”的把戏。因纺织企业主的仓库中所放的棉花,即令是暂时的,因而转变成“死的资本”的情形,要使总资本的循环迟缓,使利润率低下。同样的情形,对于老是无人买的已成商品,和老不使用的机械,也可以说。①

———————

①　在这里,我们晓得,劳动的强度化,不仅增大剩余价值,就从促进资本回转的这件事说来,对于资本家也是有利的。

第三节　资本的各部分的回转
固定资本与流动资本

在前节述说资本的回转时，我们暂时假定资本的全部分，都是等速度地回转的。

可是在现实上，资本的各部分，在他的回转上，都演着不同的任务。

各个资本部分，当将它的价值移转于制品时，不演着同一的任务，这是我们所知道的。如尚要加工的原料，在一个生产期间，将自己的价值，完全地移转于制品上。再如劳动力，也是于一个期间内完全补偿（且还添加剩余价值）它自身的价值的。但如机械和建筑物，不是将自己的价值，在一个生产期间内移转的，而是一部分一部分地移转的。

由是，原料及劳动力，实比机械及建筑物更迅速地完成一次的回转。在资本家从一个生产过程移于他生产过程之前，原料和劳动力由于一次的回转而完成。及到已成商品被贩卖出去，那体化于其中的原料和劳动力的价值，就完全回到他的手中，他便以所得的钱，买进新的劳动力和新的原料，以之卷入于下次的生产期间中。从生产期间到生产期间，支出于原料及劳动力的资本，又可以从生产形态回到原来的生产形态。

至于机械及建筑物，便与此不同了，资本家卖出已成商品所收回的，仅仅是他的价值的一部分。部分的实现出来的机械及建筑物的价值，不是到了下一次的生产期间，就可以收回的。等到机械的价值在货币形态上完全回到资本家的手中时，即等到资本家舍弃旧机械，添置新机械之时止，须经过好几次的生产期间。

经过好几次的生产期间才能完全回转的机械及建筑物，称为固定资本；如原料，补助材料及劳动力等，它们的回转数，和生产周期数是一致的，被称为流动资本。

于是我们知道，现在划分资本的方法有两种：一是从剩余价值的生产的观点，分为不变资本（不形成剩余价值，只是补助这个过程的）和可变资本（形成剩余价值的）；二是从资本回转的观点，分为固定资本和流动资本。

以下的表式,是依据的这两个观点制成的,好教我们知道某项资本,可放在某一个资本部分中。

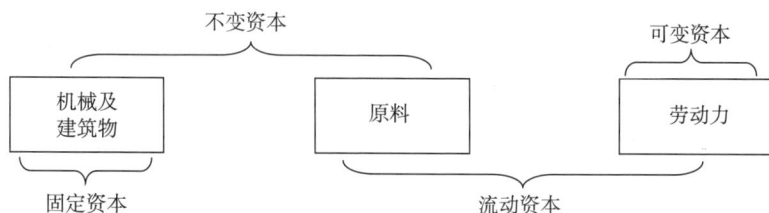

各个资本部分,是各别的回转的,所以对于总资本的利润率,依存于总资本的平均的回转。

企业总资本的平均的回转速度,如果我们知道一方面的投于企业的总额,他方面的一年间收回的资本总额,就可以把他算出来。

试就固定的资本 8 万元、流动资本 2 万元的一个企业来看,假定固定资本的回转时间为 8 年,流动资本的回转时间为 1 月,那么,一年间收回的资本总额如次,即——

固定资本……80000 元÷8 = 10000 元

+流通资本……20000 元×12 = 240000 元

一年间收回资本的总额……250000 元

投下的资本总额,是 80000 元+20000 元＝100000 元,所以收回的资本总额 25 万元,不能不看作投下资本的二倍半。换一句话说,企业的总资本,可说是于一年间,作二次半收回来的。

此外还要注意的是,随着技术的发达,总资本的平均的回转也因之缓慢,那由技术的发达,和能保持多年的庞大的新机械、新建筑物的采用等相结合,而被说明。这样,便是固定资本的大小增加,它的回转变得缓慢了。

这个理论的判断,可由统计数字,完全证明。

试就史托尔弥林对 1911—1912 年间的俄国各种股份公司企业所做的计算来看,我们当可得出以下的统计来——

从回转看的企业的大小	一年间的回转数
5000000 卢布	1.51
3000000	1.55
1000000	1.90
500000	2.30
100000	3.18
10000	3.55

资料来源:据史托尔弥林:《苏联产业资本的问题》。

这表中的企业的技术的水准,虽然没有提出,但如大企业,其技术当然是高度的(那单由它的回转看来,也可以判断得出)。

关于由技术的发达引起的资本的回转化的以上的论定,还要加以多少的修正,因为随着技术的发达,交通机关(铁道、电报、邮政)被改良的结果,因而资本的回转时间,多少都能缩短。此外,若干技术的进步,也是能够缩短资本的回转时间。例如皮革业,从来用很原始的方法生产,使投于兽皮原料的资本,回转非常缓慢,但在今日,由于制革工业应用电气,所以这个过程,就缩短得很多了。

但是还要说一句的。就是这一切加快资本回转的作用,如果和我们在前面所说的使这回转迟缓的诸原因一比较,是无什么意义可言的。所以随着技术的发达,资本回转因而缓慢的这一结论,全体上是正当的。

因为技术的发达使各部门的总资本的回转变得迟钝,当然要使得关于这部门的资本的利润率降低,这是明白的。

现在,还要反复说明一次的,就是:在由各个企业的技术的高度化而来的资本回转的缓慢化一点上,还有利润率不至于低下,最初反而在该企业中现出差额利润,即利润率的高度化。

但如我们所见,差额利润的形成之阻止利润率降低,这只是限于这技术的进步还未一般普及的时候。

这样,就在这种场合(如果暂且撇开剩余价值到各个部门间的再分配时),非等到全生产部门的资本回转变得缓慢时,利润率是不能降低的。

第四节　结论　利润率和剥削率的交互关系

现在,要下结论了。

我们已经看到,资本的有机构成的高度化,引起利润率的降低,资本回转的缓慢化,也是在这个方向上发生作用。

但是,利润率除依存于资本的有机构成及它的回转之外,且还依存于利润的额,这是我们已经知道的。因为利润率本身,是由利润额对总资本之比而成的。

但是利润,只是被转化了的剩余价值,所以,从劳动阶级剥削得来的剩余价值越大,剥削越强,在其他事情无变化时,利润率也应该大。

但是,利润率,当然不是和剥削率的增大,以同一的百分比增大的。试就织物工场的例子来说,它的总资本是 30 万元,剩余价值 3 万元,剥削率 100%,利润率 10%。

假定剥削率更增大了 100%,那么,剩余价值也增大为 6 万元,利润率则成为 $\dfrac{60000 \times 10}{30000}$。这样,利润率仅仅是增加了 10%。但是,不要说增加了百分之几,只就比较原来的率增加了若干倍来看时,便知道剥削率也增加了 2 倍。

在资本主义社会中,随着技术的发达,对于劳动阶级的剥削也因之增大,又因它增大了剩余价值量,当然就作用于利润率而使之增大。

但是,随着资本主义的发展,因而助长剥削率和剩余价值量增大的同一原因,同时也是助长资本的有机构成的高度化和资本回转的缓慢化的。①

因此,不问剥削的增大是提高利润率的,要之,在资本主义的现实上,利润率随着技术的发达,是循着降低的倾向的。

这个降低,具体上如何实现,它结局会引起什么来,往后就会明白。

----

① 这在后面都有详细的考察。

利润率、资本的有机构成及剥削率三者之间的关系，可以把它用一个公式表示出来。

表示利润率和剥削率的两个公式，我们已经知道了。即——

方程式 Ⅰ P'（利润率）$= \dfrac{M(\text{剩余价值})}{C + V(\text{总资本即可变资本} + \text{不变资本})}$

方程式 Ⅱ M'（剩余价值）$= \dfrac{M(\text{剩余价值})}{V(\text{可变资本})}$

为要结合这两个方程式，我们从第二式找出 M 的值，以之代入于第一式，即可从第二式找着 $M = M'V$。如果以之代入于第一式，则——

$$P' = \frac{M}{C + V} = \frac{M'V}{C + V} \text{ 或 } P' = M' \frac{V}{C + V}$$

由这个公式看来，明明利润率对于剥削率是成正比例的。再则如果在这个公式上注意，也可以晓得，其中表现得有利润率和资本的有机构成的从属关系。

第十五章　利润率平均化的倾向

第一节　利润追求与资本的移动
利润率平均化的倾向

以上，我们是从各生产部门，把劳动者在该部门内所形成的剩余价值全部实现的那个假定的出发的。

如果在现实上是那样，各资本家所得的利润率①，便是完全依存于该生产部门的剩余价值量，资本的有机构成及回转速度的。

但在实际上如何？

假定有两个资本家，在价值上拥有相等的资本，而各在两个不同的生产部门——一个是机械制造业，一个是皮鞋制造业——上活动着。如果前者的资本的有机械构成比较后者的是高度的，那么，这个场合如何？在第一个资本家——机械制造业者方面，他所有的可变资本，如比较皮鞋制造业者的要少，而对劳动者的剥削程度是相等时，则机械制造业者，由他的资本所获得的利润，当然要少于皮革制造业者所获得的利润。那便是说，两个资本家有等额的资本，而对于等额的资本，却得着不同的利润率了。现在这里有个资本家，他正想投资于某种新事业，那么，他究竟选择哪一种呢？建立制革工场，抑或开始制造机械？这个答复是明白的，如果皮革工场的利润率大，自由的资本，不会流入机械制造工场，当必流到皮革工场去。不仅这样，我们资本家——"机械制造业者"，只要有机会，也会马上"取消"自己的工场，以其资本投到更有利的"皮鞋制造业者"上去。但是这些结果，究竟如何？那当是皮鞋制造工场

---

① 如果撇开个别的劳动和社会的必要劳动的差别不提。

的数目增加,机械制造工场的数目减少。抛于市场的皮革制品的数量一激增,它的价格自会下落。于是皮革企业的利润率,也必定下落。

但是,在机械制造业一方面,却发生正相反的现象。在那里,生产虽然缩小了,而对于机械的需要(就是单从要建新皮鞋工场的资本家方面来说),反而增大。那么,机械(及其部分)的价格腾贵,同时,机械制造业的利润率,也会提高。

然则机械的价格,腾贵到什么区处为止,皮革制品的价格,低落到什么区处为止呢?

那种情形,在"皮革业者"的利润率,低落到"机械制造业者"所提高的利润率以下之前,是继续着的。

这样一来,向着机械制造业的资本的反移动,自必开始,不久又会因生产扩大的结果,机械的价格及利润率,自必又低落。这样,在资本主义社会中,因要追逐利润,资本就从这一部门到那一部门的不断地移动着。于是利润率高的生产部门,便失其利润之一部;反之,在利润率低的部门(如上例的机械制造业),因资本流出的结果,利润率当又会高起来。

如果在资本移动的当中,恰是各个生产部门的利润率平均化的瞬间,那么,资本的移动,自必戛然而止。

但是,由于资本主义的生产的无政府性的这个理由,这种利润的平等化,是不可能的。因为,资本家知道他之获得利润额,不是在生产之中,而是在生产终了之后,即在商品被卖出之时。并且,当一个资本家,探求可以投资的生产部门时,是否还有人也来向这一部门投资,是他不能算定的。因此,例如从皮革业向机械制造业的资本移动,非等到投于机械制造业的资本量成为无益,并且这一部门的利润率低到皮革业的利润率之下时,决不停止。

这样,便又开始从机械制造业向皮鞋业的资本的反移动了。

在一切的资本移动及利润率变动上,呈现一定的倾向。即相对的高的利润率向下,低的利润率向上。结果,各个生产部门的利润率,在它的不断变动之中,对于全部门趋向于某种平均的率。

马克思关于此点,给了如下的注意:"因为投于相异的生产诸部门的各种资本的有机构成,是不等的……由这些资本所占有的剩余劳动量,或生产出来的剩余价值量,都很不相同。因此,就在相异的生产诸部门中的支配的利润率之间,原来也就应存有明显的差异。这些相异的诸利润率,因竞争的缘故,都在一切平均的一般的利润率上被均等化。依从于一般的利润率,而归属于一定大小的资本——不问它的有机构成如何——上的利润,称为平均利润。"①

如我们上面所注意的,利润的完全的平均化是没有的,而各部门的利润,通常是背离平均利润率的,所以我们所说的,不是关于利润的平均化,而是关于向着平均化的倾向。即各部门不过单以平均利润为中心而不断地变动着,决不是和它是精确的一致。

此外还要注意的,就是:如上述的资本移动,没有那么容易,这种事实,也是妨碍各部门到平均利润化的倾向的,即是说,资本家不是把自己的不利益的企业,一下子就可以取消得了的。因为我们知道,他所投下的资本,一个回转期,得要许多年。

然而这种情形,并不是废除所谓到利润率平均化的倾向的法则,不过单是多少制止它的作用罢了。

从这部门到那部门的资本移动(因而到利润率平均化的倾向),不仅为资本的有机构成(如我们所引用的例)所制约,并且由利润率的差异所依存的其他诸原因所制约,即由资本的回转速度和剥削程度所制约。我们已经看到,这一切原因,都互相紧密地结合着,资本的有机构成的高度化,通常是和回转的缓慢化及剥削率的增大相结合的。

第二节　平均利润率的法则及其意义

现在,发生这样一个质问:各部门在资本的移动及利润率不断地变动过程上所倾向着的一定的社会的平均利润率,究竟依存于什么?

这个平均利润率,是依存于社会的平均资本的有机构成,资本的平均的回转速度及平均的剥削率。

实际上,在一个社会当中,相对的各种数量的机械及劳动者是互相并存

---

① 《资本论》第三卷第二篇第九章。

着,即具有各种的有机的资本构成,以及各异其回转速度及剥削程度的诸生产部门,是互相并存着。

但是,如果计算一定时期、一定社会的全生产部门的不变及可变资本量,并探求它的比率时,并且对于资本回转和剥削率也同样地加以计算和探求时,我们常可获得决定该时期的平均的资本的有机构成及其他平均利润率的诸种平均量。

试举例来说明。为避免纠纷起见,只是研究资本的有机的构成。假定一社会的全生产部门,分为下列三种:(一)例如以机械制造工场为支配的有机的资本构成的高部门;(二)如面包作、小木工、缝衣作等职场的有机的资本构成的低部门;(三)以纺织工场为特征的其他诸部门。假定一部门的劳动者数目都相等,各部门的可变资本都是 1 亿元,剥削率也是相等的(例如 100%)。

假定有机的资本构成的低部门的不变资本的总额是 1 亿元,高部门的是5 亿元,其他是 3 亿元。为期简单起见,不仅假定剥削率相等,就连资本的回转速度,通全部门也假定都是相等的。

在这种条件之下,怎样规定资本的平均的有机的构成及平均的利润率呢?

为着这一目的,我们试先计算全部门的不变资本及可变资本的总额,及劳动者在全企业中所形成的剩余价值(要记得剥削率都是 100%)。

这样,就完成如下的统计了。

	不变资本 (单位百万元)	可变资本 (单位百万元)	剩余价值 (单位百万元)
有机的资本构成的高部门(机械制造工场其他)	500	100	100
有机的资本构成的低部门(面包作、小木工等)	100	100	100
剩余的诸部门(纺织企业等)	300	100	100
总计	900	300	300

这样,这社会的不变资本总额是 9 亿元,可变资本总额是 3 亿元。

社会总资本的有机构成,是以 9 亿对 3 亿,即以 3 对 1 表示着的。

因为,社会的总资本(C+V)是 12 亿元,剩余价值(M)是 3 亿元,所以平均

利润率 $\dfrac{M}{C+V}$ 是 $\dfrac{300}{1200} \times 100\% = 25\%$，这社会的全企业的利润，是向着这个平均率前进的。

虽然这样，自然也不是说一切资本家——"机械制造业者"、"纺织业者"、"面包作"——都是得到平均利润率的。受了市场的好条件之赐的各生产部门，固可较之他部门获得多的利润。可是到了人皆称羡着的某一部门能够赚钱时，其他资本家，马上就会蜂拥到那部门去，这样，这部门的商品价格，自必下落，利润率也随之低下。于是，向这部门投资的资本家，他的商品价格，至于落到连平均利润率都不够的程度。但是，情形既然如此，资本的反移动必又向他部门开始。结果，这部门的商品价格又腾贵，利润率也随之提高，至于超过平均率而止。同时，资本的移动，又趋于这一部门。要之，同样的情形，都接连地被反复着。

在资本主义的社会，决没有利润率的完全的均等，然而，通过不断的变动所表现的到平均化的倾向，却是存在的，这已如上述。

各资本家虽然都在主观上追求最高的利润率，然在客观上，他们的这种追求，是会引起离开他们的意志而独立的，利润的平均化。

这是资本主义经济的自然发生性的一个指标。

但是，利润率平均化的倾向，不单是专证明资本主义社会的自然发生性的。

这种平均化，表示着劳动者不单被自己的直接的主人，即不单被各个资本家所剥削，并且是被整个资本家阶级所剥削。平均利润率所表示的事情，不是各个劳动者与各个资本家相对立，而是全劳动者阶级与全资本家阶级相对立。

实际上，当平均利润率形成之时，劳动者的剩余价值究竟怎样？

现在，假定这里有一个高度的有机的资本构成（就该社会说）的企业。这个企业主，如果仅是实现自己的劳动者的剩余价值，那么，他所得到的利润，当在平均以下。反之，如果他所得的是平均利润率，那就是意味着其他企业的劳动者的剩余价值，有一部分落在他的手中了。毕竟是来自哪一部门，这是容易知道的。因为资本的有机构成低的企业主，不能把自己劳动者的剩余价值，全部弄在手里。就是说，若不是那样，他不能得到平均以上的利润率。一部分的资本家的所失,就是其他资本家的所得。

各资本家所得到的,不是自己劳动者的剩余价值,而是全社会的全剩余价值的一部分,它平均地被分配于资本家的手里。如马克思所说:一切资本家,表现为一个巨大企业(即作为总体看的社会的全企业)的股东;各个资本家,从利润的总额上,获得比例于他们资本量的份子。

马克思说:"各生产部门的资本家们,……不是实现他们自身的生产部门上所生产的商品的剩余价值,他们所得的东西,只是从一切生产部门的社会的总资本在一定期间所生产的总剩余价值,即总利润之中,被均等地分配于总资本的各部分的剩余价值,即利润。"①

所以,被放在剥削之下的劳动者,他不能指出骗取他们剩余价值的是哪一个资本家;另一方面,资本家也不能明确地知道,自己在利润的形式上实现了哪一个劳动者所形成的剩余价值。

于是,我们可以作如下的断定:隐藏在平均利润背后的东西,已不是各个资本家和各个劳动者的关系,而是总体的资本家阶级和劳动者阶级的关系。

由各资本家的企业的劳动者所形成的剩余价值,在利润率平均化的过程上,既是分配于各部门之间的,那么,各资本家所得的利润,如我们所见,和他的劳动者所形成的剩余价值是不一致的。

"即,在特殊的一个生产部门上,现实的被形成的剩余价值,并利润,和含在商品的贩卖价格中的利润相一致的那种事实,早已不过是偶然的结果了。"②

由是,利润自身的本质,更被弄得暧昧,它是在劳动者的剥削过程上发生的那种事实,也被遮掩起来。

当利润形成时,曾经发生过利润是由总资本所引起的那种错觉,到了现在,这种错觉更加强了。无论个别资本的内的构造如何,无论资本所运用的劳动力的量之大小如何,无论对于劳动者的剥削程度如何,凡属在其总量上相等的两个资本,都会引起相等的平均利润来。资本的总额既无变化,它所引起的

---

① 《资本论》第三卷第二篇第九章。
② 《资本论》第三卷第三篇第九章。

利润额,也不会变化。在一定的资本的有机构成和它所引起的利润率之间,直接的从属关系,好像是没有的。于是引起利润来的资本的性质,较之从前,更加表现为资本一般的神秘的属性。

第十六章　生产价格与价值

第一节　生产价格的一般概念

在由生产部门到生产部门的资本之不断移动过程中,在资本主义社会的利润率之不断变动过程中,发现了到利润率平均化的自然力的倾向,即发现了都向着社会的共通的平均利润率形成的自然力的倾向,这件事,上面已经说过了。这时候,各生产部门,由于相互的分配该部门所形成的剩余价值,所以他们所得到的东西,已经不完全是他们自身的劳动者所形成的利润,反之时而多得,时而少得,倒成了通则。

所以,资本主义的生产的各部门,不是把生产出来的商品,按照价值出卖,有时是价值以上,有时,在价值以下出卖的。

事实上,我们知道,一切商品的价值,是由它的生产所被支出的社会的必要的抽象的劳动量来决定的。

在资本主义的诸条件之下,生产出来的商品的价值,由下述二种价值成立的,一方面是由不变资本转入的价值,他方面是由劳动过程上新被形成的并且分为必要价值和剩余价值的价值。

所以商品的价值中,除被转入的价值和新被形成的必要价值之外,全剩余价值都完全被包括着。

但在平均利润率之下,各生产部门的资本家,如果有时失去由他们劳动者所形成的剩余价值之一部,有时又获得某种的过剩时,那么,他们所出卖的商品的价格,是比较它的价值或高或低的,这是明白的事情。

这样看来,在利润率的平均化之时,资本主义的各生产部门的商品价格,由什么所决定的呢?

　　各资本家当出卖自己的企业上所生产的商品时,首先就得收回该商品的生产时所支出的货币额,即收回原料、劳动力、机械的磨灭部分等,换句话说,即收回商品的原价或生产费,这是不待言的。①

　　资本家除收回这种生产费之外,当卖出商品时,还可常常实现某种数额的利润。但是那种利润,是在不断的变动中,对于一定的社会,趋向于平均的利润率的。

　　所以在资本家的各生产部门内被生产了的商品之不断的价格变动之中,显现出商品是以生产费加平均利润而出卖的倾向。

　　像那样形成了的价格,经济学上特称为生产价格。

　　马克思说:“生产价格,是与下述两者之和相等的价格,这两者之中,一是商品的生产费;一是从那被充用于该商品的生产(不单是在那生产上被消费的),而应归属于资本的一年间的平均利润率之中,比例于回转上的诸条件而被附加于商品中的部分。”②

　　可是,虽然说资本家的各生产部门的商品价格,具有向着生产价格的倾向,却不是说商品的价格,在现实上,是和生产价格一致的。“在资本主义的生产全体上,一切普遍的法则,只是极错综的且近似的方法,只当作不断变动的决不能确定的平均,把自己贯彻支配的倾向罢了。”③这话也可以适合于生产价格。资本家贩卖商品时,决不是以得到生产费和平均利润为满足的。他无论何时,总是尽量地追求多的利润。但是,他如果在生产价格以上,卖出他的商品,而获得了平均以上的利润,资本便会马上拥到这部门来,随着使利润落到平均以下,商品的价格落到生产价格以下。

　　这样,我们知道,在资本主义社会中,各生产部门的商品所出卖的市场价

---

　　①　一切生产费,在资本家看来,都是货币的支出,而以为支出于劳动力的货币和支出于不变资本的货币,没有什么不同,所以资本家,对于各种生产费的细目,不设置什么原理的差别。即他觉得他的货币支出,都是平等地“转移”于制品之上的。但在对于生产费作这样的解释之中,我们看到社会关系的物神化。已为如我们所知(参照第三十三节),在现实上,转入于制品中的东西,只是不变资本的价值,劳动力(可变资本)呢,严密地说来,他不是把自己的价移转于制品之中的,而是在劳动过程上形成的新的价值——分为必要的价值和剩余价值,而在新形成的价值当中,必要价值的部分,等于被支付了的劳动力的价值。

　　②　《资本论》第三卷第二篇第九章。

　　③　《资本论》第三卷第二篇第九章。

格,是以生产价格为中心而不断地变动着的。

"生产价格,通过市场价格的不断地变动,调剂资本主义社会的资本的运动,调剂社会总资本向各生产部门的分配。"①

在一定的时期,市场价格在生产价格之上,资本便拥到该生产部门去;反之,市场价格在生产价格之下,资本便又从该部门流出。

马克思说:"各个部门中市场价格离开生产价格的不断的偏差,诱起社会的资本之新的周流和新的配分。"②

在资本主义社会中,劳动是向着资本的所在的,所以,从部门到部门的资本的不断的"周流",同时,也就引起部门到部门的劳动的不可抗的移动。

向到利润率的平均化和生产价格的形成的倾向,借马克思的话说来;"致使社会的劳动时间的总和……分配于各种生产部门。"③

要之,生产价格本身,由于调剂各资本家的生产部门的资本之自然力的运动,同时,又调剂各该部门的劳动之自然力的运动。

第二节　生产价格与价值

在这里,发生一个极根本的疑问。在本书的第一篇中,因为研究了在商品经济的初期发展阶段(即单纯商品经济)上,表现于萌芽形态中的这经济的最一般的诸法则,所以我们知道了商品经济的根本的运动法则,即价值法则。

我们在那里看到,商品价格,常是以价值为中心而变动的,而价值本身,通过这些变动,自然地调剂商品经济的劳动的移动,调剂向着各生产部门的劳动的配分。

"商品的价值法则,在社会所能处理的劳动时间之中,决定着能支出怎样的部分于各商品种类的生产。"借马克思的话来说,价值"统制"商品经济上的"生产的变动"。

但到现在,知道了平均利润率的法则,我们就看到:在资本主义经济中,各

---

① 马克思:《关于剩余价值的诸学说》第二卷。

② 马克思:《关于剩余价值的诸学说》第二卷。

③ 马克思:《关于剩余价值的诸学说》第二卷。

产业部门的商品的市场价格,以生产价格为中心而变动,并且各部门的生产价格,有时低于该部门所生产的商品价值,有时高于该部门所生产的商品价值。

我们晓得:生产价格,在资本主义经济上,一方是调剂资本向着各生产部门的运动,同时,是调理劳动向到许多部门的配分的。

但是,在资本主义经济上,统制资本和劳动的商品的生产价格,如果不和各产业部门的商品的价值一致,那不是价值法则,不适合于发展的资本主义经济么? 那不是指示生产价格的作用,是破坏价值法则的作用么?

换句话说,就会发生这一质问:即"生产价格与价值的交互关系如何"?

为答复这一质问,首先就要更深入地考察生产价格与价值的背离是依存于什么?

一切商品的价值,如我们所知,不仅单靠加工于一定商品的最后劳动着的劳动来决定,并且要靠参与于生产的一切劳动者的劳动来决定。所以,商品的价值,由以下诸要素所形成。

第一,由不变资本(C)转入了的价值。

第二,在劳动过程上新被形成的价值。而这个价值,又由下述两者而成的:

(a)被加在一单位商品的劳动力的价值,或可变资本(v);

(b)体化于这商品中的剩余价值(m)。

这样,各个商品的价值,等于(c+v+m)的总和,但是c、v、m,不都是它的全部,而只是相当于商品的每一单位的部分。

然则各个商品的生产价格等于什么? 它是由下述两者而成的;一是生产费,更精确地说,是对不变资本和可变资本的费用;二是平均利润率。

为生产价格之一部分的平均利润,与为商品价值之一部分的全剩余价值,常不一致,所以单只这件事,常使生产价格或高于价值,或低于价值。

然则在怎样场合,生产价格高于价值,在怎样场合低于价值呢?

我们在上面对于剩余价值向着各产业部门间的分配,已经说明过,从那些说明推究起来,在商品的生产价格和价值间的偏差,是和各产业部门的资本的有机构成(及资本的回转速度)及剥削率上的差异有关联的,这是容易理解的事情。因为由于这个差异,就发生各资本家所得的剩余价值,和被他们所实现的平均利润的差异。

且再回到上面（第十五章第二节）所说的例子上。社会所有的总资本，为12亿元，一切企业依照该资本的有机构成，可分为下列3种。

	不变资本（单位百万元）	可变资本（单位百万元）	剩余价值（单位百万元）
资本的有机构成的高部门（机械制造工场等）	500	100	100
资本的有机构成的低部门（面包作小木工等）	100	100	100
其他（纺织工场等）	300	100	100
计	900	300	300

试注意"其他"标题项下的生产部门。它有300不变资本和100可变资本，所以资本的有机构成，是300：100，即3：1，而社会总资本的有机构成，也恰是如此（900：300＝3：1），因而呼为"其他"的这些企业，应是平均构成的资本。要之，照上例看来，则有高位构成的资本，和低位构成的资本。假定一元钱代表一小时的社会的必要劳动，那么，体化于全企业的商品中的，有若干劳动时间？换句话说，由它生产出来的商品的价值，等于什么？试计算看看。我们在这种场合，为避免纠纷计，假定一年后为一回转，在这当中，不变资本则全被消耗，其价值也完全被移转了，试列表于下——

	转入于商品的不变资本的价值（单位百万小时）	可变资本的价值（单位百万小时）	体化于商品中的剩余价值（单位百万小时）	总计（单位百万小时）
资本的高位构成的部门（机械制造业等）	500	100	100	700
资本的低位构成的部门（食粮品企业等）	100	100	100	300
资本的平均构成的部门（纺织业等其他）	300	100	100	500
总计	900	300	300	1500

这样,在机械制造工场和其他高位构成的资本的那种企业的商品中,有 7 亿劳动小时被体化着,这种商品的价值,用货币来表现,就是 7 亿元。在平均构成的资本的产业部门的商品的价值,是 5 亿元,低位的是 3 亿元。

然则,这些工场的商品的生产价格,如何?

这社会的平均利润率,如 25%,已在 72 节算出。但是,在机械制造工场和其他高位的资本构成的诸工场,都是 500c+100v 即都是费了 6 亿元的,所以,在那里制造的机械的生产价格,便是生产费(6 亿元)+平均利润率 25%($\frac{6 亿元 \times 25}{100}$ = 1.5 亿元)。

在纺织企业和其他有平均的资本构成的诸企业生产价格,也可以照样算出。

(生产费)	(平均利润)	(生产价格)
3 亿元+1 亿元 不变资本+可变资本 总额 4 亿元	+ 4 亿元的 25 即 $\frac{4 \times 25}{100}$ 亿元=1 亿元	= 4 亿元+1 亿元=5 亿元

在低位的资本构成的诸企业中,也照样的计算看。

(生产费)	(平均利润)	(生产价格)
100c + 100v 总额 2 亿元	+ 2 亿元的 25% 即 $\frac{2 \times 25}{100}$ 亿元=5 千万元	= 2 亿元+5 千万元= 2 亿 5 千万元

现在,试将各生产部门的商品的生产价格,和它的价值作比较。

	商品生产的劳动价值 (单位百万元)	诸商品的生产价值 (单位百万元)	生产价格的价值和它的差额(单位百万元)
机械制造业及其他高位的资金构成的诸企业	700	750	五〇增
纺织业其他平均的资本构成的诸企业	500	500	无差

	商品生产的劳动价值 （单位百万元）	诸商品的生产价值 （单位百万元）	生产价格的价值和它 的差额（单位百万元）
食粮品其他单位 的资本构成的诸 企业	300	250	五〇减
社会的诸总业	1500	1500	无差

这计算,昭示我们的是什么?

资本的有机构成在平均以上的生产部门中,商品的生产价格,比它的价值高;反之,在低位构成的资本的生产部门中,商品的生产价格,比它的价值低。

这一结论,和我们在上面考察平均利润的形成时所说的,恰相一致。我们在 72 节上,曾经说过:资本构成的低位的企业所有者,当利润率的平均化时,则失去自己的劳动者所形成的剩余价值之一部;而资本构成的高位的部门的资本家,则可获得若干的过剩。

比较了各生产部门的商品的生产价格和它的价值,其结论概如以上所述。

现在对于这个问题,不从各个经济的观点去检讨,而从总体的全经济的观点去检讨一番。

社会的全商品的生产价格的总额,和它的价值总和的关系如何?

从上表看来,知道全商品的生产价格和它的价值,是 1 亿 9 千万元。即它们的总额,两者都是相等的。

这完全不是偶然。

社会的总剩余价值,在利润的平均化时,被分配于一切资本家之间,而各资本家就从总剩余价值中,获得正比例于自己资本的份子,这是我们已经说过的。如果把全资本家所得的份子都加算起来,它就会和社会的全劳动者所形成的总剩余价值,恰相一致。各产业部门的商品的生产价格所以不和它的价值一致,不是因为它的利润和一定部门的劳动者所形成的剩余价值不一致么?但在总体的全社会上,既已消失了社会的总利润额和剩余价值不一致么?但在总体的全社会上,既已消失了社会的总利润额和剩余价值总量的差额,那价值的总量和生产价格总量之差,也当然不会有,两者都非成为相等的东西不可。

如果回到上述的例子上,我们当可看到:在有机的资本构成的低位生产部门("面包作"其他),商品的生产价格,比他的价值还要低落 5000 万元;再当利润的平均化之时,那些部门又失掉了由劳动者所形成的剩余价值之一部(即剩余价值为 1 亿元,而卖出后所得的利润,才 5000 万元)等等情形。

但是,有机的资本构成的低位企业失去了 5000 万元,而有机的资本构成的高位企业(机械制造业及其他),却正完全地"赚到"那个数目。

在机械制造业方面,资本家由他的劳动者所形成的剩余价值推测起来,是应该获得低的利润的。然而实际上,由于将他的商品照生产价格出卖的情形,他竟获得了 1.5 亿元,即不仅是他的劳动者所形成的剩余价值 1 亿元,且另外获得了 5000 万元的过剩部分。

机械制造业者"所得"的追加剩余价值,恰是"面包作"在竞争过程上的"所失"。

在平均的资本构成的生产部门,由于资本家将他的商品照生产价格出卖的情形,他刚刚获得了等于他的劳动者所形成的剩余价值的利润。

如果就社会全体的全生产部门看来,一方的("机构制造业者")所得,就是他方的("面包作")所失,因此互相抵消,结果,全资本家的利润,恰等于全劳动者所形成的剩余价值。

所以,社会全商品的生产价格的总和(生产费与利润之和),等于价值的总和。

马克思关于这点,曾说:"如果把全生产部门当作一个全体看,那便全商品的生产价格的总和,等于它的价值的总和。"①

存于生产价格和价值间的所有外观上的"矛盾",可由"入于某商品中的剩余价值过多,入于他商品中的剩余价值过少,并对商品价值的生产价格的过与不及,互相抵消"②的情形所解决。

生产价格,在现实上并不是废止价值法则的作用的,不过单是表现为"商

---

① 《资本论》第三卷第二篇第九章。

② 《资本论》第三卷第二篇第九章。

品价值被转化的形态"①罢了。

资本主义经济的各部门的生产价格,尽管和价值相背离②,那不过是对于价值的偏差,而在它的根柢上,价值法则依然存在着。马克思说:"生产价格自身,如果没有为劳动时间所决定的价值,是不能说明的。"③

生产价格,如我们所知,是由生产费和平均利润而成的。

然则平均利润是什么? 如一般所周知,它是由一定社会中的总剩余价值对社会总资本的价值的比率而成的。如果丢开了价值,就不能理解剩余价值,也不能决定它的量的方面,并且也不能决定资本价值,因而也不能决定平均利润率。

社会资本的价值,或各资本部分的价值比率(它的有机的构成)之一切变动,以及劳动者所形成的剩余生产物的价值之一切的变动,都影响于平均利润率及生产价值。

但是,生产价格的其他要素——生产费——,也是一样的和价值结合着。社会的劳动生产性一变动,那一定的商品的价值(分配于一单位的商品中的劳动量),以及被分配于一个商品当中的生产费,也随之变动。

马克思说:"价值法则,支配价格的运动(指生产价格的运动——著者)。即生产上的必要劳动量的增减,一定促起生产价格的涨落。"④

要之,我们已经看到,各商品的生产价格,是以它的价值为根柢;生产"价格的运动",即它的变动,毕竟,(借马克思的说法)是受"价值法则"支配的。

第三节　为商品——资本主义经济史的发展产物的价值到生产价格的转化,关于资本论第一卷和第三卷间的所谓"矛盾"的问题

在本书的第一篇中考察价值问题时,我们看到了价值是怎样地在商品经

---

① 《资本论》第三卷第二篇第九章。
② 平均的资本构成及平均的资本回转速度的生产部门,那是例外。在这种部门,商品的生产价格和价值,如就上例说来,是一致的。
③ 《关于剩余价值诸学说》第二卷。
④ 《资本论》第三卷第二篇第十章。

济初期发展阶段的单纯商品生产者的社会上发现的。

在生产工具属于生产者自身而生产不依据于剥削工钱劳动的单纯商品经济上，剩余价值还不存在。到各私有者的手中去的利润分配以及平均利润等，在这种场合也完全没有。因利润本身还不存在的原故。

价值法则，虽然在此时就已经表现了它的作用（只要生产是商品生产时），然还没有采取如生产价格那种复杂的形态。

马克思说："各商品按照它的价值交换，或大概的按照它的价值交换的那种情形，比较以生产价格交换，是属于更低级的一个阶段，为要以生产价格交换，须是资本制度的发展达到一定的水准"。又，没有转化到生产价格的价值法则之所以发生作用，借马克思的话说来，"是在生产手段属于劳动者所有的时代的经济的诸关系之上，它不问为古代世界或近代世界，在所有土地的自耕农及手工业者之间，总可看得到的。……那犹之对于那种原始的状态可以说的一样，同时，固结于各生产部门的生产手段，不容易把它从这部门移转到别部门，因此，只要相异的生产部门，在某程度上，立在相异的国家与国家，或相异的共产体与共产体间的相互关系时，对于那基于奴隶制度及农奴制度的比较后起的诸状态以及手工业的同业组合的体制上，也可以说。"[1]

但是，这种关系，如我们所知，单是商品生产初期发展阶段上特有的关系。随着这种生产成为一般的时候，一定会从单纯商品的经济变成资本主义的经济[2]，于是劳动者与生产工具及生产手段相隔离，劳动力变成商品，在资本家对劳动者实行的剥削过程中，就发生剩余价值。到了资本主义诸关系发展时，剩余价值，开始被分配于各生产部门之间，价值至化为生产价格。

然而并不是资本主义的一经出现，就引起平均利润率的形成的。向着利润平均化的倾向和价值的生产价格化，只是随着资本主义诸关系的发展，随着这种关系成为支配的东西时，才发生出来的。

最初，在资本主义发展的曙光期，资本主义的诸企业的相互间的联络，还

---

① 《资本论》第三卷第二篇第十章。

② 从单纯商品经济到资本主义经济的这个转型，自然不能说是毫无困难的很流畅的运行的，即是说，资本主义的生产方法发生于"原始的资本蓄积"的困难之中，这件事，我们已经在第二篇说过。

是薄弱，资本与劳动力从一部门到他部门的多少自由的移动的前提条件，还是缺乏，所以这时期中的各个资本家，能够实现自己的劳动者所形成的剩余价值（稍为完全的）。

"在不同的生产诸部门，支配的利润率，最初是极不相同的。"①

但是，随着资本主义的发展，诸部门间的联络，和从一部门到他部门的资本移动，也随之强化。"资本撤消利润率低的部门，而移动于可以引起更高利润率的其他部门。由于这种不断的出入和移动……遂使各部门的利润归于均等，因而发生使价值转化于生产价格的那种需给关系。在一个被规定的国民的社会中的资本主义的发达，越是显著，即该国的状态越是适应于资本主义的生产方法，资本便越加完全地或多或少地成就它的均衡化。随着资本家的生产前进，它的各种条件也发达……（一）资本越是成为主动的，（二）劳动力从一部门到他部门，从一地方的生产点到他地方的生产点的移转，越是迅速，那不断发生的均等之经常的均衡化——便越加迅速地显现。"②

为要实现这些条件，如马克思所指示，以下的几点是必要的，（一）要保障"社会内部的商业自由"；（二）要资本主义的诸关系，把"各种的生产部门"，隶属于自己（但是，那决不能完全实现，因为许多部门尤其是农业方面，小生产还在资本主义社会内存在）；（三）要信用制度发达（关于这点后面再说）；（四）要除去从一部门到他部门、从一地方到他地方的关于劳动人口移动的障碍；（五）要劳动者自身脱离"一切职业的偏见"。

随着资本主义的发展，这些条件越是被实现，利润趋于平均化的倾向和价值到生产价格的转化，也越是被实现。

要之，价值的生产价格化，是基于从单纯商品经济到资本主义经济的、商品经济的历史的发展，并且是基于资本主义诸关系的发展而显现的。

这时候，在价值中表现出来并使价值成为经济的运动法则的、商品经济之一切特征，到价值的生产价格化时，并不消失，它只是采取更复杂的发展的形态罢了。

---

① 《资本论》第三卷第二篇第九章。
② 《资本论》第三卷第二篇第十章。

在单纯商品经济发展形态上的价值,一方虽表示人们间的相互协作与相互依存,他方面却是表示私有者互相对立的商品生产者间的社会关系。在价值当中,表现着商品生产之社会的性质和占有之个人的形式之矛盾。

当作支配商品经济的生产运动的自然力的法则看,价值法则,只是在不断的偏差上,只是在从一生产部门到他生产部门的劳动之自然力的移动上表现着。①

价值,表现着为"物的外衣"所隐蔽的、由于物的运动而互相结合的、人与人的各种关系,并且因此带有物神性。

商品经济的这一切特征,在生产价格上,不过是采取更复杂的发展形态,这已在上面说过了。

在资本主义社会中,人们不单出现为商品一般的生产者、所有者,并且出现为特殊商品的资本及劳动力的所有者。生产之社会的性质和占有之个人的形式之矛盾,一旦发展起来,便采取一方占有他方劳动的两阶级的矛盾之形式。②

人类诸关系的物神性,于是采取更复杂的形态。因为"物的外衣",在这里不仅隐蔽各商品生产者间的各种关系,并且隐蔽阶级间的诸关系。即在这时候,物不仅具有"交换力"的那种神秘的性质,并且由于转化为资本的情形,更取得了替该所有者引起利润来的那种新的不可思议的性质。

这一切,都表现于生产价格之中。

生产价格既是发生于各生产部门的利润的平均化,那么,生产价格显然是表示社会,即生产剩余价值、这种剩余价值(为劳动者所形成)③。在各资本家间,以他们的资本为比例而分配着的社会——上的人与人的各种关系的。既是各资本家的利润率,都在生产价格上被平均化,那么,生产价格,显然不是表示各资本家和各劳动者的诸关系,而是表示全劳动者阶级所造成的、全资本家

---

①　"在这里,价值法则,单是作为内部的法则,从各生产当事者们看来,单是作为盲目的自然法则,发生作用,在偶然的各种波动的正当中,贯彻生产之社会的均衡。"(《资本论》第三卷第七篇第五十一章)

②　在资本主义社会中,生产之社会的性质和占有个人的形式之矛盾,也表现为各企业内的生产之组织化和全社会的生产之无政府状态之矛盾,这件事,我们已经在第二篇中说过。

③　此句疑有排印错误。——编者注

阶级所占有的剩余价值的关系。生产价格,是在从一部门到他部门的资本的移动过程中,在各部门的资本家们相互竞争的过程中,形成起来的。所以,它也表示资本主义的生产之各部门的社会的关系,也表示其分裂性(相互竞争)。

生产价格,和价值相同,也成为无政府的、自然发生的经济的运动法则,只在市场价格对价值的不断的偏差上发现为外面的"盲目的法则",通过不断的变动,不可抗的支配着资本主义社会的资本的运动和劳动的分配。

这时候,商品经济之社会关系的"物化"及其物神化,在生产价格中,较之在价值中的更采取复杂的形态。

一方面,生产价格虽由剥削劳动者的结果而发生,他方面,生产价格却又涂消了这种事实。进入于生产价格中的东西,单是平均利润,从这点看来,商品的价格,好像不依存于该生产部门的劳动者所费去的劳动量;又平均利润,也好像不是剥削劳动者的结果,而似是全资本的性质。此外,进入于生产价格之中的东西,除利润之外,还有生产费,从这一点说来,就好像一切资本部分,在它的价格形成上,都尽了同等的职责,它们的一切(包含不变资本和可变资本),都像是同等的进入于生产费之中。

这样,在生产价格中,不仅涂消了对劳动者的剥削,并且涂消了决定商品价格的东西,终归是劳动的这一事实。"随着价值转化于生产价格,而作决定价值的基础自身,反隐匿不见了。"

要之,表现于生产价格中的人与人的各种关系,比之单纯商品经济的价值的诸关系,更表现得复杂,丰富。

生产价格,把在价值中已是萌芽的存在的东西,在极发展的复杂形态表现出来。①

马克思在《资本论》第一卷上,曾把"价值说"在其一般的形态去考察,在第三卷(他死后为恩格斯所出版的)上,又考察了价值到生产价格的转化,但他却没有完成这件事。当《资本论》第三卷出版时,和马克思主义作斗争的布

---

① 研究价值的时候,我们曾在该处指摘过:在单纯商品经济中潜伏于价值之后的各种关系,在资本主义经济中才开始完成。生产价格,是价值在发展的商品经济(即资本主义经济)中所获得的它的"被完成了"的形态。

尔乔亚学者们,曾说出这种蠢话:马克思在《资本论》第三卷上提倡的生产价格说,是和他在第一卷上展开的价值说相矛盾的。

那些以颠覆马克思主义为目的的人,写了不少的关于《资本论》第一卷与第三卷之"矛盾"的"学究式"的论文。

现实上,从我们所说的关于价值及生产价格看来,在资本论第一卷和第三卷之间,并无何等矛盾存在,这是容易知道的。

在《资本论》第一卷上,马克思对于那认为资本主义诸关系,是"歪曲"单纯商品的诸法则,尤其价值法则的人们,曾经批判过。他关于这点,曾说:"那以为工钱劳动的出现,是歪曲商品生产的真意义的说法,正和那种为要不让商品生产的真性质受歪曲而必须使它不发展的说法一样"。在第一卷上,又说:"价值法则,正是在资本主义生产的基础上,完成自由的发展的"①。"生产价格",显然地正是价值法则在"资本主义生产的基础"上"自由发展"的成果。在《资本论》第三卷上,这样写着,即令在资本主义社会,"价值法则也支配价格的运动",因此指出价值还是生产价格的根底,这样的阐明,除马克思以外,没有别人。伊里奇在他著的《加尔·马克思》中说道:"价格对价值的偏差及利润均等化的那种明白无疑的事实,由马克思基于价值法则完全说明了。这因为全商品的价值总额,实和价格的总额一致的"。

所谓生产价格的法则"颠覆"价值法则的那种议论,实是一种愚论。不但生产价格自身是基于价值的发展而成长,并且资本主义经济的其他诸法则,尤其剩余价值的法则,也是根据价值而来的。我们只要考察了这一层,就更明白上面那种议论的愚笨。

这件事,就是主倡资本论第一卷和第三卷的矛盾的布尔乔亚学者,也有某程度的理解。他们深知道如果依从价值法则,一定会要生出剩余价值说来,所以,他们便抓着了所谓价值和生产价格的"矛盾"。因为他们认为如果粉碎了价值说,同时,自也可以粉碎剩余价格说。为要蒙蔽剩余价值和资本家的剥削的真源泉,他们才否定了生产价格和价值的关联。

---

① 《资本论》第一卷第六篇第十七章。

第十七章　平均利润率低落的法则与其意义

第一节　平均利润率低落的倾向　使低落缓慢的反作用的倾向

我们知道,资本主义经济的不可抗的法则,离开各个资本家的意思,生下了利润率平均化的倾向,即它的高度,除依存于剥削率以外,又依存于一定社会的资本之一般的有机构成及一般的回转速度的平均利润率。

随着资本主义的发展,社会的资本技术的水准也因而提高。因之社会总资本的有机构成,也随之提高,而它的一般的回转速度,于是缓慢起来。但是,既然资本的平均构成越高,并且它的回转越缓慢,利润率就越低落,那就非减低一定的社会的平均利润率不可了。

向着平均利润率低落的这一倾向,在资本主义社会,是反乎各资本家的主观的意欲而发生的。

我们知道,他们所以各自采用进步的技术,不是为要提高自己的利润,把特殊的超过(差额)利润弄到手么(参照第八章第三节)? 这种进步的技术,如仅在他一人的手中时,那连社会总资本的有机构成(及回转),并一般的利润率,都不会有变动。但是,一旦一般的普及起来时,那不仅要反乎资本家的意思,而使差额利润消失,且至于提高社会总资本的有机构成,而使回转缓慢。使社会一般的(平均的)利润率低落。以后,如果各资本家为要获得超过利润而又采用进步的技术,那在新的进步普及之后,自然又是从新提高社会资本的有机构成,而使平均利润率又从新低落。

马克思说:"随着资本家的生产方法的发展,可变资本,比较不变资本或转运总资本相对地减少,这种事实,已经当作这个生产方法的一个法则指示

442

了……可变资本,比较不变资本或总资本,这种相对的日益减少的事实,是和平均的社会的资本之有机构成日益提高的事实,同一意义。……在它的直接的结果上……剩余价值率,就要用不断低落的一般利润率表示出来……要之,一般利润率低落之累进的倾向,只是表示劳动的社会生产力之累进的发达的资本主义的生产方法所固有的一个表态罢了。"①

平均利润低落的那种倾向,由于引起资本的有机构成,高度化并它的回转缓慢化之同一原因,要遇见某种障碍,这是事实。

首先,就如前面所说,资本主义的生产方法之发展,一方引起资本的有机构成的高度化,和它的回转的缓慢化,他方也引起剥削率的增大。这是在利润率上,发生作用,而使之增大的。

又如我们所知,在现实的资本主义社会中所见的、工钱低落到劳动力的价值以下的情形,也在利润率上发生作用,而使之增大。

此外,随着劳动生产性的增大和不变资本的各个要素的生产上所要的社会必要的全劳动量之相对的减少,而出现于资本主义社会中的机械、建筑物、原料等之相对的低廉化,即不变资本诸要素之相对的低廉化,也是能够阻止平均利润率的低落的。

"例如欧洲的一个纺织工在近代的工场上加工于棉花的量,比之从前的欧洲纺织匠用纺车所加工于棉花的量,是以可惊的比例增大了。然而加工棉花的价值,却不会与其量以相同的比例增大。关于机械及其他固定资本,也是一样。"②不变资本诸要素的这样的低廉化,不仅阻止不变资本的全价值的增大,并且是阻止资本的有机构成的增大(因为"C"若减少,$\frac{C}{V}$ 自也减少,因之利润率的低落,也会迟缓)。

在和这同一方向上发生作用的旁的许多原因中,马克思又举出了相对的人口过剩。随着资本主义的发展,劳动者成为过剩,那些在大产业中投不进自己的劳动力去的人们,势必拥向不靠着大量的粗笨的劳动者和低廉的工钱,就不能存在的一种极落后的产业部门去。拥有大的可变资本和较小的不变资本

①　《资本论》第三卷第三篇第十三章。
②　《资本论》第三卷第二篇第十四章。

的这种落后的产业部门的存在,是会减低社会资本的有机构成的一般的水准,由此阻止利润率的低落的。

再如外国贸易的结果,也能够多少提高利润率。即资本家从外国购进了比较低廉的不变资本的诸要素及生活资料,在本国用比较的高价贩卖制品的情形,已经成功时,便是如此。

使平均利润率的低落迟缓,或提高平均利润率的根本的诸原因,概如以上所述。然而这一切原因,无论怎样阻止着利润率低落的倾向,而完全的阻止它的力量,却还没有。

马克思关于这点,说道:"引起一般利润率低落的那同一原因,同时又阻止它的低落,使它的低落迟缓,并且还唤起那使一部分麻痹的反对作用。利润率低落的法则,并不因此而被扬弃,而只将作用弄软弱罢了。由于不知道这点,所不能理解的事情,不是一般的利润率的低落,而是这低落的进行为什么相对的缓慢这一点。要之,利润率低落的法则,只是在一定的诸情形之下,并在长期间之中,当作表示确实的结果之倾向而起的作用的。"①

姑就事实证明,把那有提高利润率作用的第一根本原因的对劳动阶级的剥削的增大一事,拿来考察一下。剥削虽然怎样的强化,而由总体的劳动者剥削得来的剩余价值量之增大(马克思所说的"亘长期间的"),毕竟追不上不变资本增大的步骤,并且同时,也追不上这剩余价值所分配于其中的总资本增大的步骤。

剩余价值量之增大,固也依存于对各劳动者的剥削程度的增大,但是同时,不也依存于受资本所剥削的劳动者的人数么?

随着资本主义的发展,对各劳动者的剥削程度,无论如何增大,那终不能填补机械对于劳动者的相对的驱逐,和分配于同一资本的劳动者总数的缩少。

马克思关于这点,说道:"劳动生产力的发展,在减少所用劳动的支付部分时,由于增进剩余价值的率,而使剩余价值加大;在减少用于同一资本的劳动总量时,就减少计算剩余价值时用以乘剩余价值率的因数,即减少劳动者的人数。每日劳动 12 小时的两个劳动者,纵令他们能够食空气过活,因之也不

---

① 《资本论》第三卷第三篇第十四章。

须为自己做何等劳动,但总不能供给那与一日劳动 2 小时的 24 个劳动者所供给的相等的剩余价值量。在这一点上,因对劳动者的剥削程度的增进,借以弥补劳动者人数减少的情形,还有一个一定不可超过的限界。因此,这个弥补,虽然能够妨碍利润率的低落,但不是能够扬弃它的。"①

在资本主义社会中,妨碍剩余价值量增大的步骤②的诸原因,并且与剥削程度的强化无关,而一般的利润率不因之加高反而低落的诸原因,概如以上所述。

这些原因,同时也可以说明工钱虽然落到劳动力的价值以下。而利润率低落的倾向,仍不停止的理由。因为照马克思的注意,减少了劳动者时候的利润率,随着资本主义的发展,纵令劳动者能够吃空气过活,仍不得不低落的缘故。

就不变资本的诸要素的低廉化说来,这种现象,也不能够完全扬弃资本的有机构成的高度化和利润率的低落。资本主义的现实的各种事实,就表示不变资本诸要素的价值的低落,赶不上分配于每一劳动者的机械、建筑物、原料等量的增大的。今日一启罗瓦的棉花,因为价值低落的缘故,如果说比之欧洲"纺织匠"用纺车纺织的时代,更要便宜的话,则在今日由一个纺织工所加工于棉花的启罗瓦之数,比每一启罗瓦的价值的低落超过得太多了。

平均利润率低落的倾向,不能扬弃由相对的过剩人口而起的反作用的倾向,这也是自明的道理。

现在,所谓相对的过剩人口,不刚刚是发生利润低落的倾向的,由机械驱逐劳动者的单纯的表现么? 这个伴随的、派生的现象,不能扬弃根本的事物,这是明白的。

如由外国贸易的结果,增大利润率的这件事来说,这也是无论如何,不能扬弃根本的倾向的。因为"外国贸易自身,一方是使本国的资本主义生产方法发达,因而使可变资本的量小于不变资本,他方则引起对于外国市场的过剩

---

① 《资本论》第三卷第三篇第十五章。

② 我们在这种场合,还要补充一句的,就是关于增大的步骤的情形。因为如下所述,随着资本主义的发展,一般的利润率虽然低落,而利润的量,却没有减少,反而增大的。

生产，随又引起反对的结果的缘故。"①

由此，我们晓得，阻止某程度利润率低落的诸原因，不过是产生一般利润率低落倾向的根本的力的单纯的"一个反面"。

因此，那便恰如马克思所说，不是将这个倾向"灭绝"，单是"软弱"它的作用罢了。

第二节　利润率低落的倾向与资本主义的 生产方法的矛盾的发展

如果资本主义的生产的发展，必然引起一般利润率的低落，那就是说明随着资本主义的发展而分配于同一资本的利润额，会日益减少的事实。即，如果一般利润率为15%的场合，而对于10000元的资本获得了1500元的利益，那么，在一般利润率低落到12%时，对于同一资本所分与的利润，已非1500元，而是1200元了。

然则随着资本主义的发展，各资本家不是因所得的利润的量日益减少，而要成为相对的贫乏么？②　各资本家的所有的资本量，如果不能随着资本主义的发展而发展，仍旧保持它原来的数量，的确是要变成那个样子的，但是在现实上，却不是这么一回事。

我们已经知道，随着资本主义的发展而必然发生的事情，是资本的集积与集中，和各个资本的量的增大，和资本到少数者手中去的集中。

结果，各资本家对于自己资本的每一元所得的利润虽少，然对于自己的总资本所得的利润，现在比从前就多得多了，因为构成他的资本的元数，由资本的集积、集中的结果，无条理地增大着。

例如有10000元资本的资本家，如在平均利润率为15%时，得到1500元的利润，那么，随着资本主义的发展，利润率虽然低落到12%，而他的资本却已超过了10000元，而为15000元。这时候，他所得的利润总额，尽管利润率

---

① 《资本论》第三卷第三篇第十四章。

② 我们在这里，不必提及差额利润，因为它的实现，单是一时的现象，到了它消失之后，早晚就要低落的。

低落了，却有 1800 元，即比前进加了 300 元。

利润额的这种增大，我们不仅在增加自己的资本量的各企业中看得见，就在总体的全资本主义社会中，也看得见。因为随着资本主义的发展，尽管机械对于劳动者有相对的驱逐，而劳动者的总数却是绝对的增大，由他们所形成的剩余价值总量，因剥削强化的结果，日益增大了。

这样，随着资本主义的发展所看到的一般的利润率的低落，由于剩余价值量的增大，即由于对社会的总资本也能说、对各资本家所增大中的资本也能说的利润量之增大，多少都是可以弥补的。

但是，资本家的生产方法的特征，就是对利润的无厌的欲求。

资本越发展，利润率越低落，于是各资本家为要增大利润额，多少填补一般利润率的低落起见，势必更加要增殖他的资本。

所以，利润率的低落，至少是强制资本家增大自己的资本量的，换句话说，是强制资本家加强资本蓄积的步骤的。但是，如果资本家的无厌的利润追求，使他倾全力于尽量地快而且多地蓄积，那便蓄积的自身，是基于技术和资本的有机构成的高度化而显现着的，然而那不就是说的将来的利润率低落么？不是说在将来，剩余价值量的增殖速度，要比资本的增殖速度落后么。

然而我们知道，资本的蓄积自身，首先就是由新形成的剩余价值附加于资本而显现着的。但在资本主义社会，如果随着蓄积的增进，致剩余价值量的增大成为相对的缓慢，那便将来的蓄积的步骤，也一定的非缓慢不可。

由是，我们看到，一方利润率的低落，要强制资本家加强蓄积的步骤，他方，这个低落又会阻害蓄积的步骤。

这便是横于利润率低落的法则中极重要的一个矛盾。

这个矛盾，由于资本的集积和集中引起小企业的灭亡，遂至加强起来。

小所有者的收夺，如我们所知，虽是加强蓄积的可能性的，但同时由于保障将来的技术发展，也会引起将来的利润率低落，和蓄积步骤的缓慢化。

马克思关于这点，说道："利润率的低落和蓄积步骤的增进，单在显现生产力的发展时，只是同一过程之不同的表现。蓄积，只在伴同劳动的大规模的集积与较高位的资本构成时，促进利润率低落的趋势。他方面，利润率的低落，又促进资本集积的趋势，同时，又收夺小资本家们的所有，并在直接的生产者之中,对于那些还有一点可以收夺的残余者实行收夺,借以促进资本集中的趋势。这样,蓄积率虽与利润率同时低落,然在另一方面却促进量的观点上所看到的蓄积。"①

在资本主义社会中,随着利润率的低落,不仅现在总资本的蓄积步骤,变得缓慢,就是新的资本的形成,也变得困难。实际上,任何资本,为要能够充用于生产,非达到某种量不可。所以资本之得充用于生产,并能提供充分的利润量于它的所有者的最低量,随着技术的发达和利润量的低落而增大。未达于这个量的资本,都是"过剩物"。同时,在资本主义社会中,由于使"过剩资本"和无用途的资本都投间置散的同一原因,即由于资本的集积与集中以及机械驱逐劳动者的原因,就生出不能发见用途的过剩人口,这也是表示利润率低落的法则上所表现的资本主义社会之深刻的矛盾的。

这一切矛盾的本质如次:资本家的无厌足的利润追求与离开他们的意志而发生的利润率的低落,在资本主义社会中虽然唤起了生产力的急速的发达,然而这不可抗的利润追求与平均利润率的低落,是阻止生产力的发展的。

利润率的低落,一定要使资本家热病般地从事蓄积,更加施以新的技术的改良,因此不仅要靠资本的增大去弥补利润率的低落,并且要靠差额利润的取得去弥补利润率的低落。

因新机械的采用所引起的结果,还没有完全用尽的旧机械就变为时代落后,所以不到一定的年限,就成了废物。这件事,就是降低已存的资本价值,抑止利润率的低落,且因此促进蓄积的一个助力。但是同时,新机械的采用,早晚要将社会总资本的有机构成高度化,要降低利润率,因而使新的蓄积速度,缓慢起来。然而,那又如我们所知道的一样,又将引起新的技术的进步,并资本的新价值低落,等等。

照这样,被实现出来的生产力的发达,必引起使用价值即人类必要物的量之可惊的增大。使用价值的这种增大,形成便于人口增殖的,更完全满足他们的必要的前提条件。但在资本主义社会中,被生产出来的使用价值,又只是便于增殖价值,取得利润的单纯的一种手段,所以资本主义的生产,一方是形成

① 《资本论》第三卷第三篇第十五章。

人口的增加与完全满足他们的必要的前提条件,同时由于剥夺广大群众的生活手段,把他们编入于预备军。所以越是大量的生产,同时便加强对于劳动者的剥削,限制劳动阶级得以自己的劳动买得到的生产物之量。

但是,由于一方增大使用价值数量,同时又限制使用价值的使用可能性,资本主义就形成为发展生产力的新的障碍物了。

马克思说:"资本的目的,不是满足种种的必要,而是生产出利润;资本为达成这个目的,不依靠使生产规模适合于生产量的诸方法,而只是依靠相反的诸方法的,所以,在立脚于资本主义之上的被局限的消费范围和想超过这种自己内在的限制而前进的生产之间,必定常常发生一种冲突。"①

他又在其他处所,说及资本主义的生产,他说:"和使劳动者人口在现实上增加的各种刺激并行,产生那只是一种相对的过剩人口的诸原因,也同时地起作用。

"利润率一低落,同时就增大资本的量,同时又减少既存资本的价值。然而这个价值减少,同时又阻止利润率的低落,而给资本价值的蓄积以一个促进的刺激。

"随着生产力的发展,资本构成的高度化,也随之进展,而对于不变资本部分的可变资本部分之相对的减少,就进展起来。"②

表现于利润率低落的法则中的这一切矛盾,和我们以后所看见的一样,虽不一定是同时而且在同样程度上发现的,然而都给资本主义生产以各种限界。

　　资本主义社会,到某一瞬间为止或者可以克服这种界限,然而如后面所见,单是在病的形态上,即通过恐慌之后,才能达到。不过一切恐慌,只是引起我们所考察过的各种矛盾之单纯的新的尖锐罢了。所以,只要是资本主义的生产方法存在,这些界限,是不能克服的。

　　不仅如此,这许多矛盾一发展,资本主义的以后的发展,要之,会达到尽头的一个阶段。所以马克思关于在利润率低落的法则中所表现着的资

---

① 《资本论》第三卷第三篇第十五章。
② 《资本论》第三卷第三篇第十五章。

本主义发展的限度,曾说:"那是证明资本主义的生产方法之局限、历史性、过去性的。即,那是证明资本主义的生产方法,不是生产财富的绝对的方法,简直一到某阶段,就和财富的更前进的发达相冲突的。"①

① 《资本论》第三卷第四篇第十章。

关于第五篇的研究资料

质　　疑

1.剩余价值和利润的相互关系,恰与劳动力价值和工钱之间的相互关系同样,这种说法是对的么?

2.试说明利润量和利润率之间,有怎样的区别。

3.马克思在《资本论》第三卷(上),第二章论述利润率时,给了以下的注意:"资本的一切部分,(从利润率的观点看来——著者)都看作是均等的利润的源泉,所以资本主义的关系被神秘化"。

怎样解释这一句? 马克思在这里所说的"神秘"是什么意义?

4.资本的"循环"及其"回转"的这两个概念当中,存有如何的差异?

5.为什么利润的本质,要从资本循环的观点,才能理解?

6.据现在的统计,1913 年的俄国,有 17991 个公认企业(公认企业,是指的有 15 人以上的劳动者的企业者),使用劳动者总数为 2559000 名,资本金(单位百万卢布)为 4128,总生产额为 5620.7。

这种生产物,细别如下:

A.被转移了的价值。

(1)机械、建筑物、修缮费、补助品 ……………………… 547.6

(2)原料、补助材料及燃料 ……………………………… 2972.0

B.新被形成的价值

(3)工钱及其他劳动力维持费 …………………………… 1052.5

(4)赋课 …………………………………………………… 408.1

(5)纯利益 ………………………………………………… 689.5

总计 ··· 5620.7

（a）试分别算出投入生产物中的不变资本及可变资本的诸要素。

（b）在上列诸要素中,何者属于固定资本,何者属于流动资本,试计算这两方面。

（c）试据以上的统计,算出1913年公认企业的剥削率、利润率,是怎样的程度?

7.课题

今有不变资本（C）150000元、可变资本（V）50000元、剥削率100%的企业。

（a）试算出利润率。

（b）试将"C"及"V"2倍起来。如果剥削率无变化,利润率如何? 试举理由来答复。

（c）假定把"C"2倍起来,而其他诸条件都不变。那么,资本的有机构成变化么? 如果变化,怎样变化? 利润率变化么?

8.史托尔弥林,在他著的《苏联产业资本问题》上,对于战前的俄国若干生产部门,作了如下的统计。

	劳动者数 （单位千人）	装置的价值 （单位百万卢布）	对一个劳动者的装置的价值（单位1卢布）
皮鞋工业	44.2	35.3	871
棉花加工	491.5	644.4	1311
矿业及冶金业	695.8	1371.7	1971
食粮品工业	333.0	70.6	2121
化学工业	70.9	159.3	2247

（a）从这表看来,明明在上列的产业部门中,从事于皮鞋业的劳动者最少（因而可变资本的总额,明明也是这部门最少）。因此,就能说皮革业的资本的有机构成,比之旁的是在最高位么?

（b）一般的根据这个表的数字,得能判断资本的有机构成到什么程度?

9.资本家何以不想把资本分为不变资本和可变资本,而只承认分为固定资本和流动资本呢?

10.(a)比较波兰和美国、英国和印度、俄国和中国的产业,哪一国资本的平均构成,是在高位?

(b)利润率是哪一国非高不可? 由此,关于先进国及后进国,殖民地的利润率,可作出什么结论来?

11.今有可变资本 30 万元、机械及建筑物 50 万元、原料 10 万元的一个企业。如果固定资本于 10 年间一回转,支出于原料的资本,一年一回转,可变资本每月一回转,其总资本的平均回转速度当如何?

12.劳动者是为他的主人所剥削,抑为全资本家阶级所剥削? 如为全资本家阶级所剥削,究系何故?

13.利润率的平均化,也行于各国家之间么? 那么,什么是必要?

14.利润率虽然低落,而资本家并不贫乏,反而日益富裕起来,这是何故?

15.不论剥削率增大与总资本增大,而利润率不上升而下降的那种例子,试用数字列举出来。

16.试指出表现于利润率低落的法则中的根本的诸矛盾。

17.马克思通常只说及平均利润率低落的倾向,不说单纯的利润率低落,何故?

18.何以利润率低落的法则,使资本主义社会,感到不可避免的灭亡?

19.下表是指示 1 普特印布花、1 箱窗用玻璃、1 桶带绿灰色的水泥原价的,战前(1913 年)的计算。

费目	印花布 (1 普特) 金卢布	对原价总额 的百分率	窗用玻璃 (1 箱) 金卢布	对原价总额 的百分率	绿灰色的 水泥(1 桶) 金卢布	对原价总额 的百分率
原料	16.91	41.2	3.78	18.2	—	—
补助材料	3.84	9.4	1.93	9.3	37.0	12.0
燃料	2.75	6.7	7.52	36.2	76.0	24.5
劳赁	6.65	16.2	4.64	22.4	78.0	25.2
杂费偿还费	10.80	26.5	2.88	13.9	119.0	38.3
总计	40.95	100%	20.75	100%	310.0	100%

（a）原料在这些商品的原价中所占的比例,各个不同的,应用什么来说明? 在水泥的计算上,原料为什么都没有?

（b）在印花布的生产上,工钱的支出,比之任何都少的,(在百分率上)应拿什么来说明? 这可以归于玻璃及水泥的生产上的劳动的生产性低些么?

20.商品的价格和它的原价,能说是同一的么?

21.商品的生产价格,等于它的原价么?

22.各商品的价值和它的生产价格,为什么在许多场合,都不一致呢?

23.试仿照我们在第72节上所举的例,作一个比较各部门商品价值,和它的生产价格的数字的例。试不照我们的例子去取三个生产部门,而取五个部门。

24.价值的范畴,能说单在单纯商品经济是真的么?

25.价值和生产价格的量的相互关系,为什么不能把它从各个企业的观点上去理解呢?

26.在社会主义社会,生产价格存在么? 在单纯商品经济如何?

读书资料

（A）资本构成与利润率

《资本论》,第三卷,上,第八章

"百分率的计算……"以下,到"因生产诸部门的如何,而有种种的不同"止。

（B）固定资本与流动资本

《资本论》,第二卷,第八章

从"劳动工具越是长期持久……"到"由于同种类的新的……"止。

27."在某种意义上,资本都可看作流动资本",马克思这一句话,何解?

（C）资本回转及于利润率的影响

《资本论》,第三卷,上,第四章

（D）平均利润率的形成

《资本论》,第三卷,第九章及第十章

（E）利润率低落的倾向、在这倾向上发生反对作用的诸力

《资本论》，第三卷，上，第十三章、第十四章

（F）潜伏在平均利润率低落倾向中的诸矛盾

《资本论》，第三卷，上，第十四章，第一、第二、第三节（此处相当难解，如非特别有素养的同志，不能理解）。

（G）价值和生产价格

（a）《资本论》，第三卷，上，第十章

（b）同上，第十二章，第一项（使生产价格变化的诸原因）全部。

第 六 篇

商业资本及商业利润

第十八章　商业资本及商业利润的一般概念

在前篇,我们已经考察了资本的循环过程的大概。那时,我们假定:单是产业资本家参与于这循环的一切阶级,由劳动者所形成的剩余价值只是分配于他们之间。

这回不能不再来更详细地考察资本在其循环上所通过的诸阶段。

在这里,表现于我们面前的东西,就是不充用于资本循环上的全阶段而只充用于某阶段的他种资本,从产业资本分离的可能性。

首先,我们阐明固有的商业资本和商业利润的形成的可能性,然后考察特殊的货币资本(借贷资本)和借贷利息的派生过程。

第一节　再论资本的循环　生产期间与流通期间

现在再考察资本的循环过程。

根据前篇(第65节)关于这问题的叙述,可把循环的全过程,分作以下的三个契机。

$$1.\ G\text{——}W < \begin{matrix} Pm \\ A \end{matrix}$$

这是货币资本转化于生产资料诸要素的过程,这过程以在市场上购买生产手段及劳动力一事而显现。

$$2.\ W < \begin{matrix} Pm \\ A \end{matrix} \cdots\cdots P \cdots\cdots W_1$$

这是生产的过程,在这期间,各生产诸要素都成为既成商品。但在这里,剩余价值就被形成。

3. W_1——G_1

这是商品资本复归于货币资本的过程,就是既成商品(以及由它所体化的剩余价值)换作货币的过程。

上述的第二过程,即生产过程,是在产业资本的企业上显现的。第一及第三过程,是在市场上显现,两者与生产过程不同,可呼为流通的过程。因为两者归着于市场上价值的交换,即是归着于已成商品和货币的流通(第一过程,是商品的购买和货币的消费;第二过程,是商品的贩卖和货币的收得)。

某种形态的资本,回到原来形态所要的本期间,称为资本的回转期,这是我们已经知道的。

现在,我们可以断言:资本在其一回转过程中,在流通领域是两回存在,在生产领域是一回存在。

这一切事实,可用以下的表示表示出来。

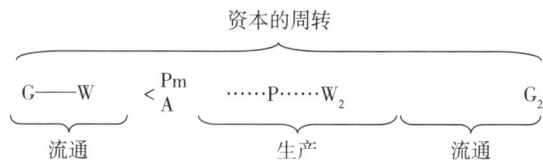

$$\underbrace{G\text{——}W}_{\text{流通}} <^{Pm}_{A} \quad \underbrace{\cdots\cdots P \cdots\cdots W_2}_{\text{生产}} \quad \underbrace{\qquad\qquad G_2}_{\text{流通}}$$

资本的周转

上面说过,资本循环之不断地更新,只有在从流通领域到生产领域,以及从生产领域到流通领域的无滞碍的资本转化之下,才有可能。

第二节　在商品流通及流通领域中
有用的追加资本之必要

然则在现实上,从生产领域到流通领域以及从流通领域到生产领域的资本转化,是怎样显现的呢? 在这里,能反映于资本回转的全过程的那样的停滞,不会出现么?

试更深入地考察这个问题。

假定资本家在生产过程的结果上获得了某种类的制造品。为要开始下次的生产过程,他必需的东西是什么? 机械及建筑物(即固定资本)在一个生产期间内是不能消耗净尽的,所以,以后的生产(至某个期间止),是可以不从新支出固定资本的(我们暂且把修理费不提)。

至于原料、燃料、补助材料、劳动力——简单说,即流动资本的诸要素,便与此不同了。这些东西,在每次生产期间终了后,非更新不可。

在开始下次的生产周期之前,资本家必须在货币资本的形态上持有流动资本的必要量,这是明白的。

他得以收得这些货币的,是在贩卖制品时的流通领域当中。

但是,商品并不时常是那么容易卖出的。在商品走出生产界,而找着有购买力的买手之前,还要相当的期间。首先,商品的消费者,是以某种空间和生产者隔离着。从前俄国农民所买的奥国制的刘草镰,便不得不通过从奥国到俄国的路程。并且在资本主义社会中,要决定某地某人能够购买这个商品,这是一件困难事,在发见购买者之前,还要因广告、代理店等而花掉很大的费用。

那么,资本家如果不能一下子把他的商品卖出,他将如何?

如果他决心等待到自己的商品卖完之时(为要获得更新流动资本的诸要素的可能性,即令只是部分的)才从事生产,他便非暂时停顿自己的生产不可。

但是,生产的中断即令是暂时的,对于他也有莫大的损失。机械搁着不用,是会腐朽的,并且生产中断的期间,关于管理或监督机械和建筑物等人的工食,仍须照常开支——这许多情形且都不提,要之,很容易明白的情形,即令是暂时的,如教资本家把投于固定资本的大量的数额,听其闲着不用,以致不能获得利润,他是不肯的。

为要使企业不致中断,资本家要怎样办才好呢? 他只好在企业开始之时,用流动资本的一部分购买原料及劳动力,为着第一次的生产周期而支去;用另一部分作为预备的追加的流动资本,到某期间止,以货币形态存放着。

在第一次生产周期继续着的当中,这个追加资本,就作预备在那里,使它空闲着。但第一次的生产周期一旦终了,产业资本家就收得制造品。在这商品被贩卖着的期间,资本家便支出追加的流动资本,买进新的原料和劳动力,继续着生产。第一的商品 Stock 一经卖完,那投于其中的流动资本就被解放,随又用它投于新事业。从该时期起,将又开始贩卖由追加的流动资本所生产的第二的商品 Stock。这个追加资本,到在必要时再投之于新事业为止,是被解放着的。

要之,就不能急速把商品换成货币这点说来,产业资本家为要不断地继续生产,在制品流通着的期间,便必须准备用于生产上的追加资本。

第三节　商业资本的派生与商业利润

在把商品换为货币,即在传达商品于购买者的产业资本家的手中,非有一部分资本常存在于生产之外,即存在于流通界不可。

最初,他的资本的一部分,在暂时虽已制成而还没有换成货币的商品形态中,总要从生产领域脱落出来。如我们所见,单是断续地参与于生产过程的追加流动资本,也属于这一类。

此外,还要加上资本家为商业用的堆栈、店铺的建设等所支出的费用,以及商事从业员的生活费,账簿管理费,商品的包装、分组、输送等所要的费用。

但是,只要在商品换为货币的那个机能对于资本家需要特别费用的限度内,该机能便能够与那些和资本循环过程相联结的其他诸机能相分离。

在这种场合,产业资本家便专事商品的生产,至商品的贩卖,即商品向消费者的传达,便可让于专从事于流通界的人们。

这种发生了的东西,便是商业资本;这资本的种类,并不是完全离开产业资本而存在的特殊的某种资本。商业资本,是单只独立化而充用于资本总循环一领域的流通界的、单一的社会资本之一部(我们在这里,只把在资本主义生产方法支配之下的商业,放在念头。至于前资本主义的生产形态之下的商业资本,到第十九章第三节再说)。

特殊的商业资本之派生,其对于产业资本家有怎样的意义,现在容易知道了。即借商业资本家的庇护,产业资本家已能够免除由商品的流通而来的特别的负担。

由于把自己的商品交商行发卖,产业资本家便可迅速地收回所支出的资本,实现利润,立即用它投于生产。结果,除节省资本之外,又促进资本的循环,于是产业资本家,便能以同额的资本,产生更多的剩余价值。

　　此外,产业资本家免除与制品贩卖有关联的一切顾虑,便能够将他的
注意专集中于生产。

　　然在资本主义之下,商业是要有特殊的知识和经验、要有看透波谲云
诡变化无常的市况的能力的国民经济极复杂的一部门。所以产业资本
家,如果是自己经理生产物的贩卖,那必须将他的注意倾注于生产和商品
流通的两个部门,即非先后注意于哪一方,或同时兼注意两方不可。

由于商业资本从产业资本独立化的庇荫,资本主义经济,能够大大地节省
由商品流通而来的许多费用。这个节省,由于商业资本大的集积及其回转的
促进而达成,即,在产业家自己经营商业时,他只能以自己的资本充用于自己
的企业,但专从事于商业的资本家——商人,却能以自己的一个资本充用于若
干资本企业。

　　所以在产业资本看来,把自己的商品的贩卖,完全委诸产业资本,这是有
利的(还要注意的,就是:在资本主义的现实上,产业资本还没有将商业机能,
完全委之于商业资本。现今,从属于一个产业企业的小贩卖店,如张网一样地
扩张着,这种情形,我们随时都看得到)。

　　但是商业资本家,也不能不支出用于流通界的某种数量的资本,即是因为
从产业家买收生产物,并建筑货栈和店铺、雇用店员、登载广告等等而支出必
要的数量,所以他对于投下的资本也要求某种的利润,这是当然的道理。

　　被称为商业利润的这种利润,是产业家所让渡于商人的剩余价值之一部
分,因为商人使产业家免除流通界的特别负担,从新能够促使资本的节约、资
本回转的促进并剩余价值的增大。

　　在现实上,剩余价值的这一部分,是照下面那样被让渡的。通常,商品落
到消费者之手时,要经过若干次的驿程。首先从制造工场,直接转到批发商人
(商行),随又从批发商人转到小卖商人,从小卖商人才直接转到消费者之手。
每通过一个驿程,商品的价格,必增加一定的额,所以,可认作商品的最终价格
的,就是该商品落在消费者手中时的价格。我们如果从外面来展望这个过程,
我们所得的印象,就好像这一切的追加(价格),都与商品的生产无何等关系
而是生于商品流通本身中似的。即,好像商品的"基本的"价格,就是产业家

卖掉它的所拿到的价格,而商人的利润,是由外部加添于这基本价格之上的某种附加物似的。

然而事实上并非如此。商品落在消费者手中时的最终价格,才是商品的基本价格。只有这个价格,如果撇开需给的变动不提,才等于商品的生产价格(就社会总体说来——价值)。产业资本家把商品让渡于商人时,他所受领的,是在该商品被交换时的它的完全的生产价格(即价值)之下,这样,才把生产过程上已经形成的剩余价值之一部分让渡于商人,而商人借着对商品价格"附加"的情形,便实现了被让渡于自己的这个剩余价值。

所以商人的利润,并不是对商品价格(并生产价格)的"附加",而是这个价值的一构成部分。"正如产业资本只实现当作剩余价值预先包含于商品价值之中的利润一样,商业资本一方面,只因为全剩余价值即全利润在已经产业资本实现的商品价格中尚未实现的原故,才实现利润。即商人的贩卖价格之超过购买价格,不是前者超出乎全价值以上的结果,倒是后者停止在全价值以下的结果。"①

要之,流通领域,只要实现并取得在生产本身上以剩余价值形态形成了的利润。所以在这里,利润不是发生的,只是业已形成的剩余价值向着产业资本、批发商人、小贩商人等所行的分配。

第四节　利润平均化上的商业资本的任务及商业
利润的高度生产价格与商业利润　商业
资本的回转速度与商业利润

商业资本携来的利润,本质上属于商人代产业资本家贩卖商品的报酬,而由产业资本家所让渡的剩余价值之一部分,这件事我们已经知道。

那么,商业利润的高度,凭什么决定,又怎样被决定?

在"利润与生产价格"篇中,我们已经知道,竞争的结果,在产业资本家间所成立的对一切生产部门的平均的利润率,与个别的生产部门内所形成的剩余价值之量无关。于是发生下述的结论:即剩余价值的形成,虽系比例于由劳

---

① 《资本论》第三卷第四篇第十七章。

动力所支出的剩余劳动,而其分配却比例于彼此的经济部门所投下的资本。商业资本家,首先是资本家,而资本主义本身,总不能与它无缘。商业资本家既投下一定的资本于商业,他当然与一切资本家一样,无论如何,要获得不下于产业资本家所得的平均利润率程度的利润率。如果对于商业资本的利润率,竟在产业资本所得的利润率之下,那么,把自己的资本投于商业的资本家,便会减少,便都想把自己的资本投于生产之中。所以商业资本家,从剩余价值的分配上,并不立在资本家间所行的激烈的竞争战的圈儿之外,乃各自比例于自己的资本,强求平等的分儿的。产业资本家,在这点上,也只好招待商业资本家,而结以平等的剩余价值的分配。这一切事情,便引起了商业资本和产业资本相并的参与平均利润率的成立的结果。

马克思说:"商人资本虽然没有参加剩余价值的生产,却是参与于对平均利润的剩余价值的均等化。"[①]

试举例来说明。

假定某资本主义国家的产业资本为 1 亿元,而由劳动者所形成的总剩余价值为 1000 万元。我们知道,利润率是由剩余价值对总资本的比例决定的。如果产业资本家能用自己的资本,兼从事于流通界,社会上的平均利润率,便是 $\dfrac{10 \text{ 百万元}}{100 \text{ 百万元}}$,即 10%。

但是现在假定产业家并不能以自己的资本兼从事于流通界,因之国内除 1 亿元的产业资本之外,还有独立化的商业资本 2500 万元。

从事于流通领域的商业资本,如我们所说,在资本循环的过程上,也是必需的一环。它纵然在某程度上离产业资本而独立化,而本质上仍是单一的社会资本之一部分。只要是商业资本和产业资本相并的参与于利润的分配总剩余价值 1000 万元,已不是对于 1 亿元的分配,而是对于 125000000 元的分配,即对于社会的产业资本及商业资本总额的分配。

这样,平均利润率,便是 $\dfrac{10 \text{ 百万元}}{(100 + 25) \text{ 百万元}}$,即 8%。

从商品业资本家参与于利润的分配及均等化上那种事实,可以引出怎样

---

① 《资本论》第三卷第四篇第十七章。

的结论呢？

首先，我们对于以上所说的生产价格，还要加以若干的补充。

我们晓得，生产价格，是由生产费和平均利润而成立的。但生产价格，是商品交到消费者手中时的最终的价格之限界。

所以，除生产者之外，不仅是产业资本家的平均利润，就是划分于一定商品的商业资本家的利润，都要包含在生产价格之中。

就上述的例子说，如果产业家的总资本价值都被移转于制品之中，那便生产费恰是 1 亿元。如果只是产业家在利润平均化的一般过程上所得的平均利润，即 8% 进到生产价格之中，那便生产价格恰是 108000000 万元。但在现实上，这 108000000 万元，只是产业家把商品让渡于商人时的价格。商人除贩卖商品时赚着那被让渡的之外，还可赚着自己对于商业的 2500 万元的平均利润率（也是 8%），那是 $\frac{25 \times 8}{100}$ 百万元，即形成了 200 万的所谓的商业利润。由是，商品的生产价格，便是：

生产费 100 万元+产业利润 800 万元+商业利润 200 万元

商人及商业家的利润总额（800 万元+200 万元），恰和劳动者所形成的剩余价值相等。[1]

第二，应当特别记述的，就是，商业资本对于剩余价值分配的参与，引起平均利润的低落。这在上述的例子中，已经明白，即在商业资本家不参与利润的分配时，平均利润率为 10%，如果参与，便为 8%。

产业资本家不单是从资本主义的共同坩埚中领受自己的份儿，并且又把自己企业的劳动者所形成的剩余价值注入于其中，反之，商业资本家，只从那坩埚中汲出，并注入什么。[2]

那么，商业利润及一般商品流通的诸作用，从总体的资本主义的社会的见地看来，它虽是必要的费用，却又是完全不属于不生产的费用。但所谓它是不

---

[1]　在这一切的计算上，我们为期简单起见，假定商业资本单是用于狭义的商品流通中的东西，至商人为商品的输送、包装、保存等所用的费，都暂且不提。这一切费用，如后面所见，本质上是生产的费用，即生产费的一构成部分。

[2]　我们且把商业资本所完成的某种生产机能置之度外，只把它看作用于狭义的商品流通中东西。关于这些机能的区别，下章更详细研究。

生产的这句话,有两层的意义。第一,一部分的货币手段,从生产方面分离出去。倘若这些手段被支出于生产方面,当然可以形成剩余价值。但因为它离开了生产领域,不能生产剩余价值。第二,商业资本虽与剩余价值的形成无关,却分受产业资本家诸企业中的劳动者所形成的一部分的剩余价值,所以,在资本主义社会,那纯粹属于商品流通诸费用的商业资本的总额,以停止于贩卖产业资本家所生产的诸商品上所绝对不可缺的最低限度为有利。

商业资本的总额,可由它的回转的促进而减少。假定每年回转一次的10万元的商业资本,所活动的恰为10万元的商品量,那么,如果资本回转的次数加快10倍,同样的商品量,单是1万元的资本也就够了。

因回转的促进,减少商业资本总额的情形,产业资本家便减少让渡于商人的剩余价值部分。但是商业资本家,无论如何,不也是想多得利润的么。在这种场合,不会达到下述的结论么? 即是说,他与产业资本家不同,不以加快自己资本的回转速度为有利,反而以使它迟缓为有利的么? 但在现实上,恰恰相反。因为商业资本家的利润率,是在全商业资本家的总商业资本的回转速度缓慢之时是开始低落的。在各个商业资本家看来,他的资本越是回转得快,他就越有利。于是,在商业资本家与产业资本家之间,可以认出完全的类似点。试想象着技术的发达及于利润率的影响。利润率是随着技术的发达而低落的。这样,就好像可以成立资本家阶级不以技术的发达为有利的一个结论来。但是我们知道:一定的个别企业上的技术高于平均的技术时,资本家——该企业的主人——就会获得超过利润;而这个超过利润,单存在于他的企业中,直继续到对他保障超过利润的技术的进步,普及于全体之时为止。这一层,对于商业资本也是适合的。在各个及各生产部门中,都各有其资本回转的平均速度,其在平均以上的速度的商业资本家,便可获得商业超过利润。这超过利润,是对于商业资本家给以增加商业资本的回转速度的冲动的东西。

如果其他商业资本家也加速了自己资本的回转速度,那这个超过利润就会消失。然而那必定又要使商人们把自己资本的回转速度,弄到平均以上。[1]

---

① 促进商业资本回转的这一切情形,多少可抑制利润率低落的一般的诸倾向,这件事是明白的。

第十九章　商业从业员的劳动
协同组合利润

第一节　商业从业员的劳动

以上讨论商业利润时,我们曾经指出:劳动者在资本家的产业企业中所形成的剩余价值的一部分,是它的源泉。

但是商业资本家,为着自己的商业企业,是使用商业从业员的工钱劳动的。于是发生一个质问,即那些商业从业员形成剩余价值么? 这剩余价值,不成为商业资本家的利润的源泉么?

在答复这个质问之前,我们首先要考察那用于商品流通的各种劳动。

资本主义社会的商业的根本目的,就在于有利于狭义的商品流通过程,即从甲到乙的商品所有权的移动。

凡从事于对买主的"劝诱"、广告以及从买主接受货币并对商品及货币的计算等事的商业从业员的劳动,正是处理对于商品所有权的劳动,其目的是把这个权利从卖主移转于买主。这种劳动,据马克思说来,对于实现商品的价值,对于使它从商品转化为货币或从货币转化为商品,即对于实现他的相互的交换,是必要的。①

但是,商业从业员除从事于纯粹形式的商品流通之外,还须用自己的劳动的一部分,把商品包装、输送并划分等级。

由是,我们知道,商业从业员的劳动有两种。第一,是在纯粹形式上的商品流通中,即从卖主到买主的商品的"所有名义"(用马克思的说法)移转上,直接支出的劳动;第二,是于商品的包装及划等级诸事而支出的劳动。

---

① 　参见《资本论》第三卷第四篇第十七章。

表面看来,这样把商业从业员的劳动分作,两种好像都是人为的,并无何等意义似的。实际上,果然能够把包装商品的劳动,从对买主的"劝诱"和货币收受等的劳动,加以严格的区别么?

种种的包装方法、广告等等,不都是为着吸引雇主的么?

但是,应当特记的事情,就是:即令两种劳动在现实上常是紧密地结合着,而我们所做的区别,是有深的意义和根据的。

试就一栋房子来说。那简直不用移动它的场所,也不要何等包装,便能够时时出卖,而移转于他人。所以在房屋的买卖当中,只要有从事于商品流通过程的买卖本身的劳动,即只要事务员、公证人、经纪人的劳动和广告费等等就行了。

由这个例子说来,就知道狭义的商品流通中的劳动,没有输送、包装等等的劳动,也是可以存在的。

在另一方面,试想象共产主义社会的生产物的分配。即令这时候,什么商品流通,或"所有名义"的移转等等都不存在,而生产物之仍须区分等级并输送、包装等情形,却是明白的。要之,包装、输送等的劳动,是可以离开商品流通而存在的。

对于这些从业员在商业资本家的利润形成上的任务的一问题,把商业从业员的劳动分作那么两种的,究有怎样的意义?

一切的问题,都在于这一点,即直接支出于商品流通的劳动,不能形成价值,也不能形成剩余价值。

商人在卖出商品后所实现的东西,如我们所知,是已经产业劳动者在生产过程中形成了的剩余价值。

商业从业员,一方因勤务于流通过程,从事商品交换,同时又努力实现体化于商品中的剩余价值。

"成为单纯流通上代理人的商人,并不生产价值及剩余价值。(因为由他的经费所附加于商品上的追加价值,结局,只是归结于预先存在的价值之追加的缘故),所以他对于相同的各机能所使用的商品劳动者,也不从为他迁出直接剩余价值。"①

---

① 《资本论》第三卷第四篇第十七章。

在这样情形的商品流通中,即在从甲移转商品的所有权于乙之时,总不发生价值,所以当商业从业员勤务于流通本身时,也不能迁出新的价值。我们已经知道,商品的价值,是由生产它的必要的劳动所决定的。那么,服务于流通时所支出的劳动,其不能形成剩余价值,更是明白。

当在第二篇涉及这一问题时,我们所达到的结论,便是:企图说明剩余价值从商品流通发生,即是说明从商品流通发生剩余价值的那件事,是不可能的。

除开我们在某种场合所用的论证和考察之外,那就下述的例子看来,也能容易相信。假定就一个自己同时从事于商品的生产和交易的资本家来看。从事于商品生产的劳动者越多——自然,各种设备和原料亦与之相应——,商品的量便越加增大,资本家的利益,也会更加增大。至于商业从业员,问题就完全不同的。任凭怎样增加商业从业员的数目,而商品的分量,却毫无增殖。相反的,从业员的数目,倒是以所生产所贩卖的商品的数量为断的。所以产业资本家,以增加劳动者的数量(和以前同样,在现有的设备及原料的范围之内)为有利,而商业资本家,却不能增加自己的商业从业员的数量为有利,反是在可能的范围内,以减少他们为有利的。

此外,我们还要注意到这一点:通常在商业上,看到被商业资本剥削的从业员数和他们所受的利润量之间的不平衡,商品生产所要的劳动,比这些商品的贩卖上所要的大得多。试取拥有同额资本的两个企业——一个是产业企业例如采金业,一个是卖金制品的商店——来看,我们当能看见从事于金制品贩卖者数,比起从事于采金的劳动者数来,殆不足道。

例如在 1910 年的俄国,84021 个劳动者,采掘了 43 吨金子,即是每个劳动者一年约采 500 格兰姆①。一个店员在好的条件下,一年间所卖的金制品的金量,比这多至若干倍,这是容易想象得到的。

但是,商业资本家所使用的从业员尽管比较的是少数,然如我们所见,对

① 柳比摩夫:《经济学教程》。

于和产业资本家同额的资本,却收得同额的利润。假若站在商业从业员的劳动是商业利润的源泉这见地上,那就不能不承认商业从业员,有产业的最熟练劳动者也不能企及的莫大的价值形成之能力。我们认为这种见地绝无根据。实际上,如我们论价值时所见,像熟练劳动那样在素养上需要很多的支出,所以复杂劳动、熟练劳动,才能形成大的价值。虽说商业从业员的劳动,需要多少的素养,但是却远不及技师,甚至最熟练劳动者的那种程度。所以假若想拿商业从业员的劳动来说明商业利润,那就成为这样的情形,即无论什么技师、什么熟练劳动者的劳动,终不能创造出他们所形成的那样高的价值。

这一切事实,只不过证明了我们所谓支出在商品流通上的劳动,不能成为价值的源泉,也不能成为剩余价值的源泉这样考察的正确。

但是,如前所述,商业从业员除服役于商品流通以外,还把他的劳动之一部,奉献于商品的输送、包装及保存之上。这种劳动,和商品流通、所有名义的移转,没有直接关系。

这种劳动,也能说不形成价值及剩余价值的任何一种么?

不能那样说,问题的要点是:商品的包装、输送及其区分的等级,等等,不外就是生产过程之继续。

假若对于输送原料及其他诸材料和产业企业内的区分它们的等级所支出之劳动,是加在商品价值之上的,那就没有任何理由来说同一的劳动,因其支出是在商品出了工场之后,就不能把它含于商品价值之内。

我们在这种场合所研究的,是马克思所说的"被延长于流通过程内的附录的生产过程"①。

> 不待言,我们所说的是使商品转化为一定的使用价值所必要的包装、输送,不是就投机与广告等所用的而言。
>
> 这种过程,在现实上,是"附录的生产过程",这件事,依照前面所说,他们虽在无商品流通的共产主义社会也能存在的那种考察,也能美满地证明。

---

① 《资本论》第三卷第四篇第十七章。

要之，在从事于商品的输送、包装及区分等级等"附录的生产过程"时，商业从业员也形成价值，因而形成剩余价值。商业从业员的这种劳动，对于商业资本家，能成为新的利润之源泉。

但是，这种劳动，对于商业从业员，不是根本的，他们的劳动主要目的，是在于服役于狭义的商品流通，所以商业利润的主要源泉，不是这种劳动而是产业劳动者的剩余价值，这是显然的事情。

第二节　商业从业员的剥削

我们规定了商业从业员的劳动（在从事于狭义的商品流通范围内），不形成什么价值及剩余价值。然则能够说起商业资本对于商业从业员的剥削么？

为要答复这个质问，须先明白商业行为中的商业从业员的任务。商业资本的使用，没有商业从业员的劳动，是不可能的。但是商业资本的额越大，在其他条件相等时，商业从业员的数，也是应该增大。所以，即令商业从业员的劳动不形成剩余价值，要之它对于资本向商业方面的投下。对于商业资本家占有已经在生产过程中形成了的剩余价值的一部分，仍是必需条件。商业资本家，以在最少的经费之下，实行投下资本并占有剩余价值为有利，这是自明的道理，所以，他和产业资本家一样，对于商业从业员，当然不会支付高于他们的劳动力再生产上的必要之上。换一句话说，即不在他们劳动力的价值以上去支付。商业资本家，强制商业从业员在必要时间以外，做更久的劳动，借以在剩余时间之中，为着把生产中已形成了的剩余价值换为货币，不花代价地去使用他们的劳动。因此，在资本主义之下，不仅工场劳动者要被剥削，就是向着工作台的商业从业员，也是被剥削的。两者的差异，仅仅是：工场劳动者以自己的劳动，为产业资本家形成剩余价值；反之，商业从业员以自己的劳动，为商业资本家保障这一部分剩余价值强装于他的荷包中去的可能性。

随着资本主义的发展，商业从业员的地位，便日益恶化。这一层，一方面可由商业企业内的分业日加改良、各种操作的单纯化、熟练的必要日趋减少等情形来说明。他方，因国民教育的进步，使极广汛的人民，都容易获得为商业从业员的劳动必要的初步知识。这一切事实，遂使市场上的商业从业员的劳动供给激增,他们当中的竞争猛烈,至于使他们的工钱减低。

第三节　商业资本与前资本主义的生产形态

以上,当论述那因从事于流通界、而从产业资本独立化的、单一的社会资本特殊部分之商业资本时,我们研究了资本家的生产方法支配时代的商业资本。

然而在历史上,商业资本,在资本家的生产方法之前,即已发生。马克思说:"不仅是商业,就是商业资本,也较资本家的生产方法为早。它实际上是表示历史上老早就有的资本之自由的存在形成。"①

在资本家的生产方法之前,商业资本,当出卖小商品生产者的生产物时,当交换地主、奴隶所有者及国家等所占有的剩余生产物时,便以中间人的资格而登场了。

在资本家的生产支配之下,商业资本是隶属于产业的,而"在资本主义社会的预备阶段,商业却会支配了产业"②。

利用小商品生产者的经济的弱点,利用他们不了解市场的情形,商业资本,就使他们完全隶属于自己了。即商业资本家收买他们的制品,用高价把别种商品卖给他们,因此,就把小商品生产者的剩余生产物,作为商业利润留存于自己手中了。

在商品的生产和交换尚未发达的时代,商人是由哄骗和诈欺取得其利润的大部分的。马克思说:"处于压倒的地位的商业资本,就弄得到处代表了一个夺掠制度"③。

但是商业及商业资本的成长,伴随着其他诸条件,它本身便助长了小商品生产的发达,后来又助长了资本家的生产方法之发生。

但是同时商业就从对于商业的支配的要素,转为产业自身的从属的要素了。

---

① 《资本论》第三卷第四篇第二十章。
② 《资本论》第三卷第四篇第二十章。
③ 《资本论》第三卷第四篇第二十章。

不过在发展了的资本主义时代,商业之扮演这种从属的任务,也仅是对于资本家的产业才是那样的。

然而,发展了的资本主义之下,小商品生产还没有完全绝迹。在发展了的资本主义之下,和大资本家的企业相并行,有各种形态的小生产,即手工业的、家庭职工的、农民的生产存在着。

他们依然和从前一样,时常依存于商业资本家,即无论出卖自己的生产物,或购买原料和消费,都要假手于商业资本家。

从属于产业资本家的商人,总是平等地和产业资本家互分平均利润;反之,以在经济上微弱无力的小商品生产者为对手的商业资本家,并不以他们为对等者,和他们平分剩余生产物,倒是利用自己的经济的优越,而和前资本主义时代一样,不仅把该商品生产者所形成的全剩余生产物,作为商业利润而入于手中,就是必要生产物的一部分,也往往作为商业利润而入于手中。

剥削及奴隶化的手段,概与从前一样,其方法便是一面用廉价收买小商品生产者的生产物,一面用分外的高价把生产手段和消费资料卖给他们,并且借高利贷及商品的信用贩卖等,把他们奴隶化。

第四节　合作社商业及合作社利润

为要免除以商业利润形式支付于商业资本的这种供奉起见,于是在资本主义社会之中,就形成了贩卖生产物和购买原料等而设立的合作社的结合及消费合作社等一类东西。这些结合的任务,就在代商业资本为社员供给消费资料、原料,并把他们的生产物,以有利的条件贩卖。在供给已成商品于社员的消费合作社中,除小商品生产者(农民及手工业者)之外,工钱劳动者也有很多参加的。

合作社所给与于社员的特典,得采取各种的形态。在某种场合,直接提供廉价商品于社员,又在某种场合,决定市场价格。但是,当贩卖商品而实现利润时,合作社,大概是在年底把该利润的大部分分配于社员(该利润的其他部分,留作扩大生产之用)。

由是,便发生下一质问:即与考察商业的利润相关联,将怎样考察合作社所获得的这种利润？它的源泉及社会的性质如何？

在小布尔乔亚的合作社员之中，还普遍地流行着这种意见。即他们以为社员们以定额的货币形态领受的利得，乃单由于购买上的节约，不应认做商业利润。

试检讨这种意见，究竟什么区处是正当的。且就一个消费合作社来说。为其简单起见，假定该作合作社单是买卖织物的。这个合作社的社员数为1000，在一年间所获得的利润，是25000元。其分配的情形，大概以2500元为公积金，以2500元扩张将来的事业，其余20000元分给1000社员。这样，便是每个社员领受20元。但是他们对于这20元，无论是以合作社的织物的折扣形式而被支付，或是在年度终结时借比例于购买料的红利形式而被支付，于我们毫无关系。但是这20元，果然可以看作是由于购买上的节约而来的么？在合作社的商品的折扣形式上，领受这20元的时候，社员那样着想，也不是全无道理。不过这种节约，究竟起因于何处？为什么合作社贩卖商品，能比私人的商店卖得低廉些呢？合作社不会贴本出卖，这是明白的。因为那样的合作社，结局是不能持久的。再如那假定比之私人的商店低廉的情形，是由于合作社的商业事务之经济的组织，更加危险。如果一想起商业资本的利润的源泉，究竟是什么时，就很容易解决这个谜子了。它的源泉，如我们所已经规定的，是产业资本所让渡于它的剩余价值之一部分。由于同一源泉，也可发生合作社的利润。合作社的商品，也是从产业资本家买来的。产业资本家之对于合作社，和对于商业资本家一样，是把商品按照它的价值，多少贱价出卖的。所不同的，只是：私人的商业资本家是把这个剩余价值部分，以对支出资本的商业利润的一个形式，放入自己的荷包中；反之，合作社却是以某种形式把它分配于社员。所以，合作社利润的源泉，也不外是产业劳动者所形成的剩余价值。

以上所说的，自然是就一切消费合作社，和原料及生产手段的购买合作社说的，现在再无用提及了。

就贩卖合作社说来，社员们从该合作社所得的利益，是因为通过合作社贩卖自己的制品，得免除商业资本的媒介，因而他们得以保留所剥削于劳动者的剩余价值之一部分，小生产者亦得以保留自己的剩余生产物之一部分。社员们从合作社所得的利益,就在这一点。

但是,在资本主义的现实上,各种形态的贩卖及购买的合作社,实质上,只是当作服役于富裕的资本主义诸层的团体而行动,在他们的手中,便变成使小生产者奴隶化及破产的手段。

就劳动者的消费合作社说来,只要它是将产业资本家所让渡于合作社的剩余价值之一部分分配于劳动者时,那在某种程度,多少也是改善工钱劳动者的物质状态的一个手段。但当资本家一明白劳动者用廉价买得商品,随即利用这个机会,来极力地减少工钱。所以,劳动者要能确保由消费合作社所给予的利益,除非是和该合作社相并的,强有力的社会主义的政府保障它的时候。所以,借合作社改善自己的物质状态的一切企图,在资本主义的限界内,什么物质状态的根本改造,终归没有希望,因之根本的任务,就在资本主义的颠覆,与社会主义的建设,这是必须牢记着的。自然,合作社的任务,也非和这个根本的任务相副不可。

关于第六篇的研究资料

质疑及课题

1.资本的"流通"这概念,和资本的"周转"这概念,拿什么来区别?

2.商业资本离工业资本而独立化,这件事给工业资本家以什么利益?

3.把"商业资本"从"商品资本"这概念中区别出来的是什么?

4.同一商品的批发价钱与零卖价钱的差额,能由什么来说明?

5.课题:有这样一个社会,全产业资本家的资本为4亿元,劳动者一年间所形成的剩余价值为1.2亿元,全商业资本家的资本为2亿元。

(1)这社会的平均利润率如何?

(2)在产业资本家,每一元商品的生产价格如何?

(3)产业资本家分多少剩余价值给商业资本家?

6.商业利润何以不能从商品流通中发生?

7.周转速度,对于商业资本家,并且对于商业利润的大小,给与如何的影响?

8.能够说陷于商业资本支配下的小商品生产者,已经大半成了工钱劳动者么? 附理由来回答!

读书资料

A.商业利润、利润均等化的商业资本之参与、商业利润与生产价格。
《资本论》,第三卷,第四篇,第十七章
B.利润不能从流通过程发生的情形。

《资本论》,第一卷,第四章

C.流通上的诸费用(与商业从业员的劳动性质相关联)。

《资本论》,第二卷,第六章(但是限于有素养的人)。

关于 C 的质疑

9.马克思把簿记所要的费用,看作什么种类的经费?

10.又把输送所要的费用,看作什么种类的经费？ 他对这问题以什么论证作自己的见地之基础?

11.马克思怎样观察商品的保存所要的诸费用 ？

D.当研究商业及商业资本的问题时,马克思理论上的生产的劳动问题,引起了特别的注意。

这论纲是要证明的问题。

供证明的参考书。

(1)在 A、B、C 项所介绍的东西。

(2)马克思《关于剩余价值诸学说》第一卷。

(3)戈列夫《在意识形态战线上》1923 年版第 24—26 页及其他各页(特别是就知识的劳动之生产性说的)。

(4)关于生产劳动的问题,卢森堡、爱斯金、亚波林所讨论的诸论文,《经济问题》1929 年第 12 号。

(5)柯夫曼《生产劳动与马克思的方法》、《蒲里坡》1929 年。

第 七 篇

放款资本与信用　信用货币与纸币

第二十章 放款资本与放款利息

第一节 概　论

现在我们来考察所谓放款利息。这放款利息，是从剩余价值的总量抽出来的一部分，它不是属于产业资本家或商业资本家，而是交到货币资本家手里的东西。

前面所考察的利润或剩余价值部分的两种形态，即产业利润与商业利润，就是照应于资本在其循环上所采的两种形态，即产业资本的形态与商业资本的形态。我们现在要论述的利润形态，便照应于当作第三资本形态的货币资本形态。因此，为要深刻。理解放款利息的性质起见，就不能不想起以前各篇所述的资本循环一般，特殊地要专研究货币资本在此循环上所演的任务。

资本家要获得劳动力与生产手段，就必要货币，所以没有货币就不能开始生产过程，这是我们已经说过了的。但是，纵然生产过程已经终结，体化劳动者的剩余价值的新商品已经形成，假若这个剩余价值还没有实现，资本家的目的还是没有达到。在资本主义经济之下，它的实现，不外是采取货币的形态。因此，货币不但在开始资本家的生产上，就在完结资本家的生产到成功上，也是必要的条件。要不断地继续资本循环，就要不断地自由实行把别个资本形态到货币形态，把货币形态转到别个资本形态。

在资本主义社会握着货币的这件事，不但指示其能获得与此相交换的某种等价物的可能性，并且指示其有占有剩余价值的权利。货币如今不单是一般的价值形态，并且是一般的资本形态，除了在单纯商品经济上所演的机能之外，又加上了货币资本这种新的机能。

追求利润既然是资本主义经济发展的根本刺激，那就这种追求，显然是与那追求货币，即追求最一般的形态上的资本的事情，紧密地结合着。

为要占有剩余价值，资本家没有"永久地"使货币资本的自由的必要，只要在一定期间使它自由就够了。暂时借得货币的资本家，把他们转变为生产资本，并在生产过程终了后，卖出商品收回货币，实现生产上所形成的剩余价值，再把暂时借用的货币偿还于原来的所有者，——这便行了。

所有着某种货币额的人，暂时把它贷给（以信用贷给）别人的行为，就叫作放款。

因为我们所研究的是资本主义经济，所以首先要考察这一经济所特有的放款形态，即放出去的货币，尽货币资本的任务而成为占有剩余价值之手段时的放款形态。

第二节　休息资本的形成

因一时之用而从其主人借出来的游资，在资本主义社会之中是存在的么？任何产业资本家，在某种时机，都能造成游资。在第四篇论述固定资本与流动资本之际，我们曾指示出固定资本在每次终结生产周期时，只是把它的价值之一部分转入于商品之中，因此，发卖商品的 stock 而流回资本家手中来的归还金额，在产生用新机械代替日渐消磨的旧机械之必要以前，或在归还金额没有达到能够为扩大生产而建设新机械与建筑物的数量的期间，它是眠伏着的。

因此，属于资本家的货币之一部分，在这种期间，简直就休息着的。当然他也能拿这货币的一部分，从新购入追加原料及追加劳动力，把它在原有的设备上，例如依据特别交代制等的布置，而巧妙地去利用它。但是，游资的那种利用法，是拿平时的设备来应急的事情，有限得很。所以，不能说有了这种情形，就妨害若干暂时的游资之形成。

游资不但因固定资本，有时还因流动资本而一时蓄存于资本家的手中。

为什么那样呢？如在论商业利润的那篇所指摘的一样，资本家于终结一次的生产周期的当时，忽然卖尽商品，立即用所得的金钱去购入下次的生产周期所必要的一切物品，这样的场合差不多是没有的。通常，都是不待刚刚终结的生产周期所生产的商品时的换钱，就要进到下次的生产周期。因此，资本家为了不断地继续其事业,就要准备若干的追加资本,拿这资本来开始新的生产周期。这追加资本,在不曾投下的而被蓄藏的期间,也成为休息资本。不仅如此,也有以前的生产周期所生产的商品,忽然换钱,而卖得的金钱也暂时游着的场合。这因为某种期间的生产之继续,是由投下了的追加资本保障着的缘故。①

此外,资本家在某种期间,能够处置工钱基金。试看工钱这东西,不是资本家在使用劳动力终结之后,还要搁置一星期、两星期、一个月等的一定期间,才支付的么? 充作劳动力的支付之可变资本部分,也是在某种期间(哪怕是暂时)游离着的。

最后,还要把为休息资本之一源泉的被换成货币的剩余价值,指摘出来。资本家不是为满足自己个人的必要去动用这剩余价值的,在他想把它投下于事业时,他便不能不等待自己所蓄积的剩余价值达到他所定的数量。

资本的一部分采取货币形态暂时休息的情形,其他还有许多,我们只列举上述的场合为止。②

既然各资本家的手中都能造成暂时的游资,既然在固定资本更新以前的期间、种种生产期间、商品换货的诸条件、工钱的支付日期及支付的各条件,每个资本家都不同,那就在各个资本家方面,无论金钱游闲着的期间如何短促,而以信用为媒介而广大的利用这些游资的事情,却是可能的。

第三节　放款利息与放款资本

向他人暂时(以信用)借用货币的资本家,随其生产的扩大而获得形成新剩余价值的可能性。

---

① 虽有商业资本家的助力,仍不能把产业资本家从有追加资本的必要中完全解放出来。这因为终结生产之后,不一定立即当场很凑巧地把商品卖给商人。此外,产业家在终结现在的周期之前,为了买进次周期所必要的原料(特别在窥伺某种季节买进来为有利的场合),不能不又追加资本。因此,通常减少对于流通资本的必要则有之,决无没有这个必要的。加之,如已经指摘的一样,也有不仰给于商人的助力而自己把商品卖给使用者的产业家(例如美国有名的汽车工场主福特)。

② 我们现在是把劳动者的零碎存款置于不顾的,关于这一点后面去说。

投下他人的货币手段而得到的这种剩余价值,不是完全残留于使用这货币的资本家之手的。这是显然的事情。又,暂时贷给货币于其他资本家的资本家,假若不在分润那用这货币从劳动者榨取来的剩余价值之一部分的条件下,是不承认贷与的,这也是显然的事情。贷与了货币的资本家,对于使用这货币而享受的这种剩余价值部分,就是所谓放款利息,(以信用)提供于他人暂时使用的资本,就是所谓放款资本。

货币的所有者,由于贷出货币的事实,简直自己不参加任何剩余价值的生产而取得放款利息。

他们把这种放款利息,看作是和这种资本的用途无关系的,对于他的资本之一时使用的特殊价格或支付。

所以,放款利息的收得,在他只不过认为是简单的转变 G——G₁。即,他思维着,把一定量的货币 G 贷给债务者,经过某种期间而从债务者于最初的金额 G 之外,还收受若干剩余部分,即收受应该含有 g 的 G₁。由贷方之狭隘的主观见地看来,以为这种剩余部分,好像是从货币的流通中产生,或是货币自身的具有一种贷给别人便增大其价值的性质的。

这种见地的误谬,由前面一般的就剩余价值之源泉、特殊的就商业利润所述的一切,可以充分明了。这种剩余部分 g,不能从货币的流通中产生;借方(债务者)从那中间掏出的应该支付于贷方(债权者)的放款利息之源泉,不外是在那以信用借款所行的生产过程中被掏出来的剩余价值,这是毋庸怀疑的。

因此,货币所有者(贷方)所受的放款利息、以信用借得货币的产业家所受的产业利润,并不是从两个不同的源泉产生,而是从一个源泉产生的。即是说,资本主义利润的这两种形态,都是从劳动者所形成的剩余价值的分配中产生的。

马克思说:"不能因为同一货币额对于两个人(即从该项资本汲取放款利息的债权者,及用这资本汲取产业利润的债务者——产业家——著者)是二重的作为资本而存在,就说利润是成为二重的东西。这种货币额,只有因利润的分割,才能对于两者发生资本的机能。"①虽说信用贷出的资本,对于债权者

---

① 《资本论》第三卷第二十一章。

及债务者都提供利润,但是资本"只不过一次发生机能,只不过一次生产利润"①。

然而由于上述的情形,却发生了这样一种思想,即以为货币资本的所有者有完全不参加于剩余价值的形成过程而能获得利润的可能性,以及当作由此而生的那种东西看的货币有不参与于生产而弄得利润的能力。这种思想,更是加强了资本主义社会的物神性,更加强了在这一社会所看见的人类关系所受物财的复杂的隐蔽。

第四节　利　率

债权者所受的利润量对于放款资本的比率,叫作利率。这利率由什么所决定的呢? 放款利息既然是拿放款资本去形成的剩余价值的一部分,利息的最高限度,就显然地应是分配于这放款资本的剩余价值。

对于当作总体看的一切社会,成为放款利息之最高限度的,就是平均利润率。

但是要注意,放款利息,在各个特殊的场合,能够达到这种平均率以上。例如资本家因为材料不是而害怕不能从自己的资本得到利润的场合(比如流动手段不足时),他为要毫不失掉从自己的资本得到利润的可能性,就承认极高的利率,这种情形,也是有的。又如在看到只要获得追加手段,就得到更高的超过利润时,资本家便在平均利率以上,把利润部分作为放款资本的使用费去支付,这种情形也能想象得到。

然而利率对于平均利率的那种超过,只在各个特殊的场合,才有可能。假若一旦普及于一般,那就投下于产业的资本之一部分,马上要从产业中退出来,作为放款资本而供给。这时候,显然的,利率将不可避免地低落下去。所以,若不拿各个情形而拿总体的资本主义经济来看,并且拿多少继续的期间来看,那就利率的最高限度,不能不停留于平均利润率之点。

利率是以利润率为其最高限度的,因此,通常就非在这限度以下不可。因

---

① 《资本论》第三卷。

为除了前面曾经说过的情形之外，资本家所以暂时借用货币，是为要占有那用这货币所取得的剩余价值的一部分，不是为了完全把剩余价值提供于债权者。

那么，现在我们看看利率有无再不能低于其下的最低限度。

马克思说："利息的最低限界，是完全不能限定的。它能够低落到你所愿意的程度。"①

因此，通常利率所不能达到的低落之绝对的限界，就是零，即放款资本完全弄不来利息的时候。

然则在这两个限界内，使利率变动的，究竟是什么？

决定这种变动的唯一根本要因，就是需给间的交互关系，被供给的休息资本越多，利率就越低，对于货币资本的需要越多，利率就越高。

需给对于货币资本的那种变动，依存于后来还要说及的许多情形。

还要注意以下的事实：第一，既然通常平均利润率是利率的最高限度，而且随着资本主义的发展，平均利润率有愈益低落的倾向，那么，利率变动的振幅，当然有短缩的倾向；又，后进国的平均利润率较高，因而其利率也就当然比那有着高级资本构成的、发达到了高度的资本主义国的利率为高（已经高些）。

在资本主义各国，因其各自对于货币资本的需给之如何，成立一定时期的平均利率。但是，平均利润率，不过是以单纯的倾向存在的；反之，平均利率，却带有更决定的性质。其要点就在于利率的平均化，比产业利润的平均化很容易实现。就是说，种种产业部门的利润之平均化，不是通过制品的竞争而直接显现的，乃是通过资本从这部门到那部门的移动而间接显现的；反之，在货币资本的世界，没有各种部门的区别，一切的货币，不论是谁供给的，都有"同一臭味"。加之，如后面所述的许多资本主义的机关，能够把需给对于货币资本的一般交互关系，绵密地计算出来。

这种情形，在一定的国家、一定的期间，多少帮助着一定的单一利率之成立。

---

① 《资本论》第三卷第二十二章。

第五节　货币资本与产业资本的机能
之分离　高利贷资本

前面我们论述放款资本与放款利息时,曾假定一个产业资本家,是有着一时的游资,把它直接贷与其他的资本家,让他暂时去使用的。以直接榨取劳动者来获得利润为常的产业资本家,在这种场合,同时又以休息资本为中介,出现为收得放款利息的货币资本家。

但是,在现实上,同一的个人,不一定必须同时兼做产业资本家和货币资本家。我们已经看到,商业资本的诸机能,是从产业资本的诸机能中区别出来了的。和这完全一样,货币资本的诸机能,也是能够区别出来的。不论是从何处弄到手,只要有金钱,谁也能够把放款取息当作自己的工作。商业布尔乔亚是派生的,同样,货币"布尔乔亚"这种特殊集团,即所谓金利生活者资本家团,也是派生的。他们自己没有资本家的产业企业,只有把自己的货币资本贷与别人,取得放款利息。

历史上,商业资本比产业资本生得还早,同样,专门的货币资本之发生,历史上也在产业资本的发生之先。

在与商品——货币经济之发展相结合的资本主义生产方法之发展以前,货币就已存在,它不仅成为流通手段,还转变为退藏货币。因此,一定量的货币,在各个人的手中,被蓄积为退藏货币,这是应有的事情。这些人们,把货币贷给需要它的人,向他取得一定的报酬。因此,他们的货币,转变为弄得利息来的货币。我们在前面论述放款资本时,常是以发展的资本主义社会为背景的,至于此种所谓高利贷资本,却与此不同,主要的是榨取小商品的农民的及手工业的经济之必需的手段。高利贷资本,乘着这些经济的微弱无力,货币非常缺乏的机会,放款给他们,不仅夺取小商品生产者的剩余生产物,并且连他们的必要生产物之一部分,也用利息的形式夺去。

高利贷又放款于封建阶级——大地主,去满足他们的欲望。这种放款形态,也是榨取封建阶级权力下的农民的。因为封建阶级把支付利息的负担,转嫁于农民。

这样看来,在生产上,资本主义诸关系生出来的时候,引致利息的资本就已经存在了。

但是,在资本主义的生产方法支配之下,这种资本的性质却为之一变了。高利贷资本原是榨取小商品经济的手段,助长这种经济破产的要因;反之,放款资本,却是成为榨取工钱劳动者、扩大资本家的生产之手段的。高利贷资本,强夺小商品生产者的剩余生产物的全部,往往连必要的生产的之一部都夺去;反之,放款资本今日所奉献于他的所有者的,只是劳动者的剩余价值的一部分,和其他却不能不提供于生产家,这是通例。

所以,我们不能把前资本主义的高利贷,和现代的货币资本家混同起来。

第六节　企业利润和放款利息的分离

现在假定一个产业资本家,借钱办企业而收得剩余价值,把这剩余价值用利润的形式实现出来。

产业家不能把用他人的资本所得的利润,全部归自己,通则上,要把利润的一部分,以利息的形式提供于货币资本家,这是很明了的事情。到产业家手中去的东西,就是利润总额和放款利息之间的差额——所谓企业利润(企业利得)。

但是,产业家不仅拿那种以信用借来的他人资本经营企业,还以自己所有的资本经营企业。他以自己的资本去获得的利润,已无把它分给货币资本家的必要。

虽然如此,他仍要把这种利润,分为企业利润与放款利息。

假如资本的平均利率是5厘,产业资本家自己有资本100000元,取得了15000元利润时,他或许像下面那样着想:"即令我不是企业家,我对于自己的100000元,也会以利息的形式取得若干利润吧!我把它贷出去,还是以货币资本家的资格取得了5厘利润即5000元吧!然而实际上,我得到的不是5000元而是15000元。这多余的10000元,不外于是我把自己的资本投下于企业的缘故。因此,我的资本从一方弄来了5厘放款利息(即5000元),从他方弄来了一成企业的利润(即10000元)"。

由于信用的存在而当作那种东西看的货币，能够不被投于生产而供给利润于其所有者，于是使用自己资本的产业资本家，一方面把自己看作对自己提供信用的货币资本家，另一方面又把自己看作利用这一信用的产业资本家。

这时候，"他的资本那东西，就其所引致的利润之各范畴说来，是被分割为在它自身上弄得利息来的资本所有，即存在于生产过程之外部的资本，与正在进行中而引致企业利得的、存在于生产过程之内部的资本"①。

不问放款利息与企业者利润，要之都不过是单一的剩余价值之各部分，这是我们已经知道的事情。虽是这样，而产业资本家所行的那种分割在某种意义上却有若干根据。为什么呢？因为纵然放款利息（就我们的例子说，是5厘）不能离开剩余价值的生产而产生，可是各个资本家，却仍能自己不组织资本家的生产，而从自己的资本中获得5厘利息，总是俨然的事实。

所以，货币资本与产业资本之机能上的分离，就引起这样的结果，即在货币资本家与产业资本家是同一个人的时候，而放款利息仍从企业利润中分离出来。

在资本主义社会中，人类关系的物神化，比从前更显著地表现着。企业者利得与放款利息，在归于同一人手中之时，仍被区别两种东西，这件事只不过加强了如下的错觉，即以为放款利息，是离开生产而独立发生的，即从剩余价值以外的其他源泉收得的某种剩余部分的那样的错觉。

同时，把利得分割为两个种类的事实，又发生如下的错觉，即以为只有放款利息，是资本家不曾努力而取得的"不劳所得"——"受动的"利得；至于企业者利得，则是由于他的活动——"劳动"而收获的利得。就是说，企业者利得，被看作恰如劳动者的工钱一样，是资本家对自己的劳动所享受的报酬。

---

① 《资本论》第三卷第五篇第二十三章。

第二十一章　信用及银行

第一节　银行信用与商业信用

以上我们观察了资本家使用休息资本,因而得到扩大其资本家的生产之可能性的事实。如果没有这种信用,货币资本到生产资本的转变过程,就会伴随巨大的飞跃,而断续地显现。就是说,一定的货币部分,在其能够转变为机器与建筑物等等以前,定要在很长的期间游离着。信用是不让这些货币贪眠的。假如它们在某种企业内,不能立即转变为生产资本,那就为了转变起见,要投到别的企业中去。

如果没有信用这东西,那么,不但从休息货币资本的形成,即货币资本一时不能转变为生产资本的情形说,就是从资本在生产过程后,不能不暂停于商品形态,即资本不能无障碍地从商品形态转变到货币形态的情形说,怕也不能避免资本循环的停滞。

实际,如我们所知,为要使资本的循环不断地继续进行计,那在再生产过程终了后收受制品的资本家,定要一举而卖掉这些制品,拿所得的金钱去购买下次的生产周期所需要的一切东西。假若这是不可能的,在商品的生产终点与这些商品的流通终点之间,还介有若干期间,那就资本家为了不中断自己的产业起见,不能不有追加资本即一定的货币额,拿它来开始新的生产,以待从前的商品换成货币。但商品在未经换成货币的期间,是变成了死的资本的。商品越是迅速地换成货币,追加资本的必要就越少,资本家以手头的资本形成剩余价值的可能性就越多。

于是信用又来这里应援资本家,缩短商品的流通期间,促速商品换成货币。

490

怎样做呢?

假定一个织物业者资本家,有着制品的花布。为何他不一下子把它换成货币呢?

这有种种的理由。第一,织物工场一年四季都多少有规则地、均等地活动着。①

大家都知道,对于棉布的需要,并非一年四季都是一样。冬天需要不多,一到夏季便增加起来。在农村,到了秋天,农民就出卖当年的收获物,所得的金钱,还有若干残留于手中,结果,棉布的需要就显著地增长。除了需要商品的那种季节变动之外,由于(如我们所知)商品从生产地点达到贩卖地点以前,往往要经过长期间的事实,也能说明商品流通的停滞。此外,也还有其他各种原因。

假定冬天里,织物业者资本家手中,造成了某种数量的棉布存货,不到春天是不能换钱的。但是,他为了在冬天继续其生产,就不能不买煤炭。他所有的自由的金钱,已被包含于制品之中,而这些制品,是不能急切地换钱的。这时候,他不能用现金去买煤。同时,煤炭的所有者,在织物业者资本家没有自由的金钱时,也不能卖煤给他。于是一极虽有商品 W_1,对极虽有商品 W_2 之存在,而商品交换却因中间的一环 G 的不足,简直不能显现。

然而问题却不在于织物业者资本家一般的没有手段的一点。一到春天,他便能卖出棉布取得货币,支付煤的代价于煤行。只要煤行应允把支付日期等到春天,那就即时可行交易了。

"现金"支付被到期支付所替代,因而商品的流通期间就短缩,假若织物工厂主想不借信用之助而想保障生产的继续,那就定要除去非要不可的追加资本的必要。

信用使商品容易换钱,并除去资本循环的停滞(依存于资本的商品形态上的停滞的)。这种信用,叫作商业信用(也称为商品信用)。

---

① 一年四季的劳动,在可能范围内,比季节劳动尤为有利。因为后者在制造等量的商品上,非一举而运转多数机器,雇用多数劳动者不可。即是,在季节外的时候,不能不使多额的资本游闲着,一旦到了季节,又非一举完全投下不可。

到了现在,连建筑劳动之类,也是一年四季都工作的。

和这种信用不同，如我们在前面所已考察的信用种类，即除去资本的货币形态上的停滞，把休息货币资本转变为活动资本的信用，叫作银行信用。

因此，银行信用的对象是放款资本，商业信用的对象是商品（商品资本）。商品的买卖，因商业信用而实现。但是，代价的支付，要在买手领受商品之后，搁到某种期间才履行。至于银行信用，便无任何买卖，所有的，只是货币资本的贷借。以信用提供货币资本于他人的当事人，其目的不在于商品的实现，只在于收得放款利息。①

但是，即令在商业信用之时，以信用出卖商品于其他资本家的资本家，到了支付日期，若只从买手领受与现金贩卖时相同的支付，他是不满足的。因为买手资本家，是把信用买进的商品，拿去当作商品资本，在某种期间内榨取剩余价值的。就是说，提供信用于他人的卖手资本家，若是以现金卖掉这些商品，那他就能利用所得的金钱，在此种期间榨取剩余价值。

所以，以信用卖出商品的资本家，期限一满，他就不仅要求偿还商品价格的数额，还因提供信用的期间而要求若干的追加。

例如把煤铺卖给织物业者的煤，在以现金买进的时候，作为 10000 元，那就煤铺在半年满期的信用卖出之际，对织物业者将不仅要求 10000 元，而要求在 10000 元以上为若干的附加，例如加 2.5%，即是要求 10250 元。如果这是一年满期的信用卖出去的，那只要别的条件无变动，织物业者便随着期限，于煤的价格以外，不是支付 2.5%，而是支付 5%，即支付 10500 元。

第二节　为保证的票据

资本家也有基于个人的信任而提供信用于其他资本家的事实。

煤炭所有者资本家，单只信任织物业者口头约定春天付钱的话，而把自己

---

① "在银行信用方面，债权者的目的，不在于实现他的商品，而在于收回对于他所贷付的资本的利息。……在商业信用方面……就债权者说，契约的目的，在于手中的商品换钱，即在于这种商品的贩卖……"（伊·亚·托拉夫登堡：《近代的信用与其组织》上卷）。

的煤炭供给他,这种情形也是有的。和这完全一样,拿着游闲资金的资本家——信用授与者,也有单是信任该债务者(即信用的使用者)而提供金钱于他的事情。

但是,当授与信用者提供信用时,当是向债务者要求证书的。

那种证书的最普通形式,就是票据。假若债务者对于债权者(或债权者的委任人),给与一定期间后支付的约期证书,这就是所谓期票。在上述的例子上,假若织物业者对于煤铺或其"指定人"(即煤铺委任了请求权的人),签名在春天(即一定的日期)支付金钱的那种证书上,那就是期票。

和期票并行的还有汇票。假定织物工厂主在以信用买进 10000 元煤炭之外,同时又以信用卖出时价 10000 元的棉布于商人。①

照说,该是商人对织物业者开出期票,织物业者又对煤铺另开一个票据,不过可以用另外一种方法,即织物业者对煤铺资本家,开出 10000 元的票据。把自己的借款转嫁于商人。届期,商人便对于煤铺直接支付 10000 元,一举而结束了两个信用行为。开票人的债务者,自己对于票据不为支付,而把支付义务转嫁于第三者的这种票据,叫作汇票。

开汇票的人(照上例说,就是织物业者)叫作开票人;应当收受票据而为支付的人(商人),叫作支付人;领受票据金额的人(煤铺)叫做取款人。

支付人一在票据上签名盖章,承认支付,汇票就发生为证书的效力。若是期票,当事者至少为二人;若是汇票,当事人在三人以上。

但是,票据的当事人是能增加的。如果向织物业者领受票据(不管是期票或汇票)的煤业资本家,想为自己的煤坑以信用买进与先前收在手中的票面额相当的机器,他便不从新开票据给机器制造业者资本家,只拿织物业者所开的票据去交付就行了。可是这时候,他必须在票据的背面签名盖章。机器制造业者又可以从新背签去交付第四人。假若票据的支付人不为支付时,背签人便全体要负同等的责任。

票据写在具有一定形式的纸面上,国家用相当的法律,援助债权者向债

---

① 这时候,10000 元的中间,也含有对于供给了的信用之利息。开票人到期应该支付的金额(利息也在内),叫作票面额。

务者索取票面金额。当追索票面金额之际,法院并不调查票据支付人,果否领受了与票面额相当的商品或货币。只要在票据上签了名盖了印,那就非支付那多金钱不可。这使票据的索兑非常简便。但是,所谓"融通额"(空票据)的这种恶劣票据,当然也能行使。这即是某人自己并不曾领受金钱或商品,而向他人开出某种金额的票据。收受这种票据的人,又在上面做背签的手续,以信用去按照票面额领取金钱或商品。期限一到,最初的开票人,是无力支付票面的金额的,资本家当收受票据的时候,要谨防空票据而加以拒绝。

当作极重要的信用之一形态的票据,其所具的意义至大。票据因为使资本的循环容易,同时就使各个资本家间的计算简单,由此常常免除现金的必要。

第三节　票据的贴现　贴现利息

某个资本家,虽然拿着票据,而支付期限却还未到。然而因为某种用途又需要现金。这时候,他到有游闲资金的资本家那里去,把票据背签而交付于他之后,便能向他领取某种金额。货币资本家领受这票据,俟期满去兑取票面金额。票据的所有者,在记载的日期前,用票据去换钱的那种行为,叫作票据贴现。

当货币资本家为票据贴现时,他不支付票面额的全部于持票人,要扣除这种金额的一部分即所谓的贴现利息,这是当然的事情。因为他是贷给某种期间的一定金额于持票人的,而票据贴现,不过是放款行为之简单的特殊形态罢了。他贷款于持票人之后,不经过若干时间,不能向支付人去兑取。

但是,票据的贴现,不仅由第三者的资本家行之,也由出票人自身行之。例如织物业者在票据上,约定了5月1日支付,假使获得了提早于3月1日支付的可能性,他便可急速往煤铺去,收回自己的票据(或是就那样涂消)而在限期前支付。但是,织物业者是有使用这笔款项到期满之日(5月1日)以前的权利的,假若支付之际,煤铺不用退还他,他就不得在限期前支付于煤铺,这是显然的事情。假如票面金额是10000元,平均贴现利息为6厘,票据贴现的日期是在限期前 2 个月,那就从 10000 元中所取得的贴现利息是:$\dfrac{10000 \times 6 \times 2}{100 \times 12} = 100$,当 3 月 1 日为票据贴现时,织物业者便不须支付 10000 元,而只支付 10000—100 即 9900 元就够了。

票面金额之中,除信用贷款的名目金额外(即除被让与的商品价格,或信用贷款的货币数量外),也含有对于信用的使用之利息,所以当持票人于限期前为票据贴现时,如果他所持的票据已满期,那就当然失掉可为的利息部分,这是显然的事情。反之,他却能在期限之前获得现金去投于流通上。

因此,票据的贴现,使商业信用与银行信用为相互的结合,使信用成为更利于融通的东西,于是扩大了信用的范围。

第四节　银行的一般概念

我们在论述信用时,出发的前提是:信用交易,是在必要信用的资本家与拥有游资或商品而能够提供信用的资本家之间,直接显现的。

但是,资本家伙伴的那种直接的信用交易,绝不是那样在任何时候都可能的事情。

银行信用的场合,第一就是如此。试假定一个产业资本家,为了购入新机器而必需一定的信用来看。这时候,容易找出一个资本家,恰恰拥有他所必要的那多游资,而且这些货币能够以信用贷出的期间,又和他所必要的期间完全相同么?

显然的,这样好机会的结合,只是例外的事情。

一个资本家的手头所蓄积的偿还基金,在某种时机以前,恐怕不够满足别个资本家的必要吧!如我们所见,休息于资本家手中的工钱基金,只是在很短的时间游闲着,因而以信用贷出于个别资本家的可能性,是很受限制的。

为了打破直接的信用交易上所表现的那种障碍,就以设置特殊的信用机关之银行作手段,通过银行去组织信用。

于是拥有游资的资本家,已无把自己的金钱,用一个信用授予者的力量,去找寻那借款日期限与数目都适宜的借款人之必要了。处于一切贷方与借方之间的中介业者银行,早已不仅从一个人收集游资,而能从其他许多资本家集合游资了。

纵然各个资本家所拥有的休息货币是微小的,而且期间是极短的,可是只要集中于一个地方即银行,那就达到莫大的数量。而且,把这些货币存于银行的各个资本家,并不要求一齐兑回,因而银行家可以更长期地贷出去。

所以感到货币的必要的资本家,没有找寻那直接贷款给他的资本家之必要,只要往银行去就行了。总之,银行这东西,是拥有休息货币手段的人们与必需这些手段的人们之间的中介者。"银行业者的业务,就在于把可以贷付的款项,大量的集中于自己之手。因此,银行业者们,代替各个货币贷出者而当作一切货币出贷者们的代表,与产业上及商业上的资本家们相对立。他们参成为货币资本的一般管理人。他方,他们又替全商业界①为借款,所以又和一切贷款者相对立而集结一切借款人。"②

总括银行集合游资的行为,叫作受动的业务(受信用业务);银行分配这些金额于借款人(即需要这些金额的人)的行为,叫作能动的业务(授信用业务)。

第五节　银行的受信用业务

然则银行之基本的受信用业务是什么呢? 换一句话,银行是从何处把那可以贷出的货币手段弄到手的呢?

这里首先要注意的,就是属于银行自身的资本。银行的创立者们,单是向各资本家发表存款是不济事的,那是手无一物而想集聚他人资本的把戏,在他们自己没有财产,在不能于发生意外的损失之时去保障顾客的范围内,谁也不会去信用他们而存款。

普通把属于银行经营者自身的货币手段,叫作银行的基本资本(但是,不消说,不能把这一语和前述的机器及建筑物那种固定资本相混淆)。同时,当这种资本是由若干资本家的股份所成立时,又叫作银行的股份资本。

---

① 马克思所谓"全商业界"的场合,不仅指商业资本家,而是指用某种方法与市场及商业相结合的一般借款人。

② 《资本论》第三卷第二十五章。

除基本资本(或股份资本)之外,还有准备资本(公积金),也算入银行资本之中。那就是由于银行的主人(或股东)们,为了扩大银行而公积起来的利润之一部所成立的。

把食盐的小小结晶一投到过饱和的食盐溶液之中,它的周围就有许多结晶从溶液中析出而结集起来。恰和这一样,银行用自己的资本,从社会吸引其他的游资,立即运用它们,动员他们。

游资的那种聚集首先就是由存款来显现。

假如游资的主人,准备随时取出而把它存入于银行,那就叫作活期存款,假如指示一定的期间,约定非到期不取出,那就是定期存款。

定期存款的场合,银行知道在满期以前不取,它可以安心地运用这笔款子,这是大家所熟知的话。至于活期存款便不能那样。银行必须常常留意从活期存款中,把很大的一部分以现款存于金库内。为什么呢? 因为不知道存款者何时来取钱的缘故。因此,银行对于定期存款,当然比对于活期存款,支付较大的利息作为货币使用费。

活期存款,很流行的是用临时计算的形式。

和银行做临时计算的人,能够因自己的必要而取出存款的一部或全部,或从新存款。普通,和银行做临时计算的人,执有叫作支票簿的那东西。那就是支票即具有一定形式的领取证,存款者只要在上面记入一定的金额签名盖章之后,就能用它取出自己的存款之一部或全部,或交给他人去领现款。赖有这种制度,资本家尽管身旁没有分文,都能到银行去做金钱交易。他向别个资本家买商品时,自己不必到银行取钱,只开这个支票就行。第二个资本家(卖商品于第一资本家的人),如果也和银行做了临时计算,他便不须拿这支票到银行去取现款,只要把那些金额,换成自己的名义就够了。于是一而十,都不要一文现款,而只从某个存款者的临时计算下,把一笔款子转入别人的账了事。

假如资本家和许多银行做临时计算,那时候,各个资本家间的清算,用支票就可济事。成功这件事,就是由各银行结下协定,互相收受支票,经过某种时间后实行每日清算(交换)。

银行用存款的形式所能够聚集的,不仅是各资本家的游资,即劳苦群众也做某种额的存款,这是周知的事实。劳动者或勤劳者,努力于节省生活上的必要,留几文钱以防不测。又有不能一次买进日用必需品——如高价衣服等——的勤劳者们,为了聚零成整的去存零碎的款子。想买马或造房子的农人,也要逐年累月地存款。

从勤劳者的撲满中,袜甫中,床底下,连他们的一文毛钱都聚集起来,也是银行的工作。固然银行也支付某种额的利息于勤劳者,作为他们的微乎其微的存款的使用费。

从这里,也生出一种印象来,以为存款于银行的勤劳者,也能成资本家,和资本家能从自己的资本上获得利润一样,劳动者也能从他的工钱上获得利润。但是,显然的这种观察是蠢笨的。就把勤劳者从他的存款中所得的金额如何零细这一层,暂且不说,只说从存款中得到的收入,不能成为勤劳者的所得之根本泉源,这也是容易明了的。为什么呢? 因为在资本家方面,剩余价值是利润的唯一根本泉源,反之,勤劳者从资本家受到的,仅只是劳动力的价值,他所以能够于一瞬地暂时把它积存起来,就是由于常常忍受自己的生活上不自由。勤劳者存款到银行去的事情,给资本家以莫大的利益。然而资本家从这些用"血汗结晶"的货币力量所赚的利润中,只投了一点炫眼的金钱于勤劳者。

世间本有"集腋成裘"之语,但是,恰恰相反,勤劳者却积去积来,都被资本家吸取干净了。

第六节　银行的贷出业务

然则银行如何把这些聚集拢来的金钱散出去呢?

银行不会因为初见面的资本家"眉目清秀",就贷款给他,这是熟知的事。没有能够偿还他的某种保证,是不行的。而且银行既不能预见这种契约可以确切履行,那就单是还钱的这种口头契约决不济事。

然则可为银行的放款业务之基础的现实保证是什么呢? 这个质问,只要考察那种业务的各个形态,就不难回答。

首先被加在这上面的,就是我们在前面已经知道的持票的资本家,把票据送往银行,以它为担保,能够领收从票面金额中扣除了贴现利息的款子。但是,持票索款(到期之日)的权利,却和这同时移转于银行了。从外部来观察这件事,可说这时候,该是实现着票据的买卖。就是说,资本家把他所持的票据在支付期前出卖,银行对这票据支付某种金额,然而如我们所见,这个外形的背后,却隐藏着放款行为。因为持票人资本家领受某种额的放款,而这放款的支付义务,却移转于开票人资本家了。

所以,这种场合,成为银行的授信用业务之现实保证的,就是票据。但是,票据还是非有成为票据的现实根据不可。所以,银行是注意谁署名于这个票据上,什么是这个票据的保证的。由此便了解前述的那种空票据或融通票据,不能成为信用的现实保证之事实。分别空票据与真票据的事情,在外行眼中虽然困难,可是在银行却因结合各个资本家与自己的那无数的线索,很是容易。①

到期票据不支付时,开票人用这票据所领取的商品,及享受票据贴现的当事人用所得到的金钱换来的商品(因为享受票据贴现而且做了背签的人,也成为责任者的缘故),就成为追索的基础。

银行的另一授信用业务,就是基于抵押品的放款,即所谓担保放款。

这时候,银行向借款人收受有价物作为担保,在还清后退还。

被充作放款担保的那样有价物,在高利贷时代是金块、宝石等,如今便归一切种类的有价证券、股票、债票等,处于支配地位。放款用票据做担保也能行,但是,这时候却和贴现业务不同,借款人不会失掉对于票据的权利,借款一还清当然就取回,只在不能偿还借款时,票据取款的权利才移转于银行。

放款用商品作担保也能行。这时候,银行丝毫没有把这些担保商品保管于自己的库内之必要。借款人把自己的商品送入特别堆栈,领取栈单,若没有它拿去验换,便不能把商品从堆栈中提出来,把这种栈单提出于银行,作为担保而借钱。

以运输中的商品作担保,也完全和这同样,能够借款。铁道及船舶的转运处,接受输送商品时,要交付到埠后领取商品时所应提出的证券,这种证券也和栈单一样,能够成为放款的担保。

---

①　在资本主义各国,有许多专门的调查局,把关于各个资本家的营业状态之报告,或得他们的允诺,或不待其允诺而径自搜集起来,(取手续费)以之报告于银行及一般关系者。

放款不但动产作担保,就是用不动产,特别是土地和种种建筑物做担保也能行(抵押信用)。

贷出业务的基本形态,首先就是如上所述。

关于银行之中介的业务,也不能不说几句。在严密的意义上说,它既不属于授信用业务,也不属于受信用业务,如银行从顾客所受的关于金钱之支付或追索的一切委任,例如由这城市到那城市的送款、商品的代价之催收等委任,就是这种业务。这种业务的报酬,就是银行从顾客所取的所谓手续费。

第七节　银行与信用利润

知道了银行的授信用业务与受信用业务之本质的我们,对于到这里止所述的关于放款利息的情形,不能不再做极重要的追加。

银行的中介,如何影响于放款利息呢?

银行因存款而聚集资本,对于存款者支付一定的利息,同时,在贷出上也收得一定的利息。

显然的,两种利息不是同一的。假若银行在做了这些业务之后,得不到若干剩余部分,假若银行对于受信用所支付的利息,不比授信用所得的利息少,那就这一切的业务,将要成为无意义的了。两者的差额,放款利息之一部,就是所谓的银行信用利润。

银行的信用利润对于基本资本的比率,叫作信用利润率。

信用利润率,总之不能不接近一般利润率。否则银行的主人,将认为把投到银行的资本移于产业方面去为有利。

第二十二章　信用货币与纸币

第一节　信用货币的一般概念

在前章论信用时,我们曾看到各个信用业务能够替代现金交易的情形。从织物业者接受票据的煤炭业资本家,能够把织物业者的票据背签自己的名字,交于第三资本家而向他购买机器,机器制造业者从第四资本家买原料时,不给现金而付以织物业者的票据就行。一个票据在到期以前,勤于代货币作流通手段。别的货币证券,如支票,也和这完全同样能代现金之用。从乙资本家接受了支票的甲资本家,当清算时,能够把它交给丙,丙又能交给丁。这时候,支票也同票据一样,能代货币之用。一到满期之日,在票据方面,必须由出票人或背签人付款,在支票方面,必须行付款。只要是确实可靠的票据,便无论哪个资本家,都愿意把它当货币接受。如我们所述,资本家有实际存于银行的存款及银行对于支票的持往者为支付的约定,都成为支票的保障。

但是,和资本家使用支票替代现金一样,所有者一定金额的银行,能够对于领款人,不支付现金而付与信用证券,这种证券是有随时兑换现金之约的特定形式的。那种契约、那种无限期的银行票据,对于从银行领钱的资本家,毫不劣于从别个资本家受得的支票。因为支票也好,信用证券也好,只要不是伪物,便随时都能兑换货币的缘故。银行所给与于其顾客的、叫作银行券的这一无限期的信用证券,在落到银行的手中兑出现金以前,和支票一样,能从此手到彼手的转去转来。

无论银行的什么授信用业务,都要拿一定的保障作它的根据。就是说,银行当提供金钱于某人时,定要向借款人收受票据(或做担或贴现)、商品、不动产等。就是提供银行券以代现金时,银行也要收受某项的保障。通则上,银行当提供银行券时,至少要从借款人收受同额的票据(或某额的有价物)。

一旦出了银行而投入流通界的银行券,是长期间从这人手到那人手的那样流转的,所以银行不一定必须把作银行券之保障的货币、票据及有价证物,保管于金库之中,一时银行能使用它。这就是银行自身基于不被要求支付的银行券而享受的那种可称追加的无利息放款。银行从银行券的发行中受到的根本利益,就在这一点。

银行所能发行的证券金额,看得比手头的现金多得远时,则银行给与各个资本家的信用之范围,就大大地超过当时银行所持的现金量。大概好多银行券能兑换正货,这因日常的经验而了解,准此去规定银行的现金额与被发行的银行券数量之比例。

要银行不在兑换能力以上发行银行券,要没有银行券的过度发行以招致国民经济上的许多困难(关于这一点,往后去说),于是有严重地取缔银行券的发行之必要。

"因为统制货币流通的必要与政府想发行纸币获得利益的欲求之结果,在一般的国家,纸币的发行就成为一个或少数中央银行的特权,这些银行,就以国家的特权所有者,独自发行银行券而独占这些业务。从这些业务中获得的利益,和国家平分。

"这些业务,受国家之统制与监督。国家规定银行券发行之最大限度与银行所应保有的准备金之比率。"①

政府所规定的保障制度,即统制银行券之保障的规则,因国家而不同。

在英国于 1844 年所颁布的制度,准许无准备金发行到 1845 万镑,司塔令格银行券,超过此额的发行,定要 100% 的准备金。1928 年以后,依特别法——"银行券规则",在英国无准备金而能发行的银行券,提高数量到 26000 镑,此外,还准许此额以外的短期(6 个月)银行券发行。

在法国的制度,虽不曾规定准备金,却限制了银行券的发行额。

在德国的制度,银行券需有 1/3 准备金(现在照道威士案要 40%),

---

① 考茨基:《由马克思主义见到的货币及货币流通》。

其余则以各种票据为保障。银行总能在定额以上发行银行券,这时也须纳一定的额的税金。

在帝俄时代,准许以准备金 50% 发行 6 亿卢布银行券,其余须有 100% 的保障。

专门发行银行券的银行,叫作发券银行,受国家的统制而发行的银行券的那种权利,叫作发行权。

第二节　银行券能够替代有完全价值的货币到什么程度

银行券,是能够作为有完全价值的货币之代用物的信用货币之基本形态。

照我们对于信用货币所述的看来,不难推论到它们绝不是能够把金货的一般所具的机能代行净尽的,只不过代行一部分而已。

然则是什么机能呢?

试回想我们在价值篇关于货币的叙述吧!

那时,我们把货币的根本机能,作了如下的指摘:(一)成为价值的尺度;(二)成为商品流通的手段;(三)成为支付手段;(四)成为蓄藏手段。①

其后,又指摘了,货币在资本主义社会,也完成货币资本的机能。信用货币,首先就是当作支付手段及商品流通的媒介物而能代替现金之用的,这是显然的事情。把商品交付于其他资本家的场合,资本家允诺接受银行券以代现金。因为他确信这是定能兑换现金的缘故。持票人当其拿自己的票据去贴现,或把它提出于出票人请求支付时,也愿意收受银行券。因为他自己买别的商品而为支付时,能够拿这银行券去和现金同样的使用。

由于代替当作流通手段及支付手段的现金之用,银行券就尽货币手段的机能,能为剩余价值的生产过程所必要之一环的货币之代用物,这是不言自明

---

① 我们还知道,具有一定重量的金铸货,在各国尽着价格本位的作用,及货币是价值的符标这种事。但是,货币惟其是价值的尺度,才能作价格的本位,惟其为流通手段,才能作价值的符标。

的事情。

但是,银行券能够成为价值的尺度么?

显然不能!银行券不是以它自身而存在的,是以货币、商品,或确实的票据(即放在票据背后的货币或商品)之代理者而存在的。银行券所能代理的金额,不是由它的纸质、支出于银行券"生产"上的劳动量及发行者的随意来决定的,就是说,银行券乃是现实价值的代用物、一时的代理者。总之,它自身不是称量别种商品的价值的,反而是那能与银行券相交换的商品价值,规定银行券的购买力(市价)。代理为价值尺度的货币这件事,不是银行券所能做的,在一切商品的价值被金子的价值所决定时,这种一时代表金子及各商品的银行券之购买力,也由金子的价值来决定。

银行券不能当作蓄藏手段来代货币之用,也是当然的事情。顾客所以从银行接受银行券的,就是因为能够拿它去直接交换商品或为支付的缘故。就是说,因为它当作流通手段及支付手段是他一时所必要的缘故。假如他必需那为蓄藏手段的货币时,那他与其要这一纸有向银行领取货币的权利之证明书,就不如要现金,这是人人熟知的事情。

信用货币的本质,就在于流通界一不用它,便立即退向银行的这点上。

实际,银行所以通常发行银行券的,就是为了运用某种现实的商品交易上的缘故(例如银行在织物业者自己的生产的换钱以前,拿银行券提供信用给他去购入生产手段)。但是,信用的提供期间,是依存于信用领受人必需货币当作流通手段的期间的(就上例说,依存于织物业者卖出商品收得货币为止的期间)。到了不需要放款时(即织物业者卖掉商品时),他便把它还给银行,而且因此把流通上已经不用的数额退还银行。

第三节　纸币及其与信用货币的差异

货币的一时代理物之银行券,只不过表现为现实价值的代表者。这不仅在于银行必须准备一定的现金支付于银行券持票人的一点。还要加上别的重要点,就是,银行把银行券的发行看作是给与其领受者的一种信用授与,因而向他要求相当的保障,所以若不是和相当的商品如有价证券,或票据相交换,它便不发行银行券。

在近代资本主义各国，和这种货币代用物并行的其他"代用物"，即所谓纸币，也流通着。关于这一点，已在价值篇中稍稍说及了。可是现在非更注意的深刻研究，借知其本质的特殊性及与信用货币的区别不可。

银行券的发行是由银行去做的，已如我们所述，但是这时候，纵然这一发行要受国家的统制，却不一定必须国家银行来做发券银行。

反之，纸币的发行便限于是国家[①]，它是国家所发行的一定金额之证书。

银行券是银行的证书，发行时，银行要向别人取得和它相交换的票据与其他证券；反之，纸币是国家的证书，国家对此不向谁取得何种证券。纸币特别在战争时，在革命时，在恐慌时等等金货不足的场合，供国家填补经费之用。

银行券的流通全是任意的（虽然不限于此）。当银行的信用证券以第三者的确实担保为背景时，银行能否把它的银行券和现金相交换，或与其银行券相交换而交付其他确实的信用证券，这一层，是没有可质疑的理由。至于纸币的流通，常是强制的，国家是否兑换现金，全无关系（大抵不兑现）。

"综合以上关于纸币及银行券的所述，得到如次的结论"。

银行券由信用机关（银行）当作对于规则的商交易之放款而发行。它是能和铸货相交换的东西（纵然由此生出如后所见的多少偏差——著者），不是强制流通的（即当作法定的支付手段）。

纸币由国家为了支付其债务而发行。它的作用在充足国库，通常取得不兑换而当作法货看的强制流通力[②]。

第四节　纸币的购买力

从纸币的那些特性中，虽然生出许多重要的结果来，但是我们仍要把纸币和信用货币比较研究一下。

信用货币的发行，是有限制的么？究竟是由什么限制的呢？

---

① 国家的这种任务，有由自由市的市政府与其他行政机关去执行的时候。
② 参见托拉夫登堡：《纸币论》第三版。

限制的存在是显然的,那就是由银行拿它所发行的银行券去实行交换时所受的确实证券额来决定。假定银行券的发行额追回了 1000 万元,那就是收受了同额的票据,假若这些票据是确定的票据,那就是显示该国的商品流通增加了那样多。因此,银行券的增大,为经济的状态所统制,为商品流通所生的货币之必要所编制。

前面也曾指摘过,信用货币所以有和正货相交换的准备,不外于这一理由;信用货币,总要受金货的购买力来决定的原因,也在这里。即是说,银行券纵在不和现金相交换的场合,也能具有与等额的金货相同的购买力。①

纸币就和这不同。那在前面也曾说过,是不顾商品流通的现实要求,而因国家的支出超过收入时的必要来发行的。

那种场合,纸币的购买力和金货的购买力相等么?(我们说金货时,一般的是指着有完全价值的货币。有时不是金子而是从其他的贵金属,即银、白铜等所成的货币,也被作为有完全价值的货币)。

纸币所以能够代理有完全价值的货币的,就是支付手段的机能,这是我们在价值篇所已指摘的事情。

因此,纸币的购买力所以能够等于现金的购买力的,只在它的数量不超过商品流通的必要额之时。

我们又知道,在一定的时期,一国的流通所需要的货币量,由以下的诸量所决定,即是依存于市场中流通的总商品之价格、以信用卖出的商品之价格、期限支付、铸货的流通速度。

假若金货的数量超过流通所必要的这种额,那就现金的过剩部分将被当作蓄藏货币而蓄藏,或被毁而为种种金制品。

----

① 银行券也能有不和现金相交换的场合。例如 1892 年以后的澳大利亚就是如此,假若这时银行券的发行受严重的统制,其发行额与商品流通上所需要的数额现实的相照应,那它的市价便租金货市价相等。那种编制在银行券的兑换时,自动地显现。即是说,必需银行券的商交易数一减少,银行券的持票人便把它退还银行而取消债务,或兑现现金。银行券若不兑换,银行自然就要把银行券从流通界中撤回。银行券不兑换时,编制票据及一般信用证券从别国的流入或向别国的流出,是特别重要的事情,为什么那样呢?——往后就明白(请看第二十二章第九节,国际间的清算)。在资本主义经济的条件下,"不兑换银行券的流通之可能,只在机会特别好的各种情形存在时,那也只是一时的事情"(托拉夫登堡:《纸币论》)。

但是,除金货以外,纸币在流通界时,将如何呢?

举一个例子看。假定在某一国家,有金货 1 亿元,纸币 1 亿元。如果流通所要的货币额不下 2 亿元,那就显然是纸币和金货同等通用。只要金货不是全部而只是一部分的完成流通的必要,只要投下于流通中的纸币量,没有超过补充金货对流通的不足之程度,那就显然是纸币的购买力可以与金货的购买力相等。但是,假定流通所必要的货币量仍旧,而纸币却又增加了 1 亿元,合原来的为 2 亿元,把金货及纸币合算起来,这国家的货币总量便增加到了 3 亿元。于是这种货币的一部分,即 3 亿元与 2 亿元之间的差额 1 亿元,明明对于流通是不要的东西了。如我们所知,流通手段的这种过剩部分,可以转变为蓄藏货币。然则是哪种货币转变为蓄藏货币呢?

大家都知道,想蓄藏货币的人,总选择有完全价值的金货。这样,1 亿元的金货,将要渐次退出流通界而隐身于金库中了。马上流通界将只剩纸币 2 亿元了这时候,就成了所谓"恶币"(纸币)驱逐"良币"(金币)。恶币驱逐良币的事实,叫作"古勒襄法则"。但是,只要 2 亿元对于流通是必要的,那就纸币将依然在流通界努力于金货的代用,对于纸币 1 元将给以与对金货 1 元同量的商品。

但是,假定流通所要的货币额不变,而纸币额却增加到了 3 亿元。

假若 2 亿元的金货虽是必要,而纸币却有 3 亿元的存在,那就流通界的名目额"1 元"所能代理的,不是完全的金 1 元而只是它的 2/3,即 6.6 角强。这时纸币的购买力失去 1/3,拿纸币 3 元买得的商品量,和拿金 2 元买得的相等,这是显然的事情。

然而这里涌现一个疑问:流通所要的虽是 2 亿元,而国家却发行了 3 亿元纸币,那么,多余的纸币 1 亿元,不和金货 1 亿元同样的退出流通界而成为"蓄藏货币"么?

姑假定暂时是那样的。被发行了的纸币 1/3 隐藏起来,流通界只剩 2 亿元,即恰剩流通所必要的额。那种场合,在多余的纸币 1 亿元隐藏着的当中,流通纸币的购买力,现实上是不低落的。

然而那种情形,只在理论上有可能。

在现实上,多余的纸币全部,无论何时都不会睡在金库中。

被隐藏了的货币之一部,为什么又到流通界去。藏金的农民,或许想买运连枷,失掉工作的人,或许为了救急而把已藏的金钱拿出来。假定蓄藏纸币 1 亿元之中,今日有 1000 万元往流通界去。那么,现在流通界,就是 2.1 亿元纸币存在了。然而流通所要的额,依然是 2 亿元。市场只要求与 2 亿元金货相当的纸币,而此时的纸币却是 2.1 亿元。显然的,纸币的购买力应减退为金货的 $\frac{200}{210}$ 了。一旦购买力低落,那就纵然它低落得很小,而纸币也没有当作蓄藏手段的希望,国民便"不愿"贮藏它了。于是前此隐遁着的 9000 万元纸币,便想朝"明处"飞去,竞相转变为有现实价值的商品。

结局,纸币的购买力更加减退而为 $\frac{1}{3}$。

所以,这种场合,纸币在严密的意味上没有成为蓄藏货币的力量,是显然的事情。即是证明它所能作为有完全价值的货币之代用物,只是在流通过程的时候。那么,国家在纸币的发行额少的当中,虽不吝兑换,然到了一被滥发而购买力减退时,便必然停止兑换。

第五节　概要及结论

把以上关于纸币的论述,概括如下。

一、纸币是国家为了填补其支出而发行的,有强制力。普遍不兑换(纸币市价安定的场合,虽没有不兑换的事情)。

二、纸币能作为完全价值的货币之代用物,只在流通过程上。因为那时货币没有被当作蓄藏货币而停滞的情形,不住地从此手到彼手的流通,因为货币的流通只是商品的流通过程上之瞬间的驿程。

三、纸币的名目总额,若不超过被金币所表现的、流通上所要的货币额,那就它的购买力,正和金货的购买力一致。流通所必要的货币总额,若比发行纸币的名目价格少,那就纸币的购买力,只在纸币额超过流通价值时,才比金货的购买力低下。①

---

①　在这里,能发生如下的疑问:"流通的纸币额(合流通的金额计算),在流通价值以下的场合怎么样呢?"那种场合,它们的购买力将一时在金货的价值以上! 但是,那当然不是永久的事情。因为国家将增发纸币的缘故。不但如此,在纸币的购买力归着到金货的价值以前,不仅从本国流入金子到流通界,且从外国流进来。

由此便生出如下的结论来。

一、不能认为纸币的通用,是因为国家强制国民收受的。纸币若过分发行,那就无论国家如何强制,它的购买力也减退。资本主义社会的经济法则,比资本家的国家的意志还强。

二、所谓纸币是与金货无何种关系也能存在的,总之唯在于发行纸币的额与流通商品的量而已,这一结论也同样的错误。只拿没有和金货的关联(纵然是间接的),纸币便不能作为价值的尺度一事说,也不能思维它的存在。如我们所述,要自己有一定价值的商品,才能成为价值的尺度。但是纸币原没有价值。即是说,支出于它的生产上的劳动是微小的,对于它的购买力没有何等意义。决定纸币的购买力的流通价值,首先就依存于在流通界的商品价值。但是,当作价值的特征,那不是以劳动时间来直接表现的,而是通过其商品表现的。若果纸币自身没有价值,那么,在流通界的商品价值如何能表示呢?显然的,有完全价值的金货,才能表示它。这因为它自己有价值,能作为一般的价值尺度的缘故。所以,当论述纸币的购买力时,我们便通过和金币的比较来决定它,例如决定它是等于金币的市价或低于金币的市价。要之没有金货(或其他完全价值的货币),那就没有可以测定的流通价值的称量器,因而纸币的购买力也不存在。

但是,这里发生一个疑问:直到这里,所述的情形,果与事实一致么?纸币在现实上,定要和金货相结合么? 的确,在战争勃发后的俄国,纸币不曾和金货相交换。可是,拿这一不换的事实来否定与金货的关联,却太早了。因为测定纸卢布市价而含有一定量的金子的现实的金卢布既已存在,再曲解些,也是和金卢布的关联存在。然而自始就没有金货本位,新国家建设以来,没有金货而只有纸币流通着的各国,又是如何的呢? 例如战后独立发行所谓"波兰马克"纸币(其后为支罗托伊)的波兰,以及拉脱维亚、立陶宛并其他一些新国家就是如此。但是,就在这里,也有对金币的间接依存之存在。例如波兰马克纸币的购买力,最初依据德国的金马克市价(这要拿波兰政府在德国占领下树立的事实来说明),拉脱维亚的纸币,依俄国的金卢布而测定。纸币购买力的暴落与这种纸币离开自己的亲近金货以来,战后这些国家的纸币市价,便依美国的金元来测定(现在某些国家仍然如此)。

这一切的事实,证实纸币在完全作为完全价值的货币之代用物上,是如何的无力,明示它们的作用,要不外于当作流通手段,决不能作为价值的尺度的事实。

三、世间一般认为纸币和金货的自由交换,是对于两者的平等购买力的根本条件,这种见解是如何的错误,根据以上所述的情形也明了了。

如上所述,纸币往往由国家兑换金货,然却不是任何时候都如此。也有因时势而纸币全然不兑换金货的场合。不但如此,它们连别的废纸都敌不得,这就是纸币的量超过那流通所要的货币量的场合。

不过还要说一句的,就是我们关于纸币的考察上,为了求简单而把流通所要的货币额假定为不变的东西这一点。在现实上却完全不同。因为商品的量、价值及价格、铸货的流通速度等等,是不断地变动不止的。但是,无论如何变动,而流通所要的货币额,却有在比较的长时间不能低于其下的最低限度存在。所以,严密地说,在防止纸币的购买力的下落上,不把它的数额增加到这一最低限度以上,是必要的事情。

假若货币的必要,一时超过了这一最低限度,假使国家为应货币的大需要而增发纸币到这一最低限度以上,那时候,国家为防止纸币价值的暴露,便不能不留心于金币(或其他现实的有价物),以期在货币的必要归着到最低限度的场合,能在和他交换上,把多余的纸币从流通界撤回来。这种场合,金货及有价物的准备,不是要等于流通纸币的总额,而是要等于对这一最低限度的超过额。

四、当着做以上的结论而第四要述的,就是那有不完全价值的金属补助货币的问题。这和纸币不同,不是名目上的东西而是有某种价值的。

银货、铜货、白铜货,等等,属于此类。

例如帝俄的银货卢布,虽不过略含与金70戈比相当的银质,但它却当作1个金卢布通用。至于铜货、白铜货,和金货比起来,更只具有小的价值。

以上是就纸币而叙述的,所以觉得那种金属补助货币与金币同等通用的事情,不消再加说明。它们也是在流通过程上,一时做金货的替身的。它们的购买力假若不在金币之下,那就也不外于因为他们的数量,没有超过流通的必要之故。假若它们的数量,达于流通所要的以上,那就它们的购买力要减退,立即等于其中所含之金属的现实价值。假若再延下去,流通所要的货币额,继续的比流通的货币额减少,那就不完全价值的补助货币,也将遭际与金铸货同样的运命,即是,超过了流通的必要之银货(或铜货,等等),就变成蓄藏货币,或被毁铸而为金属细工物。

五、最后关于信用货币与纸币的差异,还有值得一说的事情。在现实上,信用货币这东西,不一定是和纸币截然相别的,最初是信用货币的东西,其后又变成纸币的场合,也不稀罕,这是不能不放在念头的事情。例如在战前的帝俄,金属货币及流通的货币之代用物,只是国立银行的信用货币。它随时被兑换,大部分在票据的贴现时发行,即是和他人的确实证券相交换时,由银行发行。开战以来,这种信用货币就成为特殊的货币,兑换被停止,发行已不是交换确实的票据,而是"应战时的必要",和短期国库债券相交换,由银行办理。国库债券不以现实的商品流通为背景,所以不能看作确实票据。可说它是和融通票相仿佛的。

因此,随战时国立银行的发券额之增大,它的购买力当然低落又低落。

第六节　通货膨胀及其对于国民经济的影响

纸币的发行额超过流通的必要时,就引起所谓"通货膨胀",即纸币的洪水横流。以下试把纸币的过度增发所及于国民经济的影响,简单一瞥。

纸币的过度发行,是由于国家想填补其支出超过收入的激增之欲求而起的,这是我们所已经指摘的。

纸币被增发,它的购买力一减退,首先发生的就是物价腾贵。纸币的发行一激增,物价就和文字写下来的一样,每日并且每时都飞涨。对于资本家有极重要意义的商品原价之正确计算,——所谓"采算",已成为不可能。例如今日买来的原料之价格,到明日它变成制品时,就会起变化。再到明后日买新原料时,又要一变。大家卖商品时,便将慎重到使收得的货币之购买力不至下落,在定价之时,就处及"危险太太"故意加若干的虚价。

货币的购买力不断地暴落,商品的信用贩卖就不可能。这就是说不知明日货币变成什么情形,所以谈不到支付的延期。货币放款所以失其意义的,正也是因此。信用一旦突然停止,国民经济就完全失掉从信用所得的重要利益,不仅商品的信用贩卖变成不利益,就是做定货也变成不利益。为什么呢?因为做定货时纵然是赚头好的价格,也许交货时变成坏价格。

货币的所有者,各自时时刻刻急于把它早点换商品。而商品的所有者,又各自企图把商品略为长时间留在自己的手中,等候价钱的高涨。

前途黑暗,物价发狂般的飞涨,谁也不爱价钱跌落的纸币,都想把它卸给别人,于是投机者牺牲他人而造成一动手就获利的地盘。

从通货膨胀所受的影响,对于资本主义的各阶级,不是平等的。最痛苦的不消说,就是劳动者阶级。

在商品中,有价格的腾贵显著迟缓的商品,——那就是劳动力,工钱纵然名目上,涨是涨了,但是普通却落在第一必需品的腾贵后面。单就这一事说,劳动阶级的地位也很恶劣化,工钱要慢慢地使用而候到下次的发放日,所以劳动阶级便一天一天失掉自己货币的购买力。

通货膨胀,对于资本家,也能给与许多困难,这件事就从前面关于信用停止与计算不可能等等的叙述中,也可了解。可是在资本家,却有从膨胀的结果中获利许多在某种程度上自卫的手段。上面说过,他把商品批虚价,把自己的货币变成金子、宝石、不动产。假若在本国不能那样,他便要把自己的资本送到通货安定的别国去。在通货膨胀的时间,把商品输送到没有通货膨胀的别国去,这对于资本家是极有利的。因为从汇兑上说,他的商品比外国资本的商品更廉的缘故(第一,他发付的实质工钱,就比外国的价廉)。因为由此他能在外国市场为有利的竞争的缘故。不仅那样,并且由于与他国的交易上收受安定的通货,能从货币价值的暴落中自卫。

把各个投机业者搁着不说,就是经营农业的大企业家,也能从通货膨胀所造成的物价腾贵中赚钱。即是说,他们基于实质工钱的下落,比其他任何资本家都得利。因为在谷物生产费中,工钱占极大的部分。通货膨胀对于谷物输出业者也是财神。以自己的土地做抵押而向银行借钱的农业家(这又极多),

也因货币的下落而得利。因为随着纸币购买力的下落,他应偿还银行的金额之实际内容也下落。

然而不能说,和大农业家一起,直到小谷物生产者的农民也赚钱,事实上完全相反。他们从谷物的输出上所得的利益,尽落到大农业者与谷物交易业者的手中。中农特别小农,往往同劳动者一起暴露于无可奈何的状态之中,和劳动者一样,不能不主要地负起通货暴落的重担。

随着纸币的下落,农民、若干熟练劳动者、城市的中小布尔乔亚的一切无零碎存款,都减少其价值。

和这同时,靠自己的资本利息而以一切有价证券的利息为生活的金利生活者,也倒了将棋而破产。

发行纸币的资本主义国家,因此努力填补自己的支出。即是由于对人民以纸币为清算一事,国家从人民收受现实的有价物而换给一种简单的纸片,什么有价物都不给他。由于这一事实,纸币的发行便成为国家收入的一源泉,化为对人民的特殊课税。但是,这一课税,已如上述,首先就放在劳动阶级的肩上。

第七节　货币流通的常态恢复

纸币的暴落把资本主义经济的全机构完全破坏之后,马上就从这一经济多少安定了的存在之必要中,要求通货的安定。然对货币流通的常态,如何能恢复呢?

这构成根本的预备条件的,显然就是国家预算。即不是纸币的发行,而是以何种更确实的源泉为主要收入项目的国家收支关系。能够成为那种源泉的,就是对人民的课税、内外国债以及由国营企业得来的利润。在战时,因为国家的支出激增,终不能以这一切确实的源泉去填补,而货币市价的确定,便通常成为不可能。国内的经济状态不安定的场合、经济的窘迫场合,也是一样。为什么呢?因为政府在那种场合,就国内收得的租税或内债,是有限的,外国资本家非是多少有希望的支付者,也不放款。

所以一国的经济状态,若不是向恢复的方面走,那就货币制度不得安定。

只要货币制度一安定,那就看得透明天的信用基础也马上造成,经济状态自然向着好的方面去。

当作资本主义国家的特征,就是从通货膨胀中受苦最大的劳动大众,同时又要负币制改革的责任;政府的课税,首先放在劳动大众的肩上,内外债的利息,也由他们去支付。

当作通货安定政策看的方法,有下列两项。

一、基于废止(Nullification),即废弃旧纸币。旧纸币被宣告无效,制定替代它的新的安定纸币、信用货币或金货。

二、基于平价停发(Devaluation)。即已经投于流通的纸币不废弃,但往后停止发行。

此时流通纸币的购买力,纵然在低水准上,而以后却无减少价值的事情。纸币与金货的购买力之间,成立多少确定了的比率。

这种比率,由政府正式发表出来。政府在以后兑换那购买力减少了(纵然弄确定了)的旧纸币上,给与新纸币(它的购买力已等于金货)甚至给以金货。

三、通货紧缩(Deflation)(即通货膨胀的反对)。政府把流通纸币的效力保留,不仅往后停止发行,并且减少现在流通中的纸币量。因此,政府不把纳税及其他收入所收受的货币之一部,再投入于流通方面。

流通界所剩的纸币购买力,这时往上升高而到达于金市价的境域。某种经济学者把为了恢复纸币购买力而用的那种方法,呼作"复古"。

废止的实例,如法国大革命时的纸币即是;平价停发的实例,如战后的德国及其他例子上的币制改革即是;通货紧缩的实例,在世界大战中的英国实施过。

第八节　资本主义诸国的货币流通之现状

最近帝国主义战争时代,及战后资本主义发展时代,以大部分资本主义诸国之惨淡的恐慌为其特征。

1914—1918 年间的帝国主义战争,需要巨额的战费,要填补它,除了激增纸币的发行外,别无道路。所以,在大部分的交战国中,纸币的发行额,大大地超过了流通的必要。例外的只有美国和日本,两国由于与交战各国的通商,蓄藏巨额的金 Stock,自己只仅仅在战争上出了面(日本),或以后才参战(美国)。在帝俄,到 1917 年止,流通纸币的数额比战前增加到 7 倍。临时政府在其存在的 8 个月间,发行了相当于开战后两年半中的发行总额二倍半。在德国到 1918 年止,流通纸币额达于战前的约 4 倍,从 1914 年到 1918 年的 4 年间,银行券的增发,在法国为 5 倍,在英国为 13 倍。

这一切事实,在大部分交战诸国,不能不招致剧烈的物价腾贵及其他起因于通货膨胀的一切结果。和通货膨胀的出现同时,不消说,纸币及银行券的一切兑换都被停止了。

在战争终结之后,而交战国的大部分,在货币流通上也不见有显著的改善,反愈益恶化,愈益引起通货膨胀的增大。

这一层,要用战后数年间资本主义诸国的经济(以为稍稍安定了,可是忽然)陷于极深刻的恐慌而立于危机中的事实来说明。

　　至于战败国的恐慌,尤其激烈。在为协约国所败而被索巨额赔款的德国,通货膨胀的增大,简直如童话一般。在 1923 年 10 月以前,马克纸币的发行额,达于 2、904、955、718(10 亿马克),国费的 99%,都使用纸币。当时美金 1 元,等于 40 亿马克纸币以上。

　　在战胜国,便不曾达到那种天文学的数字,但是,战后也显著地表现了通货膨胀。在英国到 1921 年,1 镑司塔令格的购买力,低到 1/3 以下,在法国法郎的购买力,到 1925 年继续下落达于金法郎的购买力之 13%。

　　大资本主义一等国中,最能够迅速整理通货的,就是英国,英国政府在 1921 年,已经由于把过剩纸币的一部收回的事情,成功提高了镑司塔令的购买力,在这里,就当作通货安定的代价而招致了失业者的增大、劳动大众的地位恶劣化。但是,到了 1925 年,银行券的兑换一恢复,便渐渐完成了币制的改良。

　　前面说过,在经济陷于危机纸币达于不可凭信的数量之德国,过剩纸币的收回,没有考虑的余地。在这里,为了改造货币流通,到1923年之终,创立特殊机关 Renten-Bank,使它发行名目价格等于金马克的特殊证券"Renten 证券"（Renten 马克）。旧纸币10亿马克,换新纸币1马克。

1924年,这种马克又和那有等于金马克购买力的"莱西士马克"（Reichsmark）交换。基于"道威士案",其后又基于"杨格案",在德国通货制度上,实施了帝国主义的"国际管理"。因为这些帝国主义者,想从德国得到赔款,所以留心于德国的通货安定。

大资本主义国家中,最后废止通货膨胀的,就是法国。这里请求通货安定的政策,从1926年才渐渐着手,1928年才渐渐收到成果。基于1928年的法令,制定当战前1/5的新金货法郎,纸法郎用这新的金法郎换算,就开始了纸法郎的自由兑换。因此,这种场合的纸币购买力之安定,是由于平价停发来完成的。

大部分的资本主义国家,照那样的把货币流通弄安定了。但是,若认为资本主义诸国,就这样完全脱离了货币流通的恐慌,那就是绝大的错误。总之,货币流通的安定,系于一国经济的安定,这是我们已经知道的。如今世界资本主义进了世界的恐慌期,即是进了那一切的矛盾决定的尖锐化,所谓战后资本主义发展的"第三期"。在一些国家中,又已看见通货制度的摇动,通货膨胀的预兆（西班牙、中国的汇兑市价之下落,德国及波兰的通货膨胀的预兆等）。因最近的将来之资本主义诸矛盾的成长,近代资本主义国的通货制度,将更加不安定,更加动摇。这是明于观火的事情。

第九节　国际间的清算

在终结资本社会的纸币及信用问题之时,还要就国际清算叙述几句。纸币纵在国内通用,而在国与国的通商时,却不能成为流通手段。如我们所知（参照第六章第四节）,这种场合,成为基本货币的常是金货,但是,国与国的金货交换之际,便是这种货币所含的纯金量成问题,市价的差异,不超过改铸费。

但是,国与国的商交易,不但依靠现金,并且依靠信用也能行。可是这种场合,信用证券,也不过暂时能代现金之用。假定法国某资本家,在英国买煤炭。交易是以信用做的,英国人便要向法国人领受相当额的票据,现在假定另一个英国资本家想在法国买货,例如想买葡萄酒。显然的他将不开票据,不花运费送款到法国,而请求如次的手段,即是向英国的煤铺买得票据,把他送交法国的葡萄酒商人,只要票据是可靠的,那就葡萄酒商人,不难向那从英国买进煤炭的开票人收款。于是不但买了葡萄酒的英国人,就是买了煤炭的法国人,也能省下金子的运输费。

在国际计算上,成为货币代用物之票据,叫作外国汇票。法国卖给英国的商人越多,英国对法国的汇兑之需要就越增加,想用这种汇兑买法国商品的人就越多。

外国汇兑的市价,即能买它的货币量,由什么来决定呢？假若在应该汇款去的国家是金货(或兑换的银行券)流通着,那就这一市价从金货市价而来的低落,不会超过一国到他国的正货输送费。假若汇兑市价超过正货市价而达于正货输送费以上,那就送正货比买汇兑为有利。在正货输送费的限度内,汇兑市价因各国对于它的需给而变动(我们暂且不管贴现利息,不把它列入计算中)。一国对于别国的债务越多,那就对于别国的汇兑之需要越高,它的市价越腾贵(纵然不超过上述的限度)。所以一国的国际借贷,对于该国的汇兑市价有大的意义。假如一国对于他国的贷方比借方大,那就该国是收入计算,反之便是支付计算。贸易差额,即输入与输出的差额,在国际借贷上是有重大意义的。假如输出超过输入,即所谓贸易顺调,该国就成为盈余方面。它助长收入计算。相反的场合,即贸易处于逆调时,该国便吐出多额的金钱。它助长支付计算。

除贸易差额之外,还有一国所能提供别国的一切种类的外债、外国货物的运输等,从这两者得到的收入,也在决定一国的收支上有大的意义。

收入计算,不但对于外国汇兑的市价,就是对于国内的纸币价值的安定,也有莫大的意义。收入计算大,决算后,该国收受的金钱数量有怎样多,该国的通货安定的可能性也有那样多。支付计算是有造成通货膨胀的危险的。

上面我们叙述的,主要的是说及金货流通处于支配地位的国与国之间的清算。但是,在该国有不完全价值的铸货或纸币的场合,便随这些货币的购买力之减退,而该国的汇兑市价也下落。①

汇兑市价,对于不兑换银行券流通着的国家,具有莫大意义。这就是因为银行券在国内不兑换的场合,它与金货的关系,被暴露于以金币为主货的国际贸易上的缘故。要维持不兑换银行券的市价,就要特别统制对外贸易、外国汇兑的流出及流入。在该国的对外汇兑市价下落了的场合,就把银行所有的外国票据投于市场,用以提高本国的对外汇兑市价,不使银行券的市价下落。

---

① 外国汇兑的市价,不仅因现存事实的影响,也因恐慌、战争、饥荒等的消息而变动。

关于第七篇的研究资料

质疑及课题

1.在资本主义诸条件下,货币何以变成资本呢?

2.试述产业资本家所借以暂时把货币资本弄成游资的诸条件。

3.商业资本家方面也能形成一时的休息资本么? 试述所见!

4.买手用现金买货时,资本家大让其价的原因在哪里!

5.如果把长时间通算起来,放款利息,一般地不能到平均利润率以上,其原因何在?

6.在资本主义社会中,高利贷被蔑视,银行家被尊敬,这是什么理由?

7.略述银行信用与商业信用的根本的差异!

8.信用对于资本主义社会,有如何意义?

9.假定把商品以信用卖出的资本家,收受 8 月 25 日付款的票据 7000 元。如果他在 6 月 25 日把这票据贴现,他收得到多少金额? 但是贴现的年利率为 5 厘。

10.(省略)

11.指出银行的信用利润之源泉。

12.资本家银行备有防火金库。资本家把自己的现金和高价物,藏在中间去,只拿钥匙在手中。银行对于这种保管不但不付息,还收某种额的保管费,这是什么理由?

对于普通的存款所为的现金保管,不是要付息么!

13.信用货币与纸币的根本区别在哪里?

14.货币的诸机能中,纸币所能代用的机能是什么? 不能代用的机能是什么?

15.到纸币滥发时,最初是金货,其次是银货、白铜货、铜货,这样依次不见于流通界的原因何在?

16.假定流通所要的货币量为 3 亿元,现在流通的金货为 7500 万元,要在纸币的购买力不在金货以下而发行纸币,应该发行多少?

17.假定流通所要的货币量为 3 亿元,现在国内流通的为金货 1 亿元 银行 5000 万元,铜货 2500 万元,若在如下的时候,货币流通上会生如何的变化?

(1)纸币只发行 1 亿 2500 万元的时候。

(2)只发行 2 亿 2500 万元的时候。

(3)只发行 2 亿 5000 万元的时候。

(4)只发行 2 亿 8 千万元的时候。

18.假定在流通上,1000 万元的金货是必要的,而现在有 2000 万元的银货正在流通中,这时候,流通中的银货怎样? 银货 1 元的购买力等于什么? 但是,银货 1 元含有值金 0.64 元的银量。

19.通过银行以信用货币及纸币来行相互计算,这不能除去资本主义社会一般的对金货的必要么? 你的见解如何?

20.通货膨胀对于各种铸货的流通速度,发生困难,有时信用且不可能。它给购买力以什么影响? 信用的废止,是提高或减低纸币的购买力的么?

21.次表是指示 1913—1922 年间德国国内流通的纸币额与照应它的商品价格的指数及金元的市价的①。

从这表生出什么结论来? 金元的市价的增加率与批发物价指数的增加率的差异,如何去说明?

---

① 据脱拉夫登堡:《纸币论》。

年度	马克纸币的量 （单位百万）	批发物价指数	市价
1913	2743	1	41.09（马克）
1918	32787	2	8.27（马克）
1919	49479	20	46.78（马克）
1920	81154	21	63.06（马克）
1921	122182	42	194.57（马克）
1922	1298758	196	185.76（马克）

注意：表中的批发物价指数，以 1913 年的批发物价为单位，指示它与各年的批发物价。所以，假如把 1918 年的批发物价指数作为 2，那就是显示当年的商品批发物价为 1913 年的价格之 2 倍。

22.一个资本主义国家的劳动者所形成的剩余价值，如何通过国际信用而归别国的资本家所有呢？

读书资料

A.放款与放款利息
《资本论》，第三卷上，第二十一章。
B.前资本主义的信用形态
《资本论》，第三卷下，第三十六章。

第 八 篇

地　　租

第二十三章 差额地租与绝对地租

第一节 关于地租之一般的考察

在讨论信用货币和纸币的问题时，我们曾经稍稍离开了剩余价值的分配这个当面的根本问题。现在必须再回到这个问题上来。

我们将要考察的问题是，劳动者所形成的剩余价值的一部分采取了地租的形态，而且在这个形态上，形成了地主的利润的源泉。

创立任何产业企业的一切资本家，不但必须领有机械、建筑物、原料、劳动力，等等，还不得不占有该企业所占据的某种广度的土地。

土地在生产手段上所以含有特别重大的意义的，是在于大部分的原料产业，尤其是矿业及农业。

土地，假若忽视了在它上面所投下的劳动，那正是自然所给与的赐物，所以对于资本主义企业的土地的保障，一看好像与空气或太阳的光线的保障一样，不成什么问题。但在现实上并不是这样，空气或太阳的光线在地面上是无限制地存在着，土地却不然。它是有限制的，而且在大部分的国家里，当资本主义的生产方法还没有发生以前，这些土地已经成了地主的私有财产。所以资本家在必要土地的时候，并不能够随便占领，必须向土地所有者请求土地的使用权。

地主就以对于土地的所有权为武器，向资本家征收土地的使用费，即所谓借地费。借地费是由以下两部分成立的。第一，是对于以前的施肥、灌溉、排水及各种设施上面所投下的资本的使用费；第二，这并不是对于地主在土地上所投下的资本，而是收取把土地自身的使用权让与资本家的代价。经济学上所谓地租即是指后者说的。

于是我们必须进而研究地租问题。这时候,我们先假定,榨取工钱劳动的资本主义的企业的创立者是支付地租于地主的。

因而下述的场合,暂时不当作问题去研究,即资本家向地主租借土地而自行耕种呢,或者资本家并不租借土地,而永久收买土地,演着资本家兼地主的任务呢? 这样的场合,姑不具论。我们首先充分研究第一种场合,然后再说到他种场合。

我们在以下的考察中,主要的是讨论资本主义的农业企业。因为,前面已经说过,在这点上,土地及地租,含有最大的意义。

资本家从地主借入一定面积的土地,再在这上面经营他自己的企业。资本家在怎样的场合之下,才答应给地主以地租呢? 很明显的,他在这土地上所创设的农业企业,除掉地租以外,至少非保障平均利润率,他是不肯给地租的。假若没有保障,他就赶紧把自己的资本从农业方面撤回,而投入保障平均利润率的产业部门。资本从农业向□业移动的结果,农产物的价格必然腾贵,不久就至于保障资本家的平均利润率。所以地租也被看作只是对于平均利润率的超过额。

然则这种超过额是什么呢? 它怎样产生的呢?

以下将要讨论这个问题。

第二节　差额地租的第一形态(第一种差额地租)

我们已经看见过许多资本家得到平均率以上的追加利润的现象。这是因为在特定资本家的企业中,它的技术在平均技术以上,因而它的生产费在平均生产费以下的结果。在这个场合,这个企业的追加利润,或差额利润,就是这个企业所产生的商品之低廉的个别的价值与对于由平均生产费来决定的生产价格两者间的差额。

地租也是从这同样的源泉产生的吗?

谁都知道,土地的性质是不一样的。一方面有肥沃的土地、瘠薄的土地与富有石炭、石油及金属等等的土地;另一方面又有无论怎样向前走,只看见砂原看不见一棵树木的沙漠。谁都知道,投到丰饶的土地上的劳动,比较投到赤裸裸的沙漠上的劳动,假设其他的条件完全一样,要得到更多的结果。

取三种肥沃程度(丰度)不同的土地来看,用等量的 600 元的资本,可以产生以下三种不等量的谷物。

第一种土地……110 担

第二种土地……100 担

第三种土地……90 担

〔这里所说的担,原文是吨特莱尔。一个吨特莱尔(100 磅)约合 4 斗米的重量,为简单起见,译作石〕假设平均利润率是 20%,那么,在各种土地之下,与 1 担谷物相当的个别的生产价格是多少呢? 我们知道,生产价格是由生产费加平均利润决定的。各种土地的收获量,所支出的资本额及平均利润是知道的。那么,要决定各种土地上 1 担谷物之个别的生产价格,就可以用各种土地所收获的担数,来除谷物总量的生产价格;这样可以得到以下的图表:

土地	生产额（担）	谷物总量的生产费	平均利润	总生产物之个别的生产价格	相当于 1 担之个别的生产价格
第一	110	600	120	720	720：110 6.55
第二	100	600	120	720	720：100 7.20
第三	90	600	120	720	720：90 8.00
总计	300	1800	360	2160	

与 1 担谷物相当之个别的生产价格,在第一种土地是 6.55 元,在第二种土地是 7.2 元,在第三种土地是 8 元。

然则在这种场合,与 1 担谷物相当的,不是个别的而是社会的生产价格,将要怎样决定呢? 我们知道,在工业上社会的生产价格是由平均生产费决定的。现在姑且假定,在农业上也和工业一样,是按着平均生产费来决定。像这样,在这个场合,将要得到什么结论呢? 很明显的,平均的生产价格,是用全部土地所产生的谷物的总担数,去除全部土地之个别的生产价格的总额,即 2160：300＝7.2 即 7.2 元。这个平均价格,偶然与上例中第二种土地的个别的价格相等,因为在那里每 1 担谷物的价格,恰好也是 7.2 元。那么,在这种场合,第一种借地人,按着每担 7.2 元出卖他自己的谷物,每担可以得到 0.65 元的追加利润;第三种借地人,每担却要比那个别的生产价格,少得 0.8 元。在这种情形之下,第三种借地人所得的利润是在平均利润以下的。在这种场合,他将要采取什么态度呢?假若不是农业而是工业,这个问题就很容易解答。就如我们所知,在工业上,也有利润的差别。即,假若在某企业中,它的技术及总的劳动生产率,在平均的技术及平均的社会的劳动生产率上,这个资本家,就能够得到差额利润。然而在自由竞争的条件之下,像这样的差额利润是暂时的。为什么呢?因为其他资本家也要实行各种技术上的改良,结果,产生这种商品所需要的社会的必要时间就减少了。其技术在平均技术以下的资本家,如要摆脱这个困难,唯一的方法就是技术的向上。要不然,他就要失败于不利的状况之下了。然则,上例的第三种借地人,也可以与技术在平均以下的资本家,采取同样的方法么?他把自己的技术提高到平均以上,当然也可以得到差额利润。但是这并不能够使土地的肥沃程度没有差异。

土地的肥沃程度,就是某种土地所有的优越性,假若其他条件完全一样,对于所投下的等量的资本,它能够提供更多的成果。所以,在农产物的价格以平均生产费来决定时,这第三种借地人就不得不甘心于这平均率以下的利润。但是谁都知道,大概不会有那样的资本家,他既知道得不到平均利润,还去向那样的土地投资。所以在这种情形之下,第三种土地当然要成为荒芜地,在第一种及第二种土地能够完全供给对于谷物的支付能力的需要时,情形与以上一样。假若谷物的需要增大起来,而前两种土地不能完全供给需要时,将要怎样呢?在这种场合,谷物的价格将要腾贵,1 担可以涨到 8 元,即达到最劣等土的生产价格。那么,第三种土地的耕作也就合算了,为什么呢?因为假若谷物价格腾贵到 8 元 1 担,这种土地的借地人,扣除生产费以外,还能得到平均利润。

所以,农产物的生产价格与工业方面的不同,它不能按着平均生产费去决定,这是显明的。即,如前所述,在工业上,某种生产物的需要超过供给时,就要扩大它的规模;同样,假若肥沃土地的面积能够随便增大,农业上的情形,或许也是这样。但是肥沃的土地受着限制,不能随便增殖。而且仅仅这肥沃的土地又不能供给谷物的需要,所以农产物价格,并不是由平均生产费去决定,而是由现在耕作中的最恶劣土地上的生产费去决定的。

列宁说:"……土地有限制的这件事……形成一种独占。即一切土地都握在农业家手里,包含最劣等土地及离市场最远的土地的一切土地所产生的全体谷物都被需要,所以决定谷物价格的东西,是最劣等土地上的生产价格(即最后、最不生产的资本投下时的生产价格),这件事是明白了。"①

我们已经达到了这样的结论,即农产物的生产价格,既不是按照平均的,也不是按照最优等的,而是按照最劣等的土地的生产条件来决定的。所以最优等土地上的农产物之个别的生产价格,比较它在市场上出卖时的价格,即如上所述,按照最劣等土地的生产条件来决定的价格,要低廉得多。结果,最优等土地比起最劣等土地来,可以产生出一种超过额,这超过额等于最优等土地的个别生产价格与最劣等土地的最高生产价格间的全部差额。

再回到以前的例子。虽然每石谷物的个别生产价格,在第一种土地是6元5角5分,在第二种土地是7元2角,但是在市场上,却一样的按照最劣等土地的生产价格,即8元出卖的;这与它在怎样的土地上,以怎样的个别生产费产生一层,没有什么关系。于是以每石8元的价格出卖自己的谷物时,第一种借地人收得880元,第二种借地人收得800元,第三种借地人收得720元。收入总额的分配如下:

土地	谷物出卖后所得额	细目		
		所支出资本的收回	平均利润	对于第三种土地的超过额
第一	880元	600元	120元	160元
第二	800元	600元	120元	80元
第三	720元	600元	120元	—

土地肥沃程度的差异产生了这样的结果,即与第三种借地人比较,第一种借地人多得了160元,第二种借地人多得80元。此外这三个人对于他所支出

① 《列宁全集》第9卷。

的资本,都收到了 120 元的利润。在这种情形之下,很明显的,前两种土地的所有者,若不是在他能收到由他的土地的肥沃程度所产生的全部超过额的条件之下,他是不会把土地借给别人的。同时,借地人因为除掉这超过额以外,对于他所支出的资本还能够得到平均利润,所以他才肯支付这超过的部分。像这样,在最好的土地上所得到的超过利润,即差额利润,就转化为地租。仅仅由优等土地得到的这种地租,叫作差额地租。在以上的例子里,第一种及第二种土地,都产生差额地租(第一种多些,第二种少些),而第三种土地没有差额地租。

可是,假若对于谷物的需要又增加起来,第三种土地还不够供给,结果,比第三种土地还要硗薄的第四种土地,也被耕种起来,那么,第三种土地也能够产生差额地租。

在这个场合,差额地租是由个个土地的肥沃程度的差别产生的。除掉肥沃程度的差别之外,还有土地的位置也可以产生差额地租。因为在农业上与市场的距离比较在工业上所包含的意义还要重大。因为在农业上所产生的原料及一般的农产物,它自身是没有很大价值的,所以搬运它所需要的费用,占着它的价值的大部分。再就以上的三种土地的例子来看。

第一种土地离市场最近,因而这里所生产的某种生产物,例如 1 车谷物,搬运费是 5 角。

第二种土地与市场的距离是 11 启罗,1 车谷物到市场去的搬运费是 2 元。

第三种土地与市场的距离是 20 启罗,1 车谷物到市场去的搬运费是 4 元。

假若前两种土地不能够供给有支付能力的谷物的需要,就要唤起在第三种土地上生产谷物的必要,这时候,在市场上所成立的价格必定能够偿还从距离市场 20 启罗的第三种土地,运到市场去的谷物输送费。像这样每车谷物的搬运费,与第三种土地相比较,第一种土地贱 3 元 5 角,第二种土地贱 1 元 5 角。然而在市场上,不论它的产地怎样,是一样按照第三种土地的价格来出卖谷物的。结果,第一种及第二种土地就产生了差额利润——即前者每车 3 元 5 角,后者 1 元 5 角。

因位置而发生的差额利润,在近代都市中,有着可惊的作用。店铺、银行、机关,都密集在靠近都市中央的地方。沿着通电车的街道的土地,对于它的所有主,常以因位置而发生的差额地代的形态,提供莫大的收入。

第三节　差额地租的第二形态(第二种差额地租)

各个土地除了肥沃程度及位置差别以外,还有一种情形可以产生差额地租。就是在同一的土地上实行数次的投资。假设最初在这个土地上投下 600 元资本,得到 200 担谷物。下次又以买进进步的劳动手段,或劳动力的增加、追加的施肥等等的形态,又投下了追加的资本。假设这第二次的支出资本是 600 元,因此这个土地的收获增加了 150 担。以后又投下了第三次资本,假设这次的投资是 600 元,因为这个投资,收获又增加了百担。那么,

第一次…………600 元…………200 担
第二次…………600 元…………150 担
第三次…………610 元…………100 担

假设平均利润率是 20%,那么,每担的个别生产价格,可以作如下的决定:

支出资本	谷物的生产额	谷物总量的生产费	平均利润	谷物总量的生产价格	每担的个别生产价格
第一次	200	600	120	720	720：200 3 元 6 角
第二次	150	600	120	720	720：150 4 元 8 角
第三次	100	600	120	720	720：100 7 元 2 角

所以每担谷物的个别生产价格,在第一次支出资本时是 3 元 6 角,第二次是 4 元 8 角,第三次是 7 元 2 角。农产物的价格与我们所说过的一样,是按着最劣的土地的生产费来决定的;在这个场合还是一样,是按着支出最不生产的资本时的一切费用来决定的。但是不用说,这个支出是在供给有相当的支付

能力的需要上所必需的。在这个场合支出最不生产的资本时,就是第三次的投资。所以在市场上出卖谷物是按照每担 7 元 2 角的价格的。结果,资本家的借地农业者贩卖他第一次投资的谷物可以得到 1440 元,第二次的谷物 1080 元,第三次的谷物 720 元,收得金额的细目如下:

支出的资本	细目		平均利润	地租
	谷物出卖后所得额(元)	支出资本的收回		
第一次	1440	600	120	720
第二次	1080	600	120	360
第三次	720	600	120	—

对于最后一次资本支出,第一次的支出产生了 720 元的地租,第二次产生了 360 元的地租。在这个场合,最后一次最不生产的资本的支出,不能产生差额地租。

总之,差额地租,不但由土地的肥沃程度及位置的差异而产生。就是在同一的土地上,也能由各个投资的生产性的差异而产生。马克思为了区别这两种地租,特称这种形态的地租为第二种差额地租。由肥沃程度及位置而发生的地租,称为第一种差额地租。当终结差额地租的两种形态——第一形态及第二形态——的考察之时,必须注意以下的情形,以作结论。在考察第一种差额地租时,我们假定耕种是从优良地向劣等地移动的,但是在事实上,采取和这相反的顺序而移动的场合,也并不少。就如在因为许多原因不能着手耕种的优良地——或者因为有森林遮蔽,或者因为与市场的距离太远等等——所看到的情形一样。由于采伐森林,及附近地方的铁路敷设等等,这种土地才被着手耕种,才能发挥它的肥沃程度,而占取优良地的地位,产生差额地租。

在第二种差额地租的场合,也正和这一样。在上述例子里,我们假定是顺次向同一土地支出资本时,其生产性是渐渐低下的。然而在现实上,顺次的资本的支出必定伴随着它的生产性低下的事情,几乎没有;甚至于还有向上的时候。可是这并不变更以上的情形。因为在几次的资本支出时,与最低生产性相伴随的必然的情形是不变的。若果这样,那么,无论支出资本之时间的顺序如何,都是按着它的支出来决定谷物的价格。在这里,必定随着支出的生产的资本的程度,产生出第二种差额地租。

据马克思所说,差额地租,"在耕作向着优良地进行的场合也能形成,即是在优良土地代替从来劣等土地而渐渐占取低级位置的场合,也能够形成;换句话说,它的形成,与农业改善的进步有密切的关系。发生差额地代的条件,仅仅是各种土地间的不平等。只在考虑生产性的发展时,差额地租的形成,以下面一事为条件,即全土地面积的绝对肥沃度的增进,并不消灭这种不平等,反而增大它,或者不变,或者稍微减少"①。

这一切,就是说,差额地租与耕作从一种土地向他种土地之移动顺序,以及在同一土地上追加的支出资本之生产性的减低,决无关系。总之,各种土地,在其肥沃程度上,位置上,或追加投资的生产性上,若是有差异点存在着,就能够产生差额地租。能使这差异增大的一切事情,就能助成差额地租的增大;反之,能使这差异减少的一切事情,就能减少差额地租。

第四节　"土地的收获递减法则"

然而从所谓"收获递减法则"来引出地租的学说,非常风行。简单地说明这个学说的本质,就是:劳动及资本在土地上的投资,到一定期间以后,就要发生生产物量递减的现象。依着这个学说的拥护者的说法,假若劳动及资本向土地做最后的支出,而不伴随着生产性的递减,那么,扩大耕地的事情,就完全没有必要,全地球上的农业只要一亩就够了。

关于这点,列宁说过:"这种论证,是极无内容的抽象,不用想就可以知道,它忽略了技术的程度、生产力的状态等这些最重要的事情。在本质上看来,'追加的(或顺次的)支出劳动及资本'的概念,不是已经以生产方法的变革、技术的改良为前提的么?要显著地增大向土地的投资额,就不能不请求新的机械、新的耕作制度、新的役蓄饲养法、新的生产物的输送法,等等。在一定不变的技术水准的基础上,在比较狭窄的范围以内,当然也有可以实行(而且

---

① 《资本论》第三卷下,第六篇第三十九章。

正在实行)'追加的投下劳动及资本'场合。在这种场合,'收获递减法则'可以适用到某种程度。就是说,在下述的意味上,它是可以适用的,即技术状态不变这件事实,可以愈加限制劳动及资本之投下。所以我们所得到的,不是普遍的法则,而是相对的法则,即是在排除'法则'、排除农业上紧要的特殊性的那种程度上的相对的法则。很明显的,假若把三圃农法、传统的谷粒播种法、不洁的役畜饲养法以及缺乏改良的牧场和改良的机具等事,作为不变的东西,那么,在这个范围以内,无论怎样向土地追加的投下劳动及资本,也是不足道的事情。但是,在这样狭窄的范围以内,假设能够追加劳动及资本,那么,这各个追加投下的生产性,也不一定是经常地而且无条件地递减下去的。试就工业来看,试想象看世界商业、蒸气汽罐和以前的制粉工业及铁工业等等。在那种技术的状态之下,向着以手来工作的铁工场、风车、水车等等追加的投下资本的事情,是限于极小的范围以内的;到了生产方法的激变筑起新的工业形态的基础时,小锻冶场及小制粉所等,必定要普遍于各处。"①

从这里得到以下的结论。第一,关于向土地追加的支出资本及劳动的所谓生产性减低的"法则",只有一部分是妥当的。即是只在把技术当作固定的不发展的东西之时,才是妥当的。第二,在这种意义上,这法则并不另外构成农业的特殊性,它对于劳动及资本之追加的支出有时引起生产性降低的工业,也是适合的。而且这种场合出现得最多的事实,是在于技术仍旧是工场手工业的资本主义初期的发展阶段。第三,这个"法则"在技术发达的场合是完全不妥当的。

列宁说:"总之,'收获率递减的法则',在技术进步的场合,在生产方法变革的场合,是完全不妥当的。它仅仅是在技术不变的场合,才有极相对的、有条件的妥当性。所以马克思和马克思主义者,都完全不把这个'法则'作为问题。……只有不能摆脱那种说起抽象的永久自然法则的旧经济学的偏见的布尔乔亚科学代表者们,才啧啧地讨论这个问题。"②

---

① 《列宁全集》第9卷。
② 《列宁全集》第9卷。

第五节　差额地租的源泉

如我们所规定的那样,差额地租是因为农产物的生产价格依着最劣等地生产条件决定的结果而发生的。

从这里产生了这样的结论,就是:最良土地的耕作,可以给出追加的利润,这利润等于它的个别的生产价格与由最劣等土地生产条件所决定的社会的生产价格之间的全差额。那么,什么叫作生产价格呢?

生产价格,就是剩余价值的变形。农产物的生产价格,既是按着最劣等土地的生产条件去决定,那么,根据同样的理由,其价值恰好也是这样决定的。

假若用在最良好土地上的农业劳动者的劳动,比较用在最劣等土地上的劳动,更加是生产的,而且农产物的价值是以最劣等土地上所支出的劳动去决定,那么,很明显的,在最良好土地上的工作的劳动者,可以形成过剩的追加价值,这价值等于它的个别生产价格与由最劣等土地的生产条件所决定的社会的价值之间的全差额。

所以在这种场合,我们碰见了在剩余价值篇所熟知的现象,即在个别企业中因劳动生产性增进的结果而产生的相对剩余价值形态的现象。在这种场合,使劳动生产性增进的,并不是由于各种技术上的改良,而是由于天惠的自然条件。

马克思说:"……地租并不是由于充用资本的生产力,或充用资本所占有的劳动的生产力之绝对的增进而产生的,——因为这种生产力的进增,只能够减少商品的价值——它是由以下的事实产生的,即投到一个生产部门中的几个个别资本的生产性,与缺乏上述的自然具有的例外的助长生产力的诸条件之各种投资性比较起来,要相当地大一点。"①

总之,工作在最肥沃的土地上,或工作在占有最良位置的土地上的劳动者之劳动生产性,与决定农产物价值的劳动生产性比较起来,或者因为追加资本投下使他们的劳动生产性增大;从这些事实所产生的剩余价值的超过额,就是

———————

① 《资本论》第三卷,第六篇第三十八章。

差额地租的源泉。

从这件事就可以明了,自然力、肥沃程度,或位置,其自身都不是差额地租的原因,不过是它的形成条件。正如生产物的使用价值虽然是该生产物成为商品,即获利价值之必要的条件,但它决不是价值的原因——价值的原因,即形成价值的要因,实是劳动——。

马克思又说:"自然力自身,并不是剩余利润的源泉,不过是它的自然的基础。因为它是例外的使劳动生产力增进的自然的基础。这和使用价值是一切交换价值的担负者而不是它的原因那件事,有同样的关系。同一的使用价值假若不用劳动就可以得到,那么,它仍不会有任何交换价值,可是在保持当作使用价值看的自然的有用性这一点,仍不会变化。在另一方面,如没有使用价值,没有劳动的这种自然的担负者,那么,物品就没有任何交换价值。如果不同的诸价值不向着生产价格均衡化,如果不同的个别的诸生产价格不向着一个一般的市场调节的生产价格均衡化。那么,由于使用水的落流而增进劳动生产力的那种事实,就不会增大那些以落流造成的诸商品中所包含的利润部分,而只是减少它的价格了。如果资本不把它所使用的劳动之自然的及社会的生产力当作自己的生产力去占有,那么,像上面那样增进了的劳动生产力,就总不会转化为剩余价值了。"①

总之,差额利润的源泉,不应当在特定土地的自然的性质中去探求,而应当在资本主义农业的生产关系中去探求,即在商业资本主义经济的条件之下,(依着马克思的话)"被增进了的劳动生产力"转化为剩余价值,及资本把"它所使用的劳动之自然的及社会的生产力"当作自己的生产力去占有的事实中去探求。

第六节　绝对地租

在讨论差额地租时,我们再三指摘过,资本家——借地人不支付地租给地主,地主就不借给他土地,资本家——借地人如在扣除地租以外,还能得到对于他的投资额的平均利润,他不会向地主借用土地。当然在某种特殊场合,某

① 《资本论》第三卷,第六篇第三十八章。

地主不但不索报酬地把特定的土地暂时借给资本家——借地人使用，甚至于干脆地把土地送给他的场合，也不是没有。又，资本家因为某种理由不能得到平均利润的场合，也并不稀奇。但是无论如何，这都是特殊情形，绝不是资本主义关系中所特有的现象。大概的情形地主无论他的土地怎样恶劣，他与其没有报酬地借给别人，宁愿荒芜不用。用句比喻来说，就好像"睡在自己不吃的干草上，而不让其他动物来接近的狗"一样。反过来说，借地人也是这样，不会把收得的平均利润的一部分分给别人。

但是要问问：完全不能产生差额地租的比较劣等的土地（如我们所举的例子中之第三种土地）是否有借贷及耕作的可能呢？

地主虽然对于最劣等土地，如果得不到地租，他是不肯借给别人的。借地人如果自己的利润落到平均利润以下，他是不肯支付地租的。所以照这样看起来，这种土地除了任其荒芜以外，没有其他的方法。

但是，假若完全不能产生差额地租的最劣等土地不耕作，而市场上对于谷物的需要增加到了只靠良好土地不能满足的程度，结果，谷物的价格就要腾贵起来，腾贵到什么程度呢？一直腾贵到不能产生差额地租的最劣等土地的借地人，不但能够得到平均利润，还能够支付地主以地租的程度。

因此，我们达到了这样的结论：纵然是最劣等的土地，只要一经耕作，就必定产生地租。但这种地租已经不是由于土地上所有的各种肥沃度、位置等等而来的劳动生产性差异的结果，而是土地私有权的结果。

地主根据其土地私有权，不但是从优良的土地，并且从最劣等的土地，也可以得到地租，这样的地租，马克思称为绝对地租。

必须注意，土地私有权之所以能形成绝对地租，只因为土地是有限制的。

在实际上，我们可以想象，假若土地的量可以随便增大，如同靴子或织造物等等一样，当市场上供给不足时，能够尽量地增加其生产。那么，在这种场合，最劣等土地的地主就不能得到地租，因为假若不要地主的媒介，能够随便增殖土地，那么，支付地租的人就不会有了。但是这种假定，在现实上是不可能的。土地是不能够在工场内生产的。

为要观察真正的现实，我们再举其他的例子。假定与地主所有地相近的地方，有广大的自由地。那么，绝对地租在这种场合也能产生么？仍然不能产生。为什么呢？因为与其支付地租而租借最劣等土地，比较起来，无论谁都要占领自由土地。

特别是在亚美利加可以见到这种现象。当欧洲人初向该地殖民的时代，到处都是自由地，从这点就可以说明美国资本主义之所以发展得这样快。

照这样，土地的限制性，是形成绝对地租的条件，土地私有权，是形成这地租的原因，仅仅用土地是有限制的事情，还不够说明绝对地租的发生。

在实际上，给与地主以占有绝对地租的可能性的是什么东西呢？这是土地所有权，假若没有这权利存在，那么，虽然土地是有限制的，也是谁要耕作都受限制，并且也不至于因为这个限制，而发生把价格抬高到足以为地主保障地租的现象。

第七节　绝对地租的源泉

于是发生了这样的质问：就是绝对地租究竟是从什么源泉支付的呢？对于这问题的回答，与农业上的资本之低位的构成有密切的关系。我们知道，如果没有劳动者的劳动或可变资本，就不能形成剩余价值。在资本的有机构成的处所，即在机械的使用少而劳动力的使用多的处所，利润常是高的。但是因为资本家间的竞争和资本的移动所引起的结果，成立了通过一切部门之平等的平均利润率，结局，在高位构成的部门中，实现比它的劳动者所形成的较多的剩余价值，而在低位构成中，实现较少的剩余价值。

然而农业在其有机的资本构成上，比较工业更劣。农业技术比较工业技术更低。即，农业上所使用的机械和所消费的原料都少，并且原料本身的价值也低，等等。这一切的结果，农业上可变资本部分比起工业上要占着更多的成分——因此利润率即剩余价值对于总资本的比率（$\frac{m}{C+V}$），在农业上也比工业上的较高。农业劳动者所形成的这剩余价值过剩额（这里我们说着做相对的——对于总资本说——过剩额），正是绝对地租的源泉。

为什么这种过剩额在农业上能够残留着呢？为什么它不会进到"共同坩埚"中而依照投资额的比例以分配于资本主义经济的一切部门呢？在现在的工业中，不是有低位资本构成的部分么？并且不是因为这过剩额在资本的移动过程中共同的被分配于全资本家阶级之间，所以资本家不能实现这平均利润以上的过剩额么？总之,一切问题都归着于资本能否自由地从工业移到农业,或从农业移到工业的这个问题。

假若没有土地私有权,资本之自由的移动,将确是可能的。但是在现实上,因为一切土地都成为地主的私有财产,所以资本家不能自由地把自己的资本向农业方面移动,再把所形成的过剩利润"混乱起来"。于是地主就用自己的土地私有权为后盾,以绝对地租的形态去占有这种过剩额。

上面曾屡次说过,地主在能够保障他自己的绝对地租以前,即在农产物的价格抬高到资本家除掉支付地租之外还能得到平均利润以前,他的最劣等土地是不耕作的,他以这种方法来占有绝对地租。

这绝对地租,如我们已经说过的一样,就是从最劣等的土地也可以得到。可是,不用说,假若以为仅仅从最劣等土地才能得到绝对地租,那是不行的,就是从最良好的土地,仍旧可以与差额地租一同得到绝对地租。

在实际上,如果最劣等土地所有者对于自己的投资,假定要得到10元的地租,那么,这就是说,这个金额要加到他的土地的农产物价格之中。良好土地的地主得到差额地租的事情,绝不是因为这土地的借地人把他自己的生产物在劣等土地的生产物价格以下出卖的理由而来的,很明显的,他是以市场的价格而且包含绝对地租的最劣等土地的价格,来出卖他自己的生产物。因此,良好土地除了差额地租之外,还要引起绝对地租,这是明白的事情。

当作结论看,我们还要想一想的事情,就是虽然在考察各种不同的地租形态时,常放在我们眼中的,主要的是农业地租,但是这并不是说只有这些土地才产生地租。

支付地租的,不仅是农业资本家,工业家也支付,商人、银行家等等都支付。因为他们要经营自己的企业,就需要一块地基。

土地不仅是工业、商业,其他一切企业、住宅等等的地基,它也不仅是农业生产过程自身所必需的自然条件。在它的胎内,还藏着铁矿、石炭、石油、金及其他在技术发展的某阶段成为资本家工业之存在及发展的基础的诸物质。电气是能力之最便利的最贱价的形态。它在满足资本主义社会的生活必要上,尤其在供给资本家工业以能力一点上,都与日俱增地愈加获得胜利的荣耀。与电气技术的这种胜利的攻击相关联的,就是所谓"白色石炭"的问题,即为建设水力发电所而利用瀑布、河流,等等,愈加获得了新的意义。

这一切财富——埋藏于内部的及在表面上的——,对于它的所有者成为地租的源泉,而且它往往达到了超出农业之上的非常显著的巨额。

第八节　地租与农产物的价格　独占的地租

在前篇我们已经知道,资本主义社会中商品价格变动的中心,是生产价格,就是生产费加平均利润。

然则,农产物价格的问题怎么样呢?

我们知道,因为土地是私有财产,所以资本从工业向农业的移动,非常困难。地主在农产物价格腾贵而借地人——资本家对于最劣等土地也能支付地租之时以前,是不把土地贷给别人的。结果,农产物价格的决定不一定和工业生产物的价格一样。绝对地租提高农产物的价格,如果没有绝对地租,农产物的价格比起有绝对地租时的价格,就要便宜得多。但在实际上,绝对地租是什么呢? 这是农业劳动者所形成的剩余价值的超过额,即因为土地私有的存在,而不被共同分配于资本家之间的超过额。

如果土地不是私有财产,这剩余价值的过剩额就不会归地主所有,而归到资本家的共同坩埚里面。

然则,这超过额是怎样进到地主的口袋里呢? 这超过额是农业劳动者所形成的,由资本家——借地人在市场上出卖他自己的农产物而把它实现(这是包含在这个生产物价格里面)的,再从这借地人的手里把它献给地主。总之,农产物的价格中,当然要包含着形成绝对地租的剩余价值的超过额。

不但如此,我们现在还应当指摘出农产物的价值形成过程的特征。这个特征就是:因为土地是有限制的,所以农产物的价格不是用平均生产费去决定,而是用最劣等土地的生产费去决定。

就在这两件事实里面,包含着农产物价格形成的特征。所以可以说,农产物的价格是由最劣等土地上的生产费加平均利润加绝对地租去决定的。[①]

---

① 在这里,自然可以明白,它是因需供而发生的农产物价格变动的中心。

题,即随着资本主义的发展,农业上资本的有机构成与工业上的这个构成的差别,是否增减了的问题。绝对地租之显示低下的倾向,不但限于农业技术绝对发达的场合,也限于这个发达比较资本主义工业更加急速地进行的场合。在现实上(如以后所详细说明),我们所看见的,正是与这反对的情形。工业上的技术,因而资本的有机构成的成长速度,随着资本主义的发展。不但是不顾农业技术的成长程度,而且远远地超过了它。结果,发生了这样的倾向,即农业及工业,在其资本的有机构成上,不但不接近,反而愈加隔离,这个倾向使绝对地租不断地增大起来。

像这样,资本主义的成长,引起各种地租之组织、有规则的增大。这一切的结果,就是:资本家社会支付给地主阶级的贡物,愈加增大,愈加增大资本家社会的负担。

第十一节　地租之社会的意义

我们断言了:随着资本主义的发展,地租是愈加腾贵的。但是,地租的腾贵,对于资本主义社会中诸阶级的地位有什么影响呢?

试先叙述向地主借土地的资本家——借地人,无论是工业家、商人,或农业家,一切资本家,为要开始他的企业,必须有一定的土地。他必须把所占有的剩余价值的一部分提供给地主,才能够得到土地。所以,土地私有制提供了这样的结果,就是应当分配于资本家诸集团的剩余价值基金,减少了以地租形态而归到地主口袋里的那部分金额。还有,假若资本家想要购买土地,他必须支出极多额的手段。而这个手段,在农业生产过程中是没有任何关系的。就是说,他除掉当作土地的代价而支付的资本以外,还不得不支出为要在这个土地上实行生产时所要的一定资本。这是很明显的。资本家所得到的利润,并不是支付给以前的地主的那部分资本的成果,而是投入直接生产中的资本的成果。因此,这也是很明显的,产业资本家为购买土地所支出的金额愈多,从直接生产中分离出去的资本也愈多。

不但如此。地主当出卖土地时,连地租腾贵的希望都计算在内的。结果,土地的贩卖价格愈加增大,因而为了购入土地而从生产中分离出去的资本部分也愈加增大。所以,我们得到了这样的结论,就是:地租的存在,对于资本家的生产方法是一个重担。即,第一是应当分配于资本家之间的剩余价值基金的减少;第二是充用于农业生产中的、能够形成剩余价值的资本基金的减少。

但是土地私有的存在以及地租,对于资本主义经济所发生的害处,还不止如此。土地私有还阻害农业生产力的发展。我们知道,使工业技术进步的主要刺激,就是资本家想要得到把自己的企业技术提高到平均技术以上时所发生的超过利润的欲望。如前面再三说过的一样,资本主义发展中所特有的劳动生产性之暴风雨似的增进,必须待这种事实,才能说明。想着它要出去了就把它率进来,这样地追求着这追加利润,无论资本家愿意与否,都不得不断地改良技术。那么,在农业上,这个关系是怎样呢? 在农业上,这个刺激的作用是被限制于很小的范围的,有时完全没有作用。实际上,资本家借地人之从地主租借土地,只限于一定的期间,过了期间,土地就归还原来的地主。假若要这租借期间以内差额地租或绝对地租腾贵了,这过剩额就要归到借地人的口袋里。过了这个租借期间,这腾贵的成果就变为地主的利润,此后,这地主就要提高地租。与其他的诸原因相关联着,土地之追加的投资,仍旧能使地租腾贵。所以借地人要使他自己所投下的资本,即技术的改良,极快地表现出效果来,假若这效果能够显现,他必得在契约期间内完全利用它。这是当然的道理。因此,有许多在其他的条件之下应当迅速地为农业所采用的改良技术,在这里就不被采用了。

我们在前面只说明了土地私有制对于资本家的损害,但是这个制度对于劳动者的损害,还要加重。我们知道,绝对地租是农产物价值对于生产价格的超过额。所以,土地私有的存在,以及因此而发生的绝对地租,使得农产物价格中要加上绝对地租的金额,因而把农产物价格提高了。并且,我们还知道,资本主义的发展,还伴随着包含绝对地租的各种地租之不断地腾贵。接连着当然发生农产物价格的腾贵,而农产物价格从正面打击着劳动阶级。若是从我们在剩余价值篇所规定的劳动力之一般的价值法则看来,也许不以为这个现象是必定有的。试问:劳动者消费资料的价格的腾贵,不是当然要引起劳动力价值的腾贵,而劳动力价值的腾贵不是引起工钱的腾贵么? 可是我们知道,在现实资本主义社会中,劳动力绝不是按着它的价值出卖,普通都是在价值以下出卖的。即令劳动者能够适应于物价的腾贵而提高了工钱,但这并不是容易的事情,而是与资本家做了长期间的顽强的苦战恶斗的结果。并且工钱的这样的增加,总追不上农产物价格的腾贵。所以,在农产物价格腾贵的场合,工钱便落在物价腾贵之后,这是通例。并且在这个场合,地租不但是由资本家的剩余价值去支付,而且可惊的部分,是靠削减劳动者的工钱去支付的。

在讨论了地租对于资本主义社会诸阶级的地位之影响以后,还有一件不可忽略的事情。这就是关于借地人——佃农的情形,地主对于他们的榨取,远超过地租以上。从地主租借土地的佃农,与资本家——借地人不同,他不仅得不到什么"利润",并且为了租借必要的极小的土地。还要把自己的"工钱的"一部分,献纳给地主。所以,地主因为把土地租借给这些佃农——借地人,就不断地榨取他们的膏血,用地租的形态,绞取大部分的他们的劳动的所得。以后我们关于这点,还要深刻的详细的讨论一下。看看土地所有者对于佃农的这种榨取,究竟采取着一种怎样可怕的形态。[1]

第十二节　土地的国有化与地租

我们已经知道,土地私有制的存在,在各种程度上,与各阶级的利害相抵触,而且还阻碍资本主义社会的生产力的发展。资本家之间所以也有土地私有制的反对者,并以种种形式提倡土地国有化,其原因是不难推测的。国有化的要点,就在于把所有的土地,让渡给国家。那么,土地国有化,对于各种地租有什么影响呢? 如我们所知,差额地租存在的前提,第一是资本主义诸关系的存在,第二是依存于土地的肥沃程度及位置而生的各种土地上劳动生产性的差别。谁都知道,土地虽然是国有化,而在良好土地上的劳动的较高的生产性这种自然的差异,并不消灭。这种差异,即在土地国有化之后,还是保存着它的意义。又,土地国有化,也并不消灭农业上的资本主义。反之,若把土地私有制阻碍农业上生产力发展的事情,拿来比较考察,就可以知道,土地私有制

---

[1]　关于农业地租之社会的意义,这里所说明的一切,在已经说过的一切产业部门中,也同样可以适用。土地埋藏物,巨大的"白煤"的贮藏等等所给与近代社会的大部分的利润,都被土地私有所剥夺。

的废止,不过是使资本主义的发展从非常的苦恼中解放出来而已。既然良好的土地有限而劣等的土地不得不耕作,那么,土地虽然国有化了,而农产物价格仍然是要由最劣等土地的生产费所决定,对于良好土地还是要给以对于平均利润的某种过剩额,所以在资本主义之下的土地的国有化并不根本铲除差额地租,不过是把这差额地租移到资本主义国家的手里。而这种国家,仍将与地主一样,把土地贷给资本家和农民,而收取差额地租。

至于绝对地租的情形,就不同了。发生绝对地租的要因是土地私有制,它的源泉就是由于农业上资本的低位构成而发生的剩余价值过剩额。土地私有制,抑制资本之自由向农业移动,因此,地主就能够以绝对地租形态取得这个过剩额。土地的国有化由于废除土地私有制,所以能够立刻取消这个障碍,因而消灭绝对地租。

所以,土地私有制的废止,可以更加助长农业上资本主义之自由的发展。并且借地人——资本家也不必再支付一部分的地租——即以前不得不以绝对地租形态支付于地主的部分。所以土地的国有化,使得土地购买转入到生产的消费之中,使农产物的价格可以减低(因为在生产物价格中,包含着当作平均利润的附属物之绝对地租),而工钱的一部分,可以不进到地主的口袋里。结果,根本铲除了地主对于佃农之奴隶的、前资本主义的榨取形态。

然而假若因此便引出结论,说土地的国有化本身即是社会主义的政策,那就大大地错误了。前面说过,土地国有化,必须是净除农业生产力之最自由的、无障碍的进路的东西。

然而土地私有制的撤废虽然对于资本主义社会约定一切的利益,而资本家却不敢采取这个方策。土地私有制在各资本主义国家中繁茂着,在以颠覆一切生产手段私有制为目的的社会主义革命以前,丝毫也没有实行撤废土地私有制的情况。因为这里有两个障碍。第一,许多资本家自己就有土地,所以土地国有化对于他并不是有利益的。第二,土地私有制的撤废,就是粉碎为一切资本主义社会的基础之生产手段私有制的原则的恐怖。

第二十四章　地租之前资本主义的形态 农民经济中的地租问题

第一节　地租之前资本主义的形态

直到现在,当检讨地租问题时,我们常是假定着在农业中存在着纯粹资本主义的诸关系。可是,就是在最发达的资本主义国家里,我们也可以看到与纯资本主义的农业企业相并行的,还有许多小农民经济。这些小农民经济一部分是半自然经济的,一部分是单纯商品经济的。在许多最落后的国家里,直到现在还可以看见远古的、追怀封建时代的半农奴的诸关系的残渣。由于这一切事实,我们就感到从前述地租论的观点,来稍微详细研究这些关系的必要。

为要阐明现时资本主义诸国农业中所残存的前资本主义的残渣之社会的本质,我们就不得不把前资本主义的诸关系,就其纯粹的形态来考察。首先研究因为它崩溃而发生的资本主义秩序之封建的或农奴的诸关系,然后再把它与农业上的资本主义诸关系对照一下。

列宁指出了农业上农奴的关系的性质,他说:"从法律的、行政的或习惯的见地来看,谁也知道农奴法究竟是什么东西。可是在农奴法之下,领主与农民的经济关系的本质是什么,把这件事当作问题研究的人,却是很少的。当时农民是从领主分受土地的。有时领主还把其他的生产手段,例如森林、家畜等等贷给农民。像这样分与土地,对于农民究竟有什么意义呢?当时的分配地,就相当于现代关系中的一种工钱。在资本主义的生产中,工钱是以货币的形态支给劳动者的,资本家也是以货币形态实现利润。必要劳动与剩余劳动(即支付劳动者以生活维持费的劳动与给资本家以无偿的剩余价值的劳动),在工场里的一个过程中结合着,在一个工场劳动日等等中结合着。然而赋役经济的情形，和这完全不同。在这里，和在奴隶经济中一样，必要劳动与剩余劳动，是现存着的。可是这两种劳动，无论在时间上，或在空间上，都是分离着。农奴三天为领主劳动，三天为自己劳动。为领主而劳动的场合，是在领主的土地上劳动的，或者是对于领主的谷物而劳动的。为自己而劳动的场合，是在所分受的土地上劳动的，是因为要得到替领主维持自己及家庭的劳动力所必要的面包而劳动的。

"在这一点，农奴的或赋役的经济组织，与资本主义的经济组织正相同，就是劳动者无报酬地把剩余劳动的生产物提供给生产手段的所有者，而自己只得到必要劳动的生产物。农奴的经济组织在三种关系上，与资本主义的经济组织不同。第一，农奴经济是自然经济；资本主义经济是货币经济。第二，榨取手段，在农奴经济中是把劳动者与土地束缚在一块，分配土地给他们；在资本主义经济中，劳动者是从土地解放出来的。为要得到利润（即剩余生产物），农奴所有者——领主，必须把农民放在自己的土地上，并且还要使他有分配地、工具及役畜等。没有土地也没有马而不能够自立的农民，在农奴榨取上，是不利益的对象。反之，资本家为要得到利润，下面所说那样的劳动者的存在却是必要的。那样的劳动者，即是没有土地，不能自立，而不得不在市场上自由贩卖自己的劳动力的劳动者。第三，被分与土地的农民，在人格上必定是隶属于领主的。因为他有了土地之后，若不强迫他，他们就要不做赋役劳动。所以经济组织产生了'经济外的强制'、农奴制、法律的隶属、权利的不平等，等等。反之，'理想的'资本主义，是'有产者与无产者在自由市场上极自由的契约'。"①

农奴经济的根本形态，已如上面所述。然而关于领主从农奴取得的利润（剩余生产物），我们应当怎样考察呢？可以叫它为资本主义意义上的地租吗？这是不可以的。资本主义的地租，是资本家——借地人把它所得到的平均利润以上的剩余价值超过额，当作土地使用权的代价，而支付于地主的东西，所以资本主义的地租，以三种阶级的存在为前提。第一，收受地租——把土地使用权提供给资本家——借地人的代价——的地主阶级；第二，榨取工钱

---

① 《列宁全集》第9卷。

劳动,使其形成剩余价值,而以其一部分当作地租让渡与地主,把其他部分当作平均利润来窃取的资本家——借地人阶级;第三,没有生产手段和生活资料,因而不得不把自己的劳动力出卖于资本家的工钱劳动者阶级。前资本主义的地租,与资本主义的地租不同,它不是从农业劳动中榨取而来的利润的一部分,却是包含利润的全部。它不过是领主占有农奴的全部剩余劳动的一种形式,并且前资本主义的地租以两个阶级的存在为前提:一是领有土地并占有农奴的剩余生产物的领主阶级;二是农奴——对于他们的榨取,不能采取劳动力之自由买卖的形式,而以更加公开的形态来显现。就是说,在这种情形之下,必要劳动或农奴为他自己而造出的必要生产物,以及他给与于领主的剩余生产物,是彼此截然分离的。所以,在资本主义地租这概念的背后所隐藏的生产关系,与在前资本主义的诸条件中所看见的关系,在本质上是不同的,因此,假若把这两种地租形态,混同起来,是非常错误的。

不单如此。我们还看到地租不但在其背后隐藏着一定的生产关系,并且它与平均利润在一起,对于资本与劳动在工业及农业中的分配,尽着某种调节的作用。资本之进出于农业,特别是依存于地租的变动。所以封建经济是自然经济,是被组织了的经济,它不是自然成长的,而是经过人类意识而被统制的。

马克思把地租的发展经过,分为三个阶段,即劳役地租、实物地租及货币地租。所谓劳役地租,就是在农民把一部分的时间用在自己的分配地之上,为他自己及其家族的必要而劳动,把另一部分的时间用在领主的土地上,为领主而劳动的场合所看见的东西。在这种场合,必要劳动与剩余劳动的分离,是以最纯粹的赤裸裸的形态表现出来的。

所谓实物地租,不外是劳役地租被转化了的形态。两者的不同点,就是农民给与领主以剩余劳动时,已经不是采取在领主的土地上直接劳动的形态,而是采取贡纳一定的实物的形态。这就表示着生产力已经提高了相当的程度,因而地主与农奴之间的相互关系,也有了某种变化。领主与农奴之间的相互关系的变化,大要归着于下述一点,即是说,这时的情形不同,领主已经没有直接监督农奴劳动的必要,如同以前农奴直接以自己的劳动贡纳于领主,并以一定时日在领主的土地上工作的劳动时代那样。所以,实物地租给与农奴以很大的独立性。

货币地租，就是实物地租被转化了的形态。两者的差异就在于下述一点，即在货币地租之下，农奴不是以实物形态，即一定量的生产物的形态贡献于地主，而是以一定额的货币支付于领主。

即令地租采取了货币形态，而前资本主义的地租的本质，却不变化。这因为领主仍然是以地租的形态，剥夺剩余价值的全部。

但是，这个场合的特征是：货币地租不但是以剩余生产物的生产为前提，并且以在市场上把它实现（换成货币）一事为前提。我们知道，封建制度在其本质上是自然经济，所以货币地租之渐渐地成为可能，是因为交换关系已经发展。在这个情形之下，货币地租是前资本主义地租的一种崩坏形态。以后的发展，更产生了资本主义经济与资本主义的地租，以及摆脱了农奴的羁绊之小农民经济。

第二节　差额地租与小农民经济

我们所考察了的前资本主义的地租之各种形态，都以农业上之封建的——农奴的诸关系的存在为前提。在这里，我们感到有把关于地租的问题来切合于小规模农业的单纯商品经济而加以考察的必要。

在一切资本主义国家的农业中，非常普遍的现象，就是持有小土地私有权而出卖自己的劳动生产物以维持生活的小农民之单纯的商品经济，与以纯资本主义的原则为基础而经营的大土地所有之存在，是并行的。

一方面由于单纯商品经济所特有的发展的内在法则，另一方面由于受了如后面所述的资本主义的影响，小规模农业，具有向着资本主义方向发展的倾向。这个方向的本质，就是少数富裕农民先转化为富农，后转化为中或大资产阶级，而农民大众却从土地及生产手段中解放出来，再转化为无产阶级。像这样农民无产阶级化的过程，在农业上远不及在工业上发展得快。在任何资本主义之中，小农经济的形式，仍然占据很大的成分，并含有重要的意义。

小农经济与农奴经济的不同之点，就是农民在人格上是自由的，是土地及生产手段的所有者。这件事，在另一方面说，就是把农民从劳动者区别出来。

因为后者在人格上虽然是自由的，可是因为生产手段与生活资料都被掠夺了去。所以不得不把自己的劳动力出卖与资本家。从这里自然地涌出了这样的问题，就是：我们所规定的资本主义的地租的诸法则，在小独立的农民经济中，能够适用到什么程度呢？

先从差额地租说起。如我们所知道的，差额地租就是剩余价值的过剩额。这过剩额是因为肥沃程度与位置不同的土地上的劳动生产性也不同的结果，由农业劳动者所形成，而归入地主手里的东西。

我们可以把这差额地租切合于小独立的商品生产者的农民么？不用说，有时候农民因为持有肥沃的、位置好的耕地，在天惠的条件之下，能得到超过的生产物。在商品经济的条件之下，这超过生产物将要转化为价值的超过额，但是，我们在别的地方已经指摘过，差额地租本身，虽然与肥沃程度及位置有密切的关系，但它与隐藏生产关系于其背后的经济学上的一切范畴一样，同是社会的秩序的范畴。

然则，资本主义社会里，潜伏于差额地租的概念的背后之生产关系，与在农民的单纯商品经济中所看见的生产关系，这两者之间究竟有什么不同呢？持有优良土地的独立农民，以他自己及其家族的成员来耕作这个土地，结果，因为这个土地的劳动生产性较大的缘故而发生的生产物的全过剩额，完全归他自己所有。在这个场合，因为没有形成剩余价值的劳动者，也没有彼此分配这个剩余价值的资本家——借地人，所以也就没有提供于地主的这个剩余价值的一部分——地租。所以，这是很明显的，假若把单纯商品的农民经济，在其纯粹的形态上来考察，就是把它与发展倾向之一切关联分离，与资本主义的环境之一切关联分离，那么，差额地租的范畴，是不能适用于这个经济的。

但是，我们知道，单纯商品经济在其本身中藏着资本主义经济的萌芽，因其自己的发展，必然会产生资本主义。这个倾向，尤其是在资本主义的环境之下，更被加强。现在许许多多在这个环境下的国家，都宣告着单纯商品经济的存在与发展。

那么，我们试看，关于差额地租的问题的提起，由于考虑到农民经济的发展倾向，以及资本主义的环境对于它的影响，将发生什么变化呢？

在资本主义的诸条件之下，农民之中发生崩坏过程的事情，我们已经说过了。农民愈加被分裂为两个对极。一方面是转化为资本家的富农,另一方面是转化为半无产阶级的贫农。中农集团在这分裂过程的影响之下,愈加含着崩溃的倾向。在说到富农经济的范围以内,差额地租的范畴,仍然完全可以适用。关于被资本主义所包围的中农集团,差额地租的范畴是否可以适用的问题,比这还要复杂得多。中农虽然在资本主义的诸条件之下,遇到很好的景况实现在良好的土地上因为劳动生产性的巨大而产生价值超过额的事情,也是可能的。但是,在中农经济方面,资本主义的关系是不存在的,所以在这个场合所能说起的东西,是差额利润而不是差额地租。然而,这个利润的实现与生产手段的私有制和资本主义的法律所管理的市场,有密切的关系,在那样的范畴之内,这利润之中,盖有某种资本主义的印记。

马克思说:"在资本主义的生产方法之下,把代表从新被附加的劳动的价值,分割为工钱、利润及地租等所得的形态。这是自明的事情。在最初就缺乏这些所得形态的存在条件的处所(说明地租时,当作实例举出的过去的历史时代不说及),也可以应用这个方法。换一句话说,一切都依据类推而使其包摄于这些所得形态。

"如果一个独立劳动者、小农夫(因为在这情形之下,三种所得形态都可以应用)为他自己而劳动,而出卖他自己的生产物,在这个场合。他首先被看作把自己当作劳动者来使用的自己的雇主(资本家),其次被看做把自己当作佃农来使用的自己的土地所有者。他对于当作工钱劳动者看的自己给以工钱,他对于当做资本家看的自己要求利润,他对于当做土地所有者看的自己给以地代。在资本主义的生产方法和与这相适应的事情成为一般社会的基础的前提的场合,以上的包摄,只限于在如下的情形之下,才是正确的。就是说,他所以能占有自己的剩余劳动,不是由于他自己的劳动,而是因为他私有的生产手段——在这个场合,一般地采取资本的形态——的结果(傍点是著者加的)。又,在他把自己的生产物当作商品而生产的范围内,因而在他依存于生产物价格的范围内(如果在不是这样的场合,还必须考虑这个价格),他所能实现的剩余劳动量,不是它自身的多少,而是与一般的利润率相关联。同样,依着一般利润率来决定的在剩余价值以上的任何超过额,不是由于他自己的劳动的分量所决定的,而是由于他是土地所有者这种理由,才得归他所占有。

像这样,一个与资本主义的生产方法完全不适应的生产形态,可以使其包摄于资本主义生产方法的所得诸形态——在某种程度以上,这并不是不正确的——(傍点是著者加的),因此,把资本主义关系,看作可以通用于各生产方法的自然关系,这样的错觉,愈加巩固了。"①

现在来阐明马克思的上面一段话,他首先在这里指摘了独立农民经济的生产关系是与资本主义的关系之根本的区别。第二他还指摘了,虽然有这个区别,可是在为"社会的基础"之资本主义的生产方法支配之下,非资本主义的所得形态(其中还包含小中农经济的所得),也可以包摄于资本主义的所得形态之内。

农民所得的性质,虽然在本质上与资本主义的不同,可是在资本主义的生产方法支配之下,农民的生产物涂上了资本主义的色彩,其价格是有条件地被分裂为三部分:第一是支付于当作劳动者看的自己的"工钱";第二是支付于当作生产要具的所有者("资本家")看的自己的"平均利润";第三是支付于当作地主看的自己的"地租"。

把纯资本主义经济的范畴,适用于小农经济,所以能够在相当程度上是正确的,是因为以下的理由。第一,独立农民之所以能够占领自己的劳动生产物,就因为他是生产手段——在资本主义的条件之下,它采取资本的形态——的所有者。第二,在农民把生产物当作商品来生产的范围以内,他是依存于商品的价格的。可是在资本主义的诸条件之下,商品价格不是依存于他自己的价值,而是依存于一般的利润率。所以当农民在市场上实现其劳动生产物时,虽然他不是以资本主义的生产方法来生产它的,但是他要受到资本主义经济的一般的法则的作用。第三,最后,因为良好土地上的劳动生产性较大的结果,农民得到价值超过额。他所以能占有这超过额,在资本主义的生产方法之下,与其说是由于他自己的劳动所耕作的结果,还不如说是因为他是土地所有者。

可是中农的性质是二重的。一方面,他是土地及生产手段的所有者,在这个关系上,可以说与资本家相似;另一方面,他是处在银行家、商人等等极复杂

———————

① 《资本论》第三卷,第七篇第五十章。

的各种各样的榨取之下。所以，虽然在形式上他是独立独步的商品生产者，但是他还不得不以自己的劳动，在某种程度上，为资本家形成剩余价值，在这种意义上，他是与劳动者相似的。这一切的结果便是：在良好的土地上，因为大的劳动生产性而产生的差额利润，只是在例外的情形，才归农民所占有。普通的通例，都是以各种形态，归资本家所领有。

第三节　绝对地租与小农耕作

现在试看绝对地租的概念，在中农经济中能够适用到什么程度。

我们知道，绝对地租是在农业上资本之低位构成的庇荫之下，由劳动者所形成的，价值超过额，这超过额因为土地私有制的存在，所以不归入于资本家之共同基金中，而提供于地主。如果把小商品生产者——农民的经济，就其纯粹的形态来采取，这种场合，在本质上，差额地租是不适用的，同样，绝对地租也是不适用的。因为在这种经济中，资本家、劳动者、地主、领主，都是不存在的，只有领有极少土地与原始的生产手段，同时以出卖自己的劳动生产物为生活的小商品生产者存在。

然而假若在资本主义的环境中，来观察农民经济，那么，绝对地租的问题究竟怎样呢？像以前观察差额地租时一样，它也被涂上资本主义的色彩吗？在这里，不可以也是有条件地适用绝对地租吗？一看好像是可能的。但在现实上却不然。

实际上，当我们把差额地租适用到小农耕作来讨论的时候，领有在肥沃程度及位置上的优良的土地的农民，因为他在好的适当的条件之下，所以能得到某些剩余生产物，同时在市场上把它现实化，他比较劣等土地的所有者，可以得到某种追加的剩余价值。

现在试看看小商品生产者——农民，不说在本质上，至少在外表上，是否能够多少地得到些与绝对地租相当的价值过剩额呢？农民是不能得到这种价值过剩额的。

地主为什么能够以绝对地租的形态，来强夺剩余价值的一部分呢？这是因为虽然是不能产生任何差额地租的最劣等土地，而地主在人们不支付以绝对地租的范围内,他是不肯把土地贷给资本家——借地人使用的。他宁愿把这土地完全不耕作地荒废着,也要等待着价格腾贵到能够保障他的绝对地租。另一方面,资本家——借地人,如不能得到平均利润,他也是不经营事业的。

小农民在这一点上,能够与大土地所有者——地主或资本家走同样的道路么? 他是不可能的!

事实上,在占有生产手段上说,他与小资本家相似;在领有极小的土地上的一切来说,他同时又与地主相似。可是,在他不能雇用工钱劳动者而要以自己的劳动来耕作的一点上说,他同时又是一个劳动者。

因此,他的活动的目的,不在于得到利润或绝对地租,而在于满足自己及家庭的必要。并且这种必要的程度,往往远在劳动者的以下,而低到走上饥饿线上的生理的最低限度。在这种情形下的小农民,是不能够等待着地价腾贵到能够保障他得到可以说是平均利润或绝对地租的某种过剩额的时候的。只要能够保障着像劳动者在资本主义条件下用工钱形态领受的那样的最低限度,他就要很欢喜地在自己的土地上耕作。到了这个土地连这最低限度还不能保障时,他才开始抛弃它,但是,没有其他的谋生手段的他们,除了把自己的劳动力出卖于资本家,换句话说,就是变为无产阶级之外,没有其他的办法。马克思说:

"把小农民当作一个小资本家来看时,他的榨取的界限,并不是资本的平均利润;把它当作一个土地所有者来看时,他的榨取的界限,并不是一个地租的必要。在小资本家的他说来,表现为绝对的界限的东西,就是除了在严密意义上的诸费用以外而支付于他自己的工钱。在生产物价格能够支付这个工钱的限度以内,他就在他自己的土地上耕作。而且往往可以看到,在这种工钱已经落到肉体上所必要的最低限制的场合,他还是这样的。"①

这些小农民,在除了填补所支出的生产费以外,还能得到自己及家庭的维持费的限度以内,是要耕作土地的。

然而不能从以上的事实,说谷物消费者可以用一种除掉生产它时所费掉的农民的剩余劳动的价值的价格,来得到谷物。在事实上,农民的剩余生产

① 《资本论》第三卷,第六篇第四十七章。

物,并不是不现实化,不过它是落在农民与消费者之间的许多中间人,即富农——谷物经济人、商人等的手里。农民的剩余劳动的一部分,是在租税的形态上被征收出去的。

总之,农民并没有得到与绝对地租相当的某种价值过剩额,所以我们对于小农民经济,就是和在适用差额地租的范畴时一样,即使在有条件的意义上,去适用绝对地租的范畴,也是不可能的。

第二十五章　农业上生产的集积

第一节　农业的时代落后的原因

土地私有制及因此发生的绝对地租的存在,其主要的结果之一,如我们所见,就是资本主义农业的生产力,发展得非常迟缓,和资本主义工业比较起来,小生产的寿命非常长久。

在资本主义的工业上,技术如奇迹一般地发展着;反之,在农业上,技术却仍然停留在低级的阶段。

列宁说:"据我所见,布宁克斯哈姆所说的,近代农业在其一般的技术程度上,或经营的程度上,与马克思所说的'工场手工业'的工业的程度,略相伯仲,这话非常切合。手的劳动与单纯协业之为一般的现象、分散的使用机械、比较小规模的生产——,这一切象征,在现实上,就是说明农业还没有达到马克思所说的意义上之真正的'机械的大规模产业'的领域。在农业方面,还没有结合于一个生产机械的'机械的体系'。"①

如我们所知道的,土地私有制的存在,发生了如下的诸结果。第一,地主因为行使这个权利,用地租形态,向各阶级课取特殊的租税。第二,因为购买土地时要投下莫大的资本,因而生产的消费中就少掉了这个额数。第三,土地私有制消灭了借地人在借用地上发达技术的刺激,并且借地人要在借用期间内,尽可能地赶快榨取这个土地,所以这种制度阻碍着生产力的发展。第四,因为土地私有制使耕地的扩大限制于某地主的所有地以内,所以它阻害了生产的集积。

---

① 《列宁全集》第9卷 。

农业上生产的集积,必然超过某种界限而与耕地的扩大有密切的关系,但耕地的扩大,须要连续的土地,假若土地被其他地主的土地所隔开,那就非常困难,或者完全不可能。

农业企业为要扩大其生产,无论如何一定要合并土地,而土地所有者是否肯出卖其土地,是不能知道的。

第五,这土地私有制自身(尤其是在后进国家),助长农民之半农奴的榨取形态的存在。地主——土地所有者,向农民所课取的,不但是农民的全部剩余劳动,甚至于还强夺他的必要劳动的一部分,以形成莫大的利润。在这种情形之下,用心于技术发达的事情,在他是完全没有意味的。

最后,在资本主义的诸条件之下,机械之被使用,是限于它比较它所能代替的劳动量更加便宜的场合。然而农业的特长,就是劳动力非常低廉的一件事,因为这个缘故,使得农业上机械的使用,遇到非常的困难。

以上这一切,就是在农业上阻害资本的集积,在某程度上助长小生产的保存,并且使农业上的技术停留在低级阶段的原因。

这一切事情所生的结果就是:在农业上,其技术的特征,获得某种意义,并阻害生产的集积。然而这技术的特征,在其他诸条件之下,尤其是在社会主义关系,诸条件之下,就失掉了它的意义。

第一件应当加到这个特征之中的东西,就是,在工业上,机械可以整年地工作着;反之,在农业上只有在一定的季节才能工作,因而它的利润就低下了。又,农业比较工业,更加依存于土地,这个事实也同样地使农业的生产集积遇到困难,在特定的技术水准上,农业生产在某种限度以内,可以因为向同一耕地追加的投资,而扩大起来。但是,超过了这个限度,就必要其他的耕地与扩大。扩大各个农业企业的耕地,就要延长其界限,因此就要增大劳动力、材料等等的搬运费。所以在一定的技术之下,常常存在着一定的界限,超过了这个限界,扩大生产就是不利的事情了。因为从生产的集积所得到的利益,不足以补偿因延长企业的界限而受到的损失。

我们所指出的这一切特殊性,并不是什么绝对的东西。我们已经说过,在不知道土地私有制的生产关系之计划制度之下,并在以新的技术——如苏维埃联邦的农业再组织,以最大的确信说明这层——为基础的范围内,这一切特殊性是完全可以克服的。可是在资本主义诸条件之下,这些特性使农业之大规模生产的发展,比工业——在工业上这些特性的原因的作用,表现得非常薄弱——要迟缓得多。

列宁说:"工业上,大规模生产的优位的法则,决不如时常想象的那样是绝对的,也决不是简单的事情。就是说,假若工业上其他诸条件都不相等(在现实上,几乎没有),那么,这个法则就完全不妥当。在含有不能与这比较的复杂的、各种各样的关系的农业上,大规模生产的优位的法则之完全妥当性,被非常严密的条件所限制。"①

以上是我们所说明的,关于农业上大规模生产的优位之受限制,及其比较时代落后的诸原因。

第二节　农业上大规模生产对于
小规模生产的优位

虽然农业上技术落后,小规模生产比较在工业方面的要坚固,但这并不能说,一般的在农业方面,资本家的大规模生产不能征服小规模生产。

虽然有如我们所指摘的许多困难,可是在农业上,资本家的大规模生产,对于小规模生产,还是占优位。

在农业上,大规模生产比较小规模生产,也可以节省许多生产费。假设有十个小经营,还有一个在土地面积上与投资额上,都与它们相等的大经营,试比较它们两者的生产费来看看。先就耕地面积开始。大经营比起十个小经营,可以节省下把土地划分为十块所需要的畦道的面积。把许多地面,用在畦道上,不但损失耕地,还损失种子。大经营在各种经营的设施上,也可以实行很大的节省。在十个小经营里,住宅、仓库、马房等等,都不得不各个分开为十个建筑。但在一个大经营里,一个住宅、一个仓库、一个马房,就足够了。一个大的住宅、仓库、马房等等的建筑,与十个有同样收容力的建筑,比较起来,要便宜得多。此外,在使用这些建筑时,还可以得到很大的节省。一个大建筑

---

① 《列宁全集》第九卷。

为取暖和照亮所必要的薪木、石油等等,比十个建筑所必要的要节省得多,这是每天的实生活,无论谁都知道,就是死的工具也正和这一样。如锄、耙、车、打谷器、马等等,在一个大经营,也要比十个经营少用得多。为什么呢? 因为在大经营里,同样的生产要具,比在小经营里要使用得更加完全些。

例如根据波尔达瓦县的统计,"在各国有 1 亩到 3 亩地面的小经营里,要耕作 100 亩的耕地,须要 10 个锄和 50 头马。但是,在各个含有 50 亩的以上的地面的大经营里,只要 4 个锄和 20 头马就够了。就是说,马与锄都可以节省一半。照这样看,在大经营中可以节省工具,这是一定的"①。

大农场对于小农场更加大的优越的地方,就是使用进步的机械。机械在农业上可以提高许多劳动生产性。

例如把千克谷物拿来打谷的场合。一个劳动者所需要的时间如下:
不使用机械的场合……………………………………………… 104.0
用马来牵引打谷器的场合 ………………………………………… 41.4
使用电气打谷器(20 马力)的场合 ……………………………… 26.4
使用最新式 60 马力电气打谷器的场合………………………… 10.4

在小生产方面,机械的使用,几乎是不可能的,因为第一,收买机械须要莫大的金额,而大部分的农民都没有这个金额;第二,假若没有能够完全使用机械的规模,就是使用了,也是不利的。

根据克拉夫特的农业理论,限于如下的场合,才能使用农具。
30 亩的耕作地 ………………………………………… 1 匹马所牵引的锄
70 亩的耕作地 ………………………………… 普通的播种器、刈入器、打谷器
250 亩底耕作地 ……………………………………………………… 蒸汽打谷器

---

① 西克尔:《农业上共产主义经济的组织》。

1000 亩底耕作地 ……………………………………… 1 台蒸汽锄

从这看来,这是很明显的,只有大农场才能采用一切最新式的农业技术。

同时,大生产还可以非常有效地使用劳动力。大农场上的劳动者比小农场上的多得多,所以他们的分业有相当程度的可能。

"因为在收获及其他需要迅速的许多作业里,由于多数劳动力的集合,劳动执行得更加完善而迅速。例如,收获之时,两个运送人,两个装载人,两个投手,两个把人,以及其他就业于禾堆及谷舍的人们,都总括在同一农业经营中来劳动,那么,在这个场合,比较把同一数目的劳动力,分配使用于各种不同的农业经营之间的场合,可以得到二倍的劳动。"①

大生产对于小生产的优越点,就是它能使用如农业技师、农业家等等的最熟练劳动力。这在小生产是完全不能企及的。必须得到有科学的教养的农业家的指导,才能够很完美地以科学及技术为基础,保障合理的事业的管理。为要补偿高级熟练农业家的维持费,就不得不使经营的规模扩大到能够充分使用他的能力。这只有大经营才可能。但是,能够完全利用农业家的经营的规模本身,是因耕作的性质不同而变化的。

柯茨基说:"在中央欧罗巴,要利用一个专门家的劳动,在集约经营必要 80—100 亩的耕地,在分散经营,必须 100—125 亩的耕地。"②

在商业及信用方面,大农生产所有的优越性,也是相同。小农不能不以小分量贩卖商品。小量的出卖,比那大量的出卖,不知道要多费多少的费用。在讨论商业资本和商业利润时,我们已经说起因商业资本的集积而发生的优越性。这里我们再加重的说,有一件在农业上,含有特别重要意义的事情。这就是搬运费在农产物价值中占有极大的成分。如果搬运费在一切农业中都占据生产费的大部分,那么,小规模耕作中的这部分,比较大规模耕作中的这部分,不知道要高多少,这是显然的。小量交易须要许多的经纪人,这些经纪人,乘

① 一个小作农业者所著的《食粮的现价格与农场大小之关系的研究》,《资本论》第一卷,第四篇第十一章注十二。

② 柯茨基:《农业问题》。

着小农之经济的弱点、对于市场情形的不熟习及金钱的穷乏等等,榨取他们的膏血,强夺他们的大部分的剩余劳动,甚至于往往还强夺他们的"工钱"的一部分。

还有大农场比较小农场能够更迅速的,并且在有利的条件之下,受到信用。大地主能够利用银行的作用,而日暮穷途的小农,往往因为没有金钱,追随于高利贷之后,变为他们的奴隶。

从这一切事情,我们可以得到这样的结论,就是:在农业上,大生产对于小生产,占着非常有利的地位。因此,虽然与工业相比较,要进行得缓慢些,可是农业上生产的集积,仍是显现着,接连着小生产者愈加零落。

第三节　农业上生产的集积与小农业的地位

在农业方面,生产的集积,也是那样的显现着。小农不过是以过度的劳动、要吃吃不饱的生活以及非常落后的、艰苦的经济组织,去与占在优越地位上的大生产相对抗。所以无例外的,在一切资本主义国家里,我们可以看见小农业的分裂与分解的过程。在革命以前的俄国农业中,最可以找到农业上小生产的这样的分解过程的痕迹。在这里,商品关系的成长,把农民分裂为三个阶级集团。一是富农,他们是靠着直接榨取工钱劳动,或商业及高利贷等等人们所看不见的榨取,以维持生活的。二是中农,他们通常不使用工钱劳动,靠贩卖自己的劳动生产物过生活,在自己的经济中使用其家属的劳动,并且这生产物的大部分(仍然是实物,或经过交换)归自己使用,仅仅把一小部分提供给地主、富农、及商人等。像这样程度上的工具,他们是充分具有的。三是贫农,他们自己所有的"工具"殆无足取,而横受富农或地主之有组织的榨取(在富农或地主把工具或金钱贷给贫农的场合,这榨取是在隐藏的形态之下,假若是直接雇用他们的时候,这榨取就以公然的形态表现出来)。

根据列宁关于革命前俄国的 21 县及 7 县所做的统计,富裕农民的 20%,占人口的 26.1—30.3%,及分配地的 29%—36.7%;而极贫农民的 50%,占人口的 36.6%—44.7%,及分割地的 33%—37.70%。换句话说,在农村上,富裕要素的20%,是人口中的非常少数,可是他们却有和极贫农的50%所占有的同量的分配地。① 在革命前俄国的借地中,可以看出很大的不平等。

列宁说:"我们……指出了20%的最富裕层集中了人口及分配地的怎样的部分。我们现在可以附带地说,他们集中了农民借地全体的50.8%—83.7%,在50%的贫农层中,所残留的不过是借地全体的5%—16%。从这所得到的结论,是很明显的。就是说,若是问到在俄国哪种借地是支配的呢?是自家经济的么?或是企业家的么?是因于饮食而借地么?是富裕农民的借地么?是农奴的(劳役地租、奴隶的)呢?还是资产阶级的呢?这些问题的答案,只有一个。

"就借地农家的数目来说,无疑的是大部分借地农业者都困于生活而借地。就大部分的农民说来,借地就是经济的奴隶化。就借地的面积来说,无疑的,其半数以上都是在经营资本家的农业的富农、农村资产阶级的手里。"(前揭书)

就是在农民当作自己的私有财产买进的土地,我们也可以看见同样的情形。"20%的富裕农家占有收买地的59.7%—99%,而50%的极贫农家所占有的,不过是占农民收买地全体的0.4%—15.4%而已。"(前揭书)

役蓄的分配,也是与这相当的,即:

在革命以前的俄国,没有马的农民······ 不下300万
有一个马的 ······ 350万
即,农村的全体贫农 ······ 650万
有两个役蓄的农民 ······ 200万,马匹数400万
有三个以上的役蓄的 ······ 150万,马匹数750万
因而农家的1/6,持有全马匹数的半数。

死的工具,即农具的分配,也是和以上役蓄分配表一样。

列宁举了奥尔洛夫县的两个乡做例子,在这里对于100个经营之最

---

① 《列宁全集》第9卷。

新式农具的分配,平均起来如下:

没有马的农家 ································· 0.1

有马的农家 ·································· 0.2

有两个到三个马的农家 ························· 3.5

有四个以上的马的农家 ························· 3.6

在革命以前的俄国的其他地方,也可以看到同样的情形。

最后,在解决农民的分裂问题上,含有极重要的意义的,就是工钱劳动的使用。无论帝制政府或地主们所指导的地方自冶会,对于研究农民间所发生的分裂过程的事情,都不很关心。所以关于俄国全农民的分裂,没有一个正确的可靠的统计。因此,除了用各个的例子以外,没有其他的方法。这不但是对于工钱劳动,就是对于其他一切问题,都是有关系的。

根据列宁的说话,在贝尔姆县的克拉斯洛夫帝姆乡,有过很可宝贵的、关于农业工钱劳动者及农业中最特征的雇佣形态,即日佣劳动的使用之资料之收集。依照这个资料,工钱劳动者的使用如下:

在一定期间内,使用工钱劳动之经营数的百分率。

没有耕地的 ································· 0.15

有 5 亩以下的耕地的 ·························· 0.7

有 5 亩到 10 亩的耕地的 ······················· 4.2

有 10 亩到 20 亩的耕地的 ······················ 17.7

有 20 亩到 50 亩的耕地的 ······················ 50.0

有 50 亩以上的耕地的 ························· 38.1

列宁说:"从这里可以得到这样的结论:富裕农民。无论什么时候,假若没有等待着他们使用的农业劳动者及日佣的大预备军。就不能够存在。有农业劳动者的农家之集中于上层农民群,即富裕农家之转化为企业家,对于这个事实是无条件地支配着的,就是关于有农业劳动者的农家的平均率的统计,在每县都有显著的变动。20%的富裕农家,包含着使用农业劳动者的农家总数之48%—78%。"①

——————————————

① 《列宁全集》第9卷。

所以，无论从哪一点来观察革命前俄国的农业耕作，我们只得到如下的结论。即，资本主义有组织的有规则的分裂农民；从农民分出了首先转化为"资本家的蛋"，其次再转化为真实的资本家的比较少数的富农群。广泛的中农大众，零落而为半农业劳动者，在实质上，他们的财产被剥夺而不得不忍耐着出卖自己的劳动力以糊口。

以上所列的关于农业资本主义关系的发展的统计如前面所述，虽仅仅是特别关于革命前的俄国的东西，但是，同样的情形，可以更加鲜明的，没有例外的，在一切资本主义国家看见。在列宁的许多讨论农业问题的，而且是马克思主义的分析之完美的典型的劳作中，研究了关于丹麦、德国、北美合众国等等许多国家的统计，而到处都达到了同样的结论。这结论就是：

> 根据美国的统计来看，无论在工业上，在农业上，其进化都与这非常的相类似。比较小企业及大企业的数目，更是增加得缓慢的中企业的比率，不断地减少。
>
> 无论在工业上，或农业上，小企业的增加数，比较大企业的增加数更要少些。
>
> 无论在工业上或农业上，小中企业的比率是减少的，大企业的比率是增加的。
>
> 无论在工业上或农业上，大生产都驱逐小生产。

"就已经达到的集积的阶段上看来，无论在哪一点上，农业都非常落后。工业上，11%的大企业的手里，占有全生产的十分之八以上，小企业的作用几乎是不足取的；就是说，企业总数的1/3，不过是占着全生产的5.5%。在农业上，零细经营还占在支配的地位，58%的小企业，占全农场总价值的1/4，18%的大企业所占的还不到半数（47%）的价值。农业上的企业总数，要超过工业上的企业总数20倍以上。"[①]

最近的统计，很确实地证明了在许多年以前的列宁所提出的论纲的正确。

---

① 《列宁全集》第9卷。

例如,试看美洲合众国的农业上大生产之急速的发展,就可以知道。根据第十六次党大会上亚可维列夫所报告的资料说来,"在战后 10 年的期间,北美合众国的牵引机的数目增加到 10 倍以上;1919 年的 8 万架,现在已增加到百万架。并且孔宾的数目从 1910 年到 1928 年之间增加了 8 倍,到了 2 万 8 千架,到现在的确有 4 万 5 千架。而且孔宾在机械的性质上,可以使用货物自动车的普及加强。根据县委员会的统计,货物自动车的数目,在 1928 年是 60 万架,到现在确实有 80 万架。不但是牵引车自身的力量,与这相伴随的孔宾的活动范围,也是逐年增加的"。

虽然技术这样地发达,但是在北美合众国还可以看见农业上之尖锐化的恐慌与恶化。从技术的进步,所得到的一切利益,都被大资本家企业所垄断。大多数农民因为不能够利用资本主义技术的优越,零落于无产阶级化的运命。

"要能够完全使用牵引机及孔宾,只有在千亩以上的经营,按着美国的计算是 200 亩以上的经营,才有可能。然而 200 亩以上的经营,在美国不过是占 3.5% 而已。"

大多数农民的状态是愈加恶化,农民人口的购买力在战后 10 年间减少了。战后恐慌的结果所引起的剪刀形的恐慌,到了 1929 年愈加利害,农民为家族而买进的工业制品的指数是 162,而买进农产物的指数到了 138。

随着农民购买力的减退……对于农民财产的课税,表示着非常的增大。根据农务部的统计,从 1914 年到 1928 年,对于农民财产的课税,增大了两倍半。

因此,农民的借债非常地增大了。负债总额在 1929 年几乎到了 1000 亿。根据委员会的统计,在 1927 年所实现的农产物总收入之中,百分之 17.5% 充作减债基金。在这种情形之下,借地的农民是与年俱增,在 1929 年达到了经营总数的 40%,这并不是可惊的事情。实际上,经营总数的 2/5 是根据借地法而劳动的。

"在最近四年间,每 1000 户农家中,有 108 户'自由了',就是说,因经营不利而出卖;有 123 户因为不能买回担保而由执行状被宣告破产以致出卖;这都不是可惊的事情。

"普通农民以 15 英亩的土地,不能得到'资本的再组织'自己的经济所要的充分的所得,他遇到了这一切事实,就要弃掉锄锹,跑到都市去。单只 20 年之间,农村人口减少了 400 万人。

"可是农民能够这样地去做,还是在市况良好的时期。都市中藏着不知几百万的失业者,而且这个数目是每日增加的,到了现在,他们究竟应当向什么地方逃呢?"

总之,最后的统计数目,不过是证明资本主义在农业上,虽然比在工业上要迟缓些,而在农业上,却断然地开拓了自己的进路。

要想象出在资本主义下的小耕作者——农民的地位上面。奴隶的浮草似的地位,是很困难的事情。

如前所说过的,阻止资本主义发展的一切条件,结果不过是延长农业上小生产的苦恼。

从这里现出了我们在开始所指摘的一切现象,即过度的劳动,想吃而吃不着的半乞食的生活,抬高一切东西的价格,想要维持自己的赤贫的财产的企图等等。

第四节　资本主义下之农业协同组合

在描写资本主义诸条件下小农业的地位时,我们达到了这样的结论,就是他们所能走的道路只有两条。即,比较的小部分的小农,最初开拓了走向列宁所谓"资本家的蛋"群的道路,其次又开拓了走向资本家群的进路。所谓中农之压倒的大多数,必然地充实那些生产手段及生产资料都被掠夺了去的无产阶级的阵列。

可是所谓"协同组合的"社会主义的代表者们,却指出第三条道路,说他们可以依据协同组合,而摆脱在资本主义之下的贫农及中农的地位。

这个见地真是正确的么?现在试再进一步地研究这个问题。

在农业上最普及的东西,是购买组合、贩卖组合及信用组合。

购买组合及贩卖组合,一般的对于小生产者,特殊的对于农民,有着怎样的利益,这是我们所知道的。信用组合因为给与他们以在有利的条件之下的信用,在某种程度上,这是可以使他们脱离农村高利贷的毒牙,在这一点,对于他们是有利的。这一切的协同组合形态——购买组合、贩卖组合，及信用组合——，在农业上是很普及的。

至于生产协同的组合，像上述那样事情，却绝对没有。生产协同组合的任务，非常重大。就是说，它的任务，是在以协同组合的原则为基础，来组织农业的生产过程。所以，生产协同组合，是以耕地面积、活的工具、死的工具等等的结合，即以生产之社会的组织化为前提的。

在资本主义的诸条件之下，生产协同组合，是短命的组织。它并没有与私有资本家的企业对抗的能力。生产协同组合，是以其社员的共同劳动为基础的，所以它不能够采取私有资本家企业所实行的榨取形态。不顾到市场的条件的组合，是不会和资本主义的企业一样，把自己的社员抛到门外去的。为什么呢？因为社员既是这生产协同组合企业的劳动者，同时也是经营者。生产协同组合是最笨重的组织，更不能够很敏捷地适于下述那些条件，即各个资本家散放火花而相斗的资本主义的市场上和猫眼一样的容易变更的诸条件。生产协同组合，通常并没有在工钱劳动的榨取上不受任何拘束的私有资本家企业所有的那种资本。

所以立脚于协同组合原则上的共同耕作之一切试验，首先就遭到很大的失败。即，或者因为内讧，或者因为竞争的打击而倒闭；或者虽然经得起市场斗争，而结局却转化为依存于工钱劳动的榨取的资本主义的形态的组合。

所以，在资本主义之下，生产协同组合之能够集约的发展，只限于如何制油亚尔特尔、榨奶协同组合等等，因为在这些组织是农民不必抛弃对于土地及生产手段的私有权之副业的企业。

可是，协同组合的结合，在资本主义之下，虽然可以比较广泛地普及，并且已经普及了。然而这决不是如"协同组合社会主义者"所想象的，能够把小农业从资本主义的发展轨道移向社会主义的轨道的。最主要的，因为小农业的拥护者们，把资本主义之下的协同组合，当作大生产的反对物，使其与大生产对立，这完全是错误的。事实上正和这相反，在资本主义之下，协同组合本身，只给以享受大农业对于小农业的利益的可能性而已。并且，在资本主义诸条件之下，能够得到协同组合的恩惠的，决不是全体农民层。就是说，放在资本主义竞争漩涡中的一切协同组合的结合,是希望吸收在经济上最有力的社员的。

所以在资本主义的诸条件之下,协同组合本身,本质上是富裕者的团体,由农民的资本主义的要素所把持,是供他们利用以为使无力阶层和贫农奴隶化的工具。

> 根据列宁的话:"德国的牛乳及牛乳制品的贩卖组合,包容了14万的农民及百十万头的牛。全德国贫农的总数是400万,其中成为组合员的不过是4万人。换句话说,每100个贫农之中,参加组合的只有1人。这4万人所有的牛数,共总不过是10万头。中农是100万,其中加入协同组合的是5万人(即每100人中有5人),他们所有的牛数是20万头。最后,富农(即包含地主及富裕农民)是约33万人,其中加入协同组合的是5万人(即百人中17人),所有的牛是80万头。所以我们可以知道,加入牛乳协同组合中之5万人的土地及富农的经营数,比较5万的中农及4万的贫农还要重大些。为什么呢?因为在数字上,后者虽然比前者多,可是前者有更多的协同组合所发卖的牛乳制品中。实际上,对于加入牛乳制品协同组合中之9万贫农及中农所有的30万头牛,5万的地主及富农所有的牛却达到了80万头。根据这大部分的比重来推测,不难知道,这些要素在实质上是协同组合的指导者。他们主要的是要把这组合在资本家的大农生产上,有利益地去利用。"[①]

我们所举的是德国的统计,可是在其他资本主义诸国,也可能看到同样的情形。

加强协同组合之资本主义的倾向的,此外还有许多条件。在许多资本主义的国家里,大农——地主,不但是富农要素所结合的团体的首脑甚至是中农、贫农及农业劳动者们所结合的团体的首脑。

像这样对于大农——资本家同盟的依赖,更以对于资本主义的银行及大

---

① 《列宁全集》第9卷。

产业所结合的资本主义同盟的依赖去补足。所以,农业协同组合,从最高环到最低环,不论它的形态怎样,都是包括在农业同盟、银行、大资本家的企业等强大的资本主义的团体之中。

所以在资本主义的生产方法之下,说起小农业的非资本主义的发展道路,完全是空想。

关于第八篇的研究资料

质问及课题

1.试举在资本主义的农业中所看见的生产关系特征。

2.为什么农产物的价格不能以平均的生产费来决定？

3.课题：假定有从肥沃程度及位置上看到的最劣等土地 A、B 两块，而 A 地比较 B 地，是用优良的生产工具耕作的，那么，农产物的价格是否按着用最劣等的生产工具的最劣等土地，即 B 地上的生产费来决定的呢？

4.第一种土地对于百元的资本支出，产生 2 吨谷物；第二种土地对于 200 元，产生 5 吨；第三种土地对于 150 元产生 4 吨。那么，产生差额地租的是哪种土地呢？假定工业上的平均利润率是 10%，那么，差额地租是多少呢？

注意，这三种土地中的最劣等地，就是特定社会的耕地中之最劣等地。

5.差额地租在怎样的社会的及自然的诸条件之下发生的呢？

6.课题：有两种土地。第一种土地对于百元的资本支出产生 8 担的谷物，第二种土地对于 200 元的资本支出，产生 13 担的谷物。

这两种土地中，哪一种产生出差额地租？工业上的平均利润率是 10%，那么，这个额数是多少？

7.试说明向同一土地追加的支出的资本的生产性的差异可以产生差额地租的理由。

8.农产物的价值是按什么决定的？这这个决定是否与我们以前所讲的价值论相矛盾？

9.试说明差额地租的源泉？

10.绝对地租是为什么产生的？而且从什么源泉来支付？

11.试问绝对地租与独占地租的区别？

12.课题：假如农业上的不变资本是 20 亿元,可变资本是 30 亿元,榨取率是 50%,工业上的平均利润率是 10%,那么农业全体的绝对地租量如何？

13.土地有价值么？它的价值是按什么来决定的？

14.课题：

（1）土地 A 能产生 250 元差额地租,50 元绝对地租,利息率 5 厘,试问土地的价格如何？

（2）差额地租不变,绝对地租增加了 70 元,利息率降低下 3 厘,那么,土地 A 的价格如何？

（3）以建筑物、农具、肥料等等的形态,向土地 B 投下资本 5000 元,这个土地每年产生地租 200 元,利息率 5 厘,那么,这土地的价格如何？

15.课题：

根据列宁关于北美合众国的统计参见①,农场全财产价格的增加额是20551,其中 15000 是地价,5000 是建筑物、役畜及工具（见下表）。

根据以下的统计,试探求收获物分量的增加比较少,而其价格的增加比较大的原因。

1900—1910 年	增	减
全农场财产的价格增加	20440—40991	20551 即增加 100.5%
全谷物价格的增加	1483—2665	增加 79.8%
收获量的增加	4439—4513	增加 1.7%

16.各种地租的发展倾向如何？它怎样反映于资本主义社会的诸阶级间的地位？

17.差额地租与绝对地租之间有什么差异？而且土地国有化在它们之中有什么反应？

18.资本主义的地租与前资本主义的地租,两者的差异在哪一点？

19.差额地租及绝对地租的范畴,可以适用于小规模农业吗？

---

① 《列宁全集》第 9 卷。

20.以什么来说明,农业上小生产的残余?

21.在资本主义的诸条件之下,小农业的发展倾向如何?

22.为什么在资本主义的条件之下,协同组合不能成为走向社会主义的道路呢?

读书资料

A.要更进一步研究地租论,要知道关于这个问题的现在所有的其他诸倾向的批判,可以读列宁选集《经济学的诸问题》——特维莱次基编——(1925年刊)(差额地租与绝对地租)。

23.马斯洛夫学说的误谬,在于哪一点?

24.试说明并批判布尔加可夫对于马克思地租论的反驳。

25.所谓"土地收获递减的法则"的误谬,在什么地方呢?

B.关于农业资本主义发展的问题,可以读《政治生活的诸问题》(《列宁选集》,特维莱次基编辑)中的诸断片及《列宁全集》第9卷中的各节。

（完）

责任编辑:段海宝

图书在版编目(CIP)数据

李达全集.第九卷/汪信砚 主编. —北京:人民出版社,2016.12
ISBN 978 - 7 - 01 - 016904 - 0

Ⅰ.①李…　Ⅱ.①汪…　Ⅲ.①李达(1890—1966)-全集　Ⅳ.①C52

中国版本图书馆 CIP 数据核字(2016)第 260691 号

李达全集
LIDA QUANJI
第九卷

汪信砚　主编

人民出版社 出版发行
(100706 北京市东城区隆福寺街 99 号)

北京新华印刷有限公司印刷　新华书店经销

2016 年 12 月第 1 版　2016 年 12 月北京第 1 次印刷
开本:710 毫米×1000 毫米 1/16　印张:36.75
字数:600 千字

ISBN 978 - 7 - 01 - 016904 - 0　定价:189.00 元

邮购地址 100706　北京市东城区隆福寺街 99 号
人民东方图书销售中心　电话 (010)65250042　65289539